O FENÔMENO HUMANO

PIERRE TEILHARD DE CHARDIN

O FENÔMENO HUMANO

Apresentação
D. PAULO EVARISTO ARNS
Arcebispo Metropolitano de São Paulo

Introdução
Tradução e Notas
JOSÉ LUIZ ARCHANJO, Ph.D.

Editora
Cultrix
SÃO PAULO

Título original: La phénomène humain.

Copyright © 1955 Éditions du Seuil.

Copyright da edição brasileira © 1988 Editora Pensamento-Cultrix Ltda.

1ª edição 1988.

9ª reimpressão 2014.

Todos os direitos reservados. Nenhuma parte deste livro pode ser reproduzida ou usada de qualquer forma ou por qualquer meio, eletrônico ou mecânico, inclusive fotocópias, gravações ou sistema de armazenamento em banco de dados, sem permissão por escrito, exceto nos casos de trechos curtos citados em resenhas críticas ou artigos de revistas.

Dados Internacionais de Catalogação na Publicação (CIP)
(Câmara Brasileira do Livro, SP, Brasil)

Teilhard de Chardin, Pierre.
   O fenômeno humano / Pierre Teilhard de Chardin ; apresentação Paulo Evaristo Arns ; introdução, tradução e notas de José Luiz Archanjo. -- São Paulo : Cultrix, 2006.

   Título original : Le phénomène humain.
   8ª reimpr. da 1ª ed. de 1988.
   ISBN 978-85-316-0168-2

   1. Antropologia filosófica 2. Cosmologia 3. Evolução I. Arns, Paulo Evaristo.
II. Título.

06-8276   CDD-113

Índices para catálogo sistemático:
1. Cosmologia : Filosofia da natureza 113

Direitos de tradução para o Brasil
adquiridos com exclusividade pela
EDITORA PENSAMENTO-CULTRIX LTDA.
Rua Dr. Mário Vicente, 368 – 04270-000 – São Paulo, SP
Fone: (11) 2066-9000 – Fax: (11) 2066-9008
E-mail: atendimento@editoracultrix.com.br
http://www.editoracultrix.com.br
que se reserva a propriedade literária desta tradução.
Foi feito o depósito legal.

Impressão e acabamento: *Orgrafic Gráfica e Editora*

SUMÁRIO

Apresentação, D. Paulo Evaristo Arns	1
Introdução, J. L. Archanjo	3
Prefácio, N. M. Wildiers	16
Advertência	19
Notas	20
Prólogo. Ver	25
Notas	28

I. A PRÉ-VIDA

Capítulo I. *O Estofo do Universo*	41
1. A Matéria Elementar	41
2. A Matéria Total	43
3. A Evolução da Matéria	45
Notas	49
Capítulo II. *O Dentro das Coisas*	57
1. Existência	58
2. Leis Qualitativas de Crescimento	59
3. A Energia Espiritual	62
Notas	65
Capítulo III. *A Terra Juvenil*	71
1. O Fora	71
2. O Dentro	74
Notas	76

II. A VIDA

Capítulo I. *O Aparecimento da Vida*	83
1. O Passo da Vida	84
A) Micro-organismos e Mega-moléculas	85
B) Uma Era Esquecida	87
C) A Revolução Celular	89

2. As Aparências Iniciais da Vida	91
3. A Estação da Vida	96
Notas	100
Capítulo II. *A Expansão da Vida*	115
1. Os Movimentos Elementares da Vida	115
2. As Ramificações da Massa Viva	121
A) Agregações de Crescimento	122
B) Desabrochamentos de Maturidade	123
C) Efeitos de Longes	125
3. A Árvore da Vida	127
A) As Grandes Linhas	127
B) As Dimensões	134
C) A Evidência	138
Notas	140
Capítulo III. *A Terra-Mãe (Deméter)*	160
1. O Fio de Ariadne	161
2. A Ascensão de Consciência	164
3. A Aproximação dos Tempos	167
Notas	172

III. O PENSAMENTO

Capítulo I. *O Nascimento do Pensamento*	185
1. O Passo da Reflexão	186
A) O Passo Elementar: A Hominização do Indivíduo	186
B) O Passo Filético: A Hominização da Espécie	192
C) O Passo Terrestre: A Noosfera	196
2. As Formas Originais	198
Notas	202
Capítulo II. *O Desdobramento da Noosfera*	214
1. A Fase Ramificada dos Pré-Hominianos	214
2. O Feixe dos Neandertalóides	218
3. O Complexo Homo Sapiens	220
4. A Metamorfose Neolítica	222
5. Os Prolongamentos do Neolítico e A Ascensão do Oeste	224
Notas	228
Capítulo III. *A Terra Moderna*	239
1. A Descoberta da Evolução	241
A) A Percepção do Espaço-Tempo	241
B) O Envolvimento na Duração	243
C) A Iluminação	244

2. O Problema da Ação	248
A) A Inquietude Moderna	248
B) As Exigências de Porvir	250
C) O Dilema e a Opção	252
Notas	253

IV. A SOBREVIDA

Capítulo I. *A Saída Coletiva*	273
1. A Confluência de Pensamento	274
A) Coalescência Forçada	274
B) Megassíntese	277
2. O Espírito da Terra	278
A) Humanidade	278
B) Ciência	280
C) Unanimidade	281
Notas	283
Capítulo II. *Para Além do Coletivo: O Hiper-Pessoal*	291
1. A Convergência do Pessoal e o Ponto Ômega	293
A) O Universo-Pessoal	293
B) O Universo Personalizante	295
2. O Amor-Energia	297
3. Os Atributos do Ponto Ômega	300
Notas	303
Capítulo III. *A Terra Final*	317
1. Prognósticos a Descartar	317
2. As Linhas de Abordagem	319
A) A Organização da Pesquisa	320
B) A Descoberta do Objeto Humano	321
C) A Conjunção Ciência-Religião	323
3. O Termo	325
Notas	328
EPÍLOGO. *O Fenômeno Cristão*	337
Notas	342
RESUMO OU POSFÁCIO. *A Essência do Fenômeno Humano*	352
Notas	358
APÊNDICE. *Algumas Observações sobre o Lugar e a Parte que cabem ao Mal num Mundo em Evolução*	368
Notas	370

Sobre o Fenômeno Humano (Textos Complementares) — 375
1. Esclarecimentos — 376
2. Na Base de Minha Atitude — 378
3. Observação Essencial — 380
4. A Propósito da Revisão nº 1 — 382
5. A Propósito da Revisão nº 2 — 383
6. O Fenômeno Humano — 384

Índice Remissivo — 386

Figuras
- O Universo de Dois Infinitos — 53
- Modelo Estrutural da Terra — 77
- Camadas da Atmosfera — 78
- Modelo de Célula — 101
- Desenvolvimento em Camadas de Tetrápodes — 129
- A Árvore da Vida, segundo Cuénot — 137
- Desenvolvimento dos Primatas — 170
- Azimute — 173
- "Onda de Cerebração" — 175
- Espiral, Sinusóide, Hélice — 176
- Pré-Cêntrico, Cêntrico, Eu-Cêntrico — 203-204
- Desenvolvimento da Camada Humana — 215
- Esquema da Convergência — 286
- Curva de Complexidade-Consciência — 361
- Curva da Evolução — 361
- F_1 e F_2 — 366

Apresentação

Todos os caminhos do Povo de Deus — como nos lembrou, diversas vezes, o atual Papa João Paulo II — passam pelo homem.

É o que tenta, igualmente, a síntese *O fenômeno humano*, de Teilhard de Chardin.

Depois de vasculhar amplamente os dados das Ciências Humanas, das Filosofias e das Teologias, chega ele a apresentar-nos o fenômeno integrado na grande evolução cósmica; e é a esta altura que Jesus Cristo, Redentor do homem, Centro do Cosmo e da História, aparece em toda a sua atração reveladora.

Sendo de leitura difícil, a edição em língua portuguesa aparece agora com a vantagem de trazer não só as Notas, indispensáveis para a compreensão da obra mais importante de Teilhard, mas também um Índice Remissivo, que acabou se transformando no léxico ou dicionário teilhardiano mais completo que se conheça.

Acompanhamos o trabalho do autor, desde os tempos em que começou a freqüentar o saudoso e insigne professor e amigo Dom Romano Rezek O.S.B., que a todos surpreendia pelo seu conhecimento profundo do grande humanista francês.

Na hora em que desejamos transmitir ao professor José Luiz Archanjo os nossos agradecimentos pela dedicação insuperável à Ciência e ao desenvolvimento do Brasil, gostaríamos de parabenizar igualmente o leitor brasileiro, que encontrará, nesta obra, o que nenhuma outra edição, em qualquer língua, deve ter apresentado até o dia de hoje.

Teilhard de Chardin, que tanto amou a natureza e tão belos poemas a ela consagrou, há de reencontrar-se, no estilo harmonioso e na espiritualidade de nosso jovem pesquisador.

Mas não seria esta a maior alegria de Teilhard humanista. O jesuíta, que poderia ter guardado tanto ressentimento contra as pessoas que bloquearam a sua caminhada terrestre, veria, nesta tradução de sua obra, a recompensa, por ter amado o homem em sua História e, assim, em sua caminhada em direção a Jesus Cristo.

Teilhard de Chardin, tão exigente consigo mesmo e com a Ciência, ilumina a face do homem e sua identificação sempre crescente com Jesus, consumação última da História humana.

Esta obra é uma síntese. Mas, igualmente, uma lareira, que aquece o seu leitor, neste frio inverno que tenta envolver a humanidade.

Quando tantos apostam na destruição de toda a obra divina, sabe ele colocar o ponto de apoio da alavanca da História naquilo que o cristão exprime com a palavra mais nobre e mais indispensável à nossa época, palavra que se chama ESPERANÇA.

Obrigado, José Luiz, pelo trabalho hercúleo, que revolveu montanhas, para nos permitir o encontro, tão esperado, com o que Teilhard de Chardin buscou em sua espinhosa peregrinação: o Homem e sua destinação divina!

São Paulo, 24 de maio de 1986

PAULO EVARISTO, CARDEAL ARNS
Arcebispo Metropolitano
de São Paulo

Introdução

Um Tempo de Crise

O nosso século XX, mais do que qualquer outro século anterior, já pode ser caracterizado como um "século de crise" em todos os níveis — técnico-científico, político-econômico, econômico-financeiro, humano-social, filosófico-ideológico, teológico-religioso. Indicar esses níveis assim, compostamente, aos pares, é, no mínimo, tentar evidenciar como e quanto os diferentes planos da existência humana (do mais imediato "estar e fazer" ao mais elevado "pensar e crer") estão, mais do que imbricados, organicamente ligados entre si... Este é um tempo de crise.

E é quase supérfluo observar que a magnitude da crise que atravessamos decorre exatamente da organicidade cada vez mais realizada, aos nossos olhos e em nosso ser, daqueles diversos níveis ou planos existenciais e de nós mesmos que os vivenciamos. Somos num universo, o nosso Universo atual. É natural, então, que qualquer abalo em qualquer ponto do grande todo que constituímos se propague, rapidamente — até pela facilidade dos meios de comunicação e, muito mais, pela interdependência de tudo e de todos — aos pontos mais distantes ou opostos, invadindo a realidade inteira e alterando a visão que dela tínhamos até então.

Inútil multiplicar exemplos: da Primeira à Segunda Guerra, da Questão do Petróleo à da Segregação Racial, da Revolução Russa às Guerrilhas, do Existencialismo ao Ontologismo, das Lutas Operárias e Sindicais ao Movimento *Hippie*, do Ecumenismo à Descoberta e Retomada das Místicas Orientais, da "Mater et Magistra" às Teologias da Libertação... Assistimos a uma série de transformações, não raro violentas, que rompem o equilíbrio anterior, abalam o tradicional que, ilusoriamente, "sempre foi", suscitam dúvidas e incertezas, geram tensões, desencadeiam conflitos e propõem uma nova ordem, quer como arranjo da realidade, quer, insistimos, como reformulação de nossa visão sobre ela.

Mesmo sendo "campeões" em termos de crise, é possível olhar para trás e identificar que, em outros tempos, outros mundos — menos vastos do que o nosso, mas não menos "universais" em si — também enfrentaram fases difíceis e graves na evolução das coisas, dos fatos, das idéias. A Guerra de Tróia, a Hegemonia da Macedônia, o Advento do Cristianismo, a Queda do Império Romano, a Invasão dos Bárbaros e depois dos Árabes, a Difusão do Islamismo, a Aventura das Cruzadas, as Grandes Navegações, Descobertas e Invenções... também obrigaram o Homem a reestruturar e a re-conhecer o seu Universo.

Não importa a partir de que ponto, nível ou plano se desencadeia a crise; nem que ponto, nível ou plano ela chega a atingir, pois suas origens e conseqüências sempre ultrapassam amplamente os limites convencionais do tempo. A causa de uma crise pode ser muito anterior à sua época e suas conseqüências podem ir muito além dessa época...

Também não contam as "espacializações" ou classificações lógicas que fazemos no Real. A crise não as respeita no seu avanço invasivo. O Budismo, por exemplo, nasceu na Índia mas estendeu-se ao Tibete, à China e ao Japão, onde continua a revolucionar... A certeza da esfericidade da Terra ou de seu movimento ao redor do Sol foi defendida, acirrada e polemicamente, como teoria, no plano intelectual, muito antes de poder ser confirmada experimentalmente, pelas navegações ou pelos vôos espaciais...

E é, a partir daí, talvez, que se possa afirmar: As crises começam sobretudo na esfera das idéias. Uma nova visão da realidade levando a uma reordenação da realidade...

No século XIII uma grave crise se manifestou no pensamento cristão, a partir da retomada das obras de Aristóteles, escritas dezesseis séculos antes, e a partir dos problemas que aquelas obras suscitavam com a nova perspectiva do mundo que ofereciam. Alguns conservadores da época tentaram resistir e negar, mas Tomás de Aquino teve a coragem de enfrentar o desafio e de resolvê-lo, realizando a monumental síntese ou suma teológica daquela época, até então alimentada sobretudo pela visão de Platão. A iniciativa tomista definiu-se e caracterizou-se pois, histórica e essencialmente, por essa corajosa e inovadora atitude (Aristóteles era um pagão e chegava ao Ocidente pelas mãos dos árabes infiéis...) de assimilar dados e informações estranhos e recentes para a época. Sinal dos tempos: uns se entusiasmaram e muitos outros se escandalizaram, ao ponto de fazer com que a doutrina tomista fosse atingida por condenações oficiais... O tempo passou, o mundo mudou, a crise foi superada e Tomás de Aquino tornou-se o Doutor Angélico, foi canonizado e continua fundamentando gerações e gerações de filósofos, nem sempre tão ousados e corajosos quanto ele...

De lá para cá, contudo, quantas inovações críticas não surgiram, no estrito domínio do saber? Para respigar quase ao acaso, em diversos campos desse mesmo domínio, e registrar movimentos desencadeadores ou superadores de crise, lembremos que, desde então, Copérnico e Galileu anunciaram o heliocentrismo, o Sagrado Coração se revelou a Margarida Maria Alacoque, Buffon fundou a Geologia Moderna, Maupertuis e Geoffroy Saint-Hilaire formularam e afirmaram o Transformismo, Laplace lançou a hipótese cosmogônica, Sadi Carnot fundou a Termodinâmica, Darwin propôs a Origem das Espécies, Clausius definiu a Entropia, Marx escreveu *O Capital* e Leão XIII a *Rerum Novarum*, Dubois encontrou o primeiro crânio pitecantrópico, os Curie descobriram o polônio e o rádio, Max Planck teorizou os Quanta, Russell estabeleceu os tipos e a evolução das estrelas, Penck e Brückner divulgaram o sistema cronológico fundado em glaciações, Einstein apresentou a Teoria da Relatividade restrita (equivalência matéria-energia) e depois generalizada, Bergson intuiu a Evolução Criadora, Suess identificou a realidade de uma Biosfera, Wegener constatou a deriva dos continentes, Spengler denunciou o declínio do Ocidente, Huxley sugeriu uma Religião sem Revelação, Heisenberg introduziu o Princípio de Incerteza, Muller obteve mutações experimentais através dos raios X,

Lawrence conseguiu acelerar partículas, surgiu ENIAC, a primeira grande máquina de calcular eletrônica, Hiroxima e Nagasaki foram bombardeadas atomicamente, fundou-se a UNESCO, Wiener falou em Cibernética, Mounier formulou o Personalismo, Pio XII divulgou a "Humani Generis" sobre o monogenismo... e Teilhard de Chardin, consciente de tudo isso, instaurou a sua Hiperfísica, tentando a monumental síntese ou suma científico-filosófico-teológica de sua época.

Em que pese o maior ou menor alcance e o grau de êxito e repercussão dessas audaciosas tentativas de *síntese* — nem todas, de fato, pretendendo chegar ou chegando a uma *sistematização* superadora de crise — cada qual delas foi um sucesso, no sentido de que sucedeu, aconteceu, ocorreu, respondendo às indagações de todos com a proposta de uma nova ordem; e legando aos que não aceitaram essa proposta, o desafio, a espinhosa tarefa de compreendê-la para poder, honestamente, rejeitá-la.

A Superação Teilhardiana

A visão de Teilhard de Chardin como tentativa de superação de um tempo crítico e como proposta de uma nova ordem, inscreve-se definitivamente entre as grandes iniciativas de síntese do século XX e de todos os tempos, deflagrando-se, além disso, em diversos campos do saber e da crença, com imediatas e profundas repercussões nos mais diversos campos da presença e da ação.

Portanto, sejamos francos e objetivos e abandonemos de vez os preconceitos conservadores. A verdade é que Teilhard de Chardin foi e é um gênio universal. Chega de se acantonar comodamente neste ou naquele plano de pensamento e desdenhar a hercúlea tarefa daquele que ousou tentar apreender todo o Real, com argumentos do tipo: "É um poeta visionário e delirante que confunde Ciência, Filosofia e Religião"... "É um cientista que filosofa a contragosto"... "É um místico sem base ou autoridade filosófica"... Ah! Fossem os nossos poetas tão videntes e vice-versa! Conseguissem os nossos cientistas refletir até o fim! Conseguissem as nossas autoridades filosóficas se embasar tanto na realidade como alimentar uma mínima parcela daquela chama mística!

O fato é que a universalidade dos gênios ultrapassa — e isso sempre incomoda — a limitação dos medíocres. O valor e prestígio internacional do cientista são inegáveis. O zelo e o fervor do místico inflamam. A curiosa, apaixonada e persistente busca da verdade — primeira característica do filósofo — é patente. Que nomes lhe vamos dar? Poeta... Visionário...

Mas até esses lhe cabem. Poeta, enquanto criador de um universo harmonioso. Visionário, enquanto capaz de ver para além da crise.

Delirante? Confuso? Obscuro? Ingênuo?

Ora, de tudo isso e muito mais já foram tachados os grandes iniciados e iniciadores da Humanidade. E, ademais, como compreender e justificar seus seguidores? Centenas, milhares de artigos, monografias, teses nas universidades de todo o mundo: volumes e volumes de tradução, comentários e discussões de sua obra;

livros, publicações, conferências, debates, simpósios, congressos sobre suas idéias; vidas dedicadas à pesquisa, ao estudo, à divulgação de sua visão... Isso há, no mínimo, três décadas e em proporções crescentes. Quem são esses? Outros tantos delirantes, ingênuos, ignorantes, imbecis? Desprovidos de bom-senso, inteligência, razão, critério, formação, cultura, fundamentos? É possível viver a vida inteira um erro ou uma ilusão e ainda encontrar quem nos siga e adote ou endosse o nosso fracasso?

A todas as críticas sumárias e descartantes — para não serem elas mesmas descartáveis — resta o desafio de justificação que constitui essa multidão de jovens ou velhos cientistas, pensadores, religiosos, trabalhadores, políticos, artistas, humanistas e tantos mais que, como o próprio sábio jesuíta, encontraram o equilíbrio de suas vidas numa determinada visão por ele proposta e aí descobriram a sua "alegria e coragem de agir". Pessoas que, nostálgicas do Absoluto, puderam enfim divisá-lo no Mundo, no dia-a-dia, e, mais além, na perspectiva de eternidade. Pessoas que, tendo vivido, pesquisado, lido, estudado, refletido, e meditado, chegaram a *ver* e, tendo visto, puderam passar a viver numa tal atmosfera de plenitude, que não abdicarão dessa visão a não ser que se lhes apresente uma outra mais coerente e mais fecunda. Homens deste tempo, deste século, de crise portanto, que só aceitarão — por eternas que sejam — verdades e valores audíveis, compreensíveis e vivenciáveis, aqui e agora, apontando-lhes uma saída irreversível de ultrapassagem e superação deste espaço-tempo crítico. Homens dispostos a reconhecer um Universo, o seu, em processo evolutivo, colaborar com ele e transcendê-lo, imortalizando-se. Homens, enfim, carentes do Divino.

Volto irrepremivelmente à lembrança de Svetlana, a jovem russa, estudante de filosofia, que, num 1º de maio, há mais de vinte anos, em Moscou, reconhecia e me confessava — e que conquista para ela chegar a tanto! — ser mais importante o Futuro e o Ideal que a estátua apontava do que o Lenine, feito estátua, apontando...

De Aristóteles a Teilhard de Chardin... Da *Física* à *Hiperfísica*... o que importa é *o que se vê*, mais do que *quem vê* ou *como o vê*. "O objeto é mais precioso que sua ciência", como dizia Teilhard.

Romano Resek, O.S.B., com a simplicidade e segurança de quem *viu*, pondera:

> "No 1º século a.C., Andronico de Rodes organizou as obras de Aristóteles. De um lado, ele colocou aquelas que tratavam da Física (a Natureza, Fysiké akróasis) e de outro, tà *metà* tà fysiká, isto é, o que chamamos hoje de *Metafísica*. Se, em lugar do termo *metà* ele tivesse escrito *hyper*, chamaríamos a *sophia* ou a *filosofia primeira* (philosophia proté) não de Metafísica mas de Hiperfísica. Assim teríamos hoje uma *Física*, quer dizer, um conjunto de *todas* as ciências da natureza, e uma *Hiperfísica* que, partindo de uma Física generalizada, chegaria à altura daquilo que durante 20 séculos chamou-se de Metafísica. Essa Hiperfísica seria pois uma nova Metafísica, válida para um Universo cosmo-, bio-, noo- e cristo*genético*. Sabemos que uma tal hipótese pareceria inverossímil e sacrílega aos olhos dos metafísicos clássicos (...) — queríamos fazer compreender '*para aqueles que vêem*' o que significa nossa hipótese (...) Teilhard poderia ser o *Aristóteles* do Universo evolutivo." (Cf. *De la physique à l'hyperphysique*, em *Leopoldianum*, Santos, 1975, volume II, pp. 9-18.)

Nem todos, porém, viram ou vêem com tal objetividade. E a própria vida de Teilhard, que morreu quase aos 75 anos, foi uma sucessão de lutas sem fim para, além de ver, ele próprio, cada vez mais claramente, fazer os outros verem. O que, especificamente?

A Própria Visão é a Saída

Primeiro, que o próprio *ver* é condição humana. Ver melhor é saber mais, é conhecer, é ser mais, porque consiste em organizar sempre mais perfeitamente as linhas do Real à nossa volta e, assim, em evidenciar a significação geral dos seres e dos acontecimentos para poder atuar com ela e a partir dela.

Depois — reconhecendo que o Real é *gênese*, processo evolutivo — compreender que conhecer é também co-nascer, uma vez que, no nosso reconhecimento do Mundo, o próprio Mundo renasce para nós que, nele, com ele e por ele, vamos renascendo e co-nascendo também.

Em seguida, dar-se conta de que esse processo co-natural só é possível ao Homem, graças à Reflexão. O Homem não é apenas o animal racional, como queria Aristóteles, mas é o animal reflexivo. O Homem não é apenas "um ser que sabe", mas "um ser que sabe que sabe". Consciência ao quadrado, à segunda potência... que dá acesso a um novo nível do Real: o Universal pensado. Que cortejo de conseqüências para a nossa percepção (inclusive das crises...)!

Essa consciência permite ao Homem perceber-se a si próprio como chave de compreensão, centro de perspectiva de todo o Real onde ele tem um lugar, portanto, e um lugar decisivo; e, simultaneamente, descobrir-se capaz de estruturar esse mesmo Real a partir de seu saber e também do seu fazer. Eis como da *visão* chega-se à *ação*.

Mas fiquemos ainda na *visão*. Ela é o saber do Homem que pode analisar o Real, compartimentando-o, ou sintetizá-lo, unificando-o. E para sintetizá-lo, o Homem terá que sintetizar a si próprio, no seu saber; sintetizar todos os seus conhecimentos, os resultados de sua(s) ciência(s), de sua(s) filosofia(s), de sua(s) teologia(s), já que nesse Real terão que estar harmonizados e "caber": o seu Mundo, ele próprio e um Absoluto que os sustente.

Teilhard, como outros antes dele em seus respectivos mundos, em meio às suas crises, percebe que a tarefa é imensa. Mas, como outros antes dele, também não se intimida. Humilde mas persistentemente, paciente mas tenazmente, ele se propõe a essa síntese.

Demonstrar que avançamos, como que em meio às dores de um grande parto, para um *mais-ser*, um ser mais pleno e definitivo; porque o Universo, o nosso Universo, não apenas *está em* evolução, mas *é* uma evolução. E uma evolução que se vai, malgrado as aparências, orientando progressivamente para o Espírito. Espírito que, no Homem, se consuma e aperfeiçoa no Pessoal, do qual a realização suprema é o Cristo-Universal — um centro psíquico e espiritual, mas também absolutamente real, de reunião e consolidação universal. Há, portanto, uma obra ou missão, essencialmente humana, a assumir, neste "olho do furacão", neste momento de crise em que nos encontramos: construir o Porvir. O Mundo é também áspero minério a ser polido até se tornar espelho apto a refletir a face de Deus.

Como passar essas certezas para quem luta e sofre no dia-a-dia, batendo-se na selva da sobrevivência, no safári da competição, por entre a ferocidade das paixões humanas e em meio à agressividade e à violência de uma civilização — do ter e do poder — que se tornou hostil? Encontrar as palavras, porque não se põe vinho novo em odre velho...

Encontrar as palavras adequadas, palavras que consigam expressar uma nova visão que, por sua vez, registre e estruture uma nova realidade que é renovação contínua... É luta incessante. Sugerir, sem fixar, novas idéias... Captar, por aproximações sucessivas, novas, outras dimensões... Criar ou recriar vocábulos na tarefa adâmica de dar nome às coisas... Coisas que, contudo, *não são* mas *se tornam*, já que o Universo é um processo contínuo... Apreender, então, ao menos, as secretas orientações desse Universo *in fieri*. Ir operando uma *síntese viva* e portanto sempre provisória, sem pretensão do definitivo, quer dizer, reconhecendo sempre a possibilidade de ultrapassagem e superação, em outras sínteses.

Eis por que a linguagem de Teilhard é "poética" (o que, nem no Brasil, deveria ser necessariamente sinônimo de "romântica" ou "simbólica"...), isto é, criativa inédita, inaugural. E também semeada de neologismos, sempre com fundamentada significação etimológica, mas também com forte carga sugestiva até por assonâncias que devem suscitar novas idéias.

Importa a Teilhard passar a sua visão e quando a palavra, mesmo criada ou recriada, ainda é insuficiente, limitada ou estática demais para apreender um aspecto da realidade mais amplo ou mais dinâmico, ele — por inspiração científica anglo-saxônica ou por hábito às regras da Sistemática, da Semântica dos Zoólogos e Antropólogos — recorre ao emprego de maiúsculas. E também a imagens, analogias, comparações...

Poderia o seu próprio *universo de discurso* desviá-lo do *universo real* que pretende apreender e estruturar?

Afasta-o desse risco, no mínimo, a sua intenção intransigente de permanecer sempre baseado no plano do estritamente experimental, evitando qualquer recurso à metafísica clássica ou à teologia revelada. Ele quer ver o Mundo a partir da imensa base do nosso conhecimento sensível, como um naturalista, um físico. Mas para tanto terá que operar uma verdadeira revolução nas próprias perspectivas da Física, pois nessa não existe lugar para o Homem e tudo quanto ele comporta de imaterialidade ou espiritualidade.

E então? Criar uma "Física do Espírito", construir, sobre as bases científicas modernas, a grande "Física (no sentido dos gregos) do Real", um "Saber do Todo" que dê lugar a si próprio, isto é, ao Pensamento Humano estruturante do Real.

Mas que esse próprio Pensamento seja ele também encarado tão fisicamente quanto um fato desse Real, um fenômeno: o Fenômeno Humano.

Desde 1925, o projeto se esboça e toma corpo, explicitamente, na produção intelectual de Teilhard. (Cf. *L'hominisation* — que tem por subtítulo: *Introdução a um estudo científico do fenômeno humano.*)

Dois textos homônimos (*Le phenomène humain*), datados de 1928 e de 1930, insistem na necessidade de abrir na Física atual, enquanto compreensão sistemática de toda a Natureza, um lugar para o Pensamento. Fazer cair o tabique que, a seu ver, compartimenta indevidamente a nossa visão do Mundo em domínios estanques — Ciências do Homem, Ciências da Natureza... e esboçar, esquematicamente, os contornos possíveis de um Universo, em que as propriedades especificamente humanas (Reflexão, Pensamento) entrem como dimensão reconhecidamente nova — é sua intensão prioritária. Essa nova dimensão já existe no Real, basta introduzi-la agora em nossa *visão* do Real para nele fazê-la operante.

Através desses e de muitos outros escritos vão se delineando no espírito e na obra de Teilhard os fundamentos de sua Hiperfísica que — enquanto atuação de um tipo de saber e aplicação de um método, o método fenomenológico-científico — encontra um de seus grandes momentos na redação da presente obra, entre 1938 e 1940. É o homem sofrido e maduro, é o sacerdote leal e fiel à Igreja e à Companhia de Jesus, é o cientista consagrado internacionalmente, mas sobretudo é o sábio e pensador experiente e corajosamente inovador e de espírito jovem, que a escreve. Ninguém, absolutamente ninguém, naquele momento (de crises agudas em todos os campos) estava melhor qualificado do que ele para essa tentativa de síntese: simplesmente porque ninguém tinha em mãos todos os dados — científicos, filosóficos e religiosos — e as condições pessoais de que ele dispunha para ousar.

A falta de aprovação eclesiástica para a publicação de seu trabalho ou as resistências dos filósofos e teólogos "profissionais" não impediram o acolhimento dos meios científicos e intelectuais e, sobretudo, o entusiasmo de seus leitores, particularmente a partir de 1955 quando, depois de sua morte, toda a sua obra deixou a semiclandestinidade dos textos policopiados, e passou a ser editada pelas Éditions du Seuil, e traduzida em vários idiomas. No Brasil, começou a chegar dez anos depois, mas disso falaremos adiante.

Críticas e Elogios

Importante é registrar que a luta teilhardiana pela Verdade, visão que nos deve libertar, prosseguiu e até se intensificou junto aos espíritos também dispostos a "ver", após a sua morte.

Pouco interessa descer aqui às deploráveis polêmicas jornalísticas, meros alaridos escandalizados dos conservadores que, em todos os tempos, proibiram o Mundo de se mexer, interditaram ao Homem descobrir e até pretenderam comandar a Revelação divina...

Registremos tão-somente as posições da autoridade eclesiástica face à obra teilhardiana rápida e extensamente divulgada.

Em 13 de novembro ou 6 de dezembro de 1957, um decreto do Santo Ofício — que em 1955 já enviara nota ao Arcebispado de Paris, para que fosse detida a publicação das obras, nas Éditions du Seuil — decide que os livros do Pe. Teilhard de Chardin devem ser retirados das bibliotecas dos seminários e das instituições religiosas; não se devem expor à venda nas livrarias católicas, e não se devem traduzir em outras línguas. Esse decreto chega em forma de circular a todos os bispos. A verdade é que, praticamente, a medida disciplinar foi tão pouco obedecida que, cinco anos depois, um novo decreto é baixado.

Trata-se do *Monitum* ("Advertência" e não "Condenação" como pretendiam alguns) de 1962. O texto (publicado em latim na *Acta Apostolicae Sedis*, p. 526, em agosto de 1962, como uma decisão da então *Suprema Sacra Congregatio S. Officii*, mas divulgado no *L'Osservatore Romano*, pouco antes, em 1º de julho de 1962, e seguido de Comentários) é o seguinte:

"Estão sendo divulgadas, mesmo publicadas depois da morte do autor, as obras do padre Teilhard de Chardin, que alcançam sucesso considerável. Pondo de parte o que diz respeito às ciências positivas, é bastante evidente que, em matéria filosófica e teológica, essas obras são fartas em tais ambigüidades e até em graves erros que ofendem a doutrina católica. E por isso os eminentíssimos e reverendíssimos padres da Suprema Congregação do Santo Ofício exortam todos os Ordinários, os superiores dos Institutos Religiosos, os superiores dos Seminários e os reitores das Universidades, para que protejam os espíritos, principalmente os dos jovens, contra os perigos das obras de Teilhard de Chardin e de seus discípulos.

Roma, no Palácio do Santo Ofício, 30 de junho de 1962
Sebastiano Masala, notário"

No *L'Osservatore Romano*, seguem-se Comentários, sem assinatura, sobre o conceito de Criação; as relações entre Deus e o Mundo; o Cristo; Criação, Encarnação e Redenção; Espírito e Matéria; o Pecado; o lugar do mundo na ascese (*sic*) do Pe. Teilhard de Chardin; o livro do Pe. de Lubac (*La pensée religieuse du Père Teilhard de Chardin*, Ed. Aubier, 1962, 375 pp.). Romano Rezek, num magistral artigo, "Novos resultados no 'caso Teilhard'?", publicado em *Perspectiva Teológica*, Belo Horizonte, 1981, nºs 29-31, pp. 75-94 e em outras revistas nacionais e estrangeiras, analisa o *Monitum* e os *Comentários*, bem como os demais documentos a que nos referimos em seguida.

Observe-se que, em nenhum lugar em que foram publicados, nem mesmo no *L'Osservatore Romano*, há menção de que o texto do *Monitum* e seus Comentários tivessem sido vistos ou autorizados pelo Santo Padre, e que João XXIII, solicitado a se pronunciar sobre o caso, respondeu aos jornalistas "Deixem-me em paz, é uma história lamentável!".

O fato é que, a "Suprema e Sagrada Congregação do Santo Ofício" foi, pouco mais tarde, rebatizada: "Defesa da Fé"... e que, na prática, o texto, além de constatar o sucesso das obras de Teilhard, não ordena que sua leitura seja impedida, mas que os leitores sobretudo jovens sejam advertidos quanto aos perigos que ali existem. A venda e a tradução das obras também não são proibidas.

Desde então, uma verdadeira maré bibliográfica de todo tipo de publicações — "pró" e "contra" — invadiu as livrarias e bibliotecas de todo o mundo (Cf. Romano Rezek, *Les premières 15 années* (*1955-1970*), C. D. T., São Paulo, 1973, 358 pp.). Paulatina, mas regularmente, as Éditions du Seuil prosseguiram na edição oficial das *Oeuvres*, concluindo com o décimo terceiro volume em 1976. Os textos ainda inéditos poderiam perfazer pelo menos mais meia dúzia de volumes... Há ainda os escritos estritamente científicos. Eles compõem os onze volumes de *Pierre Teilhard de Chardin. L'oeuvre scientifique*, seleção e edição de Nicole e Karl Schmitz-Moormann, Walter-Verlag, Ólten und Freiburg im Bresgau, 1971. E há ainda toda a *Correspondência*, de 1905 a 1955, já parcialmente divulgada em pelo menos dez volumes.

As direções tomadas pelo Concílio Vaticano II (*Gaudium et Spes*), a primeira frase da primeira encíclica de João Paulo II ("O Redentor do homem, Jesus Cristo, é o centro do Cosmo e da história"...) não deixam de constituir índices significativos de uma nova atitude da Igreja diante da obra de Teilhard. No mínimo, para tomar posição viável e orientadora diante de um *fato* (a divulgação e o sucesso das obras) que ocorreu sem a sua prévia permissão (e quanto foi solicitada, mesmo pelo próprio Teilhard!...), sem a sua posterior autorização e até, apesar de suas advertências...

Assim, em 10 de junho de 1981, lia-se na primeira página do *L'Osservatore Romano*:

"Por ocasião do Centenário do nascimento do Pe. Teilhard de Chardin. Carta do Cardeal Casaroli ao Reitor do Instituto Católico de Paris.

Por ocasião do centenário do nascimento do Padre Teilhard de Chardin, o Cardeal Secretário de Estado, Agostinho Casaroli, enviou a 12 de maio último a Mons. Paul Poupard, Reitor do Instituto Católico de Paris, sob a presidência do qual se realizou um encontro em honra do estudioso, a seguinte carta:

Excelência,

A Comunidade científica internacional e, em maior escala, o mundo intelectual inteiro prepararam-se para celebrar o centenário do nascimento do Padre Pierre Teilhard de Chardin. O eco surpreendente de suas pesquisas, unido ao brilho da sua personalidade e à riqueza do seu pensamento, marcaram de modo duradouro a nossa época.

Uma forte intuição poética do profundo valor da natureza, uma percepção aguda do dinamismo da criação, uma larga visão do futuro do mundo conjugavam-se nele com um fervor religioso inegável.

Do mesmo modo, a sua vontade contínua de diálogo com a ciência do seu tempo e o seu otimismo intrépido perante a evolução do mundo deram às suas intuições, através do fulgor das palavras e da magia das imagens, considerável ressonância.

Inteiramente orientada para o futuro, esta síntese de expressão não raro lírica e permeada pela paixão do universal terá contribuído para devolver aos homens assaltados pela dúvida o sabor da esperança. Mas ao mesmo tempo, a complexidade dos problemas tratados, como a variedade das tentativas utilizadas, não deixaram de levantar dificuldades que motivam justamente um estudo crítico e sereno — tanto no plano científico como filosófico e teológico — desta obra fora do comum.

Nada leva a duvidar que as celebrações do Centenário no Instituto Católico de Paris ou no Museu de História Natural, na UNESCO como em Notre-Dame de Paris, sejam, sob este ponto de vista, ocasião para um confronto estimulante, para uma justa distinção metodológica dos planos, em benefício de uma rigorosa investigação epistemológica.

Certamente o nosso tempo conservará, para além das dificuldades da concepção e das deficiências da expressão desta audaciosa tentativa de síntese, o testemunho da vida unificada de um homem tomado por Cristo nas profundidades do seu ser, e que teve o cuidado de reverenciar ao mesmo tempo a fé e a razão, respondendo, como que antecipadamente, ao apelo de João Paulo II: 'Não receeis, abri, abri de par em par, as portas a Cristo, os imensos campos da cultura, da civilização e do desenvolvimento'.

Sinto-me feliz em lhe transmitir esta mensagem, em nome do Santo Padre, para todos os participantes do colóquio a que Vossa Excelência preside, no Instituto Católico de Paris, e asseguro-lhe minha fiel devoção. Agostinho, Cardeal Casaroli."

Houve quem, entusiasticamente, clamasse: "É a revisão do *Monitum*! Eis Teilhard enfim reabilitado!..."

Houve quem, amargamente, ponderasse: "Teilhard não precisa sequer de avaliação por parte daqueles que tudo fizeram para mantê-lo calado e que, de algum modo, já o julgaram e quase o condenaram..."

E, somando as duas posturas, não faltou nem mesmo quem ironizasse: "Se a fé católica é imutável, como explicar que o julgamento dado pela Igreja de Roma tenha mudado de acento neste assunto?..."

Talvez por isso, pouco mais de um mês depois, em 12 de julho de 1981, lia-se novamente na primeira página do *L'Osservatore Romano,* um *Comunicato della Sala Stampa della Santa Sede* (comunicado de imprensa) que, depois de algumas considerações, conclui:

"Longe de constituir uma revisão das precedentes tomadas de posição da Santa Sé, a carta do Cardeal Casaroli exprime reservas, em várias passagens — reservas que alguns jornais calaram —, as quais se referem precisamente ao juízo dado pelo *Monitum* de junho de 1962, embora esse documento não seja mencionado de modo explícito".

Como ficamos? Água na fervura e tudo à estaca zero?... Ou, ceticamente, sacudimos os ombros, concluindo: "Digam o que disserem, tanto faz... *Eppur si muove...* Aliás, o Santo Padre já pediu perdão, em nome dos cristãos que interpretaram mal o caso Galileu..."

Bem, acreditamos que não cabe nem uma atitude nem outra. A carta de Casaroli desta vez, "em nome do Santo Padre" — em que pesem os elogios e as críticas camufladas (sobretudo a insistência no caráter "poético", "mágico", "lírico" etc. da síntese e da linguagem... a menção indefinida de "variedade de tentativas utilizadas"... a necessidade de estudo crítico e sereno *também* "no plano científico" ... de "justa distinção metodológica de planos"... o registro de "deficiências de expressão"...) — para nós, evidencia *ainda* o quão pouco *ainda* Teilhard foi lido e estudado, e portanto compreendido.

Quem e quando se disporá a ler, reler, treler... — como nós mesmos o fizemos — *todos* os escritos de Teilhard?

O Passo Decisivo

Há exatamente vinte e dois anos — sob a orientação de Romano Rezek e motivados não só por curiosidade intelectual mas também por necessidade existencial, filosófica e religiosa de obter respostas a perguntas que nos angustiavam e às quais dois cursos superiores de Filosofia, com seus mestres, ensinamentos, trabalhos e bibliografias não logravam responder — dispusemo-nos à titânica mas fascinante tarefa de *estudar* todos os textos (e como ajudamos a "caçar" inéditos pelo mundo afora!...) teilhardianos, em ordem cronológica. Da *terceira* leitura crítica ordenada, assim resultou a nossa tese de doutoramento (*A hiperfísica de Pierre Teilhard de Chardin*, São Paulo, 1974, 908 pp.). Das demais — que ainda hoje recomeçam — foram resultando aulas, conferências, cursos, entrevistas na TV, artigos em revistas especializadas e na imprensa de divulgação, traduções comentadas (e sobretudo Vida, Apostolado, "Coragem e Alegria de Agir", Felicidade!), que nos valeram o título de "representante oficial da Fondation Teilhard de Chardin no Brasil" e o direito de realizar, revisar, controlar e aprovar todas as traduções das obras de Teilhard que venham a ser publicadas no Brasil. Uma permissão especial: anotar essas obras.

O projeto de uma tradução comentada, verdadeira "edição crítica" da obra-mestra *O fenômeno humano* de há muito nos desafiava. E tornou-se absolutamente exigente quando tomamos conhecimento de um projeto de tese com o título *Um milhão de erros na tradução portuguesa de O fenômeno humano*. Evidentemente o autor descia às minúcias dos erros tipográficos, mas "um milhão" era demais... sobretudo numa tradução que, desde 1965, se editava e reeditava, *sem revisão*... Mas havia nossas limitações de toda a ordem, havia o problema dos direitos que não estavam à venda, havia a nossa exigência intransigente de só trabalhar no texto podendo anotá-lo (permissão jamais concedida nem para a edição original francesa nem para qualquer tradução em qualquer parte do mundo...).

Finalmente, graças à lucidez generosa da falecida Mlle. Jeanne Mortier, legatária oficial dos escritos de Teilhard, e de Mme. Simone Clair-Michot, sua sucessora no Secretariado Geral da Fondation Teilhard, graças ao incentivo e apoio do sempre mestre Romano Rezek e da persistência pacientíssima do Sr. Diaulas Riedel, editor da CULTRIX, e — por que não dizer? — graças à compreensão e estímulo de pessoas amigas e amadas, mas, sobretudo, graças à solicitação insistente de muitos interessados na visão de Teilhard e também dispostos a *ver*... a tarefa se cumpriu.

Nosso critério básico foi simples: apresentar ao público leitor, interessado e de cultura ou formação técnica média, um volume que o dispensasse de "sair do livro"; um texto, com "dificuldades" de toda ordem, mas acompanhado de tantas e tão minuciosas notas de todo tipo, que o eximisse de ir aos dicionários, às enciclopédias, aos compêndios ou aos tratados genéricos ou especializados.

Teilhard, gênio universal, cultura vastíssima, percorre com desenvoltura os mais variados campos do saber e, nesta obra em especial, atuando já hiperfisicamente para operar a grande síntese de sua visão, não poupa recurso a qualquer universo de discurso: praticamente todas as ciências, naturais e humanas. Procuramos, humildemente, acompanhá-lo, frase por frase, palavra por palavra, para que nada se perdesse em compreensão. Assim, ao lado de comentários acerca do mais estritamente técnico-especializado ou até terminológico, o leitor encontrará, por vezes, o comentário acerca do que lhe parecerá óbvio. Conscienciosamente, em cada caso de dúvida (está suficientemente claro? estará o leitor já ciente?...), optamos sempre por explicitar.

Nossas *Notas* não devem, porém, jamais sobrecarregar um texto, em si mesmo e mais ainda em certas passagens, já bastante pesado; por isso elas são colocadas como que à parte do texto, ao final de cada capítulo (para facilitar sua consulta). No texto, elas são indicadas por algarismos e distinguem-se das Notas do Autor, por virem, nestas, os algarismos seguidos de um asterisco (*). Essas Notas do Autor são de consulta e leitura imprescindíveis.

Muitas notas incluem citações de outros textos de Teilhard, que podem esclarecer o termo ou expressão em questão. Citamos esses textos, e não apenas os indicamos, porque levamos em conta que o leitor desta tradução talvez não tenha a possibilidade de recorrer a eles no original e também porque sabemos não haver projetos, a curto ou médio prazo, desses textos, ou todos os textos de Teilhard, virem a ser traduzidos e publicados no Brasil. São textos o quanto possível redigidos na mesma época de redação de *O fenômeno humano* ou, então, no mais das vezes, preferencialmente, posteriores a ela, sobretudo nos casos em que se trata de qualquer noção mais bem elaborada, retocada, ampliada ou aperfeiçoada pelo Autor, até o fim de sua vida.

Essas Notas, por outro lado, podem constituir um efetivo léxico ou vocabulário técnico teilhardiano em português. (Em francês, a melhor, mas nem por isso completa, tentativa que conhecemos é a de Claude Cuénot, *Nouveau lexique Teilhard de Chardin*, Éditions du Seuil, Paris, 1968, 224 pp. — excelente prefácio do autor.) Em 1951, o próprio Teilhard rabiscou numa folha de papel uma lista de palavras sob o título *?Faire un 'lexique' de mes termes (notions)*, mas não chegou nunca a realizar esse projeto, ainda que muitas de suas anotações pessoais, sobretudo nos cadernos de *Journal* e de *Notes et esquisses* estejam repletas de "semiverbetes", sinonímias, exemplos e "autocitações".

Atentando, porém, ao fato de que há noções tão amplas e dinâmicas que abrangem mais de um sentido conforme o texto em questão, desistimos da intenção primeira de organizar uma espécie de "dicionário" a ser anexado à obra. Em vez disso, apresentamos ao final, um *Índice Remissivo*, não o mais minucioso nem o mais completo, no qual estão relacionados termos ou expressões, seguidos dos números das páginas do texto em que aparecem. Nem sempre esses termos e expressões são comentados em nota na primeira vez em que aparecem. Caberá então ao leitor procurar nas demais páginas mencionadas até encontrá-los, seguidos de um algarismo indicativo de nota ou comentário. Assim procedemos para evitar, em alguns casos, "pôr o carro adiante dos bois" antecipando precocemente uma compreensão que a seqüência do próprio texto se propõe e se encarrega de amadurecer.

Conservamos e traduzimos o *Prefácio* da edição francesa, por considerá-lo um excelente e interessante estudo de N. M. Wildiers no sentido de preparar o espírito do leitor para o Universo em que adentrará a seguir, não obstante a *Advertência* e o *Prólogo* do próprio Autor também o fazerem magistralmente.

De todas as obras consultadas para a tradução, notas e comentários (e já se calculará quantas...) dispensamo-nos indicações explícitas, mas cabe consignar o recurso constante à *Grande Enciclopédia Larousse* e ao novo dicionário do mestre Aurélio Buarque de Holanda Ferreira.

Ao final da obra, ainda após o Resumo ou Posfácio do Autor, apresentamos seis pequenos textos complementares a ela concernentes (quatro inéditos) pelo alto valor histórico, hermenêutico e didático que têm.

Todos os interessados em aprofundar o estudo da obra teilhardiana poderão obter novos textos, inclusive traduzidos em português e mimeografados, junto ao *Centro de Documentação Teilhard*, Caixa Postal 9112, CEP 01051 São Paulo SP, e, também, junto à Biblioteca Teilhard de Chardin, Associação Palas Athena, rua Leôncio de Carvalho, 99, CEP 04003 São Paulo SP. Em nível internacional, disporão da Fondation Teilhard de Chardin, 38, rue Geoffrey Saint-Hilaire, 75005 Paris, France.

Ao lançarmos, em 1978, a antologia *Teilhard de Chardin; mundo, homem e Deus*, pela CULTRIX, expressávamos o desejo de que aquele trabalho pudesse "suscitar junto ao público leitor a necessidade de contar com a tradução de toda a obra teilhardiana em tempo breve...". Desde então, foi muito significativa a reedição daquela obra, a edição de *O meio divino* e de *Pierre Teilhard de Chardin, pensador universal*, em 1981. Mas, sem dúvida, o grande e decisivo passo no sentido de nosso augúrio é dado agora, com esta edição.

Possa ele nos franquear o acesso a um plano mais elevado e amplo de compreensão do nosso Universo e deste tempo de crise, mas sobretudo seja um passo seguro de ultrapassagem e superação. Mas, se um pé busca o Porvir e o Absoluto, que o outro esteja bem firmado num Presente que o Passado sustenta e que a Visão mais objetiva reconhece. Teilhard estava tão consciente dessa exigência que ponderou um dia:

> "O passo que eu procuro fazer dar seria muito importante para a 'primazia do espiritual'. Deus está imediatamente atrás da porta. Uma razão a mais para ir devagar e permanecer exatamente no plano positivista..."

Que tal começarmos por uma boa "revisão" de nós mesmos, sem "pré-conceitos" e no estilo positivo de quem, objetiva e diretamente, olha e procura ver com base nos fatos e na experiência? Que tal nos encararmos a nós mesmos, ao homem que somos, como um fenômeno?

Rio de Janeiro, 1º de maio de 1986
105º aniversário de nascimento de Pierre Teilhard de Chardin

PROF. JOSÉ LUIZ ARCHANJO
Doutor em Filosofia

Prefácio

É normal que, ao final de uma vida de pesquisa científica, um sábio sinta o desejo de reunir a multiplicidade de suas observações e de suas considerações numa síntese harmoniosa, dando assim forma à visão do mundo que pouco a pouco elaborou. Essa necessidade de síntese será tanto mais empolgante quanto mais estreita for a relação entre o objeto de seu estudo e de sua reflexão com o desenvolvimento geral da ciência ou com os grandes problemas da existência humana.

No decurso dos últimos anos, muitos sábios de reputação mundial experimentaram essa necessidade; saindo dos estritos limites de seu próprio campo de trabalho, permanecendo embora na linha de seus próprios estudos e pesquisas, empenharam-se em redigir as conclusões finais a que chegaram suas meditações e dar testemunho em favor da visão do mundo que amadurecera em seu espírito. Esse gênero de escritos possui muitas vezes um alto valor humano e encontra geralmente uma vasta ressonância, não apenas junto aos iniciados, mas também junto a um público que, freqüentemente, não se encontra em condições de acompanhar de perto a vida científica.

Pode ser que certos pesquisadores, prisioneiros de métodos de trabalho positivistas e alheios às necessidades superiores do espírito humano, considerem tais tentativas com certo desdém, sob o pretexto de que elas saem dos limites da ciência propriamente dita. É preciso, certamente, evitar com cuidado qualquer mistura arbitrária da ciência e da especulação filosófica. E, todavia, é indispensável que o homem confronte incessantemente a sua concepção geral da vida com as descobertas da ciência e que, se possível, a enriqueça e aprofunde graças a novas contribuições. Seja como for, chegará um momento em que o homem de ciência, por mais apegado que seja à sua própria especialidade e ao seu próprio método de trabalho, deverá estender a mão ao filósofo e, se é crente, ao teólogo.

Entre os sábios de nossa época que mais intensamente sentiram essa necessidade, o Padre Teilhard de Chardin ocupa incontestavelmente um lugar de destaque. Enquanto geólogo e paleontólogo, ele consagrou o melhor de si mesmo ao estudo de problemas que se aprentavam no campo de sua especialidade ou se colocavam em decorrência de novas descobertas. É indubitável que, nesses domínios, ele haja adquirido uma grande competência e tenha ampliado nossos conhecimentos. Mas, ao investigador científico de excepcional qualidade que ele era, aliava-se um pensador: ele não se contentava em observar e muito simplesmente registrar os fatos, queria descobrir suas mútuas relações e seu sentido profundo. Mantendo embora o mais estreito contato com os fenômenos que se apresentavam aos seus olhos de pesquisador, ele construía lentamente, mas com uma nitidez e uma acuidade crescentes, essa visão do mundo que, por sua profundidade, seu poder de síntese e sua fecundidade para o desenvolvimento ulterior da cultura, iria se patentear como uma das criações mais originais e mais maravilhosas de nossa época.

Entre os numerosos ensaios elaborados em que ele quis, sob diferentes ângulos ou determinados aspectos, exprimir os seus pontos de vista sobre o acontecimento cósmico, *O fenômeno humano* ocupa um lugar importante e, sem dúvida, central, em razão não somente de sua extensão, mas também de seu alcance fundamental. Escreveu-o entre junho de 1938 e junho de 1940, na época portanto em que sua visão do mundo já atingira plena maturidade; mais tarde, particularmente em 1947 e 1948, retocou-o ainda e completou-o.

Na leitura desta obra, o que nos impressiona acima de tudo, deixando de lado a originalidade e a audácia de certas concepções, é o *sentido profundo da totalidade* de que o autor constantemente dá provas. Podemos ver, no presente ensaio, uma contribuição magistral a uma fenomenologia do cósmico, mas concebida como uma descrição profunda, tanto quanto objetiva, da totalidade cósmica tal como se lhe apresentou. *O fenômeno humano* não é, portanto, uma construção abstrata do pensamento, elaborada num todo completo graças a raciocínios sutis. Seja qual for o poder dialético do autor, sente-se, ao ler estas páginas, que não se trata de uma argumentação mas antes da transcrição de uma realidade que se impôs a ele com uma evidência quase ofuscante.

Todo homem que se dá conta dos grandes problemas do momento não deixará de ver imediatamente a atualidade deste ensaio. As mais altas personalidades concordam em dizer que, ao menos no que concerne ao Homem, urge reunir numa síntese sólida a multiplicidade de nossas aquisições científicas. O mundo religioso, por sua vez, aspira a essa síntese que porá em plena luz a grandeza e a beleza da Criação.*
O espírito humano, com efeito, não se contenta com uma ciência dividida e fragmentada ao infinito.

Perfeitamente consciente de nossa necessidade primordial de unidade na visão do mundo, o Padre Teilhard de Chardin — ele, melhor do que ninguém, preparado para tal tarefa — esforçou-se por elaborar essa síntese. Se as idéias aqui expostas se revelam exatas, não há dúvidas de que é preciso tê-las em conta para o progresso das ciências filosófica e teológica. É que, para o cristão, depois da elaboração de uma visão completa do mundo, coloca-se um outro problema da maior importância: o da síntese entre essa visão do mundo e os dados da fé. A partir de Santo Tomás de Aquino, já nenhum teólogo contesta que, apesar de uma notável diferença de nível, existe uma harmonia interna entre a ordem natural e a ordem sobrenatural. Enquanto que na Idade Média essa concordância harmoniosa entre as duas ordens era, por assim dizer, evidente, para o homem de nossa época, obcecado pelos progressos da ciência moderna, ela é por diversas razões difícil de discernir. Não

---

* Em 24 de abril de 1955, Sua Santidade o Papa Pio XII, num discurso dirigido à Academia Pontifícia de Ciências, declarava: "Não chegou a Ciência ao ponto de exigir que o olhar penetre facilmente as mais profundas realidades e se eleve até uma *visão completa e harmoniosa dos conjuntos*?"

que o intelectual cristão a ponha em dúvida, mas é que ele já não a vê, embora continue convencido de sua existência.

O Padre Teilhard de Chardin realizou essa segunda e mais ampla síntese, a do cristianismo e do conhecimento científico moderno, objeto constante de seu estudo e de sua reflexão. Prosseguindo suas investigações na linha da visão do mundo que havia, pouco a pouco, amadurecido em seu espírito, parecia-lhe cada vez mais evidente que o cristianismo, considerado em sua mais íntima essência, tal como aparece sobretudo em São Paulo nas epístolas do cativeiro, deveria ser considerado como o coroamento e a consumação de toda a evolução cósmica. Para Teilhard de Chardin, como para Paulo, o Cristo é o eixo e o fim de todo o acontecimento do mundo, o misterioso ponto *Ômega* para o qual convergem todas as forças ascendentes, de modo que a criação inteira lhe aparece em função do Verbo Encarnado.

Não cabe aqui nos alongarmos sobre o aspecto crístico de sua obra. *O fenômeno humano*, que se mantém no terreno experimental, afasta de propósito deliberado todos os problemas teológicos.

Possa este ensaio magistral, que abre vastos horizontes e incita a ir ainda mais longe na reflexão e na pesquisa, ajudar aqueles que, sensíveis à inquietação e à confusão de nosso tempo, procuram compreender melhor o sentido do mundo e da vida. Estamos convencidos de que ele será para muitos uma fonte de luz e de inspiração e que exercerá uma influência profunda sobre nossa época.

N. M. WILDIERS
Doutor em Teologia

P.S.: Do ponto de vista da teologia, parece-me oportuno fazer as seguintes observações para o leitor católico não iniciado:

1. O autor colocou à frente de sua obra uma *Advertência* que se reveste de uma importância capital para bem se compreender o seu pensamento e situá-lo no plano em que é preciso encará-lo: trata-se tão-somente de uma descrição analítica da realidade cósmica tal como ela se apresenta aos olhos do sábio. É claro que o autor supõe por toda a parte a presença de um Deus pessoal e criador, que provoca e dirige a Evolução do Mundo.

2. Das páginas consagradas à origem do Homem, e que estão, certamente, entre as mais interessantes, seria possível que algumas pessoas, insuficientemente informadas do estado atual da ciência, fossem tentadas a deduzir que o autor leva tão longe a continuidade da vida, que não se tem mais suficientemente em conta a distinção que existe entre o homem e o animal e até, talvez, que a intervenção de Deus na gênese da alma humana se torna inútil. Mas uma leitura mais atenta fará ver o quanto é falsa essa interpretação. É evidente, com efeito, que através de toda a exposição dessa questão, o autor quer pôr em destaque "a descontinuidade no contínuo" e que sua descrição fenomenológica deixa lugar suficiente para os argumentos filosóficos ou teológicos que exigem uma intervenção divina. A título de prova, releia-se em particular, a nota 18, Parte III, Capítulo I, 1., A., b.

3. A propósito da questão do monogenismo, é preciso ainda levar em conta a diferença dos planos em que se situam a ciência e a teologia. O autor permanece no da ciência, embora constatando que, dada a supressão inevitável das origens filéticas, esta não dispõe dos elementos requeridos para decidir se a humanidade é oriunda de um só ou de vários casais humanos. Até que se tenha uma informação mais ampla, cabe uma argumentação – tal como aquela da Encíclica *Humani Generis* – que conclui pelo monogenismo (ver Parte III, Capítulo I, notas 70 e 78). Evidentemente fica ainda muito de desconhecido, tanto no plano científico quanto no teológico, para que se prossiga o estudo.

Advertência

Para ser corretamente compreendido, o livro que aqui apresento tem de ser lido, não como uma obra de metafísica e menos ainda como uma espécie de ensaio teológico, mas única e exclusivamente como uma dissertação científica.[1]

A própria escolha do título o indica. Nada mais que o Fenômeno. Mas também todo o Fenômeno.[2]

Primeiramente, *nada mais que* o Fenômeno. Que não se procure, portanto, nestas páginas, uma *explicação*, mas somente uma *Introdução a uma explicação do Mundo*.[3] Estabelecer em torno do Homem, escolhido como centro, uma ordem coerente entre conseqüentes e antecedentes;[4] descobrir, entre elementos do Universo, não um sistema de relações ontológicas e causais, mas uma lei experimental de recorrência[5] que exprime seu aparecimento sucessivo no decurso do Tempo:[6] eis, muito simplesmente, o que tentei fazer. Para além dessa primeira reflexão *científica*, bem entendido, fica aberto o lugar, essencial e hiante, para as reflexões mais avançadas do filósofo e do teólogo. Nesse domínio do ser profundo, evitei, cuidadosa e deliberadamente, aventurar-me por um momento que fosse. Estou seguro, no mínimo, de haver reconhecido com certa precisão, no plano da experiência, o movimento de conjunto (em direção à unidade) e assinalado nos devidos lugares os cortes que, em suas subseqüentes diligências, e por razões de ordem superior, o pensamento filosófico e religioso teria o direito de exigir.[7*]

Mas, também, *todo* o Fenômeno. E eis onde reside, sem contradição (a não ser aparente) com o que acabo de dizer, o risco de atribuir aos pontos de vista que sugiro a *aparência* de uma filosofia. De uns cinqüenta anos para cá, a crítica das Ciências o tem sobejamente demonstrado: não existe fato puro; antes, toda experiência, por mais objetiva que pareça, envolve-se inevitavelmente num sistema de hipóteses, desde que o sábio procura formulá-la. Ora, se dentro de um campo limitado de observação esse halo subjetivo de interpretação pode permanecer imperceptível, *no caso de uma visão ampliada ao Todo*, é fatal que ele se torne quase predominante.[8] Como acontece com os meridianos nas proximidades do pólo, Ciência, Filosofia e Religião convergem necessariamente nas vizinhanças do Todo. Convergem, digo bem; mas sem se confundirem, e sem deixarem, até o fim, de abordar o Real sob ângulos e em planos diferentes. Tome-se qualquer livro escrito sobre o Mundo por um dos grandes sábios modernos, Poincaré, Einstein, Jeans etc.[9] Impossível tentar uma interpretação científica geral do Universo sem *dar a impressão* de querer explicá-lo totalmente. Mas olhe-se de mais perto e ver-se-á que essa "Hiperfísica" não é ainda uma Metafísica.[10]

No decurso de qualquer esforço desse gênero para descrever cientificamente o Todo, é natural que se manifeste, com um máximo de amplitude, a influência de certos pressupostos iniciais de que depende a estrutura inteira do sistema para diante.[11] No caso particular do Ensaio aqui apresentado, duas opções primordiais – faço questão de notá-lo – juntam-se uma à outra para sustentar e dirigir todos os desenvolvimentos. A primeira é a primazia concedida ao psíquico e ao Pensamento no Estofo do Universo. E a segunda é o valor "biológico" atribuído ao Fato Social ao nosso redor.

Preeminente significação do Homem na Natureza, e natureza orgânica da Humanidade: duas hipóteses que se pode tentar recusar de partida; mas sem as quais eu não vejo como se possa dar uma representação coerente e total do Fenômeno Humano.[12]

Paris, março de 1947

NOTAS

1. Concebida como "estudo do ser enquanto ser", a *Metafísica* (do grego *metà tà physiká*, nome de edição com que Andronico de Rodes, no século I a.C., designou a parte das obras de Aristóteles ordenada "depois dos tratados da física") ou *Filosofia Primeira* (no dizer do próprio Aristóteles que, no século IV a.C., buscava, através dela, o que há de primeiro na ordem real, aquilo donde tudo o mais procede e pelo qual se mantém: o ser – âmago dos seres, sua essência e existência – e o Ser – infinito e divino, Causa Criadora de todos os seres –, *metafísicos* na medida em que se encontram para além do "físico", ou seja, da *physis*, "Natureza", "totalidade da realidade empírica corpórea e mutável" consiste numa especulação em torno dos primeiros princípios e das causas primeiras de tudo o que é, e existe. Nesse sentido, no mínimo histórico, a Metafísica, ciência filosófica fundamental, pretende nos dar a chave do conhecimento do real, tal como este verdadeiramente é (e não conforme pode nos parecer ou aparecer). Quer voltando-se para o ser em geral enquanto *Ontologia* (termo empregado pela primeira vez, em 1661, por Du Hamel), quer voltando-se para o Ser Absoluto enquanto *Teologia Natural* (por oposição à teologia fundada na revelação sobrenatural) ou Teodicéia (Leibniz, 1710), a Metafísica resulta tradicionalmente (tradição essa que vai pelo menos do neoplatônico Simplício, em fins do século V d.C., a Christian Wolff (1679-1754), discípulo de Leibniz e influenciador de Kant (1724-1804), que na sua classificação das ciências distingue as "a posteriori", empíricas das "a priori", puramente dedutivas, incluindo a Filosofia, e com ela a Metafísica, entre as últimas ao lado da Lógica e das Matemáticas) numa *explicação dedutiva* do mundo, a partir de princípios abstratos, absolutos, intemporais, constituindo um "sistema definitivo". É evidente que uma explicação dessa natureza acaba por assumir foros de solução ou visão da Vida e do Mundo (*Cosmovisão* ou *Mundividência*) como um todo, *Solução Total* que se impõe à inteligência ou à qual se adere como a uma opção ou a um postulado (e este é o caso de muitas metafísicas modernas de Kant a Heidegger). Por outro lado, esse caráter de "explicação total do todo" é culminante na Teologia Natural acima referida pois, ali, a metafísica investiga o ser em seu fundamento último que está além de toda a experiência. Seu objeto é Deus (sua essência, sua existência, sua atividade ou operação, que é também e sobretudo criadora dos seres) alcançado por conhecimentos analógicos. Essa Teologia Natural pode ser complementada por uma *Teologia Sobrenatural ou Revelada*, que baseia suas declarações na revelação sobrenatural procedente de Deus, demonstrando-a como fato histórico (*Teologia Fundamental*), recolhendo-a das fontes (*Teologia Positiva*), expondo-a conceptual e cientificamente (*Teologia Especulativa*

ou Dogmática). Mas a nenhum desses saberes se reduz especificamente o conteúdo deste livro. O que Teilhard pretende é, antes, "penetrar nas questões espirituais e humanas com os métodos da Ciência, de maneira a substituir as *Metafísicas* (...) por uma *Ultrafísica* (...), em que Matéria e Espírito seriam englobados numa mesma explicação coerente e *homogênea* do Mundo" (Carta de 11/10/1936), *Ultrafísica* que culminará até numa *Hiperfísica* (com extensões, inclusive, históricas e religiosas), mas sempre partindo do "fenômeno", daquilo que nos aparece, tangível, experimental, "fotografável". O autor voltará sucessivamente ao longo da obra – e nós, com ele, ao longo das Notas – a esse ponto. Por ora, cabe apenas registrar a consciência lúcida que ele tem do universo de discurso e realidade em que se inscreve: "*uma dissertação científica*", ou seja, uma exposição de conhecimentos certos das coisas por suas causas principais, o desenvolvimento de uma *disciplina* (matéria de aprendizagem) que procede por *raciocínio* (ato psicológico pelo qual se aceita uma argumentação como conseqüente e verdadeira) e proporciona um *conhecimento metódico e sistematizado*, isto é, ordenado segundo um princípio. Essa *exposição "científica"* não exigirá, é claro, certeza de todas as proposições e fundamentações particulares, pois poderá incluir também *hipóteses* e *teorias* ainda não definitivamente elaboradas; mas será *"objetiva"* (vinculada às coisas e baseada na essencial igualdade das faculdades cognitivas humanas), *"observadora"*, *"reflexiva"*, "com *terminologia própria*" (linguagem técnica), "com *objeto material e formal* definidos" (o Fenômeno Humano examinado integralmente) etc., como convém a qualquer autêntico e legítimo saber científico. E Teilhard foi, antes de tudo, um homem de ciência. Sua sólida formação, seus estudos e pesquisas permitiram-lhe redigir – além das obras de reflexão cuja publicação hoje perfaz treze volumes (nas Edições du Seuil, 1955-1976) – uma extensa obra estritamente científica (geologia, paleontologia etc.), cuja edição perfaz outros tantos onze volumes (na edição de Schmitz-Moormann, Walter-Verlag, 1971), reunindo ensaios, monografias, tratados, artigos etc. É pois com a experiência e o rigor de um cientista consumado que ele se dispõe a escrever este livro como uma dissertação. O conteúdo desta "Advertência", aliás, é claríssimo e o evidencia de sobejo.

2. *Fenômeno* (do grego *phainómenon*) significa genericamente tudo aquilo que é percebido pelos sentidos ou pela consciência e, portanto, dado, fato e, por extensão, objeto de experiência possível, isto é, que se pode manifestar no tempo e no espaço segundo as leis do entendimento. É comum, entretanto, sobretudo a partir de *Kant*, a contraposição de "fenômeno" (enquanto mera aparência, modo que o real tem de se mostrar e/ou ser percebido) e "coisa em si" (enquanto essência, modo de ser, o próprio real). Ora, para Teilhard o fenômeno não só não nos oculta o real, mas ainda o revela a nós, desde que saibamos vê-lo todo inteiro (na sua dupla dimensão de *exterioridade* e de *interioridade*). Fenômeno aqui não significa, pois, a mera imagem sensorial que se origina em nós sob o influxo do real, e nem mesmo a mera representação que nos fazemos do real, por concordante que seja com ele. Fenômeno aqui designa todo conteúdo imediatamente contemplado ou vivido, aquilo que se evidencia (Cf. nota seguinte). Vale também evocar os sentidos amplos de "fato extraordinário, raro e surpreendente", "prodígio", "maravilha". Nessas acepções, o Humano é também "um fenômeno" e, como se verá, "o fenômeno" por excelência.

3. Na medida em que o autor se propõe ao levantamento, observação e interpretação de fenômenos, dos quais, aliás, sugere que parta toda especulação, inclusive filosófica e/ou teológica.

"... situo-me expressamente, como convém, no terreno dos fatos, isto é, no domínio do tangível e do fotografável. Discutindo, como cientista, perspectivas científicas, devo me prender, e prender-me-ei estritamente, ao exame e ao arranjo das aparências, isto é, dos 'fenômenos'. Preocupado com as ligações e com a sucessão que manifestam esses fenômenos, não me ocuparei, pois, de suas causalidades profundas. Aventurar-me-ei talvez até uma 'ultra-física'. Mas não procurem aqui qualquer metafísica." (Cf. *La place de l'homme dans l'univers. Réflexions sur la complexité*, 1942. Cf. também nota 10.)

Com efeito, a Metafísica se nos apresenta como uma explicação causal (Cf. nota 1), enquanto procura a causa da essência e existência de todas as coisas para torná-las inteligíveis. Dela resulta uma sistematização geral dos fenômenos a partir de suas causas ou razões últimas, um conjunto de relações harmoniosas que explicam o Mundo. Teilhard identifica bem essa tarefa filosófica, mas não a assume por opção. Situando sua tarefa "hiperfísica" – com seu método "fenomenológico" – como que aquém da "metafísica" – com seu método "lógico" –, o que ele pretende é, apenas, preparar uma explicação do Mundo:

> "... tenho procurado (...) não filosofar no absoluto, mas distinguir, como naturalista ou físico, a significação geral dos eventos com os quais nos encontramos tangivelmente envolvidos." (Cf. *L'esprit nouveau*, 1942.)

Sua tentativa de compreensão do sentido dos fenômenos é, pois, uma "Introdução a uma explicação do Mundo", que – enquanto não fornece tal explicação definitiva – permanece científica em relação à Metafísica, mas que, enquanto saber predisposto a ela, faz-se ultracientífica em relação à estrita Ciência.

4. O estudo do fenômeno no Homem, do Homem como Fenômeno, do Fenômeno Humano, enfim, foi longamente aprofundado por Teilhard antes da redação desta obra. Ele tinha razões, portanto, ao decidir escrevê-la, para considerar o Homem como "o Fenômeno por excelência": natural, peculiar e capital (Cf. *L'hominisation. Introduction a une étude scientifique du phénomène humain*, 1925; *Le phénomène humain*, 1928 e 1930; *La place de l'homme dans la nature*, 1932). Ademais, enquanto cientista, está convicto de não poder negligenciar um objeto que toma, paulatinamente, lugar preponderante nas construções da ciência moderna, como uma das grandes forças universais, reconhecida tanto por biólogos como por físicos... (Cf. *La découverte du sinanthrope*, 1937.)

5. Um "sistema de relações ontológicas e causais", insistimos, seria obra metafísica, enquanto que "uma lei experimental" é objetivo natural e próprio da ciência. O que vem a ser, porém, uma lei "de recorrência"? Talvez, colocando-se no plano *hiperfísico*, Teilhard pretenda descobrir a reação dos efeitos (plano físico) sobre as suas próprias causas (plano metafísico) – a *recorrência* (como recurso a...) –, ou então esteja a sugerir regularidade no contínuo reaparecimento dos fenômenos, ou de um único Fenômeno em níveis e planos sucessivos – a *re-ocorrência*. Sem invalidar essas interpretações mais amplas, o mais provável é que se refira à descoberta de uma lei, pela aplicação de um modelo científico de reflexão: *o raciocínio de recorrência*. Tal raciocínio (Poincaré, 1854-1912) consiste em verificar uma relação matemática para um valor determinado de n; demonstrar que se a relação é verdadeira para $n - 1$, é verdadeira para n, e estendê-la para toda a série de números inteiros. Aplicando-o, Teilhard tentaria verificar uma relação entre complexidade material e consciência espiritual no Homem, elemento do Universo; demonstrar que, se tal relação é verdadeira para os seres vivos em geral, mesmo inferiores ao Homem, é verdadeira para o Universo, e estendê-la a todos os seres, elementos do Universo abaixo dos vivos ou acima do Homem... como veremos ao longo desta obra. Em *Esquisse d'un univers personnel* (1936), Teilhard afirma: "Um primeiro múltiplo seguido de uma unificação; em todos os estágios sucessivos da Consciência *uma pluralidade nova se reconstituindo para permitir* uma síntese mais alta: assim se pode exprimir a lei de recorrência." Esta afirmação nos reporta ao segundo sentido amplo de recorrência anteriormente sugerido e o aprofunda: a lei pretendida é de recorrência porque expressa o *retorno* (em latim, *re-correre*) em cada etapa evolutiva de um processo que se repete, mas renovando todo o conjunto em unificação sempre maior. Esta é, aliás, a interpretação de Romano Rezek em seus estudos magistrais sobre a Hiperfísica de Teilhard (inúmeros em húngaro, muitos em português no Centro de Documentação Teilhard – Caixa Postal 9112 – São Paulo SP, e em *Leopoldianum*, volume III, número 7, 1976; volume VII, número 20, 1980 e outros). Rezek salienta a máxima importância da lei de recorrência aplicada às famosas *"extrapolações"* teilhardianas, onde ela "se estende para além" das séries fenomenais empiricamente observáveis, regendo assim sua própria atuação: reconhecendo-se antecipadamente os valores de uma variável dentro de certos extremos, calculam-se os valores da função para fora desses extremos ou pólos.

6. Esse "aparecimento sucessivo no decurso do Tempo" já nos permite entrever o postulado teilhardiano de um processo evolutivo pelo qual o Universo se constitui. E confirma, uma vez mais, o campo de atuação do autor: aquele *plano ou nível fenomenal* em que os seres nos aparecem encadeados em séries de antecedentes e conseqüentes, cada qual surgindo como adaptação de avanço de outro análogo pré-existente – já realizado; onde, enfim, os seres "sucedem", isto é, acontecem numa certa ordem (cada qual no seu lugar natural) e, portanto,

"se sucedem", ou seja, realizam-se, para nós, de maneira notável, fenomenal, uns depois dos outros.

7. Ver, por exemplo, logo adiante: Parte III, Capítulo I, notas 23 e 70; *Epílogo*, nota 47. (N. do A.). Interditar-se um campo de estudo ou nível de reflexão não implica desconhecê-lo ou ignorá-lo. Eis por que, mesmo se limitando ao seu campo de atuação, reconhece ainda, no plano da experiência, um movimento de conjunto para a unidade (causa primeira da reflexão filosófica) e assinala, nos devidos lugares, rupturas ou cortes de continuidade no processo evolutivo fenomenal, atendendo antecipadamente aos reclamos da especulação filosófica (para a atuação da Causa Primeira) e teológica (para a intervenção divina criadora, graciosa ou providencial), em suas diligências (posteriores ao presente nível de investigação).

8. A ponto de dar a impressão de constituir uma filosofia em sentido largo, a *cosmovisão* do sujeito que vê.

9. Henri Poincaré, matemático francês, nasceu em Nancy, em 1854. Descobriu as funções fuchsianas (funções transcendentes que permanecem invariáveis em certas transformações) e interessou-se pela resolução do problema fundamental dos três corpos. Faleceu em 1912.

Albert Einstein, físico alemão, nascido em Ulm, em 1879, naturalizou-se americano em 1940. Estabeleceu a teoria do movimento browniano (movimento incessante das partículas microscópicas em suspensão num líquido ou gás, devido à agitação molecular). Aplicando a teoria dos quanta à energia irradiante, chegou ao conceito de fóton. Notabilizou-se sobretudo como autor da Teoria da Relatividade, que tanto marcou a ciência moderna. Fascinado pela Justiça, interveio muitas vezes em favor de uma paz duradoura. Prêmio Nobel em 1921, faleceu, como Teilhard, no ano de 1955.

Sir James Jeans, astrônomo, matemático e físico britânico, nascido em Londres, em 1877. Foi um dos primeiros a apresentar para o grande público as teorias da relatividade e dos quanta, a transmutação dos elementos e a noção de energia nuclear. Faleceu em 1946.

10. Aqui, como alhures (Cf. *Esquisse d'un univers personnel*, 1936), Teilhard pode confessar:

"(...) não recorremos a nenhuma filosofia. Nem implicitamente, nem explicitamente, introduziu-se em nossos desenvolvimentos a noção de melhor absoluto, ou a de causalidade, ou a de finalidade. Uma lei de recorrência experimental, uma regra de sucessão na duração, eis tudo o que apresentamos à sabedoria positivista de nosso século. Não, em absoluto, uma Metafísica, repetimos, mas uma Ultrafísica. E, no entanto, também (...) uma Mística e uma Religião." (Cf. notas 3 e 5.)

11. Eis aqui o "halo subjetivo de interpretação" ao qual o próprio autor se referia acima. Também a sua Hiperfísica, como qualquer saber científico, recebe, na base de sua instauração, pressupostos identificados como opções, das quais decorrem hipóteses a serem demonstradas, como requer a metodologia científica adotada. (Cf. nota 1.)

12. Um vasto conjunto (todo o Real) a ser harmonizado (descrito cientificamente pela ordenação coerente de seus elementos) — eis o campo de atuação da Hiperfísica teilhardiana estabelecido já nesta *Advertência* e onde a verdade deverá se manifestar na medida do êxito daquela harmonização. Isto porque dois são para Teilhard os critérios de verdade: *Coerência* e *Fecundidade*. Por *Coerência* ele entende a ligação ou harmonia entre situações, fenômenos ou idéias, conexão e nexo que sustentam um processo ou construção natural ou mental:

"(...) não confundir 'concordismo' com 'coerência'. Todos nós conhecemos, na história das idéias, certas reconciliações pueris, prematuras, que, misturando os planos e as fontes de conhecimentos, não chegaram senão a ordenações instáveis, porque monstruosas. Mas essas caricaturas de harmonia não devem nos fazer esquecer que o critério essencial, a marca específica da Verdade é poder ela se desenvolver, indefinidamente, não só sem jamais desenvolver contradição interna, mas também formando um conjunto positivamente construído, em que as partes mutuamente se suportam e se complementam cada vez melhor. Numa esfera, seria absurdo (concordismo) confundir os meridianos com o equador, mas no pólo (coerência) esses mesmos meridianos devem, por necessidade estrutural, encontrar-se entre si." (Cf. *Comment je vois*, 1948.)

Por sua vez, a *Fecundidade* é noção aí implícita e daí decorrente: todo esforço intelectual de ordenação do Real, sendo coerente, já é, em si mesmo, operante de uma síntese desse mesmo real e, ademais, precedendo a Ação que dele resulta, o Pensamento é nesse sentido fecundo, fértil, ativante, despertando e conservando em nós a coragem e a alegria de agir (Cf. adiante, final do *Prólogo:* "Ver") eficaz e eficientemente na estruturação da realidade que somos e em que vivemos. A Verdade é sempre um ponto de partida carregado de possibilidades para a obra humana co-criadora, que ela, mais cedo ou mais tarde, desencadeia. À Verdade "basta aparecer uma única vez, num só espírito, para que nada possa, nunca mais, impedi-la de tudo invadir e de tudo incendiar". (Cf. *Le coeur de la matière*, 1955.)

Prólogo

VER[1]

Estas páginas representam um esforço para *ver* e *fazer ver* o que passa a ser e o que exige o Homem, quando o inserimos, todo inteiro e até o fim, no quadro das aparências.[2]

Por que procurar ver? E por que volver mais especialmente nosso olhar para o objeto humano?

Ver.[3] Poder-se-ia dizer que toda a Vida consiste nisso — se não finalmente, ao menos essencialmente. Ser mais é unir-se cada vez mais:[4] tais serão o resumo e a própria conclusão desta obra. Mas, como teremos oportunidade de constatar, a unidade só aumenta sustentada por um crescimento de consciência, isto é, de visão. Eis por que, indubitavelmente, a história do mundo vivo se resume na elaboração de olhos cada vez mais perfeitos[5] no seio de um Cosmo, onde é possível discernir cada vez mais. A perfeição de um animal, a supremacia do ser pensante, não se medem pela penetração e pelo poder sintético de seu olhar? Procurar ver mais e melhor não é portanto uma fantasia, uma curiosidade, um luxo. Ver ou perecer.[6] Eis a situação imposta pelo misterioso dom da existência a tudo quanto é elemento do Universo. E eis, por conseguinte, num grau superior, a condição humana.[7]

Mas, se conhecer é verdadeiramente tão vital e beatificante, por que, insisto, voltar de preferência nossa atenção para o Homem? Já não está o Homem suficientemente descrito — e não é enfadonho? E um dos atrativos da Ciência não consiste precisamente em desviar e fazer pousar nossos olhos sobre um objeto que não seja enfim nós mesmos?

Por uma dupla razão, que duas vezes o faz centro do Mundo, o Homem se impõe ao nosso esforço para ver, como a chave do Universo.[8]

Subjetivamente, para começar, somos inevitavelmente *centro de perspectiva* em relação a nós mesmos. Terá sido ingenuidade, provavelmente necessária, da Ciência nascente, imaginar que podia observar os fenômenos em si, como se eles se desenrolassem independentemente de nós mesmos. Instintivamente, físicos e naturalistas operaram de início como se o seu olhar mergulhasse do alto sobre um Mundo que a sua consciência podia penetrar sem por ele ser marcada ou sem modificá-lo. Começam agora a se dar conta de que as suas mais objetivas observações estão todas impregnadas de convenções escolhidas de partida e também de formas ou hábitos de pensamento desenvolvidos no decorrer da evolução histórica da Pesquisa. Tendo chegado ao ponto extremo de suas análises, eles já não sabem se a estrutura que atingiram é a essência da Matéria que estudam ou antes o reflexo do seu próprio pensamento. E, presos na própria armadilha, simultaneamente se dão conta de que, por contragolpe de suas descobertas, eles mesmos se encontram envolvidos, corpo e alma, na rede de relações que pretendiam lançar de fora sobre as coisas. Metamorfismo e endomorfismo, diria um geólogo. Objeto e sujeito se unem e se transformam mutuamente no ato de conhecimento. Quer queira, quer não, a partir de então, o Homem se reencontra e se olha a si mesmo em tudo o que vê.[9]

Eis, de fato, uma servidão, mas compensada imediatamente por uma segura e singular grandeza.

Para um observador, é simplesmente banal e até constrangedor carregar consigo, para onde quer que vá, o centro da paisagem que atravessa. Mas, o que acontece ao itinerante se os acasos do percurso o levam a um ponto naturalmente propício (cruzamento de caminhos ou de vales), a partir do qual não apenas o olhar mas as próprias coisas irradiam? Então, encontrando-se o ponto de vista subjetivo em coincidência com uma distribuição objetiva das coisas, estabelece-se a percepção em sua plenitude. A paisagem se decifra e se ilumina. Vê-se.

Parece ser esse, exatamente, o privilégio do conhecimento humano.

Não é preciso ser um homem para perceber os objetos e as forças "em círculo" ao redor de si. Todos os animais, como nós mesmos, estão em situação idêntica. Mas é próprio do Homem ocupar na Natureza uma posição tal, que essa convergência de linhas não seja apenas visual, mas também estrutural.[10] As páginas que se seguem não farão mais que verificar e analisar esse fenômeno. Em virtude da qualidade e das propriedades biológicas do Pensamento, encontramo-nos colocados num ponto singular, sobre um nó, que domina toda a fração do Cosmo atualmente aberta à nossa experiência.[11] Centro de perspectiva, o Homem é simultaneamente *centro de construção* do Universo. É vantajoso, portanto, e ao mesmo tempo necessário a ele, finalmente, reportar toda Ciência. — Se, verdadeiramente, ver é ser mais, olhemos o Homem e viveremos mais.

E, para tanto, acomodemos corretamente nossos olhos.[12]

Desde que existe, o Homem se oferece como espetáculo a si próprio. Com efeito, há dezenas de séculos ele só se olha a si mesmo. E no entanto mal começa a adquirir uma visão científica de sua significação na Física do Mundo. Não nos admiremos dessa lentidão no despertar. Muitas vezes, nada é tão difícil de se perceber quanto aquilo que deveria "saltar-nos aos olhos". Não necessita a criança de uma educação para separar as imagens que assediam a sua retina recém-aberta? Ao Homem também, para descobrir o Homem até o fim, foi necessária toda uma série de "sentidos", cuja gradual aquisição, conforme veremos, abrange e escande a própria história das lutas do Espírito.[13]

Sentido da imensidade espacial, na grandeza e na pequenez, desarticulando e espacejando, no interior de uma esfera de raio indefinido, os círculos dos objetos espremidos ao nosso redor.[14]

Sentido da profundidade, repelindo laboriosamente, ao longo de séries ilimitadas, sobre distâncias temporais desmedidas, acontecimentos que uma espécie de gravidade tende continuamente a comprimir para nós numa fatia fina de Passado.[15]

Sentido do número, descobrindo e apreciando sem pestanejar a multidão alucinante de elementos materiais ou vivos envolvidos na menor transformação do Universo.[16]

Sentido da proporção, avaliando tanto quanto possível a diferença de escala física que separa, nas dimensões e nos ritmos, o átomo da nebulosa, o ínfimo do imenso.[17]

Sentido da qualidade, ou da novidade, conseguindo, sem quebrar a unidade física do Mundo, distinguir na Natureza escalões absolutos de perfeição e de crescimento.[18]

Sentido do movimento, capaz de perceber os irresistíveis desenvolvimentos que se ocultam nas maiores lentidões, — a extrema agitação que se dissimula sob um véu de repouso, — o totalmente novo insinuando-se no âmago da monótona repetição das mesmas coisas.[19]

Sentido do orgânico, enfim, descobrindo as ligações físicas e a unidade estrutural por sob a justaposição superficial das sucessões e das coletividades.[20]

Sem essas qualidades em nosso olhar, o Homem continuará sendo indefinidamente para nós, a despeito do que se faça para nos fazer ver, o que ele ainda é para tantas inteligências: objeto errático num Mundo desconjuntado. Esvaneça-se, pelo contrário, em nossa ótica, a tríplice ilusão da pequenez, do plural e do imóvel,[21] e o Homem vem ocupar, sem esforço, o lugar central que anunciávamos: ápice momentâneo de uma Antropogênese[22] que, por sua vez, coroa uma Cosmogênese.[23]

O Homem não se poderia ver completamente fora da Humanidade; nem a Humanidade fora da Vida, nem a Vida fora do Universo.

Donde o plano inicial deste trabalho: a Pré-vida, a Vida, o Pensamento — três acontecimentos que desenham no Passado e determinam para o futuro (a Sobrevida!) uma única e mesma trajetória: a curva do Fenômeno humano.[24]

Fenômeno humano, – digo bem.

Esta expressão não é tomada ao acaso. Antes a escolhi por três motivos:

Primeiro, para afirmar que o Homem, na Natureza, é verdadeiramente um fato que sobressai (parcialmente ao menos) das exigências e dos métodos da Ciência.[25]

Em seguida, para fazer entender que, entre os fatos que se oferecem ao nosso conhecimento, nenhum é mais extraordinário nem mais esclarecedor.[26]

Finalmente, para insistir bem no caráter peculiar do Ensaio que apresento.

Minha única meta, e minha verdadeira força, ao longo destas páginas, consiste simplesmente, repito, em procurar *ver*, isto é, em desenvolver uma perspectiva *homogênea* e *coerente* de nossa experiência geral extensiva ao Homem.[27] Um conjunto que se desdobra.

Que não se procure aqui, portanto, uma explicação última das coisas, — uma metafísica.[28] E que ninguém se confunda também quanto ao grau de realidade que atribuo às diferentes partes do filme que apresento. Quando estiver tentando dar uma idéia do Mundo antes das origens da Vida, ou da Vida no Paleozóico,[29] não esquecerei que haveria contradição cósmica em conceber um Homem como espectador dessas fases anteriores ao aparecimento de qualquer Pensamento sobre a Terra. Não pretenderei, portanto, descrevê-las como foram realmente, mas como devemos imaginá-las a fim de que o Mundo, neste momento, seja verdadeiro para nós: o Passado, não em si, mas tal como aparece a um observador colocado no ápice avançado em que nos pôs a Evolução. Método seguro e modesto, mas que é suficiente, como veremos, para fazer surgir por simetria, adiante, surpreendentes visões de porvir.[30]

Fique bem claro que, mesmo reduzidas a tão humildes proporções, as perspectivas que procuro expressar aqui são amplamente tentativas e tentativas pessoais. O que não impede que, apoiadas sobre um considerável esforço de investigação e sobre uma reflexão prolongada,[31] elas dêem uma idéia, a partir de um modelo, de como se coloca atualmente em Ciência o problema humano.

Estudado estritamente em si mesmo pelos antropólogos e juristas, o Homem é uma coisa mínima e até demeritória. Sua individualidade por demais marcada dissimula a Totalidade ao nosso olhar, e o nosso espírito, ao considerá-lo, acha-se inclinado a fragmentar a Natureza, esquecendo as ligações profundas e os horizontes desmesurados que ela possui: todo o *mau* antropocentrismo.[32] Daí a repugnância, ainda sensível nos sábios, em aceitar o Homem como objeto da Ciência, a não ser pelo seu corpo.

Chegou o momento de reconhecer que uma interpretação, mesmo positivista,[33] do Universo, deve, para ser satisfatória, abranger tanto o dentro quanto o fora das coisas,[34] — tanto o Espírito quanto a Matéria.[35] A verdadeira Física[36] é aquela que conseguirá um dia integrar o Homem total numa representação coerente do mundo.[37]

Que eu consiga fazer sentir aqui que essa tentativa é possível e que dela depende, para quem quer e sabe ir ao fundo das coisas, a conservação em nós da coragem e da alegria de agir.[38]

Na verdade, duvido que haja para o ser pensante instante mais decisivo do que aquele em que, caindo-lhe as escamas dos olhos, ele descobre que não é um elemento perdido nas solitudes cósmicas, mas que é uma universal vontade de viver que nele converge e se hominiza.

O Homem, não mais centro estático do Mundo, — como por muito tempo ele se acreditou; mas eixo e flecha da Evolução,[39] — o que é muito mais belo.[40]

NOTAS

1. Este *Prólogo* já foi por nós traduzido e anotado, como texto integrante da antologia *Teilhard de Chardin: mundo, homem e Deus* (Editora Cultrix, São Paulo, 1978). Assim, retomamos aqui e agora os comentários que lá então fizemos, procurando aperfeiçoá-los, completando-os, ampliando-os ou resumindo-os conforme o caso.

2. Eis o método hiperfísico teilhardiano: a *Fenomenologia* (estudo do Fenômeno — Cf. nota 2 à *Advertência*) *Científica* (investigação baseada sobremaneira na observação disciplinada e metódica — Cf. notas 1 e 3 à *Advertência*).

3. Este ato deve ser entendido simplesmente, mas não estritamente, como o exercício da faculdade da visão, que se opera desde o mais imediato plano sensível (percepção sensorial) até o mais elevado plano intelectual (conhecimento intelectivo, intuição etc.).

4. A esse ponto teremos muitas oportunidades de retornar. Guardemos, por ora, os seguintes axiomas:
— Ser é unir-se a si mesmo, ou unir os outros (forma ativa);

— Ser é ser unido e unificado por um outro (forma passiva). E registremos também as *Leis da União* que decorrem de sua aplicação concreta:

- A União cria;
- A União diferencia;
- A União personaliza.

5. Há, de fato, na História do Mundo e na História Coletiva e Individual do Homem, um aperfeiçoamento progressivo dos instrumentos de visão, desde os órgãos sensíveis (óticos ou não) e suas extensões técnicas (aparelhos, engenhos, mecanismos, máquinas, censores, radares, "scópios" – do grego *skpoéo, ô* – em geral, toda a cibernética, automação, informática e suas parafernálias) até a consciência espiritual. Em todos os casos, *ver* comporta uma gama tão ampla de atuações (perceber, captar, enxergar etc.; apreender, registrar etc.; examinar, investigar etc.; – vale a pena ir ao dicionário...) que acaba equivalendo a *ser, estar, permanecer*. Daí o dilema "ver ou perecer", apresentado na conclusão do parágrafo como imposição da existência e "condição humana".

6. Cf. nota anterior.

7. Sim, porque para qualquer ser, existir, estar-no-mundo, fazer parte do Universo, já implica, de algum modo, um certo "ver" (saber de si, saber do outro...). Essa situação existencial básica é tanto mais complexa quanto maior a capacidade de "visão" do ser considerado. No caso do Homem, em particular, essa *complexidade* é proporcional à extensa gama de suas atuações "visuais", que culmina na *consciência*. No próprio mundo social humano em que vivemos, é tão grande e urgente a necessidade de "ser consciente para sobreviver" que hoje, sem dúvida, "salve-se quem puder" equivale a "salve-se quem souber"...

8. Para colocar, por ora, a questão, tão-somente em termos de *situação* (existência) – *visão* (consciência), entendendo sempre o segundo termo do binômio na sua ampla gama, que vai da simples *percepção* à complexa *ciência*, podemos dizer que, enquanto ser consciente, o Homem assume posição central num Universo do qual emerge e que nele culmina: Homem, *centro estruturante* (ou "centro de perspectiva") porque ordena, distribui, molda, cria enfim a Realidade através do Pensamento e da Ação, fazendo História... Homem, *centro estrutural* (ou "centro de construção") porque compõe essa mesma Realidade como peça indispensável de sua arquitetura, como ápice que ela, presentemente, atinge. Homem, portanto, *chave* de compreensão *do Universo*. A seqüência do texto, aliás, é claríssima.

9. Ainda jovem, Teilhard já observara a inevitável intervenção do *"humano"* no pretendido *"puramente científico"* e registrara a conseqüente influência *Do Arbitrário nas leis, teorias e princípios da Física* (1905). De resto, as presentes afirmações quanto à interação de sujeito e objeto permitem entrever uma Epistemologia ou Teoria do Conhecimento perfeitamente adequada à intenção do autor, e coerente com a sua visão global, que pretende um saber unificado onde caiam por terra os tabiques que indevidamente separam as *Ciências do Homem* das *Ciências da Natureza*. Eis, então, reencontrado o visível, o Homem – centro estrutural e estruturante – a que se referem o texto e a nota anterior. Por outro lado, a utilização da imagem geológica para expressar a mutualidade de ser "sujeito-objeto" (Homem-Mundo, Consciência-Real, Indivíduo-Todo) é muito significativa e feliz. Se não, vejamos: *Metamorfismo* – transformação que sofre uma rocha sob a ação de temperatura, pressão, gases e vapor-d'água, que produzem, isolada e conjuntamente, uma recristalização, parcial ou total, formando novos minerais e novas texturas sem que ocorra fusão da rocha. *Endomorfismo* – modificação que sofre uma rocha eruptiva por efeito do contacto com a rocha encaixante, a qual pode ser total ou parcialmente absorvida pelo magma. Ao irromper no Mundo, o Homem o "metamorfiza" e, simultaneamente, é "endomorfizado" por ele... Ou, ampliando, ao eclodir no Universo (provindo também das profundezas do seu âmago material), a Consciência, de várias formas, o re-cria sem desestruturá-lo ou dissolvê-lo; e, ao mesmo tempo, nele inserida, encaixada, empírica, pode, em graus diversos e progressivos de contacto, ser gradualmente, diversamente, progressivamente assimilada por ele, isto é, universalizada.

10. Cf. nota 8.

11. Sim, porque num Universo que se vai fazendo e evoluindo por "*complexificação* (material) – *conscientização* (espiritual)", como vemos ao longo da obra, o Homem – constituindo-se na maior unidade de "*complexidade* (orgânica) – *consciência* (psíquica)" que nos é dado observar (o *Fenômeno* por excelência) – abrange todo o Real conhecido.

12. Tendo por objeto "todo o Real e o Real todo", a visão hiperfísica (científica, de observação) exige uma ampliação adequada à extensão e complexidade desse objeto, já que o Fenômeno deve ser visado e visto na sua totalidade. Para tanto, o observador hiperfísico precisa como que adaptar o seu olhar, adquirir gradualmente – como a própria Vida o fez e o Homem também, ao longo de sua História – "olhos" ou "sentidos" cada vez mais perfeitos, isto é, mais potentes, penetrantes, abrangentes, de longo alcance e precisão, para a grande síntese.

13. Teilhard passa, em seguida, a enumerar sete "sentidos" indispensáveis à visão hiperfísica e, portanto, implícitos na aplicação do seu método fenomenológico-científico (Cf. nota 2). Esses *sentidos*, como "categorias" fenomenológicas ou "formas a priori" do saber hiperfísico global (mas "formas a posteriori" do conhecimento científico particular, é claro), devem revestir o nosso olhar de capacidades, desprovido das quais ele será incapaz de apreender o Fenômeno e a nós mesmos, afinal, Fenômeno que somos por excelência, Fenômeno-chave. A gradual aquisição desses sentidos é também percurso, exercício, treino, disciplina, preparação, *iniciação* . . .

14. Elementos do Universo, centros estruturais e estruturantes do seu conjunto (Cf. nota 8), estamos como que no interior de uma esfera imensa que se irradia, em todas as direções, a partir de nós. Nossas "vistas curtas", porém, tendem, usualmente, a comprimir os círculos dos outros elementos universais à nossa volta, avizinhando-os todos de nós mesmos: somos (e vivemos, sentimos, pensamos e agimos) nos estreitos "limites" de nossos referenciais, nossa pequena família, comunidade, cidade, região, país, continente, hemisfério, planeta... e é raro que estendamos tais limites ao nosso sistema solar (toda a ilusão do geocentrismo...). E quanto, em termos de mera extensão, não nos faltará ainda descobrir de Espaço? Isso, na grandeza. E na pequenez? Quem se apercebe das imensas sínteses que constituem os objetos imediatos que nos circundam? A complexidade estrutural de um inseto, de uma folhinha de grama, de um grão de poeira que esmagamos entre os dedos, de um cristal de neve, de uma molécula de sal, de um átomo... não nos é desconhecida, mas chegamos a "sentir" realmente a imensidade de elementos que essa complexidade implica? O *Sentido da Imensidade Espacial*, levando-nos a perceber, a "realizar", a tomar consciência da grandeza e da pequenez de modo a "vivenciá-las", permite-nos desarticular e espacejar devidamente o conjunto dos elementos universais e, diante dessa possibilidade, abrem-se múltiplas perspectivas num "universo *finito* e todavia ilimitado" (veja-se a geometria do Universo proposta por Einstein...). Para uma experiência de "visão", vale a pena ler o artigo e observar o gráfico de "Journey into the Universe through Time and Space" por J. B. S. Haldane, in *National Geographic Magazine*, produzido pela Divisão de Cartografia da *National Geographic Society* em junho de 1983; design by John F. Dorr and Bob Pratt. É um impacto!

15. O mesmo hábito de compressão e concentração no Espaço adotamos em relação ao Tempo. Quantos, por exemplo, não olham a História Humana e se desesperam ou desanimam por constatar "ciclos repetitivos"?... Acaso dão-se conta do quão pouco contam os dois mil anos que nos separam do nascimento de Cristo ou os vinte e dois mil anos transcorridos desde a fundação do Antigo Império Hitita face ao meio *milhão* de anos – um milhão talvez – que nos separam dos pré-hominídeos e dos dois ou mais *bilhões* de anos transcorridos desde o aparecimento das primeiras formas vivas? Calcula-se que o nosso Sol tenha se formado há cerca de cinco bilhões de anos, e que outros tantos cinco bilhões se passarão até que seu combustível interior se extinga, dando origem a uma gigante vermelha, de tamanho cem vezes maior, englobando parte do sistema solar, inclusive a Terra. Quem se dá conta de *tanto* Tempo? Falta-nos o *Sentido da Profundidade*, senso de historicidade, consciência da duração. Ainda um exemplo da Física: as enormes extensões temporais que constituem a "meia-vida de uma amostra radioativa" (tempo necessário para que a amostra se reduza a uma dada fração da quantidade inicial). A meia-vida (T) do Urânio I, por exemplo, é de 4,5 bilhões de anos.

16. O *Sentido do Número*, alucinante, de tudo quanto foi é e será necessário para preencher o Espaço e o Tempo, pode até nos dar – a nós que, com dificuldade, nos colocamos

conscientemente entre cem mil homens, entre uma multidão – a impressão de soçobrar num oceano infinito. É também essa percepção de "acúmulo", de "demais", que leva Antoine Roquentin, o herói sartriano, à Náusea... Mas para corrigir, ordenando, essa perspectiva, vem em nosso auxílio um novo sentido, o da Proporção.

17. O *Sentido da Proporção* permite-nos fazer distinções e estabelecer comparações dentro do todo que é o Real: olhar o céu e considerar a distância e, por conseguinte, a enormidade das massas siderais; utilizar o microscópio, registrar com exatidão os centésimos de milímetro do tamanho de um ser, e tentar depois reintroduzi-lo, à sua verdadeira escala, no quadro em que vivemos. O diâmetro da Via-Láctea é de cem mil anos-luz... Trezentas bactérias podem ser alinhadas no interior do pingo que pomos sobre o "i"... Transformadas em grãos de areia, as moléculas contidas num centímetro cúbico de ar formariam uma camada de cinco centímetros de espessura, cobrindo uma área de mais de quinhentos mil quilômetros quadrados (mais de cinco vezes a superfície de Portugal...). A espuma de poliestireno, o isopor, é de notável leveza. No entanto, uma bola de isopor com dez metros de diâmetro pesaria cerca de dez toneladas...

18. Uma minuciosa e infinita graduação de diferenciação quantitativa entre os seres acabaria quebrando, por assim dizer, a unidade física do Mundo que, em si, é um todo. O *Sentido da Qualidade* leva-nos então a fazer distinções na Natureza (rupturas, descontinuidades na continuidade), não apenas em função de diferenças quantitativas relativas (proporcionalidade referenciada), mas também pela constatação de escalões absolutos de perfeição e crescimento, tais como a formação da Vida ou o aparecimento da Reflexão (verdadeiros "saltos" qualitativos). Avaliar não se reduz pois a computar, calcular, medir e sopesar em termos *quantitativos*, mas é também apreciar, estimar e considerar em termos *qualitativos*, de valor.

19. O Real, sendo evolutivo, é um processo. Assim, o aparecimento dos elementos universais é sucessivo no curso do Tempo, segundo um desenvolvimento, um progresso, um movimento. Tudo se faz e vai sendo, segundo esse movimento. Sem um *Sentido do Movimento*, como vivenciar nosso planeta girando no espaço numa combinação de vinte e três movimentos diferentes (rotação em um dia, translação em um ano, precessão em vinte e seis mil anos etc.)?... E os astros sobre as nossas cabeças? Não chegaram os Antigos a fixá-los em esferas? E pensar que, mesmo formando uma só nebulosa, todos participam do movimento geral pelo qual ela própria se vai granulando e desdobrando, associando-se, por sua vez, a milhões de outras unidades-espirais, para constituir um gigantesco supersistema em vias de organização: o Universo em expansão... Isso na direção do Imenso. E na direção do Ínfimo? Quem se dá conta da complexa rede de movimentos que se opera localmente na mínima partícula de matéria que o dedo pode apreender com um toque? E pensar na vertiginosa trajetória dos elétrons, em torno do núcleo dos átomos e dos elementos das partículas que o compõem... (para não falar das outras 29 partículas atômicas elementares – outros léptons, mésons, núcleons e híperons – das quais 16 eram simplesmente desconhecidas até duas décadas atrás...). E pensar no movimento browniano (Robert Brown, botânico escocês, 1773-1858), errático, aleatório, ziguezagueante das partículas em certas soluções e suspensões coloidais, observável somente ao ultramicroscópio, fazendo com que um fluido aparentemente em repouso esteja, na verdade, em contínua agitação... Para quem sabe "ver", portanto, assim se mostra o Universo: sob a imobilidade do ínfimo, movimentos extra-rápidos; sob a imobilidade do imenso, movimentos extra-lentos.

20. É claro que a organização já por si introduz continuamente diferenciações inovadoras. Dela decorre, por exemplo, a mágica do carbono que, superpondo seus átomos em camadas planas e compactas, resulta na grafita (mineral trigonal, lubrificante seco e de cadinhos, de cor cinza escuro, usado na fabricação de lápis por sua peculiar maciez e facilidade de pulverização) e, anelando-os em fortes e coesas ligações, resulta no diamante (mineral monométrico, o mais duro dos minerais naturais – do grego *adámas*, "indomável" pela dureza... – e a mais brilhante das pedras preciosas). E assim tudo o mais, fazendo-se também por sua própria organização e também em organização com todo o resto... O Universo não é um "mundo desconjuntado", constituído de um amontoado de seres isolados ou sucessões e coletividades justapostas, mas um conjunto, um todo organizado, orgânico, no qual tudo está ligado a tudo. É essa unidade estrutural, coesa de infinitas maneiras, que nos revela o *Sentido do Orgânico* aplicável, sem exageros e radicalismos organicistas, tanto ao Todo, que é o Universo, como a cada elemento universal (um sistema planetário, uma sociedade, um corpo vivo, um inseto, uma flor, uma

pedra, um átomo...), e até mesmo ao Homem, que passa, então, a ocupar o seu legítimo e identificável lugar no Universo, como conclui Teilhard logo em seguida.

21. O próprio autor resume o Mundo que "vemos" quando desprovidos dos Sete Sentidos: um Mundo pequeno, múltiplo e estático.

22. *Antropogênese* é o processo de geração ou formação do Homem, ou seja, aparecimento e desenvolvimento do grupo humano por ultrapassagem de um limiar específico (o "passo da reflexão"), que corresponde simultaneamente a um estado superior de ordenação ou arranjo cósmico (continuidade) e a uma mudança de natureza (descontinuidade) no curso da Biogênese (geração da Vida). Essa gênese da Humanidade no seio da Vida deveria ser objeto de uma ciência sintética sobre a formação e, acima de tudo, sobre o porvir do Homem, podendo recorrer à colaboração de outras ciências, como a física, a biologia, a antropologia, as ciências morais etc. Essa "nova Antropologia" como "ciência do desenvolvimento humano" é um dos temas centrais desta obra.

23. *Cosmogênese* é o processo de geração ou formação do Cosmo, ou seja, o próprio Universo evolutivo, apreendido como um processo animado por um movimento que se vai orientanto e convergindo à medida que avança (Biogênese, Antropogênese, Psicogênese ou Noogênese...). É a concepção moderna e teilhardiana do Universo que, dinâmica, opõe-se às antigas concepções de um *Cosmo* estático, concebido como um sistema "pronto", imóvel ou animado por um movimento circular. A seqüência do texto evidencia imediatamente a sucessão ligada de *Cosmogênese, Biogênese* e *Antropogênese*.

24. O único fim e a verdadeira força do *método fenomenológico-científico* que Teilhard adota para instaurar a sua Hiperfísica (Cf. nota 2 e as demais a que ela se reporta) consiste em "ver e fazer ver", "procurar ver", "descobrir", como ele próprio confessará logo adiante. É dessa visão que resulta a representação hiperfísica do Real: uma representação que inclui *todas* as etapas do desenvolvimento universal (Passado, Presente e Futuro) e *todas* as faces do Fenômeno (o Dentro e o Fora, o Espírito e a Matéria). Nesse sistema multidimensional de *todas* as coordenadas ou eixos universais, desenha-se nitidamente a trajetória da evolução do Humano como uma "curva" (no mínimo, geometricamente falando, "lugar de um ponto que se desloca num espaço com um único grau de liberdade"...).

25. Cf. notas 2 e 4 à *Advertência*.

26. Isto é, *fenomenal* (que aparece, manifesta-se, admirável, singular) por excelência, tangível e "fotografável", capaz de oferecer – mesmo indiretamente – "pistas" ou critérios para a descoberta da significação geral de todos os outros fenômenos que compõem o grande fenômeno da Evolução, o Real.

27. Cf. nota 12 à *Advertência*. A *homogeneidade* que o autor invoca é, sobretudo, "unidade de fundo", "ligação sólida e estreita de elementos", "igualdade proporcional de partes", a sugerir *coesão* como pressuposto "físico" de uma *coerência* "hiperfísica".

28. Cf. nota 1 à *Advertência*. No sentido mais usual, como sinônimo de ontologia, *Metafísica* pode ser resumidamente conceituada como o conhecimento do "ser enquanto ser", isto é, do ser absoluto e dos primeiros princípios. A esse tipo de conhecimento, que considera "abstrato, geométrico, *extraduração*, pseudo-absoluto" (Cf. carta ao Pe. de Lubac, em 29/4/1934), apriorístico, puramente dedutivo etc., Teilhard quer opor um saber real, a sua *Hiperfísica*, visão sintetizante de todos os fenômenos e do fenômeno inteiro (face interna e externa), atingindo assim não o "porquê", a "explicação de tudo", como pretendem os metafísicos, mas "uma descrição interpretativa da significação do Todo", isto é, uma apresentação do significado, do sentido, da direção, do rumo, do encaminhamento, do "para quê" do conjunto de todas as coisas, do Real. Desconheço melhores e mais claras ponderações a respeito dessa "passagem" teilhardiana de um a outro plano de saber, que as de Romano Rezek, em "De la physique à l'hyperphysique", em *Leopoldianum*, vol. II, nº 1, pp. 9-18, Santos, abril de 1975. (Este e outros estudos teilhardianos de Rezek, indicados em nossas notas e comentários ao longo desta obra foram, quase todos, coletados em *Ser Mais...*, publicações do Instituto Social Morumbi, São Paulo, 1986, 256 pp. – Caixa Postal 4331 – São Paulo, SP – tel. (011) 240-1888.)

29. Nas Partes I e II deste livro. E a mesma observação que se segue é válida também para qualquer posterior "fatia" pré-histórica do Passado. (Cf. nota 40 adiante.)

30. Portanto, quando Teilhard discorre sobre o *Futuro* (sobretudo do final da Parte III em diante), fala-nos de um futuro conjecturado, previsível e previsto, antecipado, sugerido, pretendido por simetria, isto é, em coerente harmonia com a unidade estrutural do Universo, em correspondência adequada ao movimento de conjunto (em direção à unidade) que se "vê" no Real. Nenhum determinismo, fatalismo, destinação absoluta, finalismo exagerado, enfim. Ainda e sempre, apenas, uma questão de *coerência* e *fecundidade* (Cf. nota 12 ao *Prólogo*), uma busca de *homogeneidade*. (Cf. nota 27.)

31. Cf. nosso estudo introdutório. Usando meramente o título como referência, este é o terceiro estudo de Teilhard sobre o mesmo tema: "O Fenômeno Humano"...

32. Esse "mau antropocentrismo, *Antropocentrismo de Posição*, resume, genericamente, as ingênuas doutrinas finalísticas que admitem que todas as coisas foram criadas por Deus para propiciar a vida humana.

"O velho antropocentrismo estava errado ao supor o homem centro geométrico e jurídico de um Universo estático." (Cf. *La place de l'homme dans l'univers. Réflexions sur la complexité*, 1942.)

A ele se opõe o *Neo-Antropocentrismo de Direção* ou *de Movimento*. (Cf. nota 39 adiante.)

33. O *Positivismo* exige de toda ciência que não apenas parta de "fatos" (tomados no sentido de "objetos perceptíveis"), mas que também se limite a comprová-los e a uni-los por leis. Instaurado na Filosofia Moderna por David Hume (1711-1776), com seu *Fenomenismo*, o *Positivismo* tornou-se explicitamente conhecido como o conjunto de doutrinas do filósofo francês Augusto Comte (1798-1857), que se caracterizam sobretudo pelo impulso dado ao desenvolvimento de uma orientação cientificista ao pensamento filosófico. Segundo Comte, todas as ciências devem percorrer três fases de evolução: a teológica (que explica os acontecimentos pelo influxo supra-sensível de forças sobrenaturais – deuses ou Deus); a metafísica (que trabalha com conceitos essenciais universais, ocultos dentro do ser, e com forças da natureza); por fim, a positiva (que se limita a descrever os fatos e sua legitimidade pelas leis de sucessão e concomitância, frutos de observação constante e demorada). É a *Lei dos Três Estados*, a declarar o *positivo* como o estado final e definitivo da Humanidade e da Ciência, e, por conseguinte, da Filosofia (que não é mais do que uma reunião das ciências positivas). O *Neo-Positivismo* ou *Positivismo Lógico* é o movimento doutrinário do chamado *"Círculo de Viena"*, fundado por Moritz Schlick, filósofo alemão (1882-1936) e que reuniu os filósofos germânicos Philipp Franck (1884-1956), Otto Neurath (1882-1945), Rudolf Carnap (1891), Hans Reichenbach (1891-1935) e Ludwig Wittgenstein (1889-1951). Marcadamente cientificista e expressamente antimetafísico, associando a tradição empirista ao formalismo lógico matemático, o Neo-Positivismo só admite compreensão e sentido para aquilo que é comprovável pela experiência. Afirmações metafísicas, valores e normas, apreciações não passam de expressões de sentimentos. À *Filosofia Analítica* não cabe descobrir, ao lado das ciências, conhecimentos novos que ultrapassam o âmbito científico, mas sim mostrar, pela análise da linguagem, que as questões ou fórmulas metafísicas são desprovidas de sentido, baseadas em equívocos da lógica e da linguagem.

Cabe distinguir entre o positivismo como *doutrina* (que reduz o real ao experimental) e o positivismo como *método* (autolimitação da ciência natural aos enunciados que se referem de maneira imediata às nossas vivências sensoriais). A ambos, segundo Teilhard, impõe-se uma "dimensão interior": o Dentro, o Espírito. (Cf. notas 34, 35 e 36 a seguir.)

34. O *Dentro das Coisas* é o aspecto ou face psíquica do Real, podendo se apresentar infinitamente diluído ou fortemente concentrado, conforme uma hierarquia de níveis de ser. (Cf. Parte I, Capítulo II, adiante.) Correlatamente, o *Fora das Coisas* é o aspecto ou face material do mesmo Real, cada vez mais complexo e diferenciado conforme o crescimento do *Dentro*. *Dentro* e *Fora* são, pois, função um do outro e, no plano fenomenal, constituem os dois aspectos de uma só e mesma realidade bifacial, o ser concreto de que se constitui o Cosmo: *O Estofo do Universo*. (Cf. Parte I, Capítulo I, adiante.)

35. Muitas oportunidades teremos de aprofundar a compreensão dos termos "Espírito" e "Matéria" ao longo desta obra. Por ora, basta estabelecer que, do ponto de vista *fenomenológico* adotado pelo autor (Cf. nota 2 e as demais que ela indica), o *Espírito* não se manifesta em estado puro, mas por um processo ou progresso de espiritualização, ou seja, por uma transformação evolutiva no decurso da qual a *Matéria*, complexificando-se, organiza-se, centra-se, interioriza-se, espiritualiza-se até a auto-reflexão, até a Consciência. Teilhard nos explica:

> "Espírito e Matéria se contradizem se os isolamos e simbolizamos sob a forma de duas noções abstratas, fixas e, de resto, irrealizáveis: pluralidade pura e simplicidade pura. *In natura rerum*, na ordem natural dos seres, um é inseparável do outro; um não vai sem o outro; e isso pela simples razão de que um aparece essencialmente em seguida a uma síntese do outro. Nenhum espírito (inclusive Deus nos limites de nossa experiência) existe, nem poderia existir por construção, sem um múltiplo que lhe seja associado – como não existe um centro sem sua esfera ou circunferência. Não há, concretamente, Matéria e Espírito, mas existe só Matéria tornando-se Espírito. Não há, no Mundo, nem Espírito, nem Matéria: o 'estofo do Universo' é o *Espírito-Matéria*." (*Esquisse d'un univers personnel*, 1936.)

Esse *Espírito-Matéria* em que culmina a explicação é uma entidade composta, isto é, integrante de dois termos, simultaneamente irredutíveis um ao outro, ontologicamente inseparáveis e sujeitos a variações correlatas. E cumpre, desde já, observar que, no pensamento teilhardiano, é altamente significativa a presença de *"entidades-pares"* tais como Espírito-Matéria, Ser-União, Universal-Pessoal etc. Não se trata de composições verbais a camuflar dualidade irresolúveis de termos antigos, nem de meros neologismos: são noções inéditas, termos originais, idéias ou conceitos inaugurais de um universo "visto" de modo novo.

36. Essa "verdadeira Física", por analogia com a *Física* dos Antigos (Os Jônios, Aristóteles...), designa não a ciência dos corpos inanimados, mas uma fenomenologia do cosmo centrada em torno do fenômeno humano e fundada sobre a "lei da complexidade-consciência". (Cf. notas 1 e 3 à *Advertência*; e notas 7 e 11 a este *Prólogo*.) Essa Física é estritamente ligada à *Fenomenologia*, à *Ultra-Física*, à *Hiper-Física*. (Cf. nota 28 e, particularmente, o texto de Romano Rezek, ali indicado.)

37. Essa "representação coerente do mundo" é a própria *Hiper-Física* (Cf. nota anterior e as demais nela indicadas e ainda nota 27) anunciada na *Advertência* e tema de nossa tese de doutoramento *A hiperfísica de Pierre Teilhard de Chardin*, 4 volumes, 908 pp., PUC, São Paulo, 1974.

38. Eis aí a finalidade prática da aplicação do método fenomenológico científico ao Fenômeno Humano: *ver para agir* (Cf. texto com esse título na *Introdução* da antologia *Teilhard de Chardin, mundo, homem e Deus*, pp. 13-32, Editora Cultrix, São Paulo, 1978 – e o texto "Ver", cuja nota 20 reproduzimos integralmente). Só uma visão lúcida conduz a uma ação lúcida. E para quem sabe "ver", a própria *Visão* suscita o problema da *Ação* (Cf. Parte III, Capítulo III, 2): adiante de nós, a continuidade do percurso, o prolongamento da trajetória do Fenômeno (que nós também somos). "Que fazer?" – questão de tal modo vital para a nossa ação como "Que somos?" é vital para a nossa inteligência. Até aqui nossa ação podia ser sobretudo instintiva, solucionadora dos pequenos problemas do quotidiano, voltada para o dia-a-dia imediato. Isso porque nos movimentávamos em limites estreitos e fixos... Agora, porém, é diferente. Somos o Homem. Vemos o Fenômeno. Vemo-nos como sendo o Fenômeno hominizado, o Fenômeno humanizado, o Fenômeno Humano. Então, já não podemos, como animais, avançar "cegamente", confiando no instinto. Para nós que já "vimos", a questão está em decidir: "Que fazer?" "Como e por onde ir?" "Para quê?". A resposta corresponde ao próprio tipo de Universo que nos estruturou e que passamos a estruturar – desordenado ou ordenado, esgotado ou ainda jovem, dispersivo ou convergente, absurdo e nauseante ou coerente e saboroso... Eis a grande opção!

39. Eis aí, opostos, o velho e ingênuo *Antropocentrismo de Posição* (Cf. nota 32) e o *Neo-Antropocentrismo de Movimento*. Este representa o Homem como "eixo e flecha da Evolução", porque o Homem se descobre a si próprio evoluindo num movimento de complexi-

dade-consciência que é também o eixo de progressão do Real Evolutivo (Cf. nota 11). Também chamado por Teilhard de *Neo-Antropocentrismo de Direção*, como se pode ver:

> "Depois de Galileu, podia parecer que o Homem perdera qualquer posição privilegiada no Universo. Sob a influência sempre maior das forças combinadas de invenção e de socialização, ei-lo prestes a retomar a dianteira: não mais na estabilidade, mas no movimento; não mais na qualidade de centro, mas sob a forma de flecha do Mundo em crescimento. Neo-antropocentrismo, não mais de posição, – mas de direção na Evolução."
> (Cf. *Évolution de l'idée d'évolution*, 1950.)

40. A partir deste *Prólogo*, o leitor ingressará na obra propriamente dita e, como que viajando num "túnel do Tempo-Espaço", percorrerá todas as etapas do Fenômeno: Pré-Vida, Vida, Pensamento e Sobrevida. Para facilitar aqueles menos familiarizados com os termos técnicos, fornecemos aqui, modestamente, à maneira de um "guia" ou "roteiro", um quadro resumido do *Tempo Geológico*, com suas *Eras, Períodos, Épocas* e correspondente *Duração*, a que se poderão reportar sempre que preciso, durante a "viagem". Ao final do quadro, uma breve explicação de cada divisão, para complementar a história geológica com a paleontológica:

\multicolumn{4}{c}{TEMPO GEOLÓGICO}			
ERA	PERÍODO	ÉPOCA	DURAÇÃO (milhões de anos)
Proterozóica	Azóico		4.000 / 3.000
	Arqueozóico		1.000
Paleozóica ou Primário	Proterozóico		600
	Cambriano		500
	Ordoviciano		440
	Siluriano		400
Mesozóica ou Secundário	Devoniano		350
	Carbonífero Inferior		
	Carbonífero Superior		270
	Permiano		220
	Triásico		180
	Jurássico		135
Cenozóica ou Terciário	Cretáceo		70
	Terciário	Paleoceno	60
		Eoceno	40
		Oligoceno	25
		Mioceno	10
		Plioceno	2
	Quaternário	Plistoceno	0,006
		Holoceno	(12.000 anos)

Era Proterozóica - desde a formação e solidificação da crosta terrestre até o aparecimento dos primeiros sinais de vida, incluindo:
- *Período Azóico* – em que não há vestígio de vida, também chamado *período arqueano*.
- *Período Arqueozóico* – em que há vestígios de vida primitiva; primeiras formas de vida conhecidas: algas azuis (cianofíceas); extensa atividade de formação de montanhas.
- *Período Proterozóico* – em que há vestígios de vida incipiente; algas marinhas, espículas de esponjas (celenterados); pelo final do período, mares rasos.

Era Paleozóica - na fauna, surgimento dos animais de organização celular rudimentar (foraminíferos, celenterados, equinodermos), desenvolvimento dos invertebrados, aparecimento dos vermes, insetos, cefalópodes, peixes; na flora, surgimento dos fanerógamos. Inclui:
- *Período Cambriano* – abundância de algas, primeiros invertebrados; equinodermos, foraminíferos e trilobites.
- *Período Ordoviciano* – formação de recifes de algas e corais, abundância de esponjas e moluscos.
- *Período Siluriano* – primeiras plantas terrestres, peixes sem mandíbulas; progresso dos crustáceos, maior desenvolvimento dos trilobites, escorpiões.
- *Período Devoniano* – primeiras plantas com sementes, peixes ósseos, primeiros anfíbios, primeiros insetos; na fauna, braquípodes, vermes, insetos miriápodes, peixes seláquios e ganóides; na flora, predominância de criptógamos vasculares.

Era Mesozóica - na fauna, surgimento dos primeiros répteis, dinossauros, mamíferos e aves; na flora, primeiras gimnospermas (angiospermos mono e dicotiledôneos), primeiras árvores coníferas, primeiras plantas com flores. Inclui:
- *Período Carbonífero Inferior e Superior* – na fauna, ampliação do número de invertebrados, surgimento de répteis e batráquios; na flora, desenvolvimento dos criptógamos (aparecimento de fanerógamos e gimnospermos); nas rochas, consideráveis reservas de carvão de pedra.
- *Período Permiano* – formação do continente único, Pangéia; na fauna, primeiros mamíferos, primeiros dinossauros, desaparecimento dos trilobites, desenvolvimento de cefalópodes, batráquios, peixes e répteis; na flora, substituição dos criptógamos vasculares pelos gimnospermos.
- *Período Triásico* – início da partição da Pangéia, presença dos grandes sáurios aquáticos e terrestres.
- *Período Jurássico* – aparecimento dos animais de transição entre répteis e aves (arqueoptérix).
- *Período Cretáceo* – na fauna, extinção dos dinossauros, mamíferos de pequeno porte (marsupiais), primeiras aves; na flora, progresso dos gimnospermos (coníferas), primeiras plantas com flores, angiospermos mono e dicotiledôneos.

Era Cenozóica - da extinção dos répteis gigantes em diante, com notável desenvolvimento dos vertebrados, aparecimento de símios antropomorfos etc. Inclui:
- *Período Terciário* – intensa atividade do núcleo central, freqüentes mudanças da crosta terrestre e extinção completa dos grandes sáurios; répteis, peixes e aves assumem um aspecto semelhante ao atual, e os mamíferos, sobretudo os ruminantes e proboscídeos, adquirem grande porte; no final, os primeiros símios antropomorfos. Inclui:
  - *Paleoceno* – expansão dos mamíferos modernos e primeiros primatas.
  - *Eoceno* – separação da América do Sul da África; prossegue a expansão dos mamíferos e surge o cavalo, com o porte de uma lebre atual.
  - *Oligoceno* – aparecimento de mamíferos de pastagem e expansão das pastagens; primeiros antropóides; início da formação do sistema de montanha Alpino-Himalaio.
  - *Mioceno* – primeiros hominídeos, climas mais frios.

- *Plioceno* – hominidas antropóides.
- *Período Quaternário* – idades de gelo principais, alternando com períodos interglaciais mais quentes; clima, fauna e flora semelhantes aos de hoje; surge o Homem. Inclui:
  - *Plistoceno* – glaciações, dilúvios e períodos interglaciários; ao final, o Homem com suas características atuais.
  - *Holoceno* – restrição das geleiras às regiões polares, desenvolvimento e expansão da civilização humana.

Obs.: Evidentemente, essa é uma caracterização rude e genérica; é preciso ter em mente a interpenetração e continuidade dos acontecimentos localizados aqui ou ali, dentro de uma época, período ou mesmo era geológica. Trata-se, insistimos, apenas de um "guia" ou "roteiro" de consulta, ao longo da leitura das páginas que se seguem.

I
A Pré-Vida

CAPÍTULO I
O Estofo do Universo

Deslocar um objeto para trás na direção do Passado equivale a reduzi-lo aos seus elementos mais simples.[1] Rastreadas tão longe quanto possível na direção de suas origens, as últimas fibras do composto humano vão se confundir aos nossos olhos com o próprio estofo do Universo.[2]

O estofo do Universo:[3] esse resíduo último das análises sempre mais minuciosas da Ciência... Não desenvolvi com esta, para saber descrevê-lo dignamente, aquele contato direto, familiar, que faz toda a diferença entre o homem que leu e o homem que experimentou. E sei também o perigo que existe em tomar, como materiais de uma construção que se desejaria duradoura, hipóteses que, na própria mente daqueles que as propõem, não devem durar mais do que uma manhã.

As representações do átomo atualmente admitidas são, em grande parte, entre as mãos do sábio, um simples meio gráfico ou transitório de operar o agrupamento e de verificar a não-contradição dos "efeitos" cada vez mais numerosos que manifesta a Matéria, – efeitos muitos dos quais não têm ainda, outrossim, nenhum prolongamento reconhecível no Homem.

Naturalista mais do que físico, evitarei naturalmente estender-me e apoiar-me indevidamente sobre essas arquiteturas complicadas e frágeis.

Em compensação, sob a variedade das teorias que se vão amontoando umas sobre as outras, surge um certo número de caracteres que reaparecem obrigatoriamente em qualquer das explicações propostas para o Universo. É dessa "imposição" definitiva, na medida em que ela exprime condições inerentes a toda transformação natural, mesmo viva, que deve necessariamente partir e que pode decentemente falar o naturalista empenhado num estudo geral do Fenômeno humano.

1. A Matéria Elementar[4]

Observado sob este ângulo especial, e tomado, de partida, no estado elementar (entendo por isto num momento, num ponto e sob um volume qualquer), o estofo das coisas tangíveis revela-se a nós, com uma insistência crescente, como sendo radicalmente "particular",[5] – mas essencialmente ligado – e, enfim, prodigiosamente ativo.

Pluralidade, unidade, energia: as três faces da Matéria.

A) *Pluralidade*, primeiramente.

A atomicidade profunda do Universo aflora sob uma forma visível no campo da experiência vulgar. Exprime-se nas gotas de chuva e na areia das praias. Prolonga-se na multidão dos seres vivos e dos astros. E até se lê nas cinzas dos mortos. O Homem não precisou do microscópio, nem da análise eletrônica, para presumir que vivia de poeira e por ela sustentado. Mas para contar e descrever os grãos dessa poeira era necessário nada menos que a paciente sagacidade da Ciência moderna. Os átomos de Epicuro eram inertes e insecáveis.[6] E os mundos ínfimos de Pascal ainda podiam ter os seus "cirons".[7] Nós agora ultrapassamos de longe, em certeza e precisão, essa fase da adivinhação instintiva ou genial. Ilimitado em degradação. Semelhante a essas minúsculas carapaças de diatomáceas[8] cujo desenho se decompõe indefinidamente, sob ampliações cada vez maiores, num novo desenho, cada unidade sempre menor de matéria tende a reduzir-se sob a análise de nossos físicos, em algo de mais finamente granulado que ela própria. E, a cada novo passo assim descendente em direção ao apequenamento no maior número, é a configuração total do Mundo que se renova e que se esbate.

Para além de um certo grau de profundidade e de diluição, as mais familiares propriedades dos nossos corpos (luz, cor, calor, impenetrabilidade...) perdem todo o sentido.

De fato, nossa experiência sensível condensa-se e flutua sobre um enxame de indefinível. Vertiginoso em número e em pequenez, o substrato do Universo tangível vai-se desagregando sem limites para baixo.

B) Ora, quanto mais clivamos e pulverizamos artificialmente a Matéria, mais se nos mostra a sua *fundamental unidade*.

Na sua forma mais imperfeita, porém mais simples de imaginar, essa unidade se traduz por uma espantosa semelhança dos elementos encontrados. Moléculas, átomos, elétrons, estas minúsculas entidades, quaisquer que sejam a sua ordem de grandeza e o seu nome, manifestam (pelo menos à distância em que as observamos) uma perfeita identidade de massa e de comportamento. Nas suas dimensões e operações, parecem espantosamente calibradas, — e monótonas. Como se todas as irisações de superfície que encantam as nossas vidas tendessem a se extinguir em profundidade. Como se o estofo de todo estofo se reduzisse a uma simples e única forma de substância.

Unidade de homogeneidade, portanto. Acharíamos natural atribuir aos corpúsculos cósmicos um raio de ação individual tão limitado quanto suas próprias dimensões. Ora, torna-se evidente, pelo contrário, que cada um deles só é definível em função de sua influência sobre tudo o que está ao seu redor. Qualquer que seja o espaço no qual o suponhamos colocado, cada elemento cósmico preenche inteiramente esse mesmo volume com a sua irradiação. Por mais estreitamente circunscrito, pois, que seja o "âmago" de um átomo, seu domínio é co-extensivo, pelo menos virtualmente, ao de qualquer outro átomo. Estranha propriedade que reencontraremos mais adiante até na molécula humana!

E, acrescentamos, *unidade coletiva*. Os inumeráveis focos que partilham entre si um dado volume de Matéria nem por isso são independentes uns dos outros. Algo os religa mutuamente, algo que os torna solidários. Longe de se comportar como um receptáculo inerte, o espaço preenchido por sua multidão age sobre ela à maneira de um meio ativo de direção e de transmissão, no seio do qual sua pluralidade se organiza. Simplesmente adicionados ou justapostos, os átomos não constituem ainda a Matéria. Engloba-os e cimenta-os uma misteriosa identidade contra a qual o nosso espírito se choca, sendo porém finalmente forçado a ceder.

A esfera acima dos centros, e envolvendo-os.

Ao longo destas páginas, a cada fase nova da Antropogênese,[9] nós nos reencontraremos perante a imaginável realidade das ligações coletivas, e contra elas teremos que lutar incessantemente, até chegarmos a reconhecer e a definir sua verdadeira natureza. Seja suficiente, por ora, englobá-las sob o nome empírico que a ciência dá a seu comum princípio inicial: a Energia.[10]

C) *A Energia*, a terceira das faces da Matéria.

Com essa palavra, que traduz o sentido psicológico do esforço, a Física introduziu a expressão precisa de uma capacidade de ação ou, mais exatamente, de inter-ação. A energia é a medida do que passa de um átomo para outro no decurso de suas transformações. Poder de ligação, pois; mas, também, porque o átomo parece enriquecer-se ou esgotar-se durante o intercâmbio, valor de constituição.

Do ponto de vista energético, renovado pelos fenômenos de radioatividade, os corpúsculos materiais podem agora ser tratados como reservatórios passageiros de uma potência concentrada. Jamais apreendida, de fato, em estado puro, mas sempre mais ou menos granulada (até na luz!), a Energia representa atualmente para a Ciência a forma mais primitiva do Estofo universal.[11] Donde uma tendência instintiva de nossas imaginações a encará-la como uma espécie de fluxo homogêneo, primordial, cujos fugidios "turbilhões" constituiriam tudo quanto existe de figurado no Mundo. O Universo, desse ponto de vista, encontraria sua consistência e sua unidade final *no termo de sua decomposição. Sustentar-se-ia por baixo.*

Conservemos as constatações e as medidas indiscutíveis da Física. Mas evitemos nos apegar à perspectiva de equilíbrio final que elas parecem sugerir. Uma observação mais completa dos movimentos do Mundo nos obrigará pouco a pouco a invertê-la, isto é, a descobrir que, se as coisas subsistem e se sustentam, é somente à força de complexidade,[12] *por cima.*

2. A Matéria Total[13]

Consideramos até aqui a Matéria "em si", isto é, nas suas qualidades e sob um volume qualquer, — como se nos fosse permitido dela destacar um fragmento e estudar, à parte do resto, essa amostra. É tempo de observar que esse procedimento é puro artifício do espírito. Considerado em sua realidade física e concreta, o Estofo do Universo não se pode rasgar.[14] Antes, espécie de "átomo" gigantesco, é ele, tomado em sua totalidade, que constitui (afora o Pensamento em que ele se centra e se concentra, no outro extremo) o único Insecável real. A história e o lugar da Consciência no Mundo permanecerão incompreensíveis para quem não tiver visto, previamente, que o Cosmo em que o Homem se encontra engajado, constitui, pela integridade incontestável de seu conjunto, *um Sistema, um Totum e um Quantum*: um Sistema por sua Multiplicidade, – um Totum por sua Unidade, – um Quantum por sua Energia; todos os três, de resto, no interior de um contorno ilimitado.

Tentemos fazê-lo compreender.

A) *O Sistema*

No mundo, o "Sistema" é imediatamente perceptível para qualquer observador da Natureza.

A ordenação das partes do Universo tem sido sempre para os homens um motivo de deslumbramento.[15] Ora, esse arranjo se revela cada dia mais espantoso, à medida que nossa Ciência se torna capaz de um estudo mais preciso e mais penetrante dos fatos.[16] Quanto mais longe e profundamente penetramos na Matéria, por meios sempre mais poderosos, tanto mais nos confunde a interligação de suas partes.[17] Cada elemento do Cosmo é positivamente tecido de todos os outros: abaixo de si próprio, pelo misterioso fenômeno da "composição", que o faz subsistir pela extremidade de um conjunto organizado; e, acima, pela influência recebida das unidades de ordem superior que o englobam e o dominam para seus próprios fins.

Impossível cortar nessa rede, isolar dela um retalho, sem que este se desfie e se desfaça por todos os lados.[18]

A perder de vista, em volta de nós, o Universo se sustenta por seu conjunto.[19] E não há senão uma maneira realmente possível de considerá-lo. É tomá-lo como um bloco, todo inteiro.

B) *O Totum*

Ora, nesse bloco, se o consideramos mais atentamente, vemos logo que há algo além de uma simples trama de ligações articuladas. Quem diz tecido, rede, pensa num entrelaçamento homogêneo de unidades semelhantes, – que é talvez impossível seccionar de fato, – mas de que basta ter reconhecido o elemento e definido a lei para dominar o conjunto e imaginar a seqüência, por repetição: cristal ou arabesco, lei de preenchimento válida para um espaço inteiro, mas espaço que numa só malha já se encontra inteiramente concentrado.

Nada de comum entre essa estrutura e a da Matéria.

Em ordens diversas de grandeza, a Matéria nunca se repete em suas combinações. Por conveniência e simplicidade, gostamos às vezes de imaginar o Mundo como uma série de sistemas planetários superpostos uns aos outros, escalonando-se do infinitamente pequeno ao infinitamente grande: ainda uma vez, os dois abismos de Pascal.[20] É só uma ilusão. Os invólucros de que se compõe a Matéria são fundamentalmente heterogêneos uns em relação aos outros. Círculo, ainda nebuloso, dos elétrons e outras unidades inferiores. Círculo, mais bem definido, dos corpos simples, onde os elementos se distribuem em função periódica dos átomos de hidrogênio. Círculo, mais adiante, das inesgotáveis combinações moleculares. Enfim, por salto ou reversão do ínfimo ao imenso, círculo dos astros e das galáxias. Essas múltiplas zonas do Cosmo englobam-se sem se imitarem, – de modo que não poderíamos em absoluto passar de uma para outra por simples mudança de coeficientes. Aqui, nenhuma reprodução do mesmo motivo, em diferente escala.[21] A ordem, o desenho só aparecem no conjunto. A malha do Universo é o próprio Universo.

Afirmar que a Matéria constitui um bloco ou um conjunto, não é pois dizer o bastante.

Tecido de uma so peça, segundo um único e mesmo processo,[22] * mas que de ponto para ponto não se repete jamais, o Estofo do Universo corresponde a uma única figura: forma estruturalmente um Todo.

C) *O Quantum*

E agora, se a unidade natural do espaço concreto se confunde mesmo com a totalidade do próprio Espaço, é em relação ao Espaço inteiro que devemos tentar redefinir a Energia.

E isso nos leva a duas conclusões.

A primeira é que o raio de ação próprio a cada elemento cósmico deve ser, de direito, prolongado até aos limites últimos do Mundo. Uma vez que o átomo, como dizíamos acima, é naturalmente co-extensivo a qualquer espaço em que o situemos, — e uma vez que, por outro lado, como acabamos de ver, um espaço universal é *o único que existe*, — temos forçosamente que admitir que é essa imensidade que representa o domínio de ação comum a todos os átomos. Cada um deles tem por volume o volume do Universo. O átomo não é mais o mundo microscópico e fechado que talvez imaginávamos. Ele é o centro infinitesimal do próprio Mundo.[23]

Por outro lado, estendamos nosso olhar ao conjunto dos centros infinitesimais que partilham entre si a esfera universal. Por mais indefinível que seja o seu número, eles constituem por sua multidão um agrupamento com efeitos precisos. Pois o Todo, uma vez que existe, deve exprimir-se numa capacidade global de ação cuja resultante parcial encontramos, aliás, em cada um de nós. Assim somos levados a considerar e conceber uma medida dinâmica do Mundo.

O Mundo tem, por certo, contornos aparentemente ilimitados. Para empregar diferentes imagens, ele se comporta para os nossos sentidos: quer como um meio progressivamente atenuado que se esvanece sem superfície limite, por algum esbatimento infinito; quer como um domínio curvo e fechado no seio do qual todas as linhas de nossa experiência se enrolam sobre si mesmas, — e nesse caso a Matéria nos pareceria sem margens só porque dela não podemos emergir.

Isso não é uma razão para lhe recusarmos um Quantum de Energia que os físicos, ocasionalmente, se julgam desde já em condições de medir.[24]

Mas esse Quantum não adquire plenamente o seu sentido senão quando procuramos defini-lo em relação a um movimento natural concreto, — isto é, na Duração.[25]

3. A Evolução da Matéria

A Física nasceu, no século passado, sob o duplo signo da fixidez e da geometria. Teve como ideal, na sua juventude, o descobrimento de uma explicação matemática de um Mundo concebido à maneira de um sistema de elementos estáveis em equilíbrio fechado. E depois, encaminhando-se como toda ciência do real, viu-se irresistivelmente impelida, por seus próprios progressos, a tornar-se uma História. Hoje, o conhecimento positivo das coisas identifica-se com o estudo de seu desenvolvimento. Mais adiante, no capítulo do Pensamento, haveremos de descrever e de interpretar a revolução vital que se operou na consciência humana pela descoberta, bem recente, da Duracão. Por ora, perguntemo-nos apenas que ampliações determina, em nossas concepções sobre a Matéria, a introdução dessa nova dimensão.

Essencialmente, a modificação operada em nossa experiência pelo aparecimento daquilo a que em breve chamaremos de Espaço-Tempo[26] consiste em que tudo o que nós, nas nossas construções cosmológicas, considerávamos e tratávamos como pontos, torna-se secção instantânea de fibras temporais indefinidas. Aos nossos olhos desvendados, cada elemento das coisas prolonga-se, doravante, para trás (e tende a prosseguir para diante), a perder de vista. De tal modo que a imensidade espacial inteira não é mais do que a secção "no tempo t" de um tronco cujas raízes mergulham no abismo de um Passado insondável, e cujos ramos sobem algures num Futuro à primeira vista ilimitado. Nesta nova perspectiva, o Mundo aparece como uma massa em vias de transformação. O Totum e o Quantum universais tendem a exprimir-se e a definir-se em termos de Cosmogênese.[27]

Quais são, neste momento, aos olhos dos Físicos, a figura que toma (qualitativamente) e as regras que segue (quantitativamente) essa Evolução[28] da Matéria?

A) *A Figura*

Observada em sua parte central, a mais clara, a Evolução da Matéria se resume, nas teorias atuais, à edificação gradual, por complicação crescente, dos diversos elementos reconhecidos pela Físico-Química. Bem embaixo, para começar, uma simplicidade ainda indecisa, indefinível em termos de figuras, de natureza luminosa. Depois, bruscamente (?),[29]* um formiguejar de corpúsculos elementares, positivos e negativos (prótons, nêutrons, elétrons, fótons...) cuja lista aumenta sem cessar. Depois a série harmônica dos corpos simples estendendo-se do Hidrogênio ao Urânio, pelas notas da escala atômica. E, em seguida, a imensa variedade dos corpos compostos, em que as massas moleculares vão se elevando até um certo valor crítico acima do qual, como veremos, passa-se para a Vida. Nem sequer um termo dessa longa série que não deve ser olhado, com base em boas provas experimentais, como um composto de núcleos e de elétrons. Essa descoberta fundamental de que todos os corpos derivam, por ordenação, de um só tipo corpuscular inicial, é o clarão que ilumina ao nosso olhar a história do Universo. À sua maneira, a Matéria obedece, desde a origem, à grande lei biológica (à qual nos reportaremos incessantemente) de "complexificação".[30]

À sua maneira, disse eu; pois no estádio do átomo, muitos pontos nos escapam ainda na história do Mundo.

Primeiramente, para se elevarem na série dos corpos simples, deverão os elementos transpor sucessivamente todos os graus da escala (do mais simples ao mais complicado), por uma espécie de ontogênese[31] ou de filogênese?[32] Ou então representarão os números atômicos[33] apenas uma série rítmica de estados de equilíbrio, espécies de compartimentos onde núcleos e elétrons caem bruscamente agrupados? — E, em seguida, tanto num caso como noutro, teremos nós que imaginar as diversas combinações de núcleos como imediatamente e igualmente possíveis? Ou, pelo contrário, será preciso supor que, no conjunto, estatisticamente, os átomos pesados só aparecem depois dos átomos leves, segundo uma ordem determinada?

A estas perguntas, como a outras semelhantes, não parece que a Ciência já possa responder definitivamente. Sobre a evolução ascendente (eu não digo "a desintegração") dos átomos, estamos, no presente, menos informados do que sobre a evolução das moléculas pré-vivas e vivas. O que é certo, entretanto (e este constitui, para o assunto de que nos ocupamos, o único ponto verdadeiramente importante), é que, desde suas formulações mais longínquas, a Matéria se nos revela *em estado de gênese*, — gênese essa que deixa entrever dois dos aspectos que melhor a caracterizam nos seus períodos ulteriores. Primeiro, começar por uma fase crítica: a de *granulação*,[34] que dá bruscamente origem (de uma vez para sempre?) aos constituintes do átomo e ao próprio átomo talvez. Em seguida, pelo menos a partir das moléculas,[35] prosseguir aditivamente segundo um processo de complexidade crescente.[36]

No Universo, não se faz tudo continuamente, a qualquer momento. Nem tudo se faz também em toda parte.

Acabamos de resumir em poucas linhas a idéia hoje aceita pela Ciência sobre as transformações da Matéria: mas considerando tais transformações simplesmente em sua seqüência temporal, e sem situá-las ainda em parte alguma da extensão cósmica. Historicamente, o estofo do Universo vai se concentrando em formas de Matéria cada vez mais organizadas. Mas onde se passam, então, essas metamorfoses, pelo menos a partir da edificação das moléculas? Será indiferentemente num lugar qualquer do Espaço? Em absoluto, nós todos o sabemos, mas unicamente no âmago e na superfície das estrelas. Por havermos considerado os infinitamente pequenos elementares, somos forçados a erguer bruscamente os olhos para o infinitamente grande das massas siderais.

As massas siderais... Nossa Ciência é perturbada, ao mesmo tempo que seduzida, por essas unidades colossais, que se comportam de certo modo como os átomos, mas cuja constituição nos desconcerta por sua enorme e (na aparência?) irregular complexidade. Dia virá talvez em que se evidenciará algum arranjo ou periodicidade na distribuição dos astros, tanto em sua composição como em sua posição. Não será a história dos átomos inevitavelmente prolongada por alguma "estratigrafia" e "química" dos céus?[37]

Não há porque nos embrenharmos nessas perspectivas ainda brumosas. Por mais fascinantes que sejam, elas envolvem o Homem mas não nos conduzem até ele. Em compensação devemos notar e registrar, pois tem as suas conseqüências até na gênese do Espírito, a inegável ligação que associa geneticamente o átomo à estrela. Por muito tempo ainda, a Física poderá hesitar acerca da estrutura que convém atribuir às imensidades astrais. Entrementes uma coisa é certa, e basta para guiar nossos passos nas vias da Antropogênese.[38] É que a fabricação de compostos materiais não se pode operar senão graças a uma concentração prévia do Estofo do Universo em nebulosas e em sóis. Qualquer que seja a figura global dos Mundos, a função química de cada um deles já tem para nós um sentido definível. Os astros são laboratórios onde prossegue, na direção das grandes moléculas, a Evolução da Matéria, — isto, aliás, segundo regras quantitativas determinadas, das quais é chegado o momento de nos ocuparmos.

B) *As Leis Numéricas*

O que o Pensamento antigo havia entrevisto e imaginado como uma harmonia natural dos Números, a Ciência moderna o apreendeu e realizou na precisão das fórmulas baseadas na Medida. É, de fato, a medidas cada vez mais minuciosas, muito mais que a observações diretas, que devemos o conhecimento da micro e da macro-estrutura do Universo. E são as medidas ainda, sempre mais audaciosas,[39] que nos têm revelado as condições calculáveis às quais se encontra submetida, na potência que ela põe em jogo, qualquer transformação da Matéria.

Não vou entrar aqui numa discussão crítica das leis da Energética.[40] Vamos simplesmente resumi-las naquilo que elas têm de acessível e de indispensável para qualquer historiador do Mundo. Consideradas sob esse aspecto biológico, podem ser reduzidas, *grosso modo*, a dois princípios que são os seguintes:

Primeiro princípio. No decurso das transformações de natureza físico-química, não constatamos nenhum aparecimento mensurável de nova energia.

Qualquer síntese custa algo. Eis uma condição fundamental das coisas, que persiste, bem o sabemos, até nas zonas espirituais do ser. Em todos os domínios o progresso exige, para se realizar, um acréscimo de esforço e, por conseguinte, de potência. Ora, esse acréscimo, donde vem ele?

Abstratamente, poder-se-ia imaginar, provendo as necessidades crescentes da Evolução, um acréscimo interno dos recursos do Mundo, um aumento absoluto da riqueza mecânica no decorrer das eras. Na realidade, as coisas parecem passar-se de modo diverso. Em nenhum caso a energia de síntese parece poder ser cifra da entrada de um novo capital, mas antes de uma despesa. O que se ganha por um lado perde-se pelo outro. Nada se constrói senão à custa de uma destruição equivalente.

Experimentalmente e à primeira vista, o Universo, considerado em seu funcionamento mecânico não se nos apresenta como um Quantum aberto, capaz de abarcar no seu ângulo um Real cada vez maior, — mas como um Quantum fechado, no seio do qual nada progride senão por permuta daquilo que foi inicialmente dado.

Eis uma primeira aparência.

Segundo princípio. Mas há mais. No decurso de qualquer transformação físico-química, acrescenta a Termodinâmica, uma fração de energia utilizável é irremediavelmente "entropizada", isto é, perdida sob a forma de calor.[41] É possível, sem dúvida, conservar simbolicamente nas equações essa fração degradada, de modo a exprimir que nada se perde, como também nada se cria, nas operações da Matéria. Mas isso é puro artifício matemático. Na verdade, do ponto de vista evolutivo real, algo, no decurso de qualquer síntese, é definitivamente queimado para custear essa síntese. Quanto mais o Quantum energético do Mundo funciona, mais ele se desgasta. Considerado no campo de nossa experiência, o Universo material concreto não parece poder continuar indefinidamente em seu curso. Em vez de se mover indefinidamente segundo um ciclo fechável, ele descreve irresistivelmente uma trajetória de desenvolvimento limitado. E assim se separa das grandezas abstratas para se alinhar entre as realidades que nascem, crescem e morrem. Do Tempo ele passa para a Duração;[42] e escapa definitivamente à Geometria para tornar-se dramaticamente, tanto na sua totalidade como nos seus elementos, objeto de História.

Traduzamos de um modo figurado a significação natural desses dois princípios da Conservação e da Degradação da Energia.

Qualitativamente, dizíamos acima, a Evolução da Matéria se manifesta a nós, *hic et nunc*, como um processo ao longo do qual se ultra-condensam e se inter-combinam os constituintes do átomo. Quantitativamente, essa transformação aparece-nos agora como uma operação definida, mas dispendiosa, onde se esgota lentamente um impulso original. Laboriosamente, de degrau em degrau, os edifícios atômicos e moleculares complicam-se e elevam-se. Mas a força ascensional se perde no caminho. Ademais, no interior dos termos de síntese (e tanto mais depressa quanto mais elevados são esses termos) atua o mesmo desgaste que mina o Cosmo em sua totalidade. Pouco a pouco, as combinações *improváveis* que eles representam voltam a se desfazer em elementos mais simples que recaem e se desagregam no amorfo das distribuições *prováveis*.

Um foguete que sobe seguindo a flecha do Tempo[43] e que só explode para se extinguir, — um redemoinho ascendente no seio de uma corrente que desce, tal seria pois a figura do Mundo.

Assim fala a Ciência. E eu creio na Ciência. Mas até aqui, terá a Ciência jamais se dado ao trabalho de olhar o Mundo de outro modo que não seja *pelo Fora*[44] das coisas?...

NOTAS

1. Já que — num Universo evolutivo que se vai fazendo, na direção da flecha do Tempo, por complexificações sempre maiores — todo ser é, de certo modo, síntese dos que lhe são "anteriores" e "inferiores". Nesse sentido, pode-se dizer também que cada ser, tomado *hiperfisicamente*, é composição superadora e inovadora de seus antecedentes *físicos*, nele "transformados".

2. "Então Iahweh Deus modelou o homem com a argila do solo..." (Gen. 2, 7) "... até que retornes ao solo, pois dele foste tirado. Pois tu és pó..." (Gen. 3, 19) — O homem, *'adam*, segundo o relato bíblico, vem do solo, *'adamah*, e por isso esse nome coletivo torna-se o nome próprio do primeiro ser humano, Adão. Aqui fazemos apenas uma alusão às origens humanas, mas o que Teilhard quer indicar, de passagem, é a co-naturalidade do Homem e do Mundo, é o quanto o Homem está enraizado na Natureza por origem, já que ela o precede e nele se metamorfoseia. (Cf. nota anterior.)

3. De toda a exposição subseqüente resultará o *Estofo do Universo* conceituável como o ser concreto de que é constituído o Cosmo e que não se confunde com a matéria física (nem mesmo "total"), pois apresenta tanto um "dentro" (a Consciência) como um "fora" (a Matéria). É o *Espírito-Matéria* (Cf. nota 35 ao *Prólogo*), que constitui a trama una, o tecido insecável do Universo evolutivo.

4. Convém, de partida, deixar bem clara a noção teilhardiana de *Matéria*. (I) *Conceitualmente*, a "matéria pura" é a "multiplicidade" antitética da "unidade", ou seja, aquilo que se opõe à energia unitiva e, sobre que, no entanto, essa energia se exerce. Não se trata, segundo Teilhard, de

"... nenhuma dessas entidades abstratas definidas por esse nome pela Ciência ou pela Filosofia. É exatamente a mesma realidade *concreta*, para nós, como para a Física, ou para a Metafísica, com seus mesmos atributos fundamentais de pluralidade, de tangibilidade e de interligação", tomada porém "toda inteira, na sua maior generalidade possível (...) com sua plena exuberância, tal como ela reage, não apenas às nossas perquisições científicas ou dialéticas, mas a toda nossa atividade prática. (...) o conjunto das coisas, das energias, das criaturas que nos rodeiam, na medida em que estas se apresentam a nós como palpáveis, sensíveis, 'naturais'" — no sentido teológico do termo — "... meio comum, universal, tangível, infinitamente movediço e variável, no seio do qual vivemos mergulhados". (Cf. *Le milieu divin*, 1926-1927 — Obra por nós prefaciada, traduzida e anotada, *O meio divino*, Editora Cultrix, São Paulo, 1981, 139 pp.)

Essa Matéria, ainda enquanto "multiplicidade", é o objeto da Análise, assim como o "ser unificado" é aquilo que apreende a Síntese.

"Fundamentalmente, a Matéria, num ser (numa Mônada, do grego *monás*, "unidade"), é *o que torna* esse ser *unível* a outros seres, de modo a formar com eles *um Todo mais simples*, novo. Ela não é o que une (só o Espírito une). Mas *dá ensejo* à união." (Cf. *Le noms de la matière*, 1919.)

Sem adentrar ainda em considerações sobre a teoria da União, por ora, observemos apenas que a Matéria é bem a base *física* do ser e de cada ser considerado *hiperfisicamente* (Cf. nota 1). Isso basta para compreendermos ainda uma vez que (II) *Fenomenologicamente*, quer dizer, em dimensão evolutiva, enquanto fenômeno que se nos mostra, não há na realidade "matéria pura" (como não há, na mesma perspectiva, "espírito puro"), mas *Espírito-Matéria* (Cf. nota 35 ao *Prólogo*) em via de espiritualização progressiva (por unificação-união) ou então em risco de materialização regressiva (por recaída no múltiplo). É um processo ao longo do Espaço-Tempo. E, a cada mo(vi)mento, a cada escalão hiperfísico franqueado, aquilo que consideramos "Matéria" pode ser expresso por um nome diferente. Baseando-nos no opúsculo já citado (*Le noms de la matière*) e no próprio texto (de *Le phénomène humain*) em questão, arrolamos, a seguir, muitos desses "nomes" encontráveis ao longo da obra teilhardiana, acrescentando-lhes breve definição. Cumpre notar que o próprio Autor, além de procurar "classificar" os vários sentidos do conceito e apresentar uma "história" da Matéria, tratou também de dar-lhe muitas definições de caráter instrumental. Assim, é por "acumulação de perfis", como diria Merleau-Ponty (1908-1961), que esperamos proporcionar melhor compreensão dessa noção, que constitui um dos temas essenciais da visão de Teilhard.

— *Matéria Primeira* — Matéria no estado inicial de multiplicidade, sobre a qual a força de união e de centração ainda não se exerceu.

— *Matéria Original* — A própria Matéria-Matéria em sua posição inicial no campo evolutivo.

— *Matéria-Matéria* — Limite ideal do Múltiplo, simbolizado pelas formas mais rudimentares do reino mineral.

— *Matéria Matriz ou "Materia Matrix"* — Matéria enquanto matriz do espírito. Metáfora a sugerir que, por um lado, a Matéria é necessária à gênese do Espírito e, de outro, que o Espírito tende a se desligar de sua infra-estrutura material.

— *Matéria Juvenil* — Substância original da Terra, contendo potencialmente as manifestações da Pré-Vida e, assim, até as da Vida.

— *Matéria Formal* — Princípio de ação. A própria expressão nasce de uma lógica especificamente concreta, evocando em dimensão concreta, o *subjectum* dos escolásticos.

— *Matéria Concreta* — Matéria apreendida como existente por oposição ao princípio formal. Em qualquer estádio de evolução, ela se define entre uma tendência à dispersão para trás e um impulso unitivo para a frente.

— *Matéria Elementar* — Produto da análise de um fragmento qualquer de Matéria, artificialmente destacado do Todo Real, revelando três propriedades fundamentais: pluralidade, unidade e energia. (Cf. o texto em tela.)

— *Matéria Universal* — Matéria em estádio incoativo e rudimentar apresentando já, no entanto, a unidade de um Todo sob forma ainda vaga.

— *Matéria Total* — Matéria diferenciada da Matéria Universal no sentido de representar um estádio ulterior, mais elaborado, deixando transparecer ligações que convergem no Espírito. Esta noção receberá precisões, no texto, logo adiante.

— *Matéria Relativa* — Diz-se de qualquer estádio da Matéria enquanto ela representa um princípio espiritual de união para o múltiplo que lhe é inferior (e anterior) e constitui, ao mesmo tempo, um múltiplo suscetível de entrar na síntese de um princípio de união que lhe é superior (e posterior). O *físico* e o *hiperfísico*... Comporta, no plano humano, três aplicações que compõem um ritmo ternário: Matéria viva, Matéria morta, Matéria secundária, como se segue:

— *Matéria Viva Unificável* — Matéria enquanto espiritualizável, ou seja, destinada a perder sua materialidade (antônimo de Matéria Morta) e a transformar-se em Matéria Liberada.

— *Matéria Reversiva ou Morta* — Parte da Matéria que não pode ser espiritualizada e retorna ao não-ser.

– *Matéria Nova*, *Matéria Secundária*, *Matéria Segunda* ou *Neo-Matéria* – Surgindo depois que a Matéria Viva se aliviou da Matéria Reversiva, resulta da condição inerente a toda Matéria, assim "purificada", que consiste em consolidar, mas também em mecanizar os resultados obtidos, de modo a tornar possível e requerer um novo processo de "purificação", semelhante ao precedente, porém mais perfeito.

– *Matéria Liberada* – A Matéria transfigurada que sobrevive à metamorfose da morte e se oferece à ressurreição.

– *Matéria Ressuscitada* – A Matéria em sua última fase, resultando tanto de suas metamorfoses sucessivas antes da morte e na morte, como da ação criadora, da graça e da eficiência divinas.

– *Super-Matéria* – Espécie de Neo-Matéria desempenhando o papel de negativo do ponto Ômega (Cf. adiante Parte IV, Capítulo II), quer dizer, revestindo-se indevidamente dos atributos do absoluto.

– *Trans-Matéria* – Sinônimo de Espírito que, nascido, fenomenologicamente, de uma interiorização da Matéria, acabará por se destacar dela por uma espécie de "êxtase", prescindindo, enquanto super-estrutura, da sua própria infra-estrutura.

Eis, em suma, sem pretender esgotar a pesquisa, os subsídios que julgamos adequados. Cabe sempre ir às fontes. Além dos textos já citados, recorrer a *La puissance spirituelle de la matière*, 1919 (traduzido e anotado em *Mundo, homem e Deus*, Cultrix, São Paulo, 1978); *L'hominisation*, 1925; *L'esprit de la terre*, 1931; *Note sur la notion de perfection chrétienne*, 1942; *Le couer de la matière*, 1950 (traduzido e comentado em *Para aquele que vem*, Instituto Social Morumbi, São Paulo, 1985.

5. No original (*particulaire*) sem as aspas, que colocamos para ressaltar o sentido adjetivo de "em estado de partículas".

6. Filósofo do Helenismo, Epicuro (341-270 a.C.) admite, como Demócrito (460-370 a.C.), que tudo no Universo tem por origem uma massa de átomos em número infinito, de formas variadas, imutáveis, caindo no vazio, onde, por força de um desvio de direção espontâneo, sem causa ou lei fixa (*Clinamen*) os átomos passam a se encontrar, combinando-se entre si. Teilhard quer nos advertir de que a granulação ou a pluralidade do Universo material vai ainda além dessa atomicidade: os átomos, em si, também são multiplicidade (de partículas) em movimento...

7. Blaise Pascal, matemático, físico, filósofo e escritor francês (1623-1662), retomando e desenvolvendo a idéia cartesiana (Descartes, 1596-1650) de "*infinidade*", considera o mundo infinito em grandeza e pequenez. Nele, dependendo da perspectiva adotada, tudo é infinito. Ora, dessa infinidade decorre a incompreensibilidade. O Universo, cujos princípios o mesmo Descartes acreditava compreender, escapa por todos os lados às nossas ciências: "Não podemos senão aperceber a aparência do meio das coisas, num desespero eterno de conhecer quer seu princípio, quer seu fim"... (Cf. *Pensées*, Ed. Margival, artigo I, I, p. 4.) Ora, mesmo na direção do infinitamente pequeno, Pascal admitia a existência de um fundo residual, animálculos que vivem nos detritos, os *cirons*... Teilhard, através de novo exemplo, quer evidenciar que a pulverização universal é mais radical ainda, ilimitada, infinita, até a pura Multiplicidade. (Cf. nota 4. Cf. também Parte III, Capítulo III, nota 25.)

8. Vivendo na água doce e salgada, formando, não raro, colônias gelatinosas, as *diatomáceas* são microrganismos autotróficos (capazes de sintetizar substâncias orgânicas com base em inorgânicas, como ocorre em vegetais) providos de uma rígida carapaça silicosa formada por duas valvas que se encaixam e que, em certas espécies, é ricamente ornamentada. Com a morte, o material orgânico que compõe uma diatomácea desaparece, a carapaça porém não se degrada e pode depositar-se no fundo do mar, por exemplo, formando um agregado denominado *diatomito*.

9. Literalmente, *Gênese ou Origem do Homem*. (Cf. nota 22 ao *Prólogo*.)

10. *Energia* é sempre, em última análise, "dinamismo motor". Em Teilhard, entretanto, esse dinamismo, tomado como fundamental, atuará de diferentes formas, configurando-se em forças diversas. Voltaremos com ele a esse ponto. (Cf., por exemplo, Parte II, Capítulo I, nota 124.)

11. Assim, o Estofo do Universo, sem perder sua unidade orgânica, tende a constituir

pequenos sistemas fechados, simultaneamente autônomos em si e solidários entre si. É o processo de *Corpusculização*.

12. A *Complexidade* é uma heterogeneidade organizada e, por conseguinte, centrada. Opõe-se ao mero *Agregado*, que é acumulação, por inércia, de corpúsculos e de corpos que não constituem uma totalidade orgânica; que é amontoado de elementos não ordenados ou arranjados: montes de areia, de estrelas, de planetas... A Complexidade é o resultado próprio da *Complexificação*, tendência do Real a construir, nas condições favoráveis, edifícios cada vez mais ricos em interligações e sempre melhor centrados, como teremos oportunidade de verificar. (Cf. nota 1 para entender melhor agora por que é que tudo subsiste "por cima".)

13. Como a própria seqüência do texto o evidencia, *Matéria Total* para Teilhard é a Matéria considerada em sua realidade concreta, ou seja, temporoespacial, como uma síntese evolutiva que se distingue sob três aspectos complementares: o *sistema*, que ordena a pluralidade; o *totum*, que revela o desenho de conjunto; e o *quantum*, que mede a capacidade global de energia do Cosmo. (Cf. nota 4 e o quanto a presente noção é mais elaborada e definida do que a outra ali indicada. Trata-se de um progresso da própria expressão teilhardiana.)

14. Cf. nota 3.

15. A própria constituição do Universo, para os Gregos, era, basicamente, passagem, por ordenação harmoniosa, do Caos (*cháos*, "vazio obscuro e ilimitado") ao Cosmo (*kósmos*, "o todo universal").

16. Em posição contrária à assumida durante muito tempo pela Ciência, que se mantinha neutra ou indiferente ao problema, os cosmologistas estão hoje sugerindo que o Universo foi perfeitamente projetado, e considerando até a chamada "hipótese Deus". Cada vez mais admirados com o número de coincidências físicas altamente improváveis, esses estudiosos, com base em cálculos e dados puramente científicos, estabelecem o planejamento universal e afastam a hipótese do acaso — questão até aqui deixada à filosofia e à religião. [Cf. os trabalhos e as teorias de Paul Davies, cosmologista britânico (*O Universo acidental*); John Wheeler, físico, (teoria da "observação participante"); Paul Dirac, prêmio Nobel de Física ("a constante 10^{39} nas medidas micro e macrocósmicas"); Brandon Carter, astrofísico britânico ("princípio antropocêntrico"); B. J. Carr e M. J. Rees, físicos ("coincidências entre constantes físicas", "radiação isotrópica universal"); Eugene Mallove, engenheiro astronáutico e escritor científico ("o Universo planejado". Nosso universo é constituído de tal modo — hoje o reconhecemos — que realiza três funções muito incomuns: abriga a complexidade (de que a Vida é o exemplo máximo); permite que objetos altamente complexos permaneçam intactos por longos períodos; e, no entanto, admite a mudança gradual, que pode levar à complexidade ainda maior. Ora, isso só é possível num todo organizado, num Sistema.]

17. Com *radiotelescópios*, por exemplo, os astrônomos podem captar a chamada "radiação de 3 graus Kelvin" como uma espécie de corrente uniforme em todas as direções, com uma variação de apenas 0,000 01... Em diferentes *câmaras* (de bolha, de centelha, de condensação, de *Wilson* ou de névoa ou de nuvem, de traço etc.), os físicos nucleares tornam visíveis a trajetória de uma partícula ionizante...

18. A lista de "coincidências cósmicas" é vastíssima. Destacam-se a temperatura do universo, a relação entre gravidade e força eletromagnética, e a força de coesão nuclear. O Universo está como que banhado nos restos arrefecidos de sua criação extremamente quente, há bilhões de anos. Essa uniformidade em todas as direções, denominada isotropia, só pode ser resultante de condições surpreendentemente uniformes no momento da explosão inicial. Se a radiação, por outro lado, não fosse tão altamente isotrópica, por diversas razões a temperatura do espaço seria hoje intoleravelmente alta, e o Universo não comportaria a Vida quimicamente organizada. A gravidade, por sua vez, é incrivelmente mais fraca do que a força que faz o denso núcleo atômico "prender" uma nuvem de elétrons. Se a gravidade fosse apenas pouco mais forte (mantendo-se, porém, mais fraca que o eletromagnetismo), as estrelas se queimariam muito mais depressa, numa temperatura muitíssimo mais elevada, e o Sol já teria há muito gasto todo o seu hidrogênio e a Vida, sem dúvida, nunca teria surgido. A força nuclear fraca é outra questão. Está relacionada com a gravidade de tal forma que foi o hidrogênio, e não o hélio, que surgiu

como elemento dominante, no estágio mais primitivo do Universo. Se essa relação tivesse sido apenas ligeiramente diversa, então seria sobretudo o hélio a se formar; e as estrelas também aqui se queimariam mais rapidamente, tendo vida mais curta. E ainda não haveria quase hidrogênio para a formação da água, sem a qual nada de Vida... Finalmente, a força atômica forte mantém prótons e nêutrons juntos, no núcleo atômico. Se essa força fosse menor – a metade do que é, apenas – elementos essenciais como carbono e ferro seriam instáveis e não durariam muito. Por outro lado, um aumento de somente 2% nessa força teria resultado na queima de todo o hidrogênio do Universo...

19. "Tudo está ligado a tudo, tudo se sustenta por tudo", repete inúmeras vezes Teilhard, resumindo-se, ao longo de seus escritos.

20. O *Ínfimo* e o *Imenso*. (Cf. nota 7.)

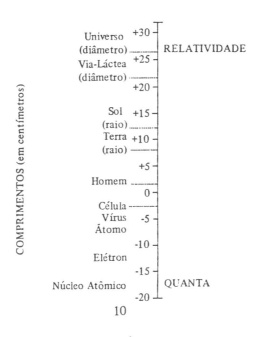

O Universo de dois infinitos (Imenso e Ínfimo). – *Escala dimensional e propriedades nos dois extremos* (gráfico apresentado por Teilhard em *La place de l'homme dans l'univers. Réflexions sur la complexité*, 1942).

21. Para falar apenas do que nos é conhecido, se considerarmos a composição química das zonas acessíveis da Terra – crosta terrestre, hidrosfera e atmosfera – e a hipotética composição das zonas profundas – confirmada parcialmente pelas experiências geofísicas –, pode-se afirmar que nosso planeta não constitui uma amostra representativa do Universo. De fato, do estudo da composição química terrestre pode-se extrair duas importantes conclusões: 1) os elementos gasosos leves, que compõem a maior parte da matéria cósmica, são muito escassos no nosso planeta; 2) certos elementos pesados, quantitativamente pouco abundantes no cosmo, apresentam-se no nosso planeta em concentrações elevadas. Dentre os gases leves, que abundaram no protoplaneta terrestre, conservou-se unicamente o oxigênio, devido à sua grande capacidade para formar compostos sólidos estáveis. O hidrogênio só é encontrado em concentrações apreciáveis na hidrosfera, porém, a nível total da Terra, sua importância quantitativa em peso é pequena. Outros elementos abundantes no cosmo, como o nitrogênio e o carbono, encontram-se em concentrações muito pequenas na Terra e totalmente restritos à atmosfera e à biosfera.

22. Que denominaremos mais adiante "a lei de consciência e complexidade". (N. do A.)
23. Já que, num espaço infinito, qualquer ponto pode ser o centro...
24. Ou seja, é possível conceber, fisicamente, uma mínima quantidade de energia, que pode ser emitida, propagada ou absorvida – o *Quantum* – e afirmar que a sua totalidade – os *Quanta* – constitui, quantitativamente, o Cosmo. A Teoria dos Quanta, criada por Max Planck (físico alemão, 1858-1947, prêmio Nobel 1918) em 1900, afirma que a energia irradiante tem, como a matéria, uma estrutura descontínua: só pode existir sob a forma de grãos, ou quanta. O quantum, quantidade indivisível de energia eletromagnética, se expressa na fórmula: $c = h \times \gamma$, na qual h é uma constante universal (constante de Planck), de valor $6,624 \times 10^{-27}$ C. G. S., e γ, a freqüência da irradiação. Essa teoria está na base de toda a física moderna.
25. Essa *Duração* deve ser entendida mais precisamente, e mais amplamente também, do que no sentido usual e vulgar ("tempo que uma coisa dura") ou no sentido bergsoniano ("continuidade mutável na existência através do espaço e do tempo"). Ela corresponde à noção teilhardiana de *Tempo Orgânico* ou *Espaço-Tempo*, que, por sua vez, não deve ser confundida com a noção einsteiniana correntemente admitida ("meio de quatro dimensões: as três do espaço, mais o tempo – necessário, segundo a Teoria da Relatividade, para determinar a posição de um fenômeno"). Esta, com efeito, corresponde a uma "espacialização" do Tempo, concomitante a uma "geometrização" da Matéria. O *Espaço-Tempo* teilhardiano corresponde a uma organização do Espaço e do Tempo, a nível biológico, num todo único e convergente no qual o Espaço é integrado na dimensão temporal de que passa a representar a seção transversal, uma "fatia" do cone do tempo, como ele explica no item seguinte. Teilhard chega a caracterizar esse Espaço-Tempo como

"... um Movimento universal, absolutamente específico, em virtude do qual a Totalidade das coisas, de alto a baixo, se desloca solidariamente, e num único decurso, não somente no Espaço e no Tempo, mas num Espaço-Tempo ("hiper-einsteiniano"), cuja curvatura particular tem por efeito tornar o que aí se move cada vez mais ordenado". (Cf. *Un seuil mental sous nos pas: du cosmos à la cosmogénèse*, 1951.)

O Tempo para Teilhard, portanto, é Tempo Orgânico, ou seja, um contínuo de curvatura convergente indissoluvelmente ligado ao espaço para constituir o Estofo do Universo (Cf. nota 3), ou seja, sua estrutura orgânica, de modo que cada parcela do real: 1) deixa de ser punctiforme para se tornar fibrosa (não um "ponto", mas uma "linha", um "eixo", prolongando-se indefinidamente tanto para trás como para a frente; 2) é solidária ao conjunto de todas as fibras que constituem o Real.

"A percepção do Tempo Orgânico de que falamos aqui (a saber, aquela do Tempo cujo desenrolar-se total corresponde à elaboração gradual, progressiva e irreversível de um conjunto de elementos organicamente ligados), essa percepção nova, quero dizer, não fornece, por si mesma, uma explicação das coisas, mas somente uma perspectiva mais precisa de sua integridade quantitativa." (Cf. *Les fondements et le fond de l'idée d'évolution*, 1926.)

Assim, o autor é levado, pela lógica de seu raciocínio, a tratar imediatamente, como o faz, da "evolução da matéria". Todas essas idéias acerca da Duração, contudo, são aprofundadas bem mais adiante (Cf. Parte III, Capítulo III, 1), como se anuncia, logo em seguida.

26. Cf. nota anterior.
27. Cf. nota 23 ao *Prólogo*.
28. Resumamos, desde já, a significação desse termo *Evolução*, tão fundamental no pensamento de Teilhard e um dos grandes temas deste livro:

1) *No sentido científico e fenomenal*, ela é a própria lei de sucessão e de transformação de todos os fenômenos no tempo, ou, mais precisamente, no Espaço-Tempo (Cf. nota 25). Falamos aqui da Evolução generalizada a todos os níveis do ser,

"como uma propriedade primeira do Real experimental; tanto que *nada entra mais em nossas construções* senão *aquilo que satisfaz primeiramente às condições* de um Universo em vias de transformação". (Cf. *Christologie et évolution*, 1933.)

O *Evolucionismo* de Teilhard está, pois, longe de se reduzir às teorias darwinistas comumente conhecidas. (Cf. artigo de nossa autoria, "O 'anti-evolucionismo' de Teilhard", Revista

Portuguesa de Filosofia, tomo XXVIII, Faculdade de Filosofia, Braga, 1972, pp. 332-354, onde revelamos um Teilhard mais precisamente adepto de um Evolucionismo Parcial, *Transformismo Teísta e Espiritualista*);

2) *No sentido cognoscitivo ou epistemológico*, a Evolução é uma dimensão de todo o pensamento e nos permite apreender adequadamente o Real em seu dinamismo: constatamos e admitimos que toda a realidade (material, orgânica, social, intelectual etc.) se apresenta como o elo de uma corrente, ou, mais exatamente, como um estádio, um mo(vi)mento numa gênese. Tudo nasce, tudo se desenvolve, tudo tem uma história, até o próprio Universo. Eis por que a Evolução não é uma hipótese, nem uma teoria filosófica, mas uma maneira geral de perceber e conhecer tudo.

"Tomada nesse grau de generalidade (a saber que toda realidade experimental faz parte de um *processo*, que *nasce* no Universo), há muito a 'Evolução' deixou de ser uma 'hipótese' para se tornar *uma condição geral de conhecimento* (mais uma *dimensão*), à qual devem doravante satisfazer todas as hipóteses." (Cf. *Les singularités de l'espèce humaine*, 1954.)

(Fundamental para a compreensão aprofundada deste sentido, de Romano Rezek, O. S. B.: "Os fundamentos epistemológicos e gnoseológicos da cosmovisão de Teilhard de Chardin", em *Leopoldianum*, vol. III, nº 7, Santos, 1976, pp. 11-38, e em *Ser Mais...*, I. S. M., São Paulo, 1986, pp. 63-103.)

3) *No sentido ontológico e total*, a Evolução é a dimensão fenomenal – aparente, manifesta, formidável – para a nossa experiência, ao longo do Espaço-Tempo, na Duração (Cf. nota 25) de uma ação transfenomenal: a criação divina.

"A Evolução (...) não é em absoluto 'criadora', como a Ciência pôde crer um dia; mas é a expressão para a nossa experiência, no Tempo e no Espaço, da Criação." (Cf. *La place de l'homme dans l'univers. Refléxions sur la complexité*, 1942.)

Teremos oportunidade de voltar ao assunto, no texto e nas notas.

29. Há alguns anos, esse primeiro nascimento dos corpúsculos era antes imaginado sob a forma de *condensação* brusca (como num meio saturado) de uma substância primordial difusa num espaço ilimitado. Agora, por diversas razões convergentes (Relatividade, particularmente, combinada com a fuga centrífuga das galáxias), os físicos se voltam de preferência para a idéia de uma explosão, pulverizando um quase-átomo primitivo, no qual o Espaço-Tempo se estrangularia (numa espécie de Zero natural absoluto), há apenas alguns bilhões de anos. Para o bom entendimento das páginas que se seguem, as duas hipóteses são equivalentes, no sentido de que tanto uma quanto a outra nos colocam no seio de uma multidão corpuscular da qual não nos podemos evadir em nenhuma direção: nem ao redor, nem para trás – mas, quem sabe, no entanto (Cf. Parte IV, cap. 2), para a frente, através de um ponto singular de enrolamento e de interiorização. (N. do A.)

30. Cf. nota 12.

31. Etimologicamente, "geração do ser", *Ontogênese* ou Ontogenia é o processo de formação e desenvolvimento de um ser em todas as fases de sua evolução. Assim, a Ontogênese é a sua própria origem.

32. *Filogênese* ou filogenia pode, por ora, ser entendida como o processo de evolução pelo qual as formas vivas vão se modificando através do Espaço-Tempo, para produzirem outras, cada vez mais elevadas. Logo, a Filogênese é a própria origem dessa evolução.

33. Os *números atômicos* ou "números de carga" expressam o número de prótons no núcleo de um elemento, o qual coincide com a ordem do elemento na classificação periódica de Dimitri Ivanovitch Mendeleiev (1834-1907), químico russo.

34. O *Átomo* é bem um exemplo de *Granulação* ou *"Corpusculização"* (Cf. nota 11). Sistema energeticamente estável, formado por um núcleo positivo que contém nêutrons e prótons, e cercado de elétrons, o átomo é a menor quantidade de uma substância elementar que tem as propriedades químicas de um elemento. Todas as substâncias são formadas de átomos, que podem se agrupar, formando moléculas ou íons.

35. A *Molécula* é a menor porção de uma substância capaz de existir independentemente,

conservando suas propriedades químicas. Físico-quimicamente, a molécula constitui o agrupamento estável de dois ou mais átomos.

36. Cf. nota 12.

37. Geologicamente, a *Estratigrafia* é o estudo da seqüência, no tempo e no espaço, das rochas da litosfera, assim como de suas relações genéticas, condições pretéritas de formação e paleogeografia. A *Química*, por sua vez, estuda a estrutura das substâncias, correlacionando-a com as propriedades macroscópicas e investigando a transformação dessas substâncias. Teilhard quer sugerir que os astros, as galáxias, as massas siderais enfim, repetindo simetricamente no Imenso a granulação que se constata no Ínfimo (Cf. nota 20), poderiam ser estudados como átomos, moléculas, agrupamentos materiais, ou seja, em grande escala.

38. Aqui, simplesmente, "origem do Homem". (Cf. nota 22.)

39. Essas *medidas* revelam-se sobretudo nas "constantes", que são "números puros" e não unidades arbitrárias como metros, horas, pés ou polegadas...

40. Aqui, *Energética* é sinônimo de *Termodinâmica*, parte da Física que investiga os processos de transformação de energia térmica e o comportamento dos sistemas nesses processos. (Cf. nota seguinte.)

41. Desde 1824, a noção de *Entropia* foi claramente expressa por Sadi Carnot (1796-1832). Em sua obra *Reflexões sobre a potência motora do fogo e sobre as máquinas próprias a desenvolvê-la*, ele anunciou os princípios de uma nova ciência que iria dominar toda a Física e a Química: a *Termodinâmica*, estudo das mútuas relações entre os fenômenos caloríferos e mecânicos. O segundo princípio da Termodinâmica afirma o caráter irreversível da transformação física do trabalho em calor, transformação que se verifica no sentido de uma desorganização parcial. Em 1865, Clausius (1822-1888), isolando a noção de Entropia, deu ao fenômeno seu caráter de universal generalidade (*Princípio de Brollouin*). Constatando que, no curso de toda e qualquer transformação física, uma parte de energia se perde sob a forma de calor irrecuperável, somos levados a admitir que a capacidade de ação do Universo material se esgota, pouco a pouco, inexoravelmente. A Matemática, lançando mão de um artifício, conserva simbolicamente essa fração degradada nas equações que monta, para exprimir que nas operações da Matéria nada se perde, nada se cria. Mas, de fato, do ponto de vista evolutivo, no decorrer de qualquer síntese uma certa quantidade de energia é consumida em definitivo. E assim vai se desgastando, perdendo e diminuindo o Quantum energético do Mundo, permitindo-nos "prever" uma morte material do Universo por esgotamento de recursos energéticos, por "resfriamento". A Entropia é, pois, a contra-corrente da Evolução, a Involução. O texto do autor, que se segue, resume tudo isso e é bem claro quanto à significação e conseqüência da Entropia.

42. Cf. nota 25.

43. Isto é, do Passado em direção ao Futuro. Teilhard usa inúmeras vezes essa expressão, *Flecha do Tempo*, como quem diz "flecha de uma trajetória", a altura máxima atingida por um projétil em seu percurso. O Tempo avança para uma "culminância" de si mesmo.

44. Cf. nota 34 ao *Prólogo*.

CAPÍTULO II
O Dentro das Coisas

Entre materialistas e espiritualistas, entre deterministas e finalistas,[1] no plano científico, a controvérsia persiste ainda. Depois de um século de disputa, cada partido se firma em suas posições e apresenta ao adversário sólidas razões para nelas permanecer.

Na medida em que posso compreender essa contenda, na qual me vi pessoalmente envolvido,[2] parece-me que sua prorrogação decorre menos da dificuldade em que se acha a experiência humana de conciliar na Natureza certas aparências contraditórias de mecanicismo e de liberdade, de morte e de imortalidade, do que da dificuldade que encontram os dois grupos de mentalidades em se colocarem num terreno comum. De um lado, os materialistas se obstinam em falar dos objetos como se esses não consistissem senão em ações exteriores,[3] em relações de "transiência".[4] De outro, os espiritualistas teimam em não sair de uma espécie de introspecção solitária em que os seres não são considerados, senão como fechados sobre si mesmos,[5] em suas operações "imanentes".[6] Tanto uns como outros se batem em dois planos diferentes, sem se encontrarem; e cada um dos grupos não vê senão a metade do problema.

Minha convicção é a de que os dois pontos de vista pedem por uma junção e a de que em breve juntar-se-ão numa espécie de Fenomenologia ou Física generalizada,[7] em que a face interna das coisas será levada em consideração tanto quanto a face externa do Mundo. Parece-me impossível, de outro modo, cobrir com uma explicação coerente, como deve a Ciência tender a fazê-lo, a totalidade do Fenômeno Cósmico.[8]

Acabamos de descrever, em suas ligações e dimensões mensuráveis, *o Fora* da Matéria. Precisamos, para avançar mais na direção do homem, estender a base de nossas construções futuras *ao Dentro* dessa mesma Matéria.

As coisas têm o seu *interior*, o seu "quanto a si", poder-se-ia dizer. E esse se apresenta em relações definidas, quer *qualitativas*, quer *quantitativas*, com os desenvolvimentos que a Ciência reconhece na Energia cósmica. Três afirmações que constituem as três partes deste novo capítulo.

Tratá-las, como devo fazê-lo aqui, obrigar-me-á a extravasar-me pela Pré-Vida e a antecipar-me um pouco quanto a Vida e Pensamento. Mas a característica e a dificuldade de qualquer síntese não estão justamente em encontrar-se o seu termo já implicado em seus começos?

1. Existência

Se há uma perspectiva claramente aberta pelos últimos progressos da Física, é, por certo, a de que existem para a nossa experiência, na unidade da Natureza, esferas (ou escalões) de diferentes ordens, cada qual deles caracterizado pela dominância de certos fatores que se tornam imperceptíveis ou insignificantes na esfera ou no escalão vizinhos. À escala média de nossos organismos e de nossas construções, a velocidade parece não alterar a natureza da Matéria. Ora, sabemos hoje que, com os valores extremos atingidos pelos movimentos atômicos, ela modifica profundamente a massa dos corpos. Entre os elementos químicos "normais", a estabilidade e a longevidade parecem ser a regra. E eis que essa ilusão foi destruída pela descoberta das substâncias radioativas. À medida de nossas existências humanas, as montanhas e os astros parecem um modelo de majestosa fixidez. Vemos agora que, observados numa grande profundidade de duração, a crosta terrestre vai-se modificando incessantemente sob os nossos pés, enquanto que os céus nos arrebatam num ciclone de estrelas.

Em todos esses casos, e noutros semelhantes, nenhum aparecimento absoluto de grandeza nova. *Qualquer* massa é modificada por sua velocidade. *Qualquer* corpo irradia. *Qualquer* movimento, suficientemente afrouxado, vela-se de imobilidade. Mas, numa escala ou com uma intensidade diferentes, torna-se aparente um determinado fenômeno, que invade o horizonte, apaga os outros matizes e dá a todo o espetáculo sua tonalidade peculiar.[9]

Assim acontece com o "dentro" das Coisas.

No domínio da Físico-química, por uma razão que logo se verá, os objetos só se manifestam por seus determinismos externos.[10] Aos olhos do Físico, não existe legitimamente nada (pelo menos até aqui) além de um "fora" das Coisas. A mesma atitude intelectual é ainda permitida ao bacteriologista, cujas culturas são tratadas (com algumas enormes dificuldades até) como reagentes de laboratório.[11] Mas tal postura é já muito mais difícil no mundo das Plantas.[12] Tende a se tornar uma aposta no caso do biólogo que se interessa pelo comportamento dos Insetos ou dos Celenterados.[13] Revela-se simplesmente leviana no caso dos Vertebrados.[14] E finalmente fracassa totalmente com o Homem, no qual a existência de um "interior" não pode mais ser esquivada, uma vez que esse interior passa a se constituir em objeto de uma intuição direta e estofo de todo conhecimento.

A aparente restrição do fenômeno de consciência às formas superiores da Vida serviu por muito tempo de pretexto à Ciência para eliminá-lo das suas construções do Universo.[15] Exceção esquisita, função aberrante, epifenômeno: sob qualquer desses termos arrumavam o Pensamento para dele se desembaraçarem. Mas o que teria sido da Física moderna, se se houvesse, simplesmente, classificado o Rádio[16] entre os corpos "anormais"?... Evidentemente, a atividade do Rádio não foi e nem podia ser negligenciada porque, sendo mensurável, ela abria seu próprio caminho no tecido exterior da matéria, – enquanto que a consciência, essa, para ser integrada num sistema do Mundo, obriga-nos a encarar a existência de uma face ou dimensão nova no Estofo do Universo. Recuamos diante do esforço. Mas quem é que não vê, tanto num caso como no outro, colocar-se aos investigadores um idêntico problema, e que deve ser resolvido pelo mesmo método: *descobrir o universal sob o excepcional*?

De sobejo o experimentamos ultimamente para podermos ainda duvidar: uma anomalia natural nunca é senão o exagero, até se tornar sensível, de uma propriedade espalhada por toda parte em estado inapreensível. Bem observado, num único ponto que seja, um fenômeno tem necessariamente, por força da unidade fundamental do Mundo, um valor e raízes onipresentes.[17] Aonde nos conduz esta regra se a aplicamos ao caso do "auto-conhecimento" humano?

"A consciência não aparece com plena evidência senão no Homem", estaríamos tentados a dizer, "portanto, ela é um caso isolado que não interessa à Ciência".

"A consciência aparece com evidência no Homem", temos que repetir, corrigindo-nos, "portanto, entrevista nesse único lampejo, ela tem uma extensão cósmica e, como tal, aureola-se de prolongamentos espaciais e temporais indefinidos".

A conclusão está carregada de conseqüências. E todavia eu não consigo ver como, em boa analogia com todo o resto da Ciência, poderíamos escapar dela.

No fundo de nós mesmos, sem discussão possível, aparece, como por um rasgão, um interior no âmago dos seres. Isto é o bastante para que, num grau ou noutro, esse "interior" se imponha como existente em toda parte e desde sempre na Natureza. Posto que, num ponto de si mesmo, o Estofo do Universo tem uma face interna, é forçosamente porque ele é *bifacial por estrutura*, ou seja, em qualquer região do espaço e do tempo, exatamente como, por exemplo, ele é granular: *Coextensivo ao Fora das Coisas, existe um Dentro das Coisas*.

Donde, logicamente, a seguinte representação do Mundo, desconcertante para as nossas imaginações, mas a única, de fato, assimilável para a nossa razão. Tomada no mais inferior de si mesma, naquele ponto precisamente em que nos colocamos no início destas páginas, a Matéria original é algo mais que o fervilhar de partículas tão maravilhosamente analisado pela Física moderna. Sob essa folha Mecânica inicial, precisamos conceber, adelgaçada ao extremo, mas absolutamente necessária para explicar o estado do Cosmo nos tempos posteriores, uma folha "biológica". Dentro, Consciência[18]* e, portanto, Espontaneidade, a essas três expressões de uma mesma coisa não nos é lícito fixar experimentalmente um começo absoluto, assim como a qualquer das outras linhas do Universo.

Numa perspectiva coerente do Mundo, a Vida supõe inevitavelmente, e a perder de vista antes dela, a Pré-Vida.[19]*

Mas então, objetarão juntamente espiritualistas e materialistas, se tudo, na Natureza, é, no fundo, vivo, ou pelo menos pré-vivo, como é então possível que se edifique e triunfe uma ciência mecanicista da Matéria?[20]

Determinados por fora, e "livres" por dentro, seriam os objetos, por suas duas faces, irredutíveis e incomensuráveis?... E, nesse caso, onde está a solução?

A resposta a essa dificuldade já se encontra implicitamente nas observações acima apresentadas sobre a diversidade das "esferas de experiências" que se sobrepõem umas às outras no interior do Mundo.[21] Ela aparecerá mais nitidamente quando tivermos percebido segundo que leis qualitativas varia e cresce, em suas manifestações, aquilo que acabamos de denominar o Dentro das Coisas.

2. Leis Qualitativas de Crescimento

Harmonizar os objetos no Tempo e no Espaço, sem pretender fixar as condições que podem reger o seu ser profundo. Estabelecer na Natureza uma cadeia de sucessão experimental, e não uma ligação de causalidade "ontológica". Ver, em outras palavras, — e não explicar —, tal é, não o esqueçamos, o único objetivo do presente estudo.[22]

Deste ponto de vista fenomenal (que é o ponto de vista da Ciência), haverá meio de ultrapassar a posição onde se deteve nossa análise do Estofo do Universo? Nele acabamos de reconhecer a existência de uma face interna consciente que forra necessariamente, por toda parte, a face externa, "material", a única considerada habitualmente pela Ciência. Poderemos ir mais longe, e definir as regras segundo as quais esta segunda face, na maior parte do tempo oculta, chega a transparecer, depois a emergir, em certas regiões de nossa experiência?

Parece que sim; e até muito simplesmente, desde que sejam colocadas em seqüência três observações que cada um de nós já teve ocasião de fazer, mas que não adquirem seu verdadeiro valor senão quando cuidamos de encadeá-las.

A) *Primeira Observação*. Considerado no estado pré-vital, o Dentro das Coisas, cuja realidade acabamos de admitir até nas formas nascentes da Matéria, não deve ser imaginado como constituindo uma "folha" contínua, mas antes como afetado da mesma granulação que a própria Matéria.

Haveremos de retornar em breve a este ponto capital. Por mais longe que comecemos a distingui-los, *os primeiros vivos* se manifestam à nossa experiência, em grandeza e em número, como espécies de "mega" ou de "ultramoléculas": uma multidão alucinante de núcleos microscópicos. Isso quer dizer que, por razões de homogeneidade e de continuidade, o pré-vivo se adivinha, abaixo do horizonte, como um objeto que participa da estrutura e das propriedades *corpusculares* do Mundo. Olhado de dentro, assim como observado de fora, o Estofo do Universo tende, pois, a resolver-se igualmente para trás numa poeira de partículas: 1) perfeitamente semelhantes entre si (pelo menos observadas a grande distância); 2) coextensivas, cada qual de per si, à totalidade do domínio cósmico; 3) misteriosamente religadas umas às outras, enfim, por uma Energia de conjunto. Nessas profundidades, as duas faces externa e interna do Mundo se correspondem ponto a ponto. E tão bem, que se pode passar de uma para outra, com a única condição de substituir "interação mecânica" por "consciência" na definição dada anteriormente (p. 41) dos centros parciais do Universo.

O atomismo é uma propriedade comum ao Dentro e ao Fora das Coisas.

B) *Segunda Observação*. Praticamente homogêneos entre si na origem, os elementos de Consciência (exatamente como os elementos de Matéria em que se subtendem) vão, pouco a pouco, complicando e diferenciando sua natureza no decurso da Duração. Desse ponto de vista, e considerada sob o ângulo puramente experimental, a Consciência se manifesta como uma propriedade cósmica de grandeza variável, submetida a uma transformação global. Tomado no sentido ascendente, esse fenômeno enorme, que haveremos de seguir ao longo dos crescimentos da Vida e até o Pensamento, acabou por nos parecer banal. Seguido no sentido inverso, ele nos leva, como já notamos anteriormente, à noção menos familiar de estados inferiores, cada vez mais vagos e como que afrouxados.

Refratada para trás na Evolução, a Consciência se distende qualitativamente num espectro de matizes variáveis cujos termos inferiores se perdem na noite.

C) *Terceira Observação.* Tomemos, para finalizar, em duas regiões diferentes desse espectro, duas partículas de consciência chegadas a graus desiguais de evolução. A cada uma delas corresponde, como acabamos de ver, por construção, um certo agrupamento material definido de que elas constituem o Dentro. Comparemos esses dois agrupamentos externos um com o outro, e perguntemo-nos como eles se dispõem entre si e em relação à parcela de Consciência que cada um deles respectivamente envolve.

A resposta é imediata.

Qualquer que seja o caso considerado, podemos estar seguros de que à consciência mais desenvolvida corresponderá sempre uma construção mais rica e mais bem estruturada. O mais simples protoplasma é já uma substância de complexidade inaudita. Essa complicação aumenta, em proporção geométrica, do Protozoário aos Metazoários cada vez mais elevados.[23] E assim sempre e por toda parte, com tudo o mais. Ainda aqui o fenômeno é tão óbvio que há muito deixamos de nos admirar. E no entanto sua importância é decisiva. Graças a ele, com efeito, dispomos de um "parâmetro" tangível que nos permite religar, já não somente *em posição* (ponto por ponto), mas também, como verificaremos adiante, *no movimento*, as duas folhas externa e interna do Mundo.

A concentração de uma consciência, pode-se dizer, varia em razão inversa da simplicidade do composto material que ela forra. Ou ainda: uma consciência é tanto mais perfeita quanto mais rico e mais bem organizado é o edifício material que ela forra.[24]

Perfeição espiritual (ou "centreidade" consciente) e síntese material (ou complexidade) não são senão as duas faces ou partes ligadas de um mesmo fenômeno.[25]*

E eis-nos chegados, *ipso facto*, à solução do problema proposto. Procurávamos uma lei qualitativa de desenvolvimento capaz de explicar, de esfera em esfera, primeiro a invisibilidade, depois o aparecimento, enfim a gradual dominância do Dentro em relação ao Fora das Coisas. Essa lei se revela por si mesma a partir do instante em que o Universo é concebido como passando de um *estado A*, caracterizado por um muito grande número de elementos materiais muito simples (isto é, com um Dentro muito pobre) a um *estado B*, definido por um menor número de agrupamentos muito complexos (isto é, com um Dentro mais rico).

No estado A, os centros de consciência, por serem ao mesmo tempo muito numerosos e extremamente frouxos, só se manifestam por efeitos de conjunto, *submetidos a leis estatísticas*. Obedecem, pois, coletivamente, a leis matemáticas. É o domínio próprio da Físico-química.[26]

No estado B, pelo contrário, esses elementos, menos numerosos[27]* e, ao mesmo tempo, mais bem individualizados, escapam pouco a pouco à escravidão dos grandes números.[28] Deixam transparecer sua fundamental e não-mensurável espontaneidade. Podemos começar a vê-los e a segui-los um por um. E desde então temos acesso ao mundo da Biologia.[29]

Todo o resto deste Ensaio não será mais, em suma, do que a história dessa luta travada, no Universo, entre o Múltiplo unificado e a Multidão inorganizada:[30] aplicação, de ponta a ponta, da grande *Lei de Complexidade e de Consciência*, lei esta que implica *uma estrutura, uma curvatura, psiquicamente convergentes* do Mundo.

Mas não nos precipitemos. E uma vez que, aqui, estamos ainda a nos ocupar da Pré-Vida, guardemos apenas que, de um ponto de vista *qualitativo*, não há nenhuma contradição em admitir que um universo de aparências mecanizadas seja construído de "liberdades", — contanto que essas liberdades estejam nele contidas num estado suficientemente grande de divisão e de imperfeição.[31]

Passando agora, para terminar, ao ponto de vista, mais delicado, da *quantidade*, vejamos se é possível definir, sem oposição às leis admitidas pela Física,[32] a Energia contida em tal Universo.

3. A Energia Espiritual

Nenhuma noção nos é mais familiar que a de Energia[33] espiritual. E nenhuma, entretanto, continua sendo para nós cientificamente mais obscura. Por um lado, a realidade objetiva de um esforço e de um trabalho psíquico está tão bem assentada que sobre ela se alicerça toda a Ética.[34] E, por outro lado, a natureza desse poder interior é tão impalpável que fora dele pôde edificar-se toda a Mecânica.[35]

Em parte alguma se evidenciam mais cruamente as dificuldades em que ainda estamos para agrupar Espírito e Matéria numa mesma perspectiva racional. E, em parte alguma também, manifesta-se mais tangivelmente a urgência de lançar uma ponte entre as duas margens, física e moral, de nossa existência, se quisermos que se animem mutuamente as faces espiritual e material de nossa atividade.

Ligar entre si de uma maneira coerente as duas Energias do corpo e da alma: uma questão que a Ciência decidiu ignorar provisoriamente. E seria bastante cômodo proceder como ela. Infelizmente (ou felizmente), encerrados como estamos aqui, na lógica de um sistema em que o Dentro das Coisas tem exatamente o mesmo, ou até maior valor que o seu Fora, nós nos defrontamos com a dificuldade. Impossível evitar o embate. É preciso avançar.

As considerações que se seguem não têm, bem entendido, a pretensão de trazer uma solução verdadeiramente satisfatória ao problema de Energia espiritual. O seu escopo é simplesmente mostrar, a partir de um exemplo, o que deveria ser, a meu ver, a linha de pesquisa adotada, e o tipo de explicação procurado, por uma ciência integral da Natureza.

A) *O Problema das Duas Energias*

Dado que, no próprio fundo de nossa consciência humana, a face interna do Mundo vem à luz e se reflete sobre si mesma, parece que bastaria olharmo-nos a nós mesmos para compreender em que relações dinâmicas se encontram, num ponto qualquer do Universo, o Fora e o Dentro das Coisas.

Na realidade, essa leitura é das mais difíceis.

Nós *sentimos* perfeitamente se combinarem, em nossa ação concreta, as duas forças em questão. O motor funciona. Mas não chegamos a decifrar seu jogo, que parece contraditório. O que constitui para a nossa razão o ponto agudíssimo, tão irritante, do problema da Energia espiritual é o aguçado e contínuo sentido que temos da dependência e da independência simultâneas de nossa atividade em relação às potências da Matéria.

Primeiramente, dependência. Esta é de uma evidência ao mesmo tempo deprimente e magnífica. "Para pensar, é preciso comer". Nesta fórmula brutal se exprime toda uma economia que, conforme o ângulo de que a consideramos, constitui a tirania ou, pelo contrário, o poder espiritual da Matéria.[36] A mais alta especulação, o amor mais ardente implicam e custam, sabemos disso muito bem, um dispêndio de energia física. Ora será preciso o pão, ora o vinho; ora a infusão de um elemento químico ou de um hormônio; ora a excitação de uma cor; ora a magia de um som que, atravessando os nossos ouvidos como uma vibração, emergirá em nosso cérebro sob a forma de inspiração...

Sem dúvida alguma, a Energia material e a Energia espiritual sustentam-se e prolongam-se mutuamente *por alguma coisa*. Bem no fundo, *de algum modo*, não deve haver, a atuar no Mundo, senão uma única Energia.[37] E a primeira idéia que nos vem à mente é de nos representarmos "a alma" como um foco de transmutação para onde, por todas as avenidas da Natureza, convergiria o poder dos corpos a fim de se interiorizar e se sublimar em beleza e em verdade.

Ora, mal a entrevemos, essa idéia, tão sedutora, de uma transformação *direta* das duas Energias uma na outra, tem que ser abandonada. Pois, tão claramente quanto sua ligação, manifesta-se sua mútua independência, assim que se tenta acoplá-las.

"Para pensar, é preciso comer", repito. Mas, em contrapartida, que variedade de pensamentos pelo mesmo pedaço de pão! Semelhantes às letras de um alfabeto, de onde podem sair tanto a incoerência como o mais belo poema jamais ouvido, as mesmas calorias parecem tão indiferentes quanto necessárias aos valores espirituais que alimentam...

As duas Energias, física e psíquica, espalhadas respectivamente sobre as duas folhas externa e interna do Mundo, têm, no conjunto, o mesmo andamento. Estão constantemente associadas e passam, de algum modo, uma para outra. Mas parece impossível fazer com que suas curvas simplesmente se correspondam. Por um lado, apenas uma fração ínfima de Energia "física" se acha utilizada pelos mais elevados desenvolvimentos da Energia espiritual. E, por outro lado, essa fração mínima, uma vez absorvida, traduz-se, no quadro interior, pelas mais inesperadas oscilações.

Tal desproporção quantitativa basta para fazer rejeitar a idéia demasiado simples de "mudança de forma" (ou de transformação direta), – e, por conseguinte, a esperança de algum dia encontrar um "equivalente mecânico" da Vontade ou do Pensamento. Entre Dentro e Fora das Coisas as dependências energéticas são incontestáveis. Mas estas, sem dúvida, só se podem traduzir por um simbolismo complexo em que figurem termos de ordens diferentes.

B) *Uma Linha de Solução*

Para escapar a um impossível e anti-científico dualismo de base, – e para salvaguardar, no entanto, a natural complicação do Estofo do Universo, proporei, então, a seguinte representação, que servirá de fundo a toda a seqüência de nossa explanação.

Essencialmente, admitiremos, toda a energia é de natureza psíquica.[38] Mas, em cada elemento "particular", acrescentaremos, essa energia fundamental divide-se em dois componentes distintos: uma *energia tangencial*[39] que torna o elemento solidário a todos os elementos da mesma ordem (isto é, da mesma complexidade e da mesma "centreidade"[40]) que ele mesmo no Universo; e uma *energia radial*,[41] que o atrai na direção de um estado cada vez mais complexo e centrado, para a frente.[42] *

A partir desse estado inicial, e supondo que ela dispõe de uma determinada energia tangencial livre, torna-se claro que a partícula assim constituída encontra-se em condições de aumentar de um determinado valor sua complexidade interna, associando-se com partículas vizinhas, e por conseguinte (visto que sua centreidade se encontra assim automaticamente acrescida) em condições de aumentar na mesma proporção sua energia radial, – a qual, por sua vez, poderá reagir sob a forma de um novo arranjo no domínio tangencial. E assim sucessivamente.

Nessa perspectiva, em que a energia tangencial representa simplesmente a "energia" considerada de hábito pela Ciência, a única dificuldade está em explicar o jogo das ordenações tangenciais de acordo com as leis da termodinâmica.[43] Ora, a esse respeito, podemos fazer as seguintes observações:

a) Antes de tudo, uma vez que a variação da energia radial em função da energia tangencial se opera, em virtude de nossa hipótese, *por intermédio de uma ordenação*, segue-se que um valor tão grande quanto se queira da primeira pode estar ligado a um valor tão pequeno quanto se queira da segunda: pois uma ordenação extremamente aperfeiçoada pode exigir apenas um trabalho extremamente fraco. E isso explica muito bem os fatos constatados (cf. p. 63).

b) Em seguida, no sistema aqui proposto, somos paradoxalmente levados a admitir que a energia cósmica é constantemente crescente, não apenas sob sua forma radial, mas também, o que é mais grave, sob sua forma tangencial (pois que a tensão entre os elementos aumenta com a sua própria centreidade): e isso parece contradizer diretamente o princípio de Conservação de Energia no Mundo.[44] Mas observemos: esse acréscimo do Tangencial, de segunda espécie, o único constrangedor para a Física, só se torna sensível a partir de valores radiais muito elevados (caso do Homem, por exemplo, e das tensões sociais). Abaixo, e para um número aproximadamente constante de partículas iniciais no Universo, a soma das energias tangenciais cósmicas permanece praticamente e estatisticamente invariável no decorrer das transformações. E isso é tudo de que necessita a Ciência.

c) E enfim, visto que, em nosso esquema, o edifício inteiro do Universo em vias de centração é constantemente sustentado, em todas as suas fases, por suas ordenações primárias, é evidente que o seu acabamento fica condicionado, até os andares mais elevados, por um certo quantum primordial de energia tangencial livre que se vai gradualmente esgotando, como o exige a Entropia.[45]

Considerado em seu conjunto, este quadro satisfaz às exigências da Realidade. Três questões, entretanto, nele ficam por resolver:[46]

a) Primeiro, em virtude de que energia especial propaga-se o Universo, segundo o seu eixo principal, na direção, menos provável, das mais altas formas de complexidade e de centreidade?

b) Em seguida, existe um limite e um termo definidos para o valor elementar e para a soma total das energias radiais desenvolvidas no decurso da transformação?

c) Finalmente, essa forma última e resultante das energias radiais, se existe, estará ela sujeita e destinada a se desagregar reversivelmente, de acordo com as exigências da Entropia, até recair indefinidamente nos centros pré-vivos e, mais abaixo ainda, por esgotamento e nivelamento gradual da energia livre tangencial contida nos sucessivos invólucros do Universo, donde ela emergiu?

Essas três perguntas só poderão receber uma resposta satisfatória muito mais adiante, quando o estudo do Homem nos tiver levado até a consideração de um pólo superior do Mundo, – o "ponto Ômega".[47]

NOTAS

1. Filosoficamente, *materialistas* são os que admitem que a matéria (concebida segundo o desenvolvimento paralelo das ciências) ou as chamadas "condições concretas materiais" são suficientes para explicar todos os fenômenos que se apresentam à investigação, inclusive fenômenos mentais, sociais ou históricos; *espiritualistas* são os que admitem a independência e o primado do espírito com relação às condições materiais, afirmando que os fenômenos naturais constituem manifestações de forças anímicas ou vitais, e os valores morais, criações de um ser superior ou de um poder natural e eterno inerente ao homem; *deterministas* são os que admitem uma ligação tão rigorosa entre os fenômenos que, a um dado momento, todo fenômeno está condicionado pelos que o precedem e acompanham e condiciona com o mesmo rigor os que o sucedem; *finalistas* são os que admitem uma explicação dos fenômenos pela finalidade e pelas causas finais: tudo se realiza pela ação de um ser sobre outro (e, em última instância, de um Ser Supremo sobre todos os seres) visando um fim.

   Teilhard, entretanto, no texto que se segue, quer apontar a conseqüência dessas posturas filosóficas "no plano científico" e nesse plano estabelecer uma plataforma comum de diálogo, demonstrando que proposições contrárias, sem serem contraditórias, opõem-se porque radicalizam sua visão parcial dos fenômenos. (Cf. notas 3, 5 e 7.)

2. Já como "padre" e "cientista", contudo, mais profundamente, em tentativas pessoais de conciliar sua vocação de "Filho da Terra" com os seus ideais de "Filho do Céu"; o Humano e o Cósmico no Crístico; a Ciência e a Filosofia na Religião. (Cf., no mínimo, o relato dos "conflitos" vividos e dos "progressos" alcançados em direção à síntese final, em *O coração da matéria*, 1950, texto por nós traduzido e comentado em *Para aquele que vem*, Instituto Social Morumbi, São Paulo, 1985, 171 pp.)

3. Teilhard quer identificar o materialismo comumente adotado pelos homens de ciência, o *materialismo mecanicista*, que "vê" os fenômenos da natureza reduzidos a processos mecânicos, ou seja, a processos que se explicam pelas leis do movimento dos corpos no espaço e por mudanças puramente quantitativas.

4. Isto é, de transitoriedade, efemeridade, processos passageiros que são. Do latim, possivelmente *transiente*, por *transeunte*, "que passa". (Cf. nota anterior.)

5. Teilhard quer identificar o espiritualismo comumente adotado pelos homens de fé, o *espiritualismo psicológico* que, defendendo a realidade do espírito, professa a espiritualidade da alma humana, quer como corolário do "espiritualismo metafísico" (que explica o ser a partir do espírito), quer em contraposição ao corpo material. (Descartes, 1596-1650, apresenta uma forma extrema dessa doutrina: espírito = pensamento e liberdade opõe-se à matéria = extensão e necessidade mecânica). Quando exagerado, esse espiritualismo considera o corpóreo mero servidor do espiritual, ou até como mal, ilusão, não-ser.

6. Isto é, em tudo aquilo que neles está contido e deles é inseparável, independentemente de ação exterior. Do latim *immanere*, "permanecer em". (Cf. nota anterior.)

7. Aqui como quase sinônimo de Hiperfísica (Cf. nota 1 à *Advertência*) ou "Física

generalizada", de que, na verdade, constitui o método, a *Fenomenologia (Científica* — Cf. nota seguinte) a que se refere Teilhard é bem a visão sintetizante da totalidade dos fenômenos e da totalidade do fenômeno, face interna e face externa, por oposição tanto à Ontologia quanto à Ciência. Sendo conhecimento do temporoespacial evolutivo, esta Fenomenologia se opõe à Ontologia enquanto conhecimento do ser "abstrato", "eterno", "imaterial", "estático", ao qual tenderia o Espiritualismo indicado no parágrafo anterior. Sendo abrangente de todo o Real, de todo o Fenômeno, mesmo do não diretamente observável, esta Fenomenologia se opõe à Ciência da qual cada disciplina se especializa num setor do Real, limita-se à exterioridade do Fenômeno e se interdita qualquer extrapolação. Não confundi-la, por outro lado, com a Fenomenologia, em sentido filosófico, enquanto estudo descritivo de um fenômeno ou de um conjunto de fenômenos, em que estes se definem quer por oposição às leis abstratas e fixas que os ordenam, quer às realidades de que seriam a manifestação. Não confundi-la também com a Fenomenologia de Edmund Husserl (1859-1938), filósofo alemão, que é uma Fenomenologia da Consciência (enquanto esta, de Teilhard, é uma *Fenomenologia da Natureza*), caracterizada principalmente pela abordagem dos problemas filosóficos segundo um método de "reduções" que busca a volta às "coisas em si", numa tentativa de reencontrar a verdade nos dados originários da experiência.

8. Isto é, o próprio Cosmo apreendido como um só Fenômeno total. É a busca de uma explicação coerente (ideal da Ciência), por outro lado, que faz também com que aquela Fenomenologia seja "Científica".

9. Por meio dessas considerações iniciais, Teilhard quer evidenciar que as propriedades fundamentais do Universo, no Ínfimo e no Imenso, são diferentes do que parecem ser na zona Média. Nela, por exemplo, a massa de um corpo não se altera com a velocidade, o espaço obedece à geometria euclidiana, dois acontecimentos podem ser afirmados simultâneos sem equivocidade etc. E no imenso, o que se passa? De partida, é impossível, a certa altura, falar em simultaneidade, uma vez que o Tempo, estendendo-se sobre anos-luz de distância, desloca-se em "tempos" particulares para cada sistema. Generaliza-se a Relatividade. Na curvatura do Espaço, as paralelas se encontram, a soma dos ângulos de um triângulo já não é igual a dois retos... Maiores transformações encontramos na direção do Ínfimo. Os corpúsculos, quanto menores são, mais móveis se mostram. Nas dimensões do átomo, suas velocidades são espantosas. Como falar de temperatura ou cor, por exemplo, para descrever um elétron de que apenas registramos a trajetória? Impossível até mesmo fixar, de nossa perspectiva, uma individualidade durável para corpúsculos ultrapequenos em geral, uma vez que eles só atuam coletivamente, isto é, estatisticamente. Assim como o Imenso é o domínio da *Relatividade*, o Ínfimo é o domínio dos *Quanta* e, em ambos, parece que certas propriedades da Matéria — atenuadas num extremo a ponto de serem irregistráveis por nós — exageram-se no outro extremo até se tornarem dominantes. Ora, por que não poderia ocorrer o mesmo na zona Média em que nos encontramos, onde o "Dentro", imperceptível em escalões anteriores e inferiores, emergiria enfim patente e inegável? (Cf. Capítulo anterior, nota 20.)

10. A *Físico-química*, sem domínio estritamente definido, investiga as propriedades dos sistemas, relacionando-as à sua estrutura e constituição, ou, inversamente, procura determinar as peculiaridades da constituição de um sistema, partindo de suas propriedades macroscópicas. Como se vê, pura "exterioridade"...

11. *Bacteriologista* é o pesquisador que estuda as bactérias ou micróbios, seres unicelulares pertencentes ao Reino Monere (do grego *moneres*, "único", "solitário"), designação dada pelo naturalista alemão Ernest H. Haechel (1834-1919) a organismos que ele idealizou e considerou o tipo mais primitivo de ser vivo. As culturas ou criações de bactérias são tratadas como qualquer substância que provoque uma reação...

12. Das quais já se fala até em "Vida Secreta" e pesquisa-se o "comportamento"...

13. Animais simples como os *Insetos* (artrópodes, corpo dividido em cabeça, com um par de antenas, e tórax com três pares de patas. Asas ausentes ou em número de duas ou quatro; respiração por meio de traquéias; na maioria terrestres) ou como os *Celenterados* (enterozoários, radiados; indivíduos formados por pólipos cilíndricos, sésseis, os quais vivem

geralmente em colônias, ou medusas campanuladas flutuantes; têm cápsulas urticantes ou nematocistos, cavidade digestiva saciforme, boca circundada por tentáculos, ânus ausente; aquáticos, em grande maioria marinhos, fixos ou flutuantes: medusas, pólipos, corais, anêmonas-do-mar, águas-vivas) já apresentam um "comportamento" observável: espontaneidade, imprevisibilidade, instinto...

14. Toda a *Psicologia Animal* a descrever e até a analisar experimentalmente o comportamento dos animais...

15. *Consciência*, enquanto fenômeno, isto é, enquanto manifestação evidente de interioridade, de Dentro, designa, para Teilhard, qualquer forma de psiquismo, desde a mais diluída e elementar (os tatismos dos unicelulares, por exemplo) até a mais concentrada e complexa (a reflexão humana): a Consciência Reflexiva. O termo é, pois, voluntária e intencionalmente generalizado por Teilhard. (Cf. nota 18, do Autor.)

16. Quimicamente, *Rádio* é o elemento de número atômico 82, irradiante, metálico, branco-prateado, aparentado aos alcalino-terrosos. A partir do elemento até então "estranho", descoberto na pecnbienda ou uraninita, foi que o físico francês Pierre Curie (1859-1906) e sua esposa Marie Sklodowska (1867-1934) deram origem ao estudo da radioatividade, que tanto impulsionou o progresso da Física moderna.

17. E a Consciência, enquanto fenômeno, considerada fenomenológico-cientificamente, não escapa à regra, como o demonstra o Autor a seguir.

18. Aqui, como alhures neste livro, o termo "Consciência" é tomado em sua acepção mais geral, para designar qualquer espécie de psiquismo, desde as formas mais rudimentares de percepção interior que se possam conceber até o fenômeno humano de conhecimento reflexivo. (N. do A.)

19. Estas páginas já estavam escritas de há muito, quando tive a surpresa de encontrar a sua própria substância em algumas linhas magistrais escritas mais recentemente por J. B. S. Haldane. "Não encontramos nenhum traço evidente de pensamento nem de vida nisso que chamamos de Matéria", diz o grande bioquímico inglês, "e, por conseguinte, estudamos de preferência essas propriedades lá onde elas se manifestam com maior evidência. Mas, se as perspectivas modernas da Ciência estão corretas, devemos estar prontos para encontrá-las finalmente, pelo menos sob uma forma rudimentar por todo o Universo". E acrescenta até estas palavras de que meus leitores poderão se lembrar quando eu fizer surgir, mais adiante, com todas as reservas e correções necessárias, a perspectiva do "ponto Ômega": "Se a cooperação de alguns bilhões de células no cérebro pode produzir nossa capacidade de consciência, torna-se largamente mais plausível a idéia de que qualquer cooperação de toda a Humanidade, ou de uma fração desta, determina o que Comte chamava um Grande Ser Super-humano". (J. B. S. Haldane, *The Inequality of Man*, Ed. Pelican, A. 12, p. 114, Science Ethics.) — O que eu digo não é, pois, absurdo. — Sem contar que todo metafísico deveria se regozijar ao constatar que, aos próprios olhos da Física, a idéia de uma Matéria absolutamente bruta (isto é, de um puro "transiente") não é senão uma primeira e grosseira aproximação de nossa experiência. (N. do A. — Cf. também nota 4.)

20. Cf. notas 1 e 3.

21. Tudo quanto existe nos aparece em ordens de grandeza, planos distintos, "esferas" (ou escalões) a que se referiu o Autor no início deste item 1. É conservando essa distinção que ele procurará extensões (raízes cósmicas) e prolongamentos da Consciência.

22. Cf. o *Prólogo* e nota 7.

23. *Protozoários* são animais unicelulares, como a ameba, que constituem um grande sub-reino, *Protozoa*, em oposição a outro sub-reino, *Metazoa*, no qual se reúnem os *Metazoários*, animais caracterizados por terem o corpo formado por numerosas células (pluricelulares), geralmente constituindo tecidos especializados. Teilhard quer ressaltar

"... a relação definida de concomitância que aparece, sempre mais evidente, entre *espontaneidade consciente e complexidade organizada*". (Cf. *Universalisation et union. Un effort pour y voir clair*, 1942.)

E, para tanto, procurará "rastrear" aquela relação, da Pré-Vida à Vida, desta ao Pensamento e ainda além. Por ora, apenas registra as primeiras manifestações fenomenais de crescente complexidade e consciência. Vale a pena citar a seqüência do texto acima invocado:

"Enquanto um corpúsculo natural (uma molécula, digamos) não compreende, em sua construção, senão um número fraco (algumas dezenas, ou algumas centenas, ou mesmo alguns milhares) de átomos ordenados, não se manifesta nenhum traço daquilo que chamamos de Vida. Mas se o número de átomos incorporados sobe a várias dezenas de milhões (parece ser esse o caso dos "vírus" orgânicos, animais vegetais), então os caracteres químicos se guarnecem de propriedades biológicas no elemento considerado: em aumentos extremos (cem mil diâmetros aproximadamente), as partículas de vírus aparecem como bastonetes, e se esses bastonetes não se reproduzem no sentido do termo, pelo menos já possuem o estranho poder de se multiplicar. Infra-bactérias ou supermoléculas?... Impossível resolver. – Mais alto ainda reencontramos o número (aqui, os dados numéricos precisos nos faltam, mas já têm menos importância, pois a *estrutura* começa a ter primazia sobre o número), e aí está a célula. E, a partir daí, desde o Protozoário unicelular até o Homem (o Homem, com os mil bilhões de células de seu corpo e os trinta bilhões de células de seu cérebro!), as cifras brutas se tornam astronômicas, sem poder de resto dar uma idéia da formidável complicação dos mecanismos físico-químicos superpostos. Assim, e independentemente de qualquer consideração ou interpretação de ordem filosófica, a Vida se manifesta, cada vez mais objetivamente, a nós, como uma propriedade específica da Matéria levada a um grau imenso de complexidade ordenada – ou, *o que dá no mesmo*, de complexidade *centrada* sobre si mesma. Experimentalmente falando, ela é um efeito combinado de complicação e de centração."

Ora, sendo essa *Centração* processo geral do ser que se dobra sobre si mesmo, se unifica e se interioriza, e, sendo esse processo progressivo, com a Vida avança todo o cortejo de suas faculdades até a Consciência. O que permite Teilhard concluir, ainda no mesmo texto:

"Ascensão gradual e simultânea da Complexidade e da Consciência..."

24. Portanto, quanto maior a *complexidade material* (maior número de elementos, mais bem ligados) de um ser, maior a sua centração, a sua interiorização, o seu psiquismo, a sua *consciência espiritual*.

25. Desse ponto de vista, poder-se-ia dizer que cada ser é construído (no plano fenomenal) como uma *elipse*, sobre dois focos conjugados: um foco de organização material, e um foco de centração psíquica, – variando esses dois focos solidariamente, no mesmo sentido. (N. do A. Cf., também, *Resumo ou Posfácio*, nota 35 e o próprio texto a que se refere.)

26. Cf. nota 10.

27. Apesar, como veremos, do mecanismo, especificamente vital, da *multiplicação*. (N. do A.)

28. Os *Grandes Números*, categoria do pensamento teilhardiano freqüentemente utilizada, constituem a expressão e a interpretação estatística do *determinismo*. (Cf. nota 1. Cf., também, Parte II, Capítulo I, nota 89.)

29. *Biologia* que Teilhard compreende como Física dos grandes complexos e ciência específica do fenômeno vital:

"Tudo muda se (como sugere minha curva de corpusculização) a Vida não é outra coisa, para a experiência científica, senão um efeito específico (senão o efeito específico) da *Matéria complexificada* (...) Nessa perspectiva, segundo a qual a Biologia não seria mais que a Física do muito grande complexo, é interessante observar como tudo se ordena no campo de nossa experiência." (Cf. *La place de l'homme dans la nature*, 1949.)

Notar, outrossim, que do *estado A* ao *estado B* percorrem-se os níveis de dominância do *Acaso* (logicamente definido pelas leis estatísticas), do *Determinismo* (regendo a formação dos conjuntos) e da *Espontaneidade* (despontando a Vida). A *Liberdade*, em sentido estrito, só há de emergir com o Homem.

30. O *Múltiplo*, em Teilhard, designa a pulverulência primordial que está no ponto de partida da Evolução e que serve de suporte ao processo de centração e de união. A *Multidão* é noção sinônima, com uma significação, porém, mais concreta. (Cf. *La lutte contre la multitude*, 1917.) Com efeito, toda a visão hiperfísica da Evolução se resume, em última instância,

em apreender o Real se sintetizando (por complexificação-conscientização) desde o Múltiplo até o Um, ou seja, organizando-se, convergindo, unificando-se.

31. Ressalte-se o rigor do raciocínio lógico que fundamenta essa afirmação:
"De um Universo suposto, em estado inicial, inteiramente formado de determinismos, é radicalmente impossível conceber que elementos 'interiorizados' jamais tenham podido se desenvolver (...) Inversamente, de um Cosmo inicialmente formado, constituído de 'liberdades' elementares, é fácil *deduzir*, por efeito de grandes números e de hábitos, todas as aparências de rigor sobre as quais é construída a Física matemática da Matéria. Um Universo de estofo primitivo 'material' é irremediavelmente estéril e fixo, enquanto um Universo de estofo 'espiritual' possui toda a elasticidade requerida para se prestar ao mesmo tempo tanto à evolução (Vida) como à involução (Entropia)." (Cf. *L'esprit de la terre*, 1931.)

32. Em particular aquelas estabelecidas pela Termodinâmica. (Cf. notas 40 e 41 ao Capítulo anterior.)

33. Por ora, entenda-se *Energia* no seu sentido bem amplo de dinamismo motor, força que movimenta. Ver-se-á, em seguida, que ela constitui fundamentalmente o próprio estofo do Universo.

34. A *Ética* ou Filosofia Moral é o estudo dos juízos de apreciação que se referem à conduta humana suscetível de qualificação do ponto de vista do bem e do mal (preceitos, normas, atitudes virtuosas, manifestações de consciência etc.), seja relativamente a determinada sociedade, seja de modo absoluto.

35. *Mecânica*, do grego *mechaniké*, "arte de construir uma máquina", é a parte da Física que investiga os movimentos e as forças que os provocam.

36. O *Poder Espiritual da Matéria* é a aptidão que a Matéria tem para se deixar penetrar e progressivamente transformar pela energia unitiva espiritual (cuja presença nela, segundo Teilhard, é aliás um dos efeitos essenciais da Criação), na sua capacidade de fornecer "aquilo" que é unificado pelo espírito. (Cf. textos como "La lutte contre la multitude" (1917); "L'évolution de la chasteté" (1934); "O poder espiritual da matéria" (1919), este último por nós traduzido e comentado em *Teilhard de Chardin: mundo, homem e Deus*, Cultrix, São Paulo, 1978, pp. 205-216, e ainda texto homônimo em *O meio divino*, Cultrix, São Paulo, 1981, pp. 79-87.)

37. É a intuição da *Energia Fundamental* que constitui o próprio Estofo do Universo.

38. Ou espiritual. Eis a *Energia Fundamental* de um Cosmo à base de Espírito-Matéria. Essa Energia se manifesta a nós sob forma granular, ou seja, a partir de centros físico-químicos, biológicos e psíquicos. (Cf. Capítulo I, 1, C.)

39. *Energia Tangencial* é a forma concreta, de natureza termodinâmica, pela qual a Energia Fundamental atua, irradiando, arranjando, estabelecendo entre elementos materiais relações de pura exterioridade. Distingue-se em "de irradiação" e "de ordenação" (Cf. nota 42, do Autor). Tenha-se em mente o *Fora das Coisas*.

40. *Centreidade*, simples sinônimo de grau de Centração (Cf. nota 23, final), isto é, de interiorização.
"Não, olhando as coisas direito, a 'centreidade' de um objeto não corresponde, no Mundo, nem a uma qualidade abstrata, nem a uma espécie de 'tudo ou nada' que não conheceria nem matizes nem graus. Mas ela representa, pelo contrário, *uma grandeza* essencialmente *variável, proporcional ao número de elementos e de ligações* contidas em cada partícula cósmica que se considera. *Um centro é tanto mais simples e mais profundo quanto mais densa e de maior raio é a esfera no âmago da qual se forma.*" (Cf. *L'atomisme de l'esprit. Un essai pour comprendre la structure de l'étoffe de l'univers*, 1941.)

41. *Energia Radial* é a forma interiorizante, de natureza axial, cêntrica e evolutiva, condicionadora da Tangencial da qual é correlata, para a emersão do sempre mais complexo e do sempre melhor centrado. Tenha-se em mente o *Dentro das Coisas*.

42. Observemos de passagem que quanto menos um elemento é centrado (ou seja, quanto mais fraca é a sua energia radial), mais a sua energia tangencial se manifesta por poderosos efeitos mecânicos. Entre partículas fortemente centradas (ou seja, de alta energia radial), o tangencial parece "interiorizar-se" e desaparecer aos olhos da Física. Estamos, indubitavelmente, diante de um princípio auxilar de solução para explicar a aparente conservação da Energia no Universo (ver, mais adiante, *b*). Seria necessário, sem dúvida, distinguir *duas* espécies de energia tangencial: uma de *irradiação* (máxima com os ínfimos valores radiais, – caso do átomo); outra de *ordenação* (sensível apenas com os grandes valores radiais, – caso dos seres vivos, do Homem). (N. do A.)

43. Cf. nota 41 ao Capítulo anterior. "A 'energia' considerada de hábito pela Ciência" é a capacidade dos corpos para produzir um trabalho ou desenvolver uma força. A Energia Radial, interiorizante e cêntrica, atuante no Dentro das Coisas, dispensa, como se verá logo em seguida, uma tal "explicação".

44. Cf. Capítulo I, 3, B.

45. Cf. nota 41 ao Capítulo anterior.

46. O próprio autor, logo em seguida, fechando o capítulo, adverte que essas três questões só poderão receber solução satisfatória muito mais adiante. Embora indique, genericamente, que tal solução está ligada à consideração do "Ponto Ômega" (Cf. nota seguinte), permitimo-nos indicar especificamente os textos em que a resposta é explícita: Parte III, Capítulo III, 2, B; Parte IV, Capítulo II, 2 e 3; *Resumo ou Posfácio*, 2 e 3.)

47. Muito cedo, ainda, para qualquer anotação ou comentário acerca de uma idéia fundamental nesta obra e em toda a visão hiperfísica como o "Ponto Ômega", idéia que o próprio autor, por ora, faz questão de evocar e, didaticamente, deixar "no mistério"... Assim, lembremos apenas que, rastreando todo um processo evolutivo – no caso, o processo evolutivo cósmico –, o Autor nos acena com a perspectiva de um "ponto final", "de arremate" ou "de chegada", denominando-o "Ômega" por ser essa a última letra do alfabeto grego (utilizado em ciência para nomear pontos referenciais) e ter também o sentido de "fim", "final", "termo". Lembremos ainda que, mesmo em grego, *o méga* significa "o (letra) grande", isto é, "o longo" ou, para nós "ô" (fechado), o que também é sugestivo. Por outro lado, quer em sua forma grega (Ω), quer em sua forma latina (O), a letra se reveste de todo um simbolismo de "conclusão", "plenitude" e "infinitude", "absoluto"...

CAPÍTULO III
A Terra Juvenil

Há aproximadamente alguns milhares de milhões de anos, não em absoluto, ao que parece, por um processo regular de evolução estelar, mas em conseqüência de algum incrível acaso (leve atrito de estrelas? ruptura interna?...), um retalho de matéria formado de átomos particularmente estáveis desprendia-se da superfície do sol.[1] E, sem romper os laços que o ligavam ao resto das coisas, bem à distância ótima do astro-pai para sentir sua irradiação com uma intensidade média, esse retalho se aglomerava, enrolava-se sobre si mesmo, tomava forma.[2*]

Encerrando em seu globo e em seu movimento o porvir humano, mais um astro — um planeta, dessa vez — acabava de nascer.

Temos deixado, até aqui, vagar nossos olhos sobre as camadas ilimitadas em que se desdobra o Estofo do Universo.

Restrinjamos e concentremos doravante nossa atenção sobre o objeto mínimo, obscuro, mas fascinante, que acaba de aparecer. *Ele é o único ponto do Mundo* onde ainda nos é dado acompanhar em suas fases últimas, e até nós mesmos, a evolução da Matéria.

Fresca ainda e carregada de potencialidades nascentes, olhemos a balançar-se, nas profundezas do Passado, a Terra Juvenil.

1. O Fora

Nesse globo recém-nascido, ao que parece, por um golpe de acaso na massa cósmica, o que desperta o interesse do físico é a presença, em nenhum outro lugar observável,[3*] de corpos quimicamente compostos. Às temperaturas extremas que reinam nas estrelas, a Matéria não pode subsistir senão em seus estados mais dissociados. Só corpos simples existem nesses astros incandescentes. Na Terra, essa simplicidade dos elementos mantém-se ainda na periferia, nos gases mais ou menos ionizados[4] da Atmosfera e da Estratosfera, e provavelmente também, bem no centro, nos metais da "Barisfera". Mas, entre esses dois extremos, uma longa série de substâncias complexas, hóspedes e produtos exclusivos dos astros "extintos", escalona-se em zonas sucessivas, manifestando, em seu início, as potências de síntese inclusas no Universo. Primeiramente, a zona da Sílica preparando a armadura sólida do planeta. E, em seguida, a zona da água e do ácido carbônico, envolvendo os silicatos num invólucro instável, penetrante e móvel.

Barisfera, Litosfera, Hidrosfera, Atmosfera, Estratosfera.[5]

Essa composição fundamental pode ter variado e ter-se complicado muito, nos pormenores. Mas, tomada em suas grandes linhas, deve ter-se estabelecido desde as origens. E é a partir dela que se vão desenvolver, em duas direções diferentes, os progressos da Geoquímica.[6]

A) *O Mundo que Cristaliza*

Numa primeira direção, de longe a mais comum, a energia terrestre tendeu, desde o início, a exalar-se e a liberar-se. Sílica, Água, Gás Carbônico: esses óxidos essenciais tinham se formado queimando e neutralizando (quer sozinhos, quer em associação com outros corpos simples) as afinidades de seus elementos. Seguindo esse esquema prolongado, nasceu progressivamente a rica variedade do "Mundo Mineral".

O Mundo Mineral.

Mundo muito mais flexível e móvel do que podia suspeitar a Ciência de outrora: agora identificamos, nas mais sólidas rochas, uma perpétua transformação das espécies minerais, vagamente simétrica à metamorfose dos seres vivos.

Mundo, porém, relativamente pobre em suas combinações (ao todo, conhecemos apenas, pelo último inventário, algumas centenas de silicatos na Natureza), porque estreitamente limitado na arquitetura interna de seus elementos.

O que caracteriza, "biologicamente", poder-se-ia dizer, as espécies minerais é o terem tomado, à semelhança de tantos organismos incuravelmente fixados, um caminho que as fechava prematuramente sobre si mesmas. Por estrutura nativa, suas moléculas são incapazes de crescer. Para aumentarem e se estenderem, estas devem, portanto, de algum modo, sair de si mesmas e recorrer a um subterfúgio puramente externo de associação: enlaçarem-se e encadearem-se átomo a átomo, sem se fundirem nem unirem verdadeiramente. Ora elas se põem em filas, como no jade. Ora se estendem em planos, como na mica. Ora se performam em quincunces sólidos, como na granada.

Assim nascem agrupamentos regulares, de composição por vezes muito elevada, e que não correspondem, contudo, a nenhuma unidade propriamente centrada. Simples justaposição, sobre uma rede geométrica, de átomos ou de agrupamentos atômicos relativamente pouco complicados. Um mosaico indefinido de pequenos elementos, tal é a estrutura do cristal que se pode ver agora, graças aos raios X, em fotografia. E tal é a organização, simples e estável que, desde o início, deve ter adotado, no conjunto, a Matéria condensada que nos rodeia.

Considerada na sua massa principal, a Terra, tão longe quanto possamos vê-la para trás, vela-se de geometria. Cristaliza.[7]

Mas não toda.

B) *O Mundo que se Polimeriza*

No decurso, e até em virtude da marcha inicial dos elementos terrestres para o estado cristalino, uma energia desprendia-se constantemente e tornava-se livre (exatamente como acontece, neste momento, à nossa volta, na Humanidade, sob o efeito da máquina...). Essa energia se acrescia daquela outra fornecida constantemente pela decomposição atômica das substâncias radioativas. Aumentava incessantemente com a outra ainda derramada pelos raios solares. — Aonde podia ir dar toda essa potência tornada disponível à superfície da Terra Juvenil? Perdia-se simplesmente ao redor do globo em obscuros eflúvios?

O espetáculo do Mundo presente nos sugere uma outra hipótese, bem mais provável. Fraca demais, dali por diante, para escapar em incandescência, a energia livre da Terra nascente tornava-se, em compensação, capaz de se infletir sobre si mesma numa obra de síntese. Portanto, é que então, como hoje, ela entrava, com absorção de calor, na edificação de certos compostos carbonados, hidrogenados ou hidratados, azotados, semelhantes àqueles que nos maravilham por seu poder de aumentar indefinidamente a complicação e a instabilidade de seus elementos. Reino da *polimerização*,[8]* em que as partículas se encadeiam, agrupam-se e permutam-se mutuamente, como nos cristais, nos ápices de redes teoricamente sem fim, *mas, desta feita, moléculas a moléculas e de modo a formarem, a cada vez, por associação fechada ou pelo menos limitada, uma molécula sempre maior e mais complexa*.

Esse mundo dos "compostos orgânicos",[9] dele e nele somos construídos. E adquirimos o hábito de não o considerar senão em ligação com a Vida *já constituída*, porque a esta ele se acha, aos nossos olhos, intimamente associado. Além disso, porque sua incrível riqueza de formas, que ultrapassa de longe a variedade dos compostos minerais, diz respeito somente a uma porção mínima da substância terrestre, somos instintivamente levados a atribuir-lhe, na Geoquímica, uma posição e uma significação subordinadas — como o fazemos com o Amoníaco e com os óxidos de que se envolve o raio.

Parece-me essencial, se queremos mais tarde fixar o lugar do Homem na Natureza, restituir ao fenômeno sua antiguidade e sua fisionomia verdadeiras.

Quimismo mineral e quimismo orgânico. Essas duas funções, qualquer que seja a desproporção quantitativa das massas por elas respectivamente afetadas, são e só podem ser as duas faces inseparáveis de uma mesma operação telúrica total. Por conseguinte, tanto quanto a primeira, a segunda também deve ser considerada como tendo começado desde a primavera da Terra. E aqui se faz ouvir o motivo sobre o qual está construído todo este livro: "No Mundo, nada poderá explodir um dia como final, através dos diversos limiares (por mais críticos que sejam) sucessivamente transpostos pela Evolução, que não tenha sido de início obscuramente primordial."[10] Se, desde o primeiro instante em que isso foi possível, o orgânico não se tivesse posto a existir sobre a Terra, nunca mais tarde ele teria começado.

Em volta de nosso planeta nascente, além dos primeiros esboços de uma Barisfera metálica, de uma Litosfera silicatada, de uma Hidrosfera e de uma Atmosfera,[11] há, pois, que se considerar os lineamentos de um invólucro especial — antítese, poder-se-ia dizer, dos quatro primeiros: zona temperada da polimerização, banhada de raios solares, e onde Água, Amoníaco, Ácido Carbônico já flutuam. Negligenciar esse tênue vapor seria privar o astro juvenil de seu mais essencial adorno. Porque é nele que gradualmente, se cremos nas perspectivas que há pouco desenvolvi, vai em breve se concentrar "o Dentro da Terra".[12]

2. O Dentro

Com "Dentro da Terra" não quero significar aqui, evidentemente, as profundezas materiais onde, a alguns quilômetros debaixo de nossos pés, furta-se a nós um dos mais irritantes mistérios da Ciência: a natureza química e as condições físicas exatas das regiões internas do Globo.[13] Com essa expressão designo, como no capítulo anterior, a face "psíquica" da porção do Estofo cósmico circunscrita, no começo dos tempos, pelo estreito raio da Terra Juvenil. No retalho de substância sideral que acaba de se isolar, tanto quanto por toda e qualquer parte no Universo, um mundo interior forra inevitavelmente, ponto por ponto, o exterior das coisas. Isso, já o mostramos.[14] Mas aqui as condições tornaram-se diferentes. A Matéria já não se estende mais aos nossos olhos em camadas indefiníveis e difusas. Enrolou-se sobre si mesma num *volume fechado*. *Como vai reagir a esse enrolamento*[15] *a sua folha interna*?

Um primeiro ponto a considerar é que, devido precisamente à individualização de nosso planeta, uma certa massa de consciência elementar se encontra aprisionada, originalmente, na Matéria terrestre. Vários sábios se julgaram obrigados a imputar a certos germes interestelares o poder de fecundar os astros arrefecidos. Essa hipótese desfigura, sem nada explicar, a grandeza do fenômeno da vida, e também a do seu nobre corolário, o fenômeno humano. De fato, ela é perfeitamente inútil. Por que procuraríamos no espaço, para o nosso planeta, incompreensíveis princípios de fecundação? A Terra Juvenil, por sua composição química inicial, é ela própria, em sua totalidade, o germe incrivelmente complexo que demandamos. Congenitamente, ousaria dizer, ela trazia em si mesma a Pré-Vida,[16] e esta em *quantidade definida*. Toda a questão consiste em precisar como, a partir desse quantum primitivo, essencialmente elástico, surgiu todo o resto.

Para conceber as primeiras fases dessa evolução, bastar-nos-á comparar entre si, termo a termo, por um lado as leis gerais que julgamos poder fixar para os desenvolvimentos da Energia espiritual, e, por outro, as condições físico-químicas reconhecidas, instantes atrás, sobre a Terra novel. Por natureza, dissemos, a Energia espiritual cresce positivamente, absolutamente, e sem limite determinável, em valor "radial", conforme aumenta a complexidade química dos elementos cujo forro interior ela representa. Mas, como acabamos precisamente de reconhecer no parágrafo precedente, a complexidade química da Terra aumenta, de acordo com as leis da Termodinâmica, na zona particular, superficial, onde seus elementos se polimerizam. Aproximemos mutuamente essas duas proposições. Elas se confirmam e se esclarecem uma à outra sem ambigüidade. Mal se acha encerrada na Terra nascente, concordam ambas em nos dizer, a Pré-Vida sai do torpor a que parecia condená-la sua difusão no Espaço. Suas atividades, até então adormecidas, põem-se em movimento, *pari passu* com o despertar das forças de síntese inclusas na Matéria. E, no mesmo instante, por sobre toda a periferia do Globo recém-formado, é a tensão das liberdades internas que começa a subir.[17]

Olhemos mais atentamente essa misteriosa superfície.

Uma primeira característica deve ser aí notada. É a extrema pequenez e o número incalculável de partículas em que ela se resolve. Por quilômetros de espessura, na água, no ar, nos lodos que se depositam, grãos ultramicroscópicos de proteínas cobrem densamente a superfície da Terra. Nossa imaginação recalcitra à idéia de enumerar os flocos dessa neve. E, no entanto, se chegamos a compreender que a Pré-Vida já se encontra emersa no átomo, não é com essas miríades de grandes moléculas que devíamos contar?...[18]

Mas há ainda uma outra coisa a considerar.

Mais notável ainda, em certo sentido, do que essa multidão, e igualmente importante também para os desenvolvimentos futuros, é a unidade que nessa multidão liga a poeira primordial das consciências por força da própria gênese dessas consciências. O que deixa crescer as liberdades elementares, repito, é essencialmente o acréscimo em síntese das moléculas por sob as quais elas se estendem.[19] Mas essa própria síntese, igualmente o repito, não se operaria em absoluto se o Globo, no seu conjunto, não enrolasse, dentro de uma superfície fechada, as camadas de sua substância.

Assim, em qualquer ponto da Terra que consideremos, o acréscimo de Dentro só se produz graças a *um duplo enrolamento conjugado*, enrolamento da molécula sobre si mesma e enrolamento do planeta sobre si próprio.[20] *O quantum inicial de consciência contido em nosso mundo terrestre não é simplesmente formado por um agregado de parcelas presas fortuitamente na mesma rede. Ele representa uma massa solidária de centros infinitesimais estruturalmente ligados entre si por suas condições de origem e por seu desenvolvimento.

De novo aqui, mas revelando-se desta vez num domínio mais bem definido, e elevada a uma ordem nova, reaparece a condição fundamental que já caracterizava a Matéria original: unidade de pluralidade. A Terra nasceu provavelmente de um acaso. Mas, de acordo com uma das leis mais gerais da Evolução, esse acaso, mal apareceu, achou-se imediatamente utilizado, refundido em algo de naturalmente dirigido. Pelo próprio mecanismo de seu nascimento, a película, em que se concentra e se aprofunda o Dentro da Terra, emerge diante dos nossos olhos, sob a forma de um Todo orgânico onde é doravante impossível separar qualquer elemento dos outros elementos que o rodeiam. Novo insecável aparecido no âmago do Grande Insecável que é o Universo. Verdadeiramente mesmo, uma *Pré-biosfera*.[21]

É desse invólucro — dele somente, mas dele inteiro — que vamos doravante nos ocupar.

Sempre debruçados sobre os abismos do Passado, observemos sua cor que vai cambiando.

De idade para idade a tonalidade se intensifica. Algo vai explodir sobre a Terra Juvenil.

A Vida! Eis a Vida![22]

NOTAS

1. Hoje em dia já não se aceita a teoria de que a Terra foi separada do Sol por ação de outra estrela que tenha passado perto dele. Pensa-se atualmente que todo o sistema solar se desenvolveu a partir de uma nuvem de poeira e gás semelhante a outras que existem em nossa Galáxia. Essa nuvem teria se condensado lentamente; sua parte central, girando em torno de si mesma, tornou-se intensamente quente e formou o Sol; rodamoinhos marginais deram origem aos planetas e aos satélites – inclusive à Terra. É a "teoria da acumulação" (*accretion theory*), indicada, aliás, por Teilhard na nota seguinte.

2. Novamente, os astrônomos parecem retornar à idéia mais laplaciana de planetas nascendo por efeito "de nós e de ventres", no seio da nuvem de poeira cósmica que flutuava originariamente ao redor de cada estrela! (N. do A.) *Pierre Simon Laplace* (1749-1827), matemático e físico francês, tornou-se célebre sobretudo por sua hipótese cosmogônica (1796), segundo a qual o sistema solar proviria de uma nebulosa primitiva rodeando um núcleo fortemente condensado e girando em torno de um eixo que passaria por seu centro.

3. Exceto, fugazmente, na atmosfera dos planetas mais próximos do nosso. (N. do A.)

4. Isto é, não formando moléculas eletricamente neutras, mas se apresentando sob a forma de íons, ou seja, em forma de átomos carregados de eletricidade. A ionização é característica primordial da Ionosfera ou Termosfera (Cf. nota seguinte), onde ocorre porque sobre essa camada atmosférica se produz um contínuo bombardeio de radiações solares, cujo efeito principal é essa transformação dos componentes gasosos ali existentes.

5. Teilhard quer aqui evocar o modelo estrutural da Terra: camadas concêntricas que se superpõem do centro à periferia. Quanto à estrutura interna, numerosos modelos têm sido propostos, concordando todos com a existência de um *Núcleo* constituído por uma liga de ferro e níquel – Nife ou Barisfera –, ao qual se sobrepõem o *Manto* ou camada intermediária e a *Crosta* ou camada superficial, ambos de constituição discutida.

O *Núcleo* terrestre estende-se desde a descontinuidade de *Gutemberg*, a 2.900 km de profundidade, até o centro do globo terrestre, representando aproximadamente 14% do volume da Terra e 31-32% de sua massa. Dados mais recentes sobre o comportamento sísmico do núcleo permitem supor que ele seja formado por duas partes claramente diferenciadas: o *núcleo externo*, que se estende desde 2.900 km de profundidade (descontinuidade de *Gutemberg*) até 5.100 km (descontinuidade de *Weichert*), comportando-se como um líquido (componentes em estado de fusão), e o *núcleo interno*, que se estende desde 5.100 km de profundidade até o centro da Terra, ambos de natureza metálica, comportando altíssimas pressões e temperaturas de alguns 1.000° C (máximo de 4.000-5.000° C).

O *Manto*, camada intermediária disposta logo acima do núcleo, estende-se desde a descontinuidade de *Gutemberg* até a descontinuidade de *Mohorovicic*, com uma espessura de pouco menos de 2.900 km, representando cerca de 83% do volume do globo e 65% de sua massa. Aqui também tende-se a supor a existência de duas zonas, *manto interno* e *manto externo* (estendendo-se esse desde a descontinuidade de *Mohorovicic* até a descontinuidade de *Repetti*, a 700 km de profundidade). Constituído por rochas ultrabásicas (pouca sílica, muitos elementos metálicos e alcalinoterrosos), o manto, especialmente em suas zonas superficiais, é de grande importância geológica, quer como provável origem da crosta, quer como origem de numerosos e importantes fenômenos que a afetam, tais como orogênese, vulcanismo, abalos sísmicos etc.

A *Crosta* – ou Litosfera – é a camada mais superficial e constitui apenas 1% da massa da Terra. Tendo se originado provavelmente em épocas avançadas do período pré-geológico, a partir de materiais do manto, estende-se desde a descontinuidade de *Mohorovicic* sem espessura uniforme: 35-40 km sob os continentes; cerca de 10 km sob os fundos oceânicos.

Submetida a constantes modificações, quer por ação de forças endógenas ou construtoras do relevo (orogênese, vulcanismo etc.), quer por ação de forças exógenas ou destruidoras do relevo (erosão), possibilita a distinção de três camadas: *Camada basáltica inferior* (ou "crosta terrestre" ou "sima"), *Camada granítica intermediária* (ou "crosta continental" ou "sial"), *Camada sedimentária superficial* (descontínua).

Assim, poder-se-ia representar graficamente:

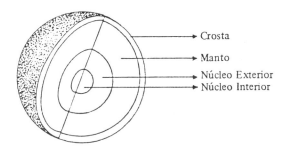

A essa parte sólida da Terra sobrepõem-se invólucros fluidos, um descontínuo – a *Hidrosfera*, formada por água – e outro contínuo – a *Atmosfera*, constituída de gases.

A *Hidrosfera* pode ser definida como o conjunto das águas superficiais da crosta terrestre.

A Terra é o único planeta do sistema solar que possui grande quantidade de água: mais de 70% de sua superfície está coberta por água, quer em estado líquido (oceanos, mares, lagos e rios), quer em estado sólido (neve, gelo), quer em estado gasoso (nuvens d'água nas camadas inferiores da atmosfera), nas seguintes quantidades aproximadamente:

águas oceânicas	$1,4 \times 10^9 \ km^3$
geleiras continentais	$2,3 \times 10^7 \ km^3$
lagos	$2,5 \times 10^5 \ km^3$
rios e águas subterrâneas	$2,4 \times 10^5 \ km^3$
vapor-d'água atmosférico	$1,3 \times 10^5 \ km^3$

A Hidrosfera funciona como um imenso termostato regulador da temperatura superficial da Terra. Além disso, sua água é essencial para os organismos, que não poderiam viver sem ela (todos apresentam altos teores de água, 97% da massa corporal das medusas, 65-75% da massa corporal do ser humano...), constituindo o líquido biológico por excelência e o meio natural da realização de processos metabólicos, além de ser o principal agente do ciclo geodinâmico externo (erosão, sedimentação).

A *Atmosfera* é o invólucro gasoso da Terra, com uma espessura aproximada de 1.000 km, uma massa de $5,6 \times 10^{15}$ toneladas, exercendo sobre a superfície terrestre uma pressão uniforme de $1.033 \ gr/cm^3$.

Formada por uma mistura de gases (o ar) – dos quais o mais importante é o nitrogênio (78% do volume total), seguido pelo oxigênio (21% do total), pelo argônio (0,93% do total) e pelo anidrido carbônico (0,001% do total) –, a Atmosfera comporta ainda vapor-d'água, que é simplesmente a água extraída da Hidrosfera por evaporação e que a ela voltará por precipitações (chuvas, neve).

A composição e as condições físicas da atmosfera não são uniformes em toda a sua espessura, mas variam bastante, permitindo-nos dividi-la em diversas camadas superpostas: *Troposfera* (da superfície terrestre até a altura de 14-16 km nas zonas equatoriais e 8-10 km nas zonas polares, sede dos fenômenos metereológicos), *Estratosfera* (do limite da Troposfera – tropopausa – até uns 50 km de altura da superfície terrestre – estratopausa; absorvente das radiações solares, sobretudo da quase totalidade dos raios ultravioleta letais para os seres vivos), *Mesosfera* (da estratopausa até 80-85 km de altitude), *Ionosfera ou Termosfera* (da parte superior da Mesosfera até uns 500 km da superfície terrestre, a termopausa) e *Exosfera* (capa que se estende da termopausa até as alturas em que a densidade atmosférica é igual à do gás interespacial que a circunda).

A existência de uma Atmosfera assim composta é de vital importância para a habitabilidade da Terra, impedindo um excessivo aquecimento da sua superfície durante o dia e também um excessivo resfriamento durante a noite. Por outro lado, alguns de seus componentes são essenciais ao desenvolvimento dos organismos (o anidrido carbônico como base da fotossíntese vegetal de compostos orgânicos que fundamentam a cadeia alimentar da maioria dos vivos; o oxigênio para a oxidação animal dos compostos orgânicos e para a obtenção de energia etc.).

Observe-se o seguinte corte esquemático, evidenciando as diversas camadas da Atmosfera e suas respectivas altitudes:

6. Parte da Geofísica que estuda a composição química do globo terrestre, aquilo "de que é feita a Terra".

7. Isto é, passa, em suas substâncias constituintes ou soluções, de um estado amorfo (líquido ou gás) para o estado cristalino, ou seja, assume forma e contextura de substância sólida, cujas partículas constitutivas (átomos, íons ou moléculas) se ordenam regularmente, geometricamente, no espaço.

8. Perdoem-me aqui (como mais adiante, Parte II, Capítulo II, 1, F, nota 33, no caso da Ortogênese) tomar esse termo num sentido francamente generalizado: isto é, abrangendo (além da polimerização *no sentido estrito* dos químicos) o processo inteiro de "complexificação aditiva" que dá origem às grandes moléculas. (N. do A.) A *Polimerização*, "no sentido estrito dos químicos", é o processo em que duas ou mais moléculas de uma mesma substância, ou dois ou mais agrupamentos atômicos idênticos, se reúnem para formar uma estrutura de peso molecular múltiplo do das unidades iniciais e, em geral, elevado. Polímero é, pois, quimicamente,

o composto de grande número de moléculas fundamentais: o polietileno, por exemplo, forma-se pela aglomeração de centenas de milhares de moléculas de etileno; o poliestireno é polímero do estireno. Teilhard, seguindo sua peculiar tendência à generalização, divisa um verdadeiro "reino" da polimerização, no qual a complexidade material (no número e na forma de ordenar os elementos constituintes) é crescente; reino ou mundo de onde deve ter emergido o Mundo da Vida e, portanto, a ele anterior e inferior.

9. Substâncias em que a existência de ligações químicas garante a uniformidade de propriedades e a constância de composição, a serviço da Vida, como constituintes dos organismos ou corpos vivos.

10. Já em 3/9/1916, à página 69 de suas *Notes et Esquisses. Cahier 1* (1915-1916), Teilhard anotava:
"Fórmula fundamental, *necessária e suficiente para explicar* e embasar o Transformismo: *'Nada se faz de nada'* (significando *o segundo 'nada' uma coisa imediatamente adaptada ao seu 'avanço'*). Esta lei implica, morfologicamente e psicologicamente, *no pré-homem. O erro escolástico é de não ver na matéria in potentia* 2ª senão uma entidade inexistente, *não havendo jamais tido sua própria existência antecedente... É necessário, pois, precisar a fórmula acima dizendo*: 'Nada se faz senão pela adaptação de qualquer coisa de análogo pré-existente (já realizado)'."
E grifa, duas vezes, a precisão da fórmula e, quatro vezes, o "(já realizado)". Mais de vinte anos depois é ainda sobre o mesmo princípio que ele quer construir o seu livro.

11. Cf. a longa nota 5.

12. Isto é, a *Consciência* (Cf. notas 15 e 18 ao Capítulo anterior) correlata à *Complexidade* que a Polimerização constitui e introduz no Mundo. (Cf. nota 8.)

13. Cf. nota 5.

14. Cf. Capítulo II.

15. Por *Enrolamento*, Teilhard compreende o processo que tende a encerrar o Estofo do Universo (Cf. Capítulo I) sobre si mesmo e que comporta duas etapas fundamentais: 1) formação das estrelas e dos planetas a partir do Imenso — enrolamento estelar; 2) aparecimento de formas cada vez mais complexas e sempre melhor centradas (interiorizadas) a partir do Ínfimo — enrolamento atômico:
"Na realidade, o processo parece formado de dois enrolamentos inversos: um que parte do Imenso e que segmenta 'agregativamente' o estofo cósmico em pedaços cada vez menores (enrolamento estelar, das nebulosas aos planetas); outro que começa no Ínfimo e engendra (por complicação estrutural) corpúsculos cada vez maiores (enrolamento atômico, dos átomos aos seres vivos e ao Homem)." (Cf. *Trois choses que je vois*, 1948.)
É sobre esse segundo enrolamento, o atômico, que o Autor passa a discorrer.

16. É tempo de conceituar bem clara e resumidamente essa *Pré-Vida* de que trata toda esta Parte I. A Pré-Vida é a fase evolutiva que precede e que prepara a emergência da Vida. Aristotelicamente falando, na Pré-Vida, a Matéria, enquanto potência vital e espiritual, não está ainda atualizada, isto é, não realizou as possibilidades que encerra. A noção de Pré-Vida põe em relevo as transições contínuas entre as estruturas da matéria inorgânica e as estruturas da matéria orgânica, sem negar, contudo, o limiar descontínuo de emergência da Vida, como se verá na Parte II, logo em seguida.
"Existem (...) para além das albuminas e das proteínas, e no entanto ainda muito aquém das células, certos corpúsculos enormes. De um ponto de vista químico, externo, a consideração desses novos objetos é apaixonante. Mas teremos nós nos apercebido o suficiente de que, se essas partículas são hipercomplicadas, é porque, necessariamente e correlativamente, elas são hipercentradas, e portadoras, por conseguinte, de um germe de consciência? Abaixo da Vida, portanto, a Pré-Vida!" (Cf. *L'atomisme de l'esprit. Un essai pour comprendre la structure de l'étoffe de l'univers*, 1941.)

17. Quer dizer, há um aumento de "opções", de "possibilidades de escolha", de "espontaneidades", aumento esse que se manifesta em sentido contrário aos "determinismos" até então predominantes.

18. Ainda e sempre *Pluralidade* como fundamental propriedade do Estofo das Coisas, primeira face da Matéria. (Cf. Capítulo I, 1, A – *Pluralidade*.)

19. Eis agora a *Unidade*, outra propriedade fundamental do Estofo das Coisas, outra face da Matéria (Cf. Capítulo I, 1, B), como observa o autor logo adiante ao evocar a "unidade de pluralidade".

20. Exatamente as condições que encontraremos bem mais adiante, no outro extremo da Evolução, presidindo à Génese da "Noosfera". (N. do A.)

21. A *Pré-Biosfera* é, pois, a camada de matérias orgânicas com estruturas já muito complexas e constituindo um conjunto ligado, que corresponde à fase pré-viva dita "evolução molecular" (Cf. nota 16) e que preludia a formação da esfera da Vida, a Biosfera.

22. Como veremos, logo a seguir, a *Vida* constitui um limiar de descontinuidade na complexificação da Matéria e, por conseguinte, no progresso da Consciência; mo(vi)mento evolutivo em que se passa do molecular (pré-cêntrico) ao filético (próprio dos feixes de formas vivas):

"(...) a Vida, para a experiência científica, outra coisa não é senão um efeito específico (senão o efeito específico) da *Matéria complexificada*." (Cf. *La place de l'homme dans la nature*, 1949.)

II
A Vida

CAPÍTULO I
O Aparecimento da Vida

Depois do que acabamos de admitir sobre as potências germinais da Terra Juvenil, poderia parecer e poderíamos objetar ao título deste novo capítulo, que não resta mais nada na Natureza para assinalar um começo da Vida. Mundo mineral e Mundo animado: duas criações antagônicas se as encaramos maciçamente, sob suas formas extremas, à escala média de nossos organismos humanos; mas massa única, fundindo-se gradualmente sobre si mesma, se nos obrigamos a seguir, quer por análise espacial, quer (o que vem a dar no mesmo) por recuo temporal, até a escala do microscópico e, mais abaixo ainda, do ínfimo.

Nessas profundidades, não se atenuam todas as diferenças? — Nenhum limite nítido (já há muito o sabíamos) entre o animal e o vegetal ao nível dos seres monocelulares. E, cada vez menos, nenhuma barreira segura (adiante o recordaremos) entre o protoplasma[1] "vivo" e as proteínas[2] "mortas", ao nível dos enormes amontoados moleculares. "Mortas", chamam-se ainda essas substâncias não classificadas... Mas não reconhecemos que elas seriam incompreensíveis se já não possuíssem, no seu âmago, alguma psique[3] rudimentar?

Num certo sentido é, portanto, verdade. Tanto à Vida como a qualquer outra realidade experimental não podemos doravante fixar, como outrora julgávamos poder fazê-lo, um zero temporal absoluto. Para um determinado Universo, e para cada um de seus elementos, não há, no plano da experiência e do fenômeno, senão uma única e mesma duração possível, e esta sem margem para trás. Assim, cada coisa, por aquilo que a faz mais ela mesma, prolonga sua estrutura, estende suas raízes, num Passado sempre mais longínquo. Tudo, desde as origens, começou por alguma extensão muito atenuada de si mesmo. Nada podemos diretamente fazer contra essa condição básica de nosso conhecimento.[4]

Mas o haver claramente reconhecido e definitivamente admitido, para todo novo ser, a necessidade e o fato de uma *embriogênese cósmica*, em nada lhe suprime a realidade de um *nascimento histórico.*[5]

Em todos os domínios, quando uma grandeza cresceu suficientemente, ela muda bruscamente de aspecto, de estado ou de natureza. A curva retrocede; a superfície se reduz a um ponto; o sólido se desmorona; o líquido ferve; o ovo se segmenta; a intuição explode sobre os fatos acumulados... Pontos críticos,[6] mudanças de estado, patamares no aclive, — saltos de todas as espécies *em vias* de desenvolvimento: a *única* maneira doravante, mas uma *verdadeira* maneira ainda, para a Ciência, de conceber e de surpreender "um primeiro instante".

Nesse sentido elaborado e novo, — mesmo depois (precisamente depois) do que dissemos da Pré-Vida, resta-nos agora considerar e definir um começo da Vida.

Durante períodos que não poderíamos precisar, mas com certeza imensos, a Terra, fria o bastante para que se pudessem formar e subsistir à sua superfície as cadeias de moléculas carbonadas, – a Terra, provavelmente envolta numa camada aquosa donde não emergiam senão os primeiros brotos dos futuros continentes, teria parecido deserta e inanimada a um observador munido dos nossos mais modernos instrumentos de investigação. Recolhidas nessa época, suas águas não teriam deixado nenhuma partícula movediça em nossos filtros mais finos. Não teriam permitido ver senão agregados inertes no campo das nossas maiores ampliações.

Ora, eis que, em dado momento, mais tarde, depois de um tempo suficientemente longo, essas mesmas águas começaram certamente a fervilhar, aqui e ali, de seres minúsculos. E desse pulular inicial saiu a espantosa massa de matéria organizada cuja feltragem complexa constitui hoje o último (ou melhor, o penúltimo), por ordem de chegada, dos invólucros de nosso planeta: a Biosfera.[7]

Provavelmente jamais alcançaremos (a menos que, por sorte, a Ciência de amanhã chegue a fazer com que o fenômeno se reproduza em laboratório), – a História por si só, em todo o caso, jamais redescobrirá diretamente os vestígios materiais dessa emersão do microscópico para fora do molecular, do orgânico para fora do químico, do vivo para fora do pré-vivo. Mas uma coisa é certa: semelhante metamorfose não se poderia explicar por um processo simplesmente contínuo. Por analogia com tudo o que nos ensina o estudo comparado dos desenvolvimentos naturais, temos que situar nesse momento particular da evolução terrestre uma maturação, uma muda, um limiar,[8] uma crise de primeira grandeza: o começo de uma ordem nova.

Tentemos determinar quais devem ter sido, por um lado a natureza, e por outro lado as modalidades espaciais e temporais dessa passagem, de modo a satisfazer simultaneamente às condições presumíveis da Terra juvenil e às exigências contidas na Terra moderna.

1. O Passo da Vida

Materialmente, e olhando de fora, o melhor que podemos dizer neste momento é que a vida propriamente *começa com a célula*.[9] Quanto mais a Ciência concentra, desde há já um século, seus esforços sobre essa unidade, quimicamente e estruturalmente ultra-complexa, mais evidente se torna que nela se dissimula o segredo cujo conhecimento estabeleceria a ligação, pressentida mas não realizada ainda, entre os dois mundos da Física e da Biologia. A célula, *grão natural de Vida*, assim como o átomo é o grão natural da Matéria inorganizada. É certamente a célula que temos de tentar compreender se quisermos avaliar em que consiste especificamente o Passo da Vida.[10]

Mas, para compreender, como é que devemos olhar?

Escreveram-se já volumes e volumes sobre a célula. Bibliotecas inteiras já não são suficientes para conter as observações minuciosamente acumuladas sobre a sua textura, sobre as funções relativas do seu "citoplasma" e do seu núcleo, sobre o mecanismo da sua divisão, sobre as suas relações com a hereditariedade. E, no entanto, considerada em si mesma, ela continua aos nossos olhos exatamente tão enigmática, exatamente tão fechada como sempre. É como se, tendo chegado a uma certa profundidade de explicação, girássemos, sem avançar mais, em torno de algum impenetrável reduto.

Não seria porque os métodos histológicos e fisiológicos[11] de análise já nos deram o que deles podíamos esperar, devendo o ataque agora, para progredir, ser retomado sob um novo ângulo?

De fato, e por razões óbvias, a Citologia[12] construiu-se quase inteiramente, até aqui, a partir de um ponto de vista biológico: sendo a célula considerada como um micro-organismo ou um proto-vivo que cumpria interpretar em relação às suas formas e às suas associações mais elevadas.

Ora, assim procedendo, deixamos pura e simplesmente na sombra a metade do problema. Como um planeta no seu quarto crescente, o objeto de nossas pesquisas iluminou-se na face voltada para os cumes da Vida. Mas, nas camadas inferiores do que chamamos a Pré-Vida, ele continua a flutuar na noite. Eis provavelmente o que, cientificamente falando, prolonga indevidamente para nós o seu mistério.

Exatamente como qualquer outra coisa no Mundo, a célula, por mais maravilhosa que nos apareça em seu isolamento entre outras construções da Matéria, não poderia ser *compreendida* (isto é, incorporada num sistema coerente do Universo) senão recolocada entre um Futuro e um Passado, numa linha de evolução. Ocupamo-nos demais de suas diferenciações, de seu desenvolvimento. É sobre as suas origens, isto é, sobre as raízes que ela mergulha no inorganizado, que convém agora fazer convergir nossas pesquisas, se quisermos atingir a verdadeira essência de sua novidade.

Em oposição com o que a experiência nos ensina em todos os outros domínios, habituamo-nos ou resignamo-nos demais a conceber a célula como um objeto sem antecedentes. Procuremos ver o que ela vem a ser, se a olhamos e a tratamos, devidamente, como uma coisa *ao mesmo tempo* longamente preparada e profundamente original, isto é, como uma coisa nascida.[13]

A) MICRO-ORGANISMOS E MEGA-MOLÉCULAS

E antes de tudo, a preparação.

Um primeiro resultado ao qual chega qualquer esforço para observar a Vida inicial em relação ao que a precede, mais do que em relação ao que se lhe segue, consiste em ressaltar uma particularidade que é estranho não haja mais vivamente impressionado os nossos olhos, qual seja: na célula e pela célula, é o Mundo molecular "em pessoa" (se assim posso dizer...) que aflora, passa e se perde no seio das construções mais elevadas da Vida.

Explico-me.

Pensamos sempre nas Plantas e nos Animais superiores quando observamos uma Bactéria.[14] E aí está o que nos deslumbra. Mas procedamos diversamente. Fechemos os olhos às formas mais avançadas da Natureza viva. Deixemos igualmente de lado, como convém, a maior parte dos Protozoários, quase tão diferenciados em suas linhas quanto os Metazoários.[15] E, nos Metazoários, esqueçamos as células nervosas, musculares, reprodutoras, muitas vezes gigantes e, de qualquer forma, super-especializadas. Limitemos assim o nosso olhar àqueles elementos, mais ou menos independentes, exteriormente amorfos ou polimorfos, tais como os que pululam nas fermentações naturais, – como os que circulam em nossas veias, – como os que se acumulam em nossos órgãos, sob a forma de tecidos conjuntivos. Em outras palavras, restrinjamos o campo de nossa visão à célula tomada sob as aparências mais simples, e portanto mais primitivas, que pudermos observar ainda na Natureza atual. E depois, feito isso, olhemos essa massa corpuscular em relação com a Matéria que ela recobre. Eu pergunto. Poderíamos hesitar um só momento em reconhecer o parentesco evidente que liga, em sua composição e em seus aspectos, o mundo dos proto-vivos ao mundo da Físico-Química?... Essa simplicidade na forma celular. Essa simetria na estrutura. Essas dimensões minúsculas... Essa identidade exterior dos caracteres e dos comportamentos na Multidão... Não estão aí, sem que seja possível ignorá-los, os traços, os hábitos do Granular?[16] Isto é, não estamos ainda, nesse primeiro patamar da Vida, senão no âmago, pelo menos em plena orla da "Matéria"?[17]

Sem exagero, tal como o Homem, se funde, anatomicamente, aos olhos dos paleontólogos,[18] na massa dos Mamíferos[19] que o precedem, – assim também, *tomada no sentido descendente*, a célula se afunda, qualitativamente e quantitativamente, no mundo dos edifícios químicos. Prolongada imediatamente para trás de si mesma, converge visivelmente para a Molécula.

Ora, essa evidência já não é mais uma simples intuição intelectual.

Há apenas alguns anos, o que acabo de dizer aqui sobre a passagem gradual do Grão de Matéria ao Grão de Vida,[20] poderia parecer tão sugestivo, mas tão gratuito também, como as primeiras dissertações de Darwin[21] ou de Lamarck[22] sobre o transformismo.[23] Mas eis que as coisas estão mudando. Desde os tempos de Darwin e de Lamarck, numerosos achados vieram estabelecer a existência das formas de passagem que postulava a teoria da Evolução.[24] Paralelamente, os últimos progressos da Química biológica[25] começam a estabelecer a realidade dos agregados moleculares que parecem reduzir e balizar o abismo suposto hiante entre o protoplasma e a Matéria mineral.[26] Se certas medidas (ainda indiretas, é verdade) são admitidas como corretas, é *em milhões* talvez que se devam avaliar os pesos moleculares de determinadas substâncias protéicas naturais,[27] tais como os "vírus" tão misteriosamente associados às doenças microbianas nas Plantas e nos Animais.[28] Muito menores que quaisquer Bactérias,[29] – tão pequenas de fato que nenhum filtro pode ainda retê-las –, as partículas que formam essas substâncias são contudo colossais, comparadas às moléculas habitualmente tratadas pela química do Carbono.[30] E é profundamente sugestivo constatar que, se elas não podem ainda ser confundidas com uma célula, algumas de suas propriedades (particularmente seu poder de multiplicar-se em contacto com um tecido vivo) já anunciam as propriedades dos seres propriamente organizados.[31]*

Graças à descoberta desses corpúsculos gigantes, a existência prevista *de estados intermediários* entre os seres vivos microscópicos e o ultramicroscópico "inanimado" passa para o domínio da experimentação direta.

Daqui por diante, não somente por necessidade intelectual de continuidade, mas com base em indícios positivos, é possível portanto afirmar: de acordo com nossas antecipações teóricas sobre a realidade de uma Pré-Vida, alguma função natural liga verdadeiramente, em seu aparecimento sucessivo e em sua existência presente, o Micro-Orgânico ao Mega-Molecular.[32]

E eis que essa primeira constatação nos leva a dar mais um passo para uma melhor compreensão das preparações e, portanto, das origens da Vida.

B) UMA ERA ESQUECIDA

Não estou em condições de apreciar, do ponto de vista matemático, nem a boa fundamentação nem os limites da Física relativista.[33] Mas, falando como naturalista,[34] devo reconhecer que a consideração de um meio dimensional onde Espaço e Tempo se combinem organicamente é o único meio que até agora encontramos para explicar a distribuição das substâncias materiais e vivas ao nosso redor. De fato, quanto mais progride o nosso conhecimento da História Natural do Mundo,[35] mais descobrimos que a repartição dos objetos e das formas num momento dado não se justifica senão por um processo cuja extensão temporal varia em razão direta da dispersão espacial (ou morfológica) dos seres considerados.[36] Qualquer distância espacial, qualquer diferenciação morfológica supõe e exprime uma duração.[37]

Tomemos o caso, particularmente simples, dos Vertebrados[38] atualmente vivos. Já no tempo de Lineu,[39] a classificação desses animais se achava suficientemente avançada para que seu conjunto manifestasse uma estrutura definida, expressa em Ordens, Famílias, Gêneros etc....[40] Dessa ordenação, entretanto, os naturalistas de então não davam nenhuma razão científica. Ora, hoje sabemos que a Sistemática[41] lineana representa simplesmente a seção efetuada, no tempo presente, num feixe divergente de linhagens (*filos*)[42] sucessivamente aparecidas no decurso dos séculos,[43*] – de tal modo que a diferenciação zoológica dos diversos tipos que vivem sob os nossos olhos revela e mede, em cada caso, uma diferença de idade. Na constelação das Espécies, qualquer existência e qualquer posição implicam assim um certo Passado, uma certa Gênese. Em particular, qualquer encontro que o zoólogo[44] faça de um tipo mais primitivo do que aqueles até então seus conhecidos (digamos o *Anfioxo*),[45] não tem como único resultado ampliar mais um pouco a gama das formas animais. Tal descoberta implica, *ipso facto*, um estádio, um verticilo, um anel a mais no tronco da Evolução. Para o *Anfioxo*, por exemplo, não podemos dar-lhe o seu lugar na Natureza atual senão imaginando no Passado, abaixo dos Peixes, uma fase inteira de Vida "proto-vertebrada".

No Espaço-Tempo dos biólogos, a introdução de um termo ou estádio morfológico suplementar exige imediatamente ser traduzida por um alongamento correlato do eixo das durações.

Guardemos esse princípio. E voltemos à consideração das moléculas gigantes cuja existência acaba de ser surpreendida pela Ciência.

É possível (ainda que pouco provável) que essas partículas enormes não formem hoje na Natureza mais que um grupo excepcional e relativamente restrito. Mas, por mais raras que as suponhamos, por mais modificadas até que as imaginemos por associação secundária com os tecidos vivos que elas parasitam, não há razão alguma para fazer delas seres monstruosos ou aberrantes. Tudo, pelo contrário, leva-nos a encará-las como representando, mesmo no estado de sobrevivência e de resíduo, uma fase particular nas construções da Matéria terrestre.

Forçosamente, por conseguinte, uma zona do Mega-molecular se insinua entre as zonas que supúnhamos limítrofes do Molecular e do Celular.[46] Mas também então, por isso mesmo, em virtude das relações acima reconhecidas entre Espaço e Duração, é todo um período *suplementar*, que se revela e se insere, para trás de nós, na história da Terra. Mais um anel no tronco,[47] — portanto mais um intervalo a contar na vida do Universo. A descoberta dos vírus ou outros elementos semelhantes não enriquece apenas com um termo importante nossa série de estados ou formas da Matéria. Obriga-nos a intercalar uma era até então esquecida (uma era do "*sub-vivo*") na série das idades que dão a medida do Passado de nosso planeta.

Assim, partindo e descendo da Vida inicial, tornamos a encontrar, sob uma forma terminal bem definida, essa fase e essa face da Terra Juvenil que fôramos levados a conjecturar anteriormente, quando subíamos os aclives do múltiplo elementar.

Quanto à extensão de Tempo requerida para se estabelecer na Terra esse mundo mega-molecular, não poderíamos, evidentemente, nada dizer de preciso ainda. Mas, se não nos é dado cogitar em cifrá-la, dispomos de algumas considerações que nos encaminham para uma certa apreciação de sua ordem de grandeza. Por três razões, entre outras, o fenômeno considerado não se deve ter processado senão com uma extrema lentidão.

Em primeiro lugar, em seu aparecimento e em seus desenvolvimentos, encontrava-se em estreita dependência da transformação geral das condições químicas e térmicas à superfície do planeta. Diversamente da Vida, que parece se propagar com uma velocidade própria, num meio material que se tornou praticamente estável em relação a ela, as mega-moléculas não se puderam formar senão ao ritmo *sideral* (isto é, incrivelmente pouco rápido) da Terra.[48]

Em segundo lugar, a transformação, uma vez iniciada, e antes de poder constituir a base necessária para uma emersão[49] da Vida, deve ter se estendido a uma massa de Matéria suficientemente vasta para constituir uma zona ou invólucro de dimensões telúricas. E isso também deve ter exigido muito tempo.

Em terceiro lugar, as mega-moléculas trazem em si mesmas, em verossimilhança, o vestígio de uma longa história. De fato, como imaginar que elas tenham podido, como corpúsculos mais simples, edificar-se bruscamente e permanecer tais e quais, de uma vez para sempre? Sua complicação e sua instabilidade sugerem antes, um pouco como as da Vida, um longo processo aditivo, prolongando-se por acréscimos sucessivos, através de uma série de gerações.

Por esse tríplice arrazoado, podemos concluir, *grosso modo*, que o tempo necessário para a formação das proteínas sobre a superfície terrestre corresponde a uma duração superior, talvez, à de todas as eras geológicas desde o Cambriano.[50]

Assim se aprofunda em mais um nível, para trás de nós, esse abismo do Passado que uma invencível fraqueza intelectual nos levaria a comprimir numa fatia cada vez mais fina de Duração, — enquanto a Ciência nos obriga, por suas análises, a alargá-la sempre mais.[51]

E assim se nos oferece uma base necessária para a seqüência de nossas representações.

Sem um longo período de maturação, nenhuma mudança profunda pode se produzir na Natureza. Em compensação, dado um tal período, é fatal que *algo de totalmente novo* se produza. Uma Era terrestre da Mega-molécula não constitui somente um termo suplementar acrescentado ao nosso quadro de durações. Corresponde ainda, e muito mais, à exigência de um ponto crítico que venha concluí-la e fechá-la.[52] Exatamente o que nos era necessário para justificar a idéia de que uma ruptura evolutiva[53] de primeira ordem se situa no nível assinalado pelo aparecimento das primeiras células.

Mas como podemos, afinal de contas, imaginar a natureza dessa ruptura?

C) A REVOLUÇÃO CELULAR

1) *Revolução Externa*

De um ponto de vista exterior, que é onde se coloca ordinariamente a Biologia,[54] a originalidade essencial da Célula parece consistir em ter encontrado um método novo de englobar unitariamente uma massa maior de Matéria. Descoberta longamente preparada, sem dúvida, pelos tenteios de que saíram pouco a pouco as mega-moléculas. Mas descoberta brusca e revolucionária o bastante para haver encontrado imediatamente na Natureza um êxito prodigioso.

Estamos longe ainda de poder definir o próprio princípio (sem dúvida luminosamente simples) da organização celular. Sobre esta, contudo, já aprendemos o suficiente para avaliar a extraordinária complexidade de sua estrutura e a não menos extraordinária fixidez de seu tipo fundamental.

Complexidade, primeiramente. Na base do edifício celular, ensina-nos a Química, encontram-se albuminóides, substâncias orgânicas azotadas ("ácidos aminados"), de pesos moleculares enormes[55] (até 10.000 e mais). Associados a corpos gordos, a água, a fósforo e a todo tipo de sais minerais (potássio, sódio, magnésio, compostos metálicos vários...), esses albuminóides constituem um "protoplasma",[56] esponja organizada de inumeráveis partículas em que começam a atuar apreciavelmente as forças de viscosidade, de osmose, de catálise,[57] características da Matéria que chegou aos seus graus superiores de agrupamentos moleculares. E isso ainda não é tudo. No seio desse conjunto, na maior parte dos casos, um núcleo, encerrando os "cromossomos",[58] destaca-se sobre um fundo de "citoplasma",[59] composto este mesmo talvez de fibras ou bastonetes ("mitocôndrias").[60] Quanto mais os microscópios ampliam e quanto mais os corantes separam, — tanto mais também aparecem nesse complexo, quer em altura, quer em profundidade, os novos elementos estruturais. — Um triunfo de multiplicidade organicamente concentrada num mínimo de espaço.

Fixidez, em seguida. Por mais indefinidas que sejam as modulações possíveis de seu tema fundamental, — por mais inesgotavelmente variadas que sejam as formas de que, de fato, ela se reveste na Natureza, a Célula permanece, em todos os casos, essencialmente semelhante a si mesma. Já o dizíamos acima.[61] Diante dela, nosso pensamento hesita em lhe procurar analogias no mundo do "animado" ou no mundo do "inanimado". Não se parecem as Células entre si como moléculas, mais do que como animais? ... Consideramo-las legitimamente como as primeiras das formas vivas. Mas não seria também justamente verdadeiro considerá-las como representando um *outro estado* da Matéria: algo também tão original, em sua ordem, quanto o eletrônico, o atômico, o cristalino ou o polímero?[62] Um tipo novo de material, para um novo andar do Universo?

Na Célula, simultaneamente, tão una, tão uniforme e tão complicada, é em suma o Estofo do Universo que reaparece com todos os seus caracteres, – mas desta vez elevado a um escalão ulterior de complexidade e, por conseguinte, ao mesmo tempo (se é válida a hipótese que nos guia ao longo destas páginas), a um grau superior de *interioridade*,[63] quer dizer, de consciência.

2) *Revolução Interna*

É com os inícios da Vida organizada, ou seja, com o aparecimento da Célula, que concordamos habitualmente em fazer "começar" a vida psíquica no Mundo. Coincido, pois, aqui com as perspectivas e a maneira de falar usuais, ao situar nesse estádio particular da Evolução um passo decisivo nos progressos da Consciência sobre a Terra.

Mas, por haver admitido uma origem muito mais antiga, a bem dizer primordial, para os primeiros lineamentos da imanência[64] no interior da Matéria, cabe-me explicar agora em que pode exatamente consistir a modificação específica de energia interna ("radial") que corresponde ao estabelecimento externo ("tangencial")[65] da unidade celular. Se já situamos as obscuras e longínquas raízes de uma atividade livre elementar na longa cadeia dos átomos, depois das moléculas, depois das mega-moléculas, não é por um início absoluto, mas antes por uma *metamorfose*,[66] que se deve exprimir psiquicamente a revolução celular. Mas como conceber o salto (e mesmo onde encontrar lugar para um salto?) do pré-consciente incluído na Pré-Vida para o consciente, por mais elementar que este seja, do primeiro ser verdadeiramente vivo? Há então diversas maneiras de um ser possuir um Dentro?

Nesse ponto, confesso, é difícil ser claro. Mais adiante, no caso do Pensamento,[67] uma definição psíquica do "ponto crítico humano" revelar-se-á de pronto possível, porque o Passo da Reflexão[68] carrega em si algo de definitivo, e também porque, para avaliá-lo, não temos senão que ler no fundo de nós mesmos. No caso da Célula, pelo contrário, comparada aos seres que a precedem, a introspecção só pode nos guiar por analogias repetidas e longínquas. Que sabemos nós da "alma" dos animais, mesmo dos mais próximos de nós?[69] A tais distâncias para baixo e para trás, temos que nos resignar com o vago em nossas especulações.

Nestas condições de obscuridade e nesta margem de aproximação, três constatações são ao menos possíveis, – suficientes para fixar de um modo útil e coerente a posição do *despertar celular* na série de transformações psíquicas que preparam sobre a Terra o aparecimento do fenômeno humano. *Mesmo* e, acrescentarei, *sobretudo* nas perspectivas aqui admitidas, a saber que uma espécie de consciência rudimentar precede a eclosão da Vida, um tal despertar ou salto 1) *pôde*, – ou melhor, 2) *deve* ter-se produzido; e assim 3) acha-se parcialmente explicada uma das mais extraordinárias renovações historicamente experimentadas pela face da Terra.

E antes de tudo, é perfeitamente concebível que um salto essencial seja possível entre dois estados ou formas, mesmo inferiores, de consciência. Para retomar e resolver, nos seus próprios termos, a dúvida anteriormente formulada, há efetivamente, direi eu, muitas maneiras diferentes de um ser possuir um Dentro. Uma superfície *fechada*, de início irregular, pode se tornar *centrada*. Um círculo pode aumentar sua ordem de simetria tornando-se esfera. Quer por ordenação das partes, quer por aquisição de uma dimensão a mais, nada impede que o grau de interioridade próprio de um elemento cósmico possa variar a ponto de se elevar bruscamente a um novo escalão.

Ora, que semelhante mutação psíquica deve ter precisamente acompanhado a descoberta da combinação celular, eis o que resulta imediatamente da lei que, conforme atrás reconhecemos, regula em suas relações mútuas o Dentro e o Fora das Coisas. Acréscimo do estado sintético da Matéria: portanto, correlativamente, dizíamos, aumento de consciência no meio sintetizado. Transformação *crítica* no arranjo íntimo dos elementos, devemos acrescentar agora: logo, *ipso facto*, mudança *de natureza* no estado de consciência das parcelas do Universo.[70]

E agora consideremos novamente, à luz destes princípios, o assombroso espetáculo apresentado pela eclosão definitiva da Vida na superfície da Terra Juvenil. Esse ímpeto para frente na espontaneidade. Esse luxuriante desencadeamento de criações fantasistas. Essa expansão desenfreada. Esse salto no improvável... Não está exatamente aí o acontecimento que a teoria nos permitia esperar? A explosão de energia interna consecutiva e proporcionada a uma super-organização fundamental da Matéria?

Realização externa de um tipo essencialmente novo de agrupamento corpuscular, permitindo a organização mais flexível e melhor centrada de um número ilimitado de substâncias tomadas em todos os graus de grandezas particulares; e, simultaneamente, aparecimento interno de um novo tipo de atividade e de determinação conscientes: por essa dupla e radical metamorfose podemos razoavelmente definir, naquilo que ela tem de especificamente original, a passagem crítica da Molécula para a Célula, – o Passo da Vida.[71]

Desse passo resta-nos, antes de abordar suas consequências para o prosseguimento da Evolução, estudar de mais perto as condições de sua realização histórica: primeiro no espaço, e depois no tempo.

Tal será o objeto das duas seções seguintes.

2. As Aparências Iniciais da Vida

Uma vez que o aparecimento da Célula é um acontecimento que se deu nas fronteiras do Ínfimo, – pois operou sobre elementos extremamente delicados, hoje dissolvidos em sedimentos de há muito transformados, não há probabilidade alguma, já o disse, de virmos a encontrar jamais os seus vestígios. Assim, embatemos, de partida, nessa condição fundamental da experiência, em virtude da qual os começos de todas as coisas tendem a tornar-se materialmente inapreensíveis: lei universalmente verificada na História e a que mais adiante chamaremos "supressão automática dos pedúnculos evolutivos".[72]

Há felizmente, para o nosso espírito, diversas maneiras de atingir o Real. Para o que escapa à intuição de nossos sentidos, dispomos do recurso de assediá-lo e defini-lo aproximativamente por uma série de operações indiretas. Queremos, seguindo esse desvio, único caminho aberto, alcançar uma representação possível da Vida recém-nascida? Então podemos proceder da maneira e pelas etapas seguintes.

O MEIO

Para começar, é preciso, por um recuo que pode atingir um milhar de milhões de anos, apagar a maior parte das superestruturas materiais que dão hoje à superfície da Terra sua fisionomia particular. Os geólogos estão longe de chegar a acordo sobre o aspecto que, naquelas épocas longínquas, podia apresentar nosso planeta.[73] De bom grado o imagino, por minha conta, como envolvido por um oceano sem margens (nosso Pacífico não constitui um seu vestígio?) donde mal começavam, em alguns pontos isolados, a emergir, por pululamentos vulcânicos, as protuberâncias continentais. Essas águas eram, sem dúvida, mais tépidas do que hoje, — mais carregadas também de todos os quimismos livres que as idades deviam progressivamente absorver e fixar. É num tal licor, denso e ativo, — é, inevitavelmente, em todo caso, num meio líquido, — que se devem ter formado as primeiras células.[74] Tentemos distingui-las.

A esta distância, sua forma não nos aparece senão de modo confuso. Grãos de protoplasma, com ou sem núcleo individualizado: eis, por analogia com o que parece representar na Natureza atual seus vestígios menos alterados, tudo o que podemos encontrar para imaginar as feições dessa geração primordial. Mas se os contornos e o arcabouço individual permanecem indecifráveis, afirmam-se com precisão, certos caracteres de um outro gênero os quais, por serem quantitativos, não têm menos valor: quero dizer uma incrível pequenez e, por conseqüência natural, um número espantoso.

A PEQUENEZ E O NÚMERO

Chegados a este ponto, é necessário que nos exercitemos num daqueles "esforços para ver" de que falava o meu Prefácio.[75] Podemos, durante anos, olhar o céu estrelado sem tentar, uma vez que seja, imaginar *verdadeiramente* a distância, e, por conseguinte, a enormidade das massas siderais. Paralelamente, por mais familiarizados que estejam os nossos olhos com o campo de um microscópio, corremos o risco de nunca "realizar" a desconcertante queda de dimensões que separa, um do outro, o mundo da Humanidade e o mundo de uma gota d'água. Falamos com exatidão de seres mensuráveis em centésimos de milímetros. Mas já tentamos alguma vez recolocá-los, a sua escala, dentro do quadro em que nós vivemos? Esse esforço de perspectiva é, contudo, indispensável se queremos penetrar nos segredos, ou simplesmente no "espaço" da Vida nascente, — a qual não pode ter sido outra coisa senão uma *Vida granular*.[76]

Que as primeiras células tenham sido minúsculas, disso não podemos duvidar. Assim o exige a maneira como se originaram das mega-moléculas. E assim o estabelece diretamente a inspeção dos seres mais simples que encontramos ainda no mundo vivo. As Bactérias, quando as perdemos de vista, não têm mais do que 0,2 milésimos de milímetro de comprimento!

Ora, parece positivamente existir, no Universo, uma relação de natureza entre o tamanho e o número. Seja em conseqüência de um espaço relativamente maior que se abre à sua frente, seja em conseqüência de uma diminuição, que é preciso compensar, no seu raio efetivo de ação individual, quanto mais os seres são pequenos, mais eles surgem em multidão. Mensuráveis em mícrons,[77] as primeiras células devem ter-se contado por miríades...[78] Por mais perto do seu ponto de saída que a cinjamos, a Vida se manifesta a nós, portanto, *simultaneamente*, como *microscópica e inumerável*.

Em si mesmo, esse duplo caráter nada tem que deva nos surpreender. No momento preciso em que emerge da Matéria, não é natural que a Vida se apresente *encharcada ainda do estado molecular*? — Mas já não nos basta olhar para trás.

É compreender o funcionamento e o porvir do mundo organizado o que queremos agora. Na fonte desses progressos encontramos o Número, — um número imenso.[79] Como imaginar as modalidades históricas e a estrutura evolutiva dessa multiplicidade nativa?[80]

A ORIGEM DO NÚMERO

Mal acabada de nascer (à distância de que a olhamos) a Vida já pulula.

Para explicar uma tal pluralidade na própria arrancada da evolução dos seres animados, e também para precisar a sua natureza, duas linhas de pensamento se abrem diante de nosso espírito.

Podemos inicialmente supor que, embora tenham aparecido num só ponto, ou num reduzido número de pontos, as primeiras células se multiplicaram quase instantaneamente, como se propaga a cristalização em solução sobressaturada.[81] Não se encontrava a Terra Juvenil num estado de sobre-tensão biológica?

Por um outro lado, a partir e em virtude das mesmas condições de instabilidade inicial, podemos também conceber que a passagem das mega-moléculas para a Célula tenha se efetuado quase simultaneamente num número muito grande de pontos. Não é assim que se fazem, na própria Humanidade, as grandes descobertas?

"Monofilético" ou "polifilético"?[82] Muito estreito e simples na origem, mas expandindo-se com uma rapidez extrema? Ou, pelo contrário, largo e complexo logo no começo, mas dilatando-se em seguida com uma velocidade média? Como convém mais imaginar, na base, o feixe dos seres vivos?

Ao longo de toda a história dos organismos terrestres, na origem de cada grupo zoológico, encontra-se no fundo, o mesmo problema: singularidade de uma haste? ou feixe de linhas paralelas?[83] E, exatamente porque os começos escapam sempre à nossa visão direta,[84] experimentamos incessantemente a mesma dificuldade em optar entre duas hipóteses quase igualmente plausíveis.

Essa hesitação embaraça-nos e irrita-nos.

Mas, de fato, cabe realmente, aqui ao menos, escolher? Por mais delgado que o suponhamos, o pedúnculo[85] inicial da Vida terrestre deve ter contido um número apreciável de fibras que mergulhavam na enormidade do mundo molecular. E, inversamente, por mais larga que se imagine a sua seção, ele deve ter apresentado, como qualquer realidade física nascente, uma excepcional aptidão para desabrochar em formas novas. No fundo, as duas perspectivas só diferem pela importância relativa atribuída a um ou outro dos dois fatores (complexidade e "expansibilidade"[86] iniciais) que, nos dois casos, são iguais. Ambas, por outro lado, implicam *um estreito parentesco* evolutivo entre os primeiros seres vivos no seio da Terra Juvenil. — Menosprezemos, pois, aqui suas oposições secundárias, para concentrar nossa atenção no fato essencial que elas conjuntamente iluminam. Esse fato, na minha opinião, pode exprimir-se assim:

"De qualquer lado que o consideremos, o Mundo celular *nascente* revela-se como já infinitamente complexo. Quer por causa da multiplicidade de seus pontos de origem, quer em consequência de uma diversificação rápida a partir de alguns focos de emersão, quer, é preciso acrescentar, em razão de diferenças regionais (climáticas ou químicas) no invólucro aquoso da Terra, somos levados a compreender a Vida tomada em seu estádio protocelular[87] como um enorme feixe de fibras polimorfas.[88] Mesmo e já nessas profundidades, o fenômeno vital não pode ser tratado a fundo senão como um problema orgânico de massas movediças."

Problema orgânico de massas ou multidões, digo bem; e não simples problema estatístico de grandes números.[89] Que significa essa diferença?

AS LIGAÇÕES E A FIGURA

Aqui reaparece, à escala do coletivo, o limiar erguido entre os dois mundos da Física e da Biologia. Enquanto se tratava apenas de um processo de mesclar as moléculas e os átomos, podíamos, para explicar os comportamentos da Matéria, recorrer a leis numéricas de probabilidade[90] e contentarmo-nos com elas. A partir do momento em que a mônada,[91] adquirindo as dimensões e a espontaneidade superior da Célula, tende a se individualizar no seio da plêiade,[92] desenha-se um arranjo mais complicado no Estofo do Universo. Por duas razões ao menos seria insuficiente e falso imaginar a Vida, mesmo tomada no seu estádio granular, como uma espécie de fervilhar fortuito e amorfo.

Em primeiro lugar, a massa inicial das células deve ter se achado submetida por dentro, desde o primeiro instante, a uma forma de inter-dependência que já não foi um simples ajustamento mecânico, mas um começo de "simbiose"[93] ou vida em comum. Por mais fino que tenha sido, o primeiro véu de matéria orgânica estendido sobre a Terra não teria podido se estabelecer, nem se manter, sem alguma rede de influência e de intercâmbios que fizesse dele um conjunto biologicamente *ligado*. Desde a origem, a nebulosa celular representou forçosamente, apesar de sua multiplicidade interna, uma espécie de super-organismo difuso. Não somente uma *espuma de vidas*, mas até certo ponto, uma *película viva*.[94] Simples re-aparecimento, em todo caso, sob uma forma e numa ordem mais elevadas, de condições muito mais antigas que, como vimos, já presidiam ao nascimento e ao equilíbrio das primeiras substâncias polimerizadas à superfície da Terra Juvenil.[95] E também simples prelúdio à solidariedade evolutiva,[96] muito mais avançada, cuja existência, tão manifesta nos Seres Vivos superiores, nos obrigará sempre mais a admitir a natureza propriamente orgânica das ligações que os reúnem num todo no seio da *Biosfera*.[97]

Em segundo lugar (e isto é mais surpreendente) os inumeráveis elementos que compunham, nos seus inícios, a película viva[98] da Terra não parecem ter sido tomados nem juntados exaustivamente ou ao acaso. Mas a sua admissão nesse invólucro primordial dá antes a impressão de ter sido orientada por uma misteriosa seleção ou dicotomia prévias. Os biólogos o notaram: conforme o grupo químico ao qual pertencem, as moléculas incorporadas na matéria animada são todas assimétricas do mesmo jeito, — isto é, se um feixe de luz polarizada[99] as atravessa, todas elas fazem girar o plano desse feixe *num mesmo sentido*: são todas dextrogiras, ou todas levogiras,[100] conforme os casos. Mais notável ainda: todos os seres vivos, desde as mais humildes Bactérias até o Homem, contêm exatamente (entre tantas formas quimicamente possíveis) os mesmos tipos complicados de vitaminas e enzimas.[101] Assim os Mamíferos[102] superiores, todos "trituberculados".[103] Ou então os Vertebrados[104] que caminham, todos "tetrápodes".[105] Pois bem, tal semelhança da substância viva em disposições que *não parecem necessárias* não sugere que houve, na sua origem, uma escolha ou uma seleção? Nessa uniformidade química dos protoplasmas em pontos acidentais pretendeu-se encontrar a prova de que todos os organismos atuais descendem de um agrupamento ancestral único (caso do cristal caindo em meio sobressaturado[106]). Sem ir tão longe, poder-se-ia dizer que ela estabelece somente o fato de uma certa clivagem[107] inicial — entre dextrogiros e levogiros,[108] por exemplo (segundo os casos) — na massa enorme de Matéria carbonada chegada ao limiar da vida (caso da descoberta em *n* pontos ao mesmo tempo). Pouco importa, em suma. O interessante é que, nas duas hipóteses, o mundo terrestre vivo toma a mesma e curiosa aparência de uma Totalidade reformada a partir de um agrupamento *parcial*: qualquer que possa ter sido a complexidade de seu impulso original, este não esgota senão *uma parte daquilo que poderia ter existido*! Assim, tomada em seu conjunto, a Biosfera não representaria senão um simples *ramo* em meio e acima de outras proliferações menos progressivas ou menos felizes da Pré-Vida. Que significa isso senão que, considerado globalmente, o aparecimento das primeiras células coloca já os mesmos problemas que a origem de cada uma dessas hastes mais tardias a que chamaremos "filos"? O Universo havia *já começado a se ramificar*, e, sem dúvida, vai-se ramificando indefinidamente, *mesmo abaixo* da Árvore da Vida!

Multidão variegada de elementos microscópicos, multidão suficientemente numerosa para envolver a Terra, e, contudo, multidão suficientemente aparentada e selecionada para formar um Todo estruturalmente e geneticamente solidário: assim nos aparece, em suma, vista a longa distância, a Vida elementar.

Essas determinações, repetimos, referem-se exclusivamente a traços gerais, a caracteres de conjunto. Temos que nos resignar a isso, e seria de se esperar. Em todas as dimensões do Universo, uma mesma lei de perspectiva esbate inevitavelmente, no campo de nossa visão, as profundezas do Passado e os planos mais recuados do Espaço.[109] O que está muito longe e é muito pequeno não poderia ter senão contornos vagos. Para que nosso olhar penetrasse mais no segredo dos fenômenos que acompanham o aparecimento da Vida, seria necessário[110]* que ela continuasse, algures na Terra, a jorrar sob os nossos olhos.

Ora, e aí está um último ponto a considerar antes de fechar o presente capítulo, essa sorte não nos é dada.

3. A Estação da Vida

A priori, seria perfeitamente concebível que, nos limites do microscópico e do ínfimo, a misteriosa transformação das mega-moléculas em células, iniciada há milhões de anos, prosseguisse ainda, despercebida, à nossa volta.[111] Quantas forças não julgávamos dormentes para sempre na Natureza e que uma análise mais minuciosa provou estarem ainda em ação! A crosta terrestre[112] não acabou ainda de se soerguer ou de se abaixar sob nossos pés. As cadeias de montanhas elevam-se ainda no nosso horizonte. Os granitos[113] continuam a alimentar e a alargar o soclo[114] dos continentes. O próprio mundo orgânico, na superfície de sua imensa ramagem, não cessa de desabrochar em novos rebentos. Aquilo que uma extrema lentidão chega a fazer para dissimular um movimento, por que uma extrema pequenez não o realizaria também? — Nada, em si mesmo, impediria que, em massas infinitesimais, a substância viva esteja ainda a nascer sob nossos olhos.

Mas nada, de fato, parece indicar, — tudo, pelo contrário, parece dissuadir-nos de pensar que seja assim.

Ninguém desconhece a famosa controvérsia que opôs, há cerca de um século, partidários e adversários da "geração espontânea".[115] Dos resultados da batalha parece que se quis tirar, na época, mais do que convinha: como se a derrota de Pouchet[116] fechasse cientificamente qualquer esperança de dar uma explicação evolutiva às primeiras origens da Vida. Ora, todos hoje estão de acordo sobre este ponto: do fato de que, no seio de um meio previamente limpo de qualquer germe, a Vida não aparece jamais em laboratório, não se poderia concluir, contrariando toda espécie de evidências gerais, que, em outras condições e em outras épocas, o fenômeno não se haja produzido. As experiências de Pasteur[117] não podiam nem podem provar nada contra um passado nascimento das células sobre o nosso planeta. Em contrapartida, o seu êxito, inesgotavelmente confirmado por um uso universal dos métodos de esterilização,[118] parece bem demonstrar uma coisa: a saber, que, no campo e nos limites de nossas investigações, o *protoplasma não mais se forma* diretamente hoje a partir das substâncias inorganizadas da Terra.[119]*

E isso nos obriga, para começar, a revisar certas idéias por demais absolutas que podíamos alimentar sobre o valor e o uso, em Ciências, das explicações *"pelas Causas atuais"*.[120]

Eu o lembrava um instante atrás. Muitas das transformações terrestres que juraríamos detidas, e de há muito, prolongam-se ainda no Mundo que nos rodeia. Sob a influência dessa constatação inesperada que vem lisonjear nossa preferência natural pelas formas palpáveis e manuseáveis da experiência, nossos espíritos se inclinam naturalmente a pensar que nunca houve no Passado, como jamais poderá haver no Porvir, nada de absolutamente novo sob o sol. Mais um pouco ainda, e reservaríamos exclusivamente para os acontecimentos do Presente a plena realidade do Conhecimento. No fundo, fora do Atual, não é tudo simplesmente "conjectura"?

Temos que reagir a todo custo contra essa limitação instintiva dos direitos e do domínio da Ciência.

Não, o Mundo não satisfaria precisamente às condições impostas pelo Atual, — não seria o grande Mundo da Mecânica[121] e da Biologia — se nele não estivéssemos perdidos como esses insetos cuja existência efêmera ignora tudo o que ultrapassa os limites de uma estação. No Universo, precisamente em virtude das dimensões que lhe descobre a medida do Presente, devem ter ocorrido muitos tipos de coisas que não tiveram o Homem por testemunha.[122] Bem antes do despertar do Pensamento[123] sobre a Terra, devem ter se produzido manifestações da Energia cósmica[124] sem exemplo no momento atual. Ao lado do grupo dos fenômenos imediatamente registráveis, existe portanto, para a Ciência, uma categoria particular de fatos a serem considerados no Mundo, — os mais importantes, no caso, porque os mais significativos e os mais raros: aqueles que não dependem nem da observação nem da experimentação diretas, — mas que só podem ser revelados por esse ramo, tão autêntico, da "Física", que é a *Descoberta do Passado*.[125] E o aparecimento primeiro dos corpos vivos, a julgar por nossos repetidos fracassos em encontrar em torno de nós os seus equivalentes, ou em reproduzi-lo, surge precisamente como um dos mais sensacionais desses acontecimentos.

Isto posto, avancemos um pouco mais. Há duas maneiras possíveis de uma coisa não coincidir no Tempo com nossa visão. Ou a perdemos porque ela só se reproduz com intervalos tão longos que nossa existência inteira fica compreendida entre dois de seus aparecimentos.[126] Ou então ela nos escapa, mais radicalmente ainda, porque, uma vez ocorrida, nunca mais se repete. Fenômeno cíclico de período muito longo (tal como tantos que a Astronomia conhece), ou fenômeno propriamente singular (tal como seriam Sócrates[127] ou Augusto[128] na história humana)? Em qual dessas duas categorias do não-experimental (ou antes, do preter-experimental)[129] convém classificar, depois das descobertas pasteurianas,[130] a formação inicial das células a partir da Matéria, — o Nascimento da Vida?

A favor da idéia de que a Matéria organizada germinaria *periodicamente* sobre a Terra, não faltam fatos a aduzir. Mais adiante, quando desenhar a Árvore da Vida,[131] terei que mencionar a coexistência, em nosso Mundo vivo, de certos grandes conjuntos (os Protozoários, as Plantas, os Pólipos,[132] os Insetos, os Vertebrados...) cujos contactos mal-fundidos se explicariam bastante bem por uma origem heterogênea. Algo como essas intrusões sucessivas, surgidas em diferentes eras,[133] de um mesmo magma,[134] cujos veios entrelaçados formam o complexo eruptivo de uma mesma montanha... A hipótese de pulsações vitais independentes justificaria comodamente a diversidade morfológica[135] das principais Ramificações[136] reconhecidas pela Sistemática.[137] E não se chocaria, de fato, com nenhuma dificuldade da parte da Cronologia.[138] Seja como for, a extensão de tempo que separa as origens históricas de duas Ramificações sucessivas é largamente superior àquela que exprime a idade da Humanidade. Não é, pois, de admirar que vivamos na ilusão de que não acontece mais nada. A Matéria parece morta. Mas, na realidade, a próxima pulsação não estará a se preparar lentamente, em toda parte, ao redor de nós?

Eu tinha o dever de assinalar e, até certo ponto, defender essa concepção de um nascimento espasmódico da Vida. Não será, contudo, para me fixar nela. Contra a tese de vários impulsos vitais, sucessivos e diferentes, à superfície da terra, levanta-se com efeito, como uma objeção decisiva, a similitude fundamental dos seres organizados.

Já mencionamos, no presente capítulo, o fato tão curioso de que todas as moléculas de substâncias vivas são assimétricas *da mesma maneira* e que contêm exatamente as mesmas vitaminas. Pois bem, quanto mais os organismos se complicam, mais evidente se torna o seu parentesco nativo. Ele transparece na uniformidade absoluta e universal do tipo celular. Surge, sobretudo nos Animais, nas soluções idênticas dadas aos diversos problemas da percepção, da nutrição, da reprodução: por toda a parte, sistemas vasculares e nervosos; por toda a parte, alguma forma de sangue; por toda a parte, gônadas; por toda a parte, olhos... Prossegue ainda na semelhança dos métodos empregados pelos indivíduos para se associarem em organismos superiores ou se socializarem. Explode enfim nas leis gerais de desenvolvimento ("ontogênese" e "filogênese") que dão ao Mundo vivo, tomado no seu conjunto, a coerência de um só jorro.

Ainda que uma ou outra dessas analogias sejam explicáveis pelo ajustamento de um mesmo "magma pré-vivente" em condições terrestres idênticas, não parece que se possa considerar o seu feixe como exprimindo um simples paralelismo, ou uma simples "convergência". Mesmo que o problema físico e fisiológico da Vida não comporte senão uma única solução geral sobre a Terra, essa solução de conjunto deixa forçosamente indecisas um sem-número de determinações acidentais, particulares, acerca das quais não parece lícito pensar que tenham sido encontradas *as mesmas duas vezes*. Ora, é até nessas modalidades acessórias que, mesmo entre grupos muito distantes, todos os seres vivos se assemelham. Por essa razão, as oposições atualmente observáveis entre Ramificações zoológicas perdem muito de sua importância (não resultam elas simplesmente de um efeito de perspectiva combinado com um progressivo isolamento dos filos vivos?) e aumentam no naturalista a convicção de que a eclosão da Vida sobre a Terra pertence à categoria dos acontecimentos absolutamente *únicos* que, uma vez ocorridos, nunca mais se repetem. Hipótese menos inverossímil do que poderia parecer à primeira vista, – por pouco que se faça uma idéia adequada do que se oculta sob a história de nosso planeta.

Em Geologia e em Geofísica[139] é moda hoje atribuir uma importância preponderante aos fenômenos periódicos. Os mares que avançam e se retiram. As plataformas continentais que sobem e descem. As montanhas que se erguem e se nivelam. Os gelos que se adiantam e recuam. O calor de radioatividade que se acumula em profundidade e depois se expande à superfície... Já não se fala senão desses majestosos "vaivéns" nos tratados que descrevem as peripécias da Terra.

Essa predileção pela Rítmica[140] nos eventos corre paralelamente com a preferência pelo Atual nas causas.[141] E, como esta última, explica-se por necessidades racionais precisas. O que se repete permanece, pelo menos virtualmente, observável. Podemos fazer dele o objeto de uma lei. Encontramos aí pontos de referência para medir o tempo. – Eu sou o primeiro a reconhecer a qualidade científica dessas vantagens. Mas não posso também impedir-me de pensar que uma análise exclusiva das oscilações registradas pela crosta terrestre ou pelos movimentos da Vida deixaria precisamente fora de suas investigações o objeto principal da Geologia.

Porque enfim a Terra já não é simplesmente uma espécie de grande corpo que respira. Soergue-se e abaixa-se... Porém, o que é mais importante ainda, deve ter começado, em algum momento; passa por uma série contínua de equilíbrios instáveis; tende verossimilmente para algum estado final. Tem um nascimento, um desenvolvimento e, sem dúvida, uma morte à frente. Deve, pois, estar em curso, à nossa volta, mais profundamente do que qualquer pulsação exprimível em eras geológicas,[142] um processo de conjunto, não periódico, definindo a evolução *total* do planeta:[143] algo de mais complicado quimicamente e de mais intrínseco à Matéria do que o "resfriamento" de que se falava outrora;[144] mas, de qualquer modo, algo de irreversível e de contínuo. Uma curva que não desce e cujos pontos de transformação, por conseguinte, não se reiteram. Uma só maré enchente sob o ritmo das idades... Pois bem, é nessa curva essencial, é em relação a essa ascensão de fundo, que o fenômeno vital exige, imagino eu, ser situado.

Se a Vida pôde um dia isolar-se no Oceano primitivo, foi sem dúvida porque a Terra (e nisso justamente era ela juvenil) encontrava-se então, pela distribuição e pela complexidade global de seus elementos, num estado geral privilegiado que permitia e favorecia a edificação de protoplasmas.

E se a Vida, por conseguinte, já não se forma hoje diretamente a partir dos elementos contidos na Litosfera ou na Hidrosfera,[145] é aparentemente porque o próprio fato do aparecimento de uma Biosfera de tal modo alterou, empobreceu e afrouxou o quimismo primordial do nosso fragmento de Universo que o fenômeno jamais poderá (a não ser talvez artificialmente) reproduzir-se.

Deste ponto de vista, que me parece o certo, a "revolução celular" revelar-se-ia portanto como exprimindo, na curva da evolução telúrica, um ponto crítico e singular de *germinação*,[146] — um momento sem igual. Uma única vez, na Terra, protoplasma, como uma única vez, no Cosmo, núcleos e elétrons.

Essa hipótese tem a vantagem de nos fornecer uma razão para a profunda similitude orgânica que marca, da Bactéria ao Homem, todos os seres vivos, — ao mesmo tempo que explica por que é que, em nenhuma parte e em nenhum momento, surpreendemos a formação do menor grão vivo, a não ser por geração. E esse era o problema.

Mas esta hipótese tem ainda, para a Ciência, duas outras conseqüências notáveis.

Em primeiro lugar, destacando o fenômeno vital da multidão dos outros acontecimentos terrestres periódicos e secundários, para dele fazer um dos principais pontos de referência (ou parâmetros)[147] da evolução sideral do globo, ela retifica nosso sentido das proporções e dos valores,[148] e renova assim nossa perspectiva do Mundo.

Em segundo lugar, pelo próprio fato de nos mostrar a origem dos corpos organizados como ligada a uma transformação química sem precedentes e sem réplica no decurso da história terrestre, ela nos inclina a considerar a energia contida na camada viva de nosso planeta como a se desenvolver a partir e dentro de uma espécie de "quantum"[149] fechado, definido pela amplitude dessa emissão primordial.

A vida nasceu e se propaga sobre a terra como uma pulsação solitária.

É a propagação dessa onda única que importa agora acompanhar, até o Homem e, se possível, para além do Homem.[150]

NOTAS

1. *Protoplasma* é a substância que constitui o conteúdo da célula dos organismos vivos, formado principalmente de citoplasma e núcleo. (Cf. nota 9.)

2. *Proteína*, do grego *porteía*, "primazia", designa a classe dos compostos orgânicos de carbono, nitrogênio, oxigênio e hidrogênio, que constituem componentes essenciais dos organismos vivos.

3. *Psique*, do grego *psyché*, "alma" ou "espírito", aqui entendida como Dentro, centreidade, interioridade.

4. Sendo o Real um processo evolutivo de Unificação material (pelo Fora) e de União espiritual (pelo Dentro), que vai desde a Multiplicidade pura até o Um (o Cone da Evolução...), sua configuração estrutural passa a ser condicionante do nosso modo de conhecer; quer dizer, há um Mundo *hiperfisicamente* estruturado condicionando *epistemologicamente* o Pensamento estruturante. (Cf. nota 10 ao Capítulo anterior, o texto a que ela se refere e o texto nela citado que conclui: "Nada se faz senão pela adaptação de qualquer coisa de análogo pré-existente (já realizado)".

   No caso, a Vida é, até certo ponto, em si mesma e apreendida por nós, como uma "adaptação da Pré-Vida", na qual "prolonga sua estrutura, estende suas raízes"...

5. *Embriogênese* ou embriogenia é o processo de formação dos seres vivos desde o óvulo até o nascimento. Ora, todo o ser, enquanto constituinte e parte integrante do Cosmo, e dele emerso, tem nele o seu próprio óvulo, mas não se reduz à sua *origem* cósmica, antes se afirma por sua originalidade histórica, ou seja, seu aparecimento efetivo ao longo do Espaço-Tempo, na Duração.

6. *Ponto Crítico* é noção sinônima de "limiar" (Cf. nota 8) que o Autor introduz quatro parágrafos adiante. Indica passagem, mudança de estado e também eclosão do novo. (Cf. nota 10.)

   "Levados a uma certa temperatura ou a uma certa pressão, os corpos mudam de *estado*: liquefazem-se ou vaporizam-se. Por toda a parte há pontos 'críticos' ou 'singulares' nos movimentos da Matéria. Por que não ocorreriam eles nas transformações da vida?" (Cf. *La place de l'homme dans la nature*, 1932.)

7. Por *Biosfera*, Teilhard entende a zona da Vida não reflexiva que se situa entre as esferas do inorgânico (Litosfera, Hidrosfera...) já consideradas e a esfera psíquica (Noosfera) que será considerada adiante. Essa zona da Biosfera é a sede de propriedades físicas perfeitamente determinadas e constitui uma potência, uma força comum de desenvolvimento orgânico. A Biosfera teilhardiana não deve ser confundida com a noção homônima – e que Teilhard bem conhecia – do geólogo Suess (1831-1914) e de Vernadsky, que designa uma zona puramente local, sem estrutura de conjunto e sem propriedades específicas.

   "Por Biosfera, é preciso entender, aqui, não a zona periférica do globo em que se encontra confinada a Vida, como erradamente o fazem alguns, mas exatamente a própria película de substância orgânica de que nos aparece hoje revestida a Terra: camada verdadeiramente estrutural do planeta, apesar de sua delgadeza! (Cf. *La place de l'homme dans la nature*, 1949.)

8. O *Limiar*, noção fundamental no universo de discurso teilhardiano, designa o ponto de descontinuidade evolutiva em que aparecem realidades novas que se constituem pela emergência tanto de certos fatores que permaneciam negligenciáveis no estádio anterior e inferior como de fatores novos e inaugurais. Sucessivos *limiares* escandem a curva evolutiva desde a atomização até o limiar derradeiro. É como se, a cada limiar, o Real desse um "passo" (Cf. nota 10) decisivo para avançar: o "Passo da Vida", o "Passo da Reflexão"...

"A Ciência moderna nos familiarizou com a idéia de que certas mudanças súbitas e radicais aparecem inevitavelmente no decurso de todo desenvolvimento, quando este é suficientemente prolongado, sempre no mesmo sentido. Por uma modificação mínima em seu arranjo (ou nas condições que presidem a esse arranjo), a Matéria, alcançando certos níveis extremos de transformação, é suscetível de modificar bruscamente suas propriedades, ou até de mudar de estado. Essa noção de *limiares críticos* é correntemente aceita hoje em Física, em Química, em Genética. Não terá chegado o momento de nos servirmos dela para construir, sobre uma base nova e sólida, todo o edifício da Antropologia?" (Cf. *La convergence de l'univers*, 1951.)

9. *Célula* é a unidade estrutural básica do organismo dos seres vivos, como um tijolo numa parede. Compõe-se de uma "membrana" que envolve um "citoplasma", no qual estão mergulhadas várias "organelas" (com funções determinadas) e um "núcleo", que encerra "cromossomos" (material genético), responsáveis pela transmissão de caracteres hereditários e unidades definidas na formação de um novo ser; pois a célula tem a propriedade de se dividir e gerar outra(s) célula(s):

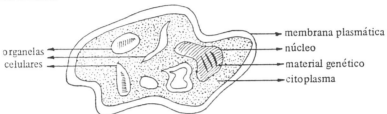

10. *Passo* é avanço, mo(vi)mento de "passagem para" (à frente) e de "ultrapassagem de" (atrás), correlacionado a "ponto crítico" (Cf. nota 6) e "limiar" (Cf. nota 8). O *Passo da Vida*, rastreado nesta seção 1, é o ponto de passagem da molécula pré-viva à mega-molécula viva (isto é, capaz de autoconstrução e de reprodução), marcando assim uma emergência descontínua num processo de centração contínua, como se concluirá adiante. (Cf. C. 2, no final.)

11. Quer dizer, métodos de estudo da formação ou disposição e função dos tecidos orgânicos e métodos de investigação das funções orgânicas, processos ou atividades vitais (tais como crescimento, nutrição, respiração etc.)

12. Estudo da estrutura e função das células.

13. Teilhard está se propondo aqui a aplicar a sua *Lei de Recorrência* (Cf. nota 3 à *Advertência*): ver a célula aparecendo, surgindo no decurso do tempo, como transformação ultrafísica de seus "antecedentes" e, ao mesmo tempo, inauguração hiperfísica de seus "conseqüentes", um passo, o Passo da Vida. (Cf. nota 10.)

14. Cf. Parte I, Capítulo I, nota 11. Quer dizer, tendemos a ver a Bactéria do ponto de vista da perspectiva, de seus "conseqüentes".

15. Cf. Parte I, Capítulo II, nota 23.

16. Cf. Parte I, Capítulo I, nota 34. A célula, pelo seu Fora, manifesta-se a nós como mero prolongamento complexificado da linhagem dos "grãos" de Matéria: partículas, átomos, moléculas . . .

17. Cf. Parte I, Capítulo I, nota 4.

18. Estudando os animais e vegetais fósseis (do latim *fossile*, "tirado da terra" — como vestígios ou restos petrificados ou endurecidos de seres vivos que habitaram a Terra antes do Holoceno, Cf. quadro do Tempo Geológico, na nota 40 ao *Prólogo* — e que se conservaram sem perder as características essenciais da forma), os *Paleontólogos*, em suas escavações, descobriram muitos "Homens Fósseis" (Cf., do próprio Teilhard, *Les hommes fossiles. A propos d'un livre récent*, 1921), e também seres (símios) antropomorfos, isto é, de forma semelhante à do Homem, classificados genericamente e zoologicamente como hominídas ou antropóides (entre esses, chimpanzés, gorilas e orangotangos). Assim, esses mesmos antropólogos conseguem

naturalmente ver o Homem integrado em unidades sistemáticas ou categorias taxionômicas: famílias, gêneros, espécies ... (Cf. nota seguinte.)

19. Zoologicamente, os *Mamíferos*, do latim *mamma*, "mama", "teta", e *ferre*, "portar", são animais cordados (quer dizer, que durante pelo menos um estágio da vida ou durante toda a vida apresentam notocórdio, cordão fibroso que constitui o esqueleto de seu embrião de vertebrados), da classe *Mammalia*, com o corpo recoberto de pêlos, pele com numerosas glândulas, crânio com dois côndilos ou saliências ósseas occipitais (na parte ínfero-posterior da cabeça), maxilares geralmente com dentes diferenciados, em alvéolos (cavidades ou bolsas), coração com quatro cavidades (aurículas e ventrículos) e diafragma (músculo) entre as cavidades torácica e abdominal. Macho com pênis faz fecundação interna; fêmea com glândulas mamárias que segregam leite para alimentar os filhos. Incluem primatas (macacos, homem), cetáceos (baleias, golfinhos) e carnívoros (cães, ursos, focas).

20. Quer dizer, a lenta evolução da Matéria "particular" inorgânica (partículas, átomos, moléculas ...) à Matéria "particular" orgânica (células vivas vegetais ou animais).

21. Charles Darwin (1809-1882), naturalista e biólogo inglês. As perspectivas originais que ele desenvolveu em sua célebre obra *Sobre a origem das espécies por via de seleção natural* (1859) e em muitas outras sobre a variabilidade das espécies, segundo suas inumeráveis observações, formam um corpo de doutrina transformista (Cf. nota 23) denominado *Darwinismo*, caracterizado sobretudo pela teoria da *seleção natural* (sobrevivência dos mais adaptáveis) e *concorrência vital* (sobrevivência dos mais fortes). A conclusão extrema do darwinismo, em termos de história natural, é o parentesco fisiológico e a origem comum de todos os seres vivos.

22. Jean Baptiste de Monet, Cavaleiro de *Lamarck* (1744-1829), tornou-se conhecido pela obra intitulada *Flora francesa* (1778). Publicou a *Enciclopédia botânica* (1783) e a *Ilustração dos gêneros* (1817). Criou o sistema da divisão dicotômica (divisão lógica de um conceito em dois outros conceitos, em geral contrários, que lhe esgotam a extensão — por exemplo, animal: vertebrado e invertebrado). Por suas duas obras *Filosofia zoológica* (1809) e *História natural dos animais sem vértebras* (1815-1822), firma-se como o fundador de duas teorias: *a geração espontânea* (abiogênese, formação de organismo vivo a partir de matéria não-viva) e o *transformismo* (Cf. nota seguinte). Biologicamente, o *Lamarckismo* sustenta a transmissão hereditária dos caracteres adquiridos por ação do ambiente.

23. O *Transformismo*, em sentido genérico, é a doutrina biológica segundo a qual as espécies se formam por sucessivas transformações de organismos anteriores. O Transformismo teilhardiano, teísta e espiritualista, não se reduz às teorias evolucionistas de Darwin ou de Lamarck. (Cf. Parte I, Capítulo I, nota 28.)

24. Quer dizer, foram descobertos fósseis de "seres de transição", ou seja, "seres intermediários" cujas formas biológicas indicam claramente variações dentro de sua variedade.

25. *Química biológica*, *Química fisiológica* ou *Bioquímica* é o ramo da química que trata das reações passadas nos organismos vivos.

26. Cf. notas 1 e 2, e o texto a que se referem.

27. A *Massa Molecular* (impropriamente dita *Peso Molecular*) é, físico-quimicamente, a soma das massas atômicas dos átomos que constituem uma molécula; a relação entre a massa de uma molécula e a unidade unificada de massa atômica. A massa atômica (impropriamente dita peso atômico), por sua vez, é a razão entre a massa de um átomo de um nuclídeo e 1/12 da massa de um átomo do nuclídeo carbono 12. Teilhard quer chamar a atenção para a complexidade, no mínimo quantitativa, das proteínas. (Cf. notas 1 e 2.)

28. *Vírus*, do latim *virus*, "veneno", são microrganismos invisíveis ao microscópio óptico e só examináveis ao microscópio eletrônico. Extremamente simples — podendo ser considerados apenas moléculas enormes de nucleoproteínas, isto é, de proteínas e ácido nucleico — os vírus são parasitas obrigatórios, quer dizer, só vivem e se reproduzem no interior das células vivas, podendo ser patogênicos, ou seja, causar inúmeras doenças aos animais e às plantas, como lembra o autor. Esses agentes de doenças, designadas geralmente *Vírus Ultramicroscópicos*,

atravessam os filtros bacteriológicos, passam através dos filtros de porcelana e só podem então ser cultivados em presença de células vivas que lhes sejam suscetíveis. (Cf. nota 31, do Autor.)

29. Cf. Parte I, Capítulo II, nota 11 e, em seguida, aqui, nota 31, do Autor.

30. *Química do Carbono* é a *Química Orgânica*, ramo da química que estuda os compostos do carbono (exceto os carbonetos e os cianetos), em oposição à *Química Mineral* ou *Inorgânica*, que se ocupa do estudo dos elementos e seus compostos (exceto os do carbono).

31. Desde que, com os possantes aumentos do microscópio eletrônico, os vírus foram *vistos* como finos bastonetes, assimetricamente ativos em suas duas extremidades, parece ter prevalecido a opinião de que era preciso classificá-los entre as "bactérias", muito mais do que entre as "moléculas". Mas o estudo das enzimas e outras substâncias químicas complexas não começa precisamente a provar que as moléculas têm *uma forma* e até uma grande diversidade de formas? (N. do A.)

32. Isto é, às maiores moléculas, em complexidade material crescente, sucedem-se, evolutivamente e estruturalmente, os seres vivos ultramicroscópicos, microrganismos, micróbios (do grego *mikróbios*, "vida pequena").

33. *Física relativista* é a Física einsteiniana (Cf. nota 9 à *Advertência*). O Autor reconhece em seguida a adequação ou conveniência da noção de Espaço-Tempo introduzida pela Teoria da Relatividade para a compreensão da Evolução biológica, mas sabemos que essa noção (uma espacialização do tempo concomitante a uma geometrização da matéria) não se identifica com a noção teilhardiana e "hiper-einsteiniana" de Espaço-Tempo, Duração ou Tempo Orgânico. (Cf. Parte I, Capítulo I, nota 25.)

34. Isto é, como especialista em História Natural (Cf. nota seguinte) e, por conseguinte, como alguém que, filosoficamente, não quer invocar qualquer causa transcendente ao encarar o mundo concreto material como um conjunto de fenômenos encadeados.

35. Embora a denominação tenha caído em desuso, *História Natural* é a ciência que estuda, particularmente, os seres orgânicos e/ou os corpos inorgânicos.

36. Portanto, quanto maior a dispersão espacial (ou morfológica) dos seres considerados, maior a extensão temporal desse processo e vice-versa.

37. Cf. Parte I, Capítulo I, nota 25.

38. Cf. Parte I, Capítulo II, nota 14.

39. Carl von Lineu (1707-1778), naturalista sueco, apresentou uma classificação das plantas em vinte e quatro classes, baseada nos caracteres tirados do número e da disposição dos estames (hoje inteiramente abandonada), e uma classificação do reino animal. Sua nomenclatura binominal por gêneros e espécies é ainda respeitada.

40. Segundo a Sistemática (Cf. nota seguinte) os seres vivos são ordenados em *Classes*, que se subdividem em *Famílias*, as quais congregam *Gêneros* constituídos de *Espécies*. A Espécie, o conjunto de indivíduos muito semelhantes entre si e aos ancestrais e que se entrecruzam, é a unidade biológica fundamental.

41. *Sistemática* ou Taxionomia é a ciência que se ocupa das classificações dos seres vivos.

42. O próprio autor chegará a conceituar o *Filo* explicitamente (Cf. a seguir, Capítulo II, 2, A, Agregações de Crescimento). Contudo, vale defini-lo resumidamente, desde já, como feixe evolutivo composto de uma imensa quantidade de unidades morfológicas, cada qual constituída de linhagens genealógicas. O Filo é, pois, definido por seu "ângulo de divergência", quer dizer, o sentido particular no qual evolui. Como divisão sistemática ou taxionômica (Cf. nota anterior), baseia-se apenas no plano geral de organização dos organismos. Exemplo: o filo dos cavalos. (Cf. também Parte I, Capítulo I, nota 32.)

43. Ver mais adiante, o que diremos sobre esse assunto no Capítulo "A Árvore da Vida". (N. do A.) Aqui, a seguir, Capítulo II, 3. Teilhard já passa, porém, a introduzir a noção de uma distribuição orientada de espécies aparentadas ao longo do tempo — a "filetização" ou "ortogênese". É só acompanhar o texto atentamente.

44. E novamente o Autor invoca a visão do cientista, do naturalista, do especialista em História Natural (Cf. notas 34 e 35) que estuda os animais e faz Zoologia (do grego *zôon*, "ser vivo", "animal").

45. Espécime dos *Anfioxos* (do grego *amphi*, "dobramento", "duplicação", e *oxus*, "agudo"), animais marinhos cordados (Cf. nota 19), acrânios (desprovidos de crânio, maxilas, vértebras ou apêndices pares), cefalocordados (do subfilo *Cephalochordata*, de corpo pisciforme, com notocórdio ou corda dorsal nervosa em todo o comprimento do corpo e numerosas fendas branquiais permanentes situadas dentro de um átrio), da classe dos leptocárdios (da classe *Leptocardii*, delicados, segmentados; epiderme com uma só camada, desprovida de escamas), gênero *Branchiostoma* Costa. Verdadeiros fósseis vivos — tanto apresentam na estrutura e forma de vida as características mais primitivas dos vertebrados —, os Anfioxos vivem enterrados na lama ou na areia das praias rasas, mantendo fora apenas a parte anterior do corpo. Têm, no máximo, dez centímetros de comprimento.

46. Teilhard quer aqui sugerir e sublinhar a *continuidade* do processo evolutivo, estabelecendo o Mega-molecular como elo de transição, por assim dizer, entre o Molecular e o Celular, entre a Matéria e a Vida. O aspecto de *descontinuidade* (ruptura, limiar, ponto crítico — Cf. nota 6) será ressaltado no item seguinte, "A Revolução Celular".

47. Retomando a expressão comparativa utilizada há quatro parágrafos atrás, de um "anel no tronco da Evolução", Teilhard quer sugerir que, assim como utilizamos os "anéis" que se formam pelo crescimento secundário na casca e no cilindro central do tronco das árvores para datá-las, assim também devemos considerar os seres cuja existência descobrimos ou deduzimos, a se suceder ao longo do Espaço-Tempo, como verdadeiros referenciais escandindo a história, a(s) idade(s), o progresso da Evolução.

48. O ritmo *sideral* (do latim *sidus*, "astro") da Terra é o seu ritmo enquanto astro e, astronomicamente, há que se considerar um *tempo sideral*, cuja medida se baseia na rotação terrestre, tomando-se para origem a passagem do ponto vernal (primavera) pelo meridiano superior local e que é medido pelo ângulo horário desse ponto. Por outro lado, um *ano sideral* é o tempo necessário para que a Terra complete uma revolução em sua órbita em relação às estrelas consideradas fixas e que equivale a 365, 256 dias solares médios. Há muitos outros movimentos a considerar além da rotação e da translação, e esses são muitíssimo mais demorados. A precessão, por exemplo, só se realiza em 26.000 anos . . .

49. Embora o termo *Emersão* já tenha sido anteriormente utilizado, só aqui ele surge com significação exigente de conceituação mais profunda. Inúmeras vezes, por outro lado, ele reaparecerá ao longo da obra, permitindo sempre maior compreensão. Estudemo-lo desde já. Em primeiro lugar, Teilhard desenvolveu, com sua visão hiperfísica, uma *Dialética da Natureza*, cujo sentido cosmológico consiste em considerar o Real como um processo evolutivo que avança e progride por estádios correspondentes a níveis de Ser: *Divergência* (tendência à dispersão, criação do Múltiplo), *Convergência* (tendência à integração, arranjo, ordenação, unificação por Fora, união de Dentro), *Emergência* (aparecimento do todo novo por síntese). Teremos oportunidade de voltar a todos esses mo(vi)mentos dialéticos. Por ora cumpre entender que — constituindo a Emergência o aparecimento de um fenômeno preparado pelos estados precedentes (ainda que não redutível a eles e, portanto, deles não dedutível, ou seja, contingente, dotado de propriedades inéditas (imprevisíveis) e de uma nova especificidade) — a *Emersão* surge como o resultado ou sucessão, por assim dizer, da Emergência, mas já designando o aspecto instantâneo, punctiforme ou perfectivo de um limiar crítico, por oposição ao aspecto durativo e imperfectivo do processo de Emergência. Emersão, outrossim, marca essencialmente uma transcendência por ultrapassagem do mo(vi)mento ou estádio anterior, um passo, um estado ou nível de hiperfisicidade pela atuação de um verdadeiro *Princípio de Emergência*, lei evolutiva que religa cada aparecimento de uma nova forma do Real a antecedentes dos quais depende, mas os quais ultra-passa, supera, na Emersão. Assim a Vida em relação à Matéria da qual emerge. A esta altura (e até aqui), Teilhard tem frisado o aspecto *Emergência* (Pré-Vida, Passo da Vida etc.), mas logo a seguir (Revolução Celular) ressaltará o aspecto *Emersão*.

50. Cf. o quadro do Tempo Geológico, na nota 40 ao *Prólogo*, e calcular a enormidade dessa duração. . . que corresponde a uma vastíssima Emergência para uma fantástica Emersão (Cf. nota anterior).

51. Fazendo-nos assim desenvolver o *Sentido da Profundidade*. (Cf. nota 15 ao *Prólogo* e o texto a que ela se refere.)

52. Cf. nota 49.

53. A *Ruptura Evolutiva* é simples expressão sinônima de ponto crítico, limiar, passo (Cf. notas 6, 8 e 10), ressaltando uma *descontinuidade* dentro do processo de Evolução (Cf. nota 46).

54. Cf. Parte I, Capítulo II, nota 29. Colocar-se "de um ponto de vista exterior" equivale a examinar as coisas apenas pelo seu Fora: e assim procede a Biologia enquanto ciência particular.

55. Cf. nota 27.

56. Cf. notas 1 e 9.

57. Fisicamente, *Viscosidade* é a resistência que todo fluido real oferece ao movimento relativo de qualquer de suas partes (atrito interno de um fluido); físico-quimicamente, *Osmose* é a passagem do solvente de uma solução através de membrana impermeável ao soluto e *Catálise* é a modificação (geralmente aumento) de velocidade de uma reação química pela presença e atuação de uma substância (agente físico, químico ou biológico), que não se altera no processo.

58. *Cromossomos*, do grego *chrôma*, "cor", "pigmento", são corpúsculos compactos em forma de bastonetes ou filamentos em que se divide o núcleo celular no curso da mitose (divisão celular). Extremamente sensíveis aos corantes básicos, constituem-se quase que exclusivamente de ácido desoxirribonucleico, o ADN, contendo a mensagem genética a ser transmitida na reprodução. Cada espécie vegetal ou animal possui um número constante de cromossomos transmissores dos caracteres hereditários de cada ser e que constituem unidades definidas na formação do novo ser.

59. Cf. nota 9.

60. *Mitocôndrias* são as organelas celulares responsáveis pela respiração e produção de energia para a célula. (Cf. nota 9.) *Organelas celulares* são as partes componentes de uma célula com função determinada, assim como mitocôndrias, cloroplastos, lisossomas, retículo endoplasmático, complexo de *Golgi*, centríolos, ribossomos etc.

61. Cf. item A deste Capítulo.

62. Cf. nota 8.

63. Essa *Interioridade* que é Consciência (no seu sentido teilhardiano mais amplo – Cf. Parte I, Capítulo II, 1 e 2) é o próprio centro ou foco de união dos elementos constitutivos de um ser, que se intensifica e cresce correlatamente à Complexidade. Vale insistir: a Interioridade é Dentro, a Complexidade é Fora. (Cf. nota seguinte.)

64. *Imanência*, do latim *immanere*, "permanecer em", é, em sentido tradicional (em termos epistemológicos, fenomenológicos, metafísicos ou práticos), na presença no Real, de um princípio que lhe é, simultaneamente, interior e superior. Enquanto implica um "não ultrapassar" designa o contrário da "transcendência". Teilhard identifica e reconhece bem, esse sentido:

"(. . .) o postulado atual da imanência (. . .) é (. . .) legítimo: (. . .) porque realmente *experimentamos* a presença, *ad intra*, de uma Realidade mais absoluta e mais preciosa que nós mesmos . . ." (Cf. *L'âme du monde*, 1918.)

Mas, por outro lado, atribui ao termo um sentido próprio, ou seja, a presença de uma interioridade (Cf. nota anterior) que cresce à medida que nos elevamos através dos níveis do Real. Neste sentido opõe-se a "transiência". (Cf. Parte I, Capítulo II, nota 4.)

"Disso não podemos duvidar: a Matéria dita bruta é certamente animada ao seu modo. Completa exterioridade ou total 'transiência' são como absoluta multiplicidade, sinônimos de nada. Átomos, elétrons, corpúsculos elementares, quaisquer que sejam (desde que sejam algo exterior a nós), devem ter um rudimento de imanência, isto é, uma centelha de espírito." (Cf. *Mon univers*, 1924.)

Como noções correlatas poderíamos então aliar, de um lado, Imanência-Consciência-Radial-Dentro, e, de outro, Transiência-Complexidade-Tangencial-Fora.

65. Cf. Parte I, Capítulo II, item 3, B, e Capítulo III.

66. *Metamorfose* — do grego *metamórphosis*, prefixo *metá*, "mudança", "posterioridade", "além", "transcendência", e *morphé*, "forma" — é, em sentido amplo e pleno, uma mudança de estrutura ou de forma, "transformação" de um ser em outro. Ainda aqui, mesmo reconhecendo o caráter revolucionário, inédito, inaugural da célula, o Autor quer nos lembrar que, hiperfisicamente, esse novo ser, essa nova forma de ser que o Real assume para nós, é remanejamento, arranjo, ordenação (em complexidade e consciência crescentes) do inferior e anterior, *já realizado*, e assim sublinhar a continuidade do processo evolutivo. Nem por isso negligencia o aspecto ruptura e novidade. (Cf. nota 70.)

67. Cf. Parte III.

68. Conforme anuncia, o Autor voltará ao tema e, portanto, a essa noção (Cf. Parte III, Capítulo I, 1). E o acompanharemos com as notas. Por ora (Cf. notas 6, 8 e 10), e desde já, registre-se que o *Passo da Reflexão* é o próprio ponto de passagem (ponto crítico, limiar) da Vida não reflexiva à Vida reflexiva, quer dizer, da Biosfera à Noosfera, evidenciando uma emergência (Cf. nota 49) descontínua num processo de centração (Cf. Parte I, Capítulo II, nota 25) contínua. Se Teilhard o evoca já aqui é porque, para ele,

"O aparecimento do pensamento marca, na história da Terra, uma ruptura exatamente tão importante quanto a primeira manifestação da vida". (Cf. *Spiritualistic Evolution*, 1937.)

69. Mesmo a *Psicologia Animal* — enquanto ramo da psicologia que tem por objeto o estudo descritivo e a análise experimental do comportamento dos animais — só pode nos apresentar a sua "alma", psique ou interioridade, a partir da observação externa e, em última análise, de vagas analogias antropomórficas ...

70. Cf., ainda uma vez, notas 6, 8 e 10. A *Transformação* aqui referida é *Crítica* (do grego *Kritikós*, "relativo a crise"; *krisis*, "decisão"; verbo *krinein*, "julgar", "pesar", "avaliar") porque consiste numa passagem que sobrevém como mo(vi)mento decisivo, num lance de tensão, num ponto de transição difícil e grave na evolução, manifestando uma alteração brusca e repentina que rompe um equilíbrio e resulta numa *Mudança* não apenas de estado, mas de *Natureza*. (Cf. Parte III, Capítulo I, 1, A, a, nota 12).

71. Cf. nota 10. A metamorfose é dupla pois se faz por Dentro e por Fora, e radical porque resulta num novo Ser.

72. Visualizando a Evolução como uma série de sucessivas e simultâneas inflorescências — a certa altura, o desabrochar da "Árvore da Vida" ... —, é lícito conceber os antecedentes dessas florações como hastes que as sustentam, *pedúnculos* (do latim *pedunculus*, "pequeno pé") destinados a se desfazerem à medida que a Evolução avança.

73. *Geologia* é a ciência que tem por objeto o conjunto da origem, da formação e das sucessivas transformações do globo terrestre, e da evolução do seu mundo orgânico. Os geólogos, enquanto cientistas especializados, tentam, com base na experiência e na observação, estabelecer representações possíveis e prováveis dos estádios originais e passados de nosso planeta em evolução contínua. É como geólogo, então, que o autor passa a propor a *sua* representação, quer dizer, uma visão puramente científica, "física", antes de nos solicitar uma visão ultracientífica, "hiperfísica", logo a seguir, no próximo item.

74. Essa hipótese é sempre mais aceita e confirmável. Vejam-se as teses, experiências e proposições da dra. Lena Coyne, no Simpósio da NASA em 1985, acerca da "lama primordial" ...

75. O Autor está se referindo ao seu *Prólogo*, "Ver", e, particularmente, aos "sentidos" hiperfísicos (Cf. nota 13 ao *Prólogo*). No caso, o sentido exigido seria o da *Proporção* (Cf. nota 17 ao *Prólogo*.)

76. Cf. nota 16.

77. *Mícron* ou micro, forma reduzida de micromilímetro, é a unidade de medida, usada em microscopia, que equivale à milésima parte do milímetro. Em Física, portanto, quando tomado como prefixo e anteposto ao nome de uma unidade, o micro forma o nome de uma unidade derivada um milhão de vezes menor que a primeira.

78. *Miríade*, do grego *myriás, ados*, "dez mil", é usado aqui, figuradamente, como quantidade indeterminada porém grandíssima.

79. Cf. Parte I, Capítulo II, nota 28.
"(...) abismo do Número, maré assustadora, ao nosso redor, de corpos e de corpúsculos." (Cf. *Les conditions psychologiques de l'unification humaine*, 1949.)

80. Cf. Parte I, Capítulo II, nota 30.

81. Físico-quimicamente, uma *solução* — sistema homogêneo com mais de um componente — diz-se saturada quando entra num estado em que a concentração do soluto é a máxima compatível com as condições de temperatura e pressão da solução. Havendo uma *sobre-saturação*, sobrevém um processo de *cristalização*, que é a passagem dessa solução do estado líquido para o estado cristalino, quer dizer, de transformação dos componentes do soluto em cristais. Teilhard compara o Meio inicial da Vida ("licor denso e ativo"...) a uma solução sobre-saturada (de complexidade e interioridade), na qual se precipita um processo de cristalização (no caso, de "celularização").

82. Isto é, formado por um só ou por vários filos? (Cf. notas 42 também e seguinte.)

83. Desponta aqui toda a questão do *Monofiletismo* (concepção biológica, adotada por Teilhard, segundo a qual a Humanidade atual saiu de um só filo) e do *Polifiletismo* (vários ramos ou filos), e indiretamente a questão correlata do *Monogenismo* (concepção teológica não-teilhardiana, segundo a qual a Humanidade teria saído de um só casal) e do *Poligenismo* (vários casais primitivos). Teilhard escreve a respeito *Monogenisme et monophylétisme. Une distinction essentielle à faire* (1950), a propósito da Encíclica *Humani Generis*; mas é muito cedo para tratar de tudo isso por ora. O que o Autor pretende é sugerir que a questão da unicidade ou multiplicidade de filos já se encontra na base, raiz ou ponto de partida da vivificação da Matéria.

84. Cf. nota 72 e o texto a que se refere.

85. Cf. nota 72.

86. Quanto à *Complexidade*, Cf. Parte I, Capítulo I, nota 12. *Expansibilidade* designa aqui, quase sinonimamente, o mo(vi)mento de "Divergência" na Dialética da Natureza teilhardiana (Cf. nota 49). Ele pode ser considerado como o primeiro estádio daquela Dialética: a cada nível do Ser — e já desde os primórdios — reina uma tendência à dispersão, à criação de uma nova multiplicidade, isto é, de uma matéria segunda (algo de "físico"), que sofrerá ulteriormente um processo de "Convergência", ou seja, de unificação ("hiperfísica"). Essa "expansibilidade" ou "divergência" pode também ser identificada como "dispersão".

87. Isto é, num estádio, realmente, de Pré-Vida, já que a Vida, propriamente dita, eclode na Célula.

88. Do grego *polys*, "muito", e *morphé*, "forma"; *polymorphos*, "que se apresenta sob muitas formas"; ou seja, as fibras da Vida em seu feixe primordial são polimorfas, isto é, multiformes.

89. Cf. Parte I, Capítulo II, nota 28. Estatisticamente, a *Lei dos Grandes Números* é o teorema que afirma ser a ocorrência de uma probabilidade (Cf. nota seguinte) função direta do número de experiências tentadas, quer dizer, que a possibilidade de ocorrência tende à certeza quando o número de experiências tende ao infinito. Por exemplo, a probabilidade de ocorrência de uma das seis faces de um dado lançado ao acaso é de 1/6 (uma vez para cada seis experiências). Se lançarmos o dado 12 vezes, a probabilidade de 1/6 (duas vezes para cada face) dificilmente ocorrerá. Mas, à medida que aumentarmos o número de experiências, aumentará também a possibilidade de uma confirmação dessa probabilidade, o que se dará, com certeza,

107

num infinito número de lançamentos. O Autor quer ressaltar aqui que o fenômeno vital não se reduz a uma multiplicidade suficientemente grande a permitir, até pelo Acaso, oportunidades excepcionais que favoreceriam a passagem da Evolução de uma etapa para outra etapa ulterior (Cf. nota seguinte), mas antes de uma "organicidade", isto é, do caráter solidariamente harmonioso de um conjunto material (as mégalo-moléculas) em vias de unificação (nas células). A seqüência do texto, aliás, é suficientemente esclarecedora.

90. Matematicamente, a *Probabilidade* é um número positivo e menor que a unidade, que se associa a um evento aleatório e que se mede pela freqüência relativa de sua ocorrência numa longa sucessão de eventos. Fisicamente, a *Probabilidade* é um número de microestados de um sistema compatíveis com um mesmo macroestado desse sistema. Em ambas as perspectivas, as leis que regem a probabilidade são estatísticas ou "numéricas", como a *Lei dos Grandes Números*. (Cf. nota anterior.)

91. Do grego *monás*, "unidade", Mônada, biologicamente, já designou o organismo muito simples que se poderia tomar por unidade orgânica. Filosoficamente, sempre se viu na Mônada uma determinação essencial do ser e por isso a doutrina do ser foi também doutrina da unidade ou das "mônadas" ("Monadologia"), sem que esse aspecto adquirisse, contudo, valor característico de peculiar importância. Gottfried Wilhelm Leibnitz (1646-1716), filósofo e matemático alemão, fez da mônada o conceito nuclear de sua filosofia definitiva, formulada após muitas vacilações, e cujo nome, Monadologia, assinala a principal particularidade. Para ele, todos os seres são constituídos de mônadas, entre as quais existe uma harmonia preestabelecida, sendo as próprias mônadas substâncias simples, ou seja, sem partes e fechadas em si mesmas, "sem janelas". Finitas, múltiplas e escalonadas (mônadas-corpos, simples ou "nuas"; de grau sensitivo; espirituais), mas todas, em última instância, de natureza psíquica, as mônadas foram criadas por Deus, Mônada infinita, ilimitada em plenitude de ser e em visão do universo. De toda a evidência, Teilhard está tomando o conceito na mais simples acepção biológica, aliás hoje, terminologicamente, em desuso. Alhures, ele o utiliza para designar: 1) a individualidade humana, enquanto elemento de um todo; 2) a unanimidade das mônadas humanas constituindo um Todo, a "Grande Mônada"; 3) o Centro Superior de energia personalizante. Diversamente da mônada leibnitziana, a mônada teilhardiana é aberta ao Cosmo e ao Outro e não é regrada por qualquer "harmonia pré-estabelecida".

92. *Plêiade* aqui como mero sinônimo de "aglomerado", como se o mundo celular fosse uma nebulosa, um aglomerado galáctico aberto – como aquele situado na constelação de Touro – do qual emergisse a mônada (Cf. nota anterior), como uma estrela das Plêiades ou Sete-Estrelo. É diversamente, segundo o Autor, que devemos nos representar a emersão (Cf. nota 49) da Vida, a partir de "uma espécie de superorganismo difuso". Em Teilhard, Plêiade é geralmente sinônimo de "pluralidade de mônadas" (Cf. nota anterior), menos espirituais e aptas à organização sob um princípio de união todo novo.

93. Do grego, *syn*, "reunião", "ação conjunta"; *bios*, "vida"; *symbíosis*; "vida em comum com outro(s)"; a *Simbiose*, biologicamente, é a união ou associação íntima de dois seres (duas plantas ou uma planta e um animal), na qual há troca de alimentos e produtos do metabolismo, que beneficia, ainda que em proporções diversas, ambos os organismos. Por extensão, "simbiose" pode designar, como no presente caso da "massa inicial das células", a associação de seres que vivem em comum.

94. Essa *Película Viva* é a própria camada, pele ou membrana, a princípio muito delgada, que constitui o invólucro da Biosfera (Cf. nota 7) a recobrir progressivamente o nosso planeta. O autor a contrapõe a uma *Espuma de Vidas*, que seria mera sucessão de bolhas se formando à superfície de um líquido – aquele "licor denso e ativo", tépido e carregado de quimismos, da Pré-Vida – que se agita, que fermenta ou que ferve.

95. Cf. Parte I, Capítulo III, 1, B, e aí, particularmente, a nota 9.

96. Essa *Solidariedade Evolutiva* é laço ou vínculo universal entre os seres – independentes em si mesmos mas dependentes reciprocamente, ou seja, interdependentes –, que consiste numa relação mútua ligando cada ser individual à coexistência, à convivência, aos interesses e, em nível sempre mais alto, à reflexão comum ("co-reflexão"), à aspiração comum ("conspira-

ção"), às responsabilidades, enfim, de um conjunto. Se o Real é um Todo que se vai fazendo, tudo, na verdade, está ligado a tudo: no mínimo, historicamente, na "ordem coerente de antecedentes e conseqüentes" (Cf. a *Advertência*). Sem querer "descobrir entre elementos do Universo (. . .) um sistema de relações ontológicas e causais" (Cf. novamente a *Advertência*), podemos, ao menos, reconhecer que o próprio aparecimento sucessivo e, no caso, também simultâneo dos seres no decurso do Tempo, como "acontecimentos", deixa transparecer o "tecimento conjunto", a tecedura, da trama, do tecido, do Estofo do Universo que "consolida" todos os "fios" que o constituem.

97. Cf. nota 7.

98. Cf. nota 94.

99. Sendo *Polarização*, em física, o fenômeno apresentado por uma radiação eletromagnética em que o plano de vibração permanece constante, *Luz Polarizada* ou *Planopolarizada* é, ótica, aquela em que o vetor elétrico vibra constantemente em um mesmo plano. A luz pode ser "circularmente polarizada" (o vetor elétrico está sobre um plano que efetua um movimento de rotação uniforme em torno da direção de propagação da luz) ou "elipticamente polarizada" (o vetor elétrico gira uniformemente em torno da direção de propagação e a sua extremidade descreve uma hélice cilíndrica elíptica).

100. Do latim *dexter*, "lado direito", ou *laevu*, "esquerdo", e do grego *gyros*, "volta", diz-se *Dextrogira*, quimicamente, qualquer substância que, em solução, tem a propriedade de girar o plano de luz polarizada (Cf. nota anterior) para a direita, quer dizer, no sentido dos ponteiros do relógio, e *Levogira* a que desvia esse plano para a esquerda.

101. *Vitamina* (do latim *vita*, "vida", e *amina*, quimicamente, "classe de compostos orgânicos derivados da amônia") é a designação comum a diversas substâncias, muitas delas já conhecidas em sua constituição química, as quais, introduzidas no organismo em pequena quantidade, desempenham importante papel na nutrição, colaborando na assimilação dos alimentos etc. *Enzima*, do médio grego *énzymos*, "levedado", é a diástase ou fermento produzida por células vivas, por seres vivos microscópicos ou por glândulas, e que decompõe os alimentos ou a matéria orgânica.

102. Cf. nota 19.

103. *Trituberculados*, que têm três tubérculos: no caso, em termos de anatomia, que apresentam os dentes molares trituberculados, isto é, com três superfícies ou saliências arredondadas (cúspides).

104. Cf. Parte I, Capítulo II, nota 14.

105. *Tetrápodes* – zoologicamente, que têm quatro pés, quadrúpedes – são animais cordados, gnastomados (com maxilas, dois tubos nasais, geralmente com apêndices pares, membros ou nadadeiras, e sexos separados – a maioria das espécies atuais), cujos pares de membros apresentam cinco dedos geralmente modificados, reduzidos ou até ausentes, esqueleto ósseo, aberturas nasais ligadas à boca e coração com duas aurículas. Abrangem desde os anfíbios (que vivem tanto em terra como na água – Cf. Capítulo seguinte, nota 123) aos mamíferos (Cf. nota 19.)

106. Cf. nota 81.

107. *Clivagem*, aqui como mero sinônimo de "divisão", do neerlandês *klieven*, "fender", através do francês *cliver*, é a propriedade que têm certos cristais de se fragmentar segundo determinados planos que sempre são faces possíveis do cristal. A escolha do termo, inclusive em nossa tradução, é intencional e quer sugerir a "massa enorme de Matéria" como um bloco cristalino que se parte em diferentes planos de Vida.

108. Cf. nota 100.

109. É como se essa "lei de perspectiva" fosse correlata, ao nível de nosso ponto de vista epistemológico subjetivo, àquela outra "lei de supressão automática dos pedúnculos evolutivos" (Cf. nota 72), do ponto de vista lógico, histórico, objetivo . . .

110. Até que (quem sabe?) os químicos cheguem a provocar a reprodução do fenômeno er laboratório. (N. do A.)

111. Isto é, seria perfeitamente concebível que a Evolução prosseguisse ainda, numa contínua "vitalização" da Matéria – e isso poderíamos afirmar sem precisar sequer recorrer à experiência: não é o Real um *Todo* em vias de transformação contínua?

112. Cf. Capítulo anterior, nota 5.

113. *Granitos* (do italiano *granito*, "em grãos") são rochas cristalinas formadas por uma mistura heterogênea de quartzo, de feldspato alcalino e de biotita. Resultam da consolidação de um magma rico em silício, mas, em certos casos, provêm do metamorfismo de rochas sedimentares.

114. *Soclo* ou soco (de origem oriental, através do grego *sykchos* e do latim *soccu*, pelo italiano *zoccolo*, "tamanco") é, em arquitetura, a base quadrangular mais larga do que alta, sobre a qual se eleva uma coluna; pedestal. Geograficamente, por extensão, denomina-se "soclo" o conjunto de terrenos antigos, no mais das vezes cristalinos (Cf. nota anterior), aplainados pela erosão, recobertos ou não por sedimentos mais recentes, constituindo os continentes.

115. *Geração Espontânea* ou Abiogênese é a suposta formação de organismos vivos a partir de matérias minerais não vivas ou de substâncias orgânicas em decomposição. Essa teoria foi admitida, durante a Antiguidade e a Idade Média, para certos animais e, até Pasteur, para os micróbios (Cf. notas 117 e 119. Cf., também, nota 22.)

116. Anne-Gabriel Pouchet, médico, químico e higienista francês (1851-1938). Nomeado professor de Farmacologia na Faculdade de Medicina de Paris, em 1892, escreveu inúmeros trabalhos sobre intoxicações, fenômenos de metabolismo, o iodo, as águas minerais etc. Ingressou na Academia de Medicina em 1897.

117. Louis Pasteur, químico e biólogo francês (1822-1895), realizou notáveis trabalhos sobre a Estereoquímica (investigação sobre a disposição especial dos átomos nas moléculas), voltando-se depois para o estudo das fermentações. Demonstrou que essas eram devidas à ação de micro-organismos e que não existia a "geração espontânea" dos micróbios. Estudou a doença dos bichos-da-seda (1865), e em seguida, após um estudo sobre os vinhos, estabeleceu um método de conservação das cervejas, a *pasteurização*. De 1870 a 1886, demonstrou a natureza microbiana do carvão, descobriu o vibrião séptico (gênero de bactérias em forma de bastonete recurvo, que provocam infecções), o estafilococo e a vacina contra o carvão, bem como, depois de muitas dificuldades, a vacina contra a raiva, que lhe valeu a glória (1896). Seus trabalhos foram coroados pela criação do Instituto Pasteur (1888), destinado a levar adiante a imensa obra da microbiologia que ele havia criado. Assim, ainda hoje prosseguem, nesse estabelecimento científico, estudos em vários campos das ciências biológicas (bacteriologia, virologia, imunologia, alergologia, bioquímica etc.), preparo e venda de vacinas e soros contra todas as infecções suscetíveis de tratamentos, a título preventivo ou curativo. (Cf. nota 119, do Autor.)

118. *Esterilização*, em bacteriologia, é o método de destruir os micróbios ou fermentos existentes numa substância ou objeto (e cuja ação prejudicaria a sua conservação) mediante procedimentos físicos (calor, radiações ultravioleta etc.) ou químicos (anti-sépticos). (Cf. nota seguinte, do Autor.)

119. Às experiências de Pasteur poder-se-ia, contudo, objetar que a esterilização, por sua brutalidade, corre o risco de destruir, além dos germes vivos que procura eliminar, os germes "pré-vivos" dos quais só poderia sair a Vida. No fundo, a melhor prova de que a Vida não apareceu senão uma única vez sobre a Terra parece-me ser fornecida pela profunda unidade estrutural da Árvore da Vida (Cf. *infra*). (N. do A. Cf. Capítulo seguinte, item 3.)

120. Em *Aristóteles* e na *Filosofia Escolástica*, denomina-se *Causa* todo o princípio do ser, do qual depende realmente, de algum modo, a existência de um ente contingente; o influxo da causa, a causalidade, é, pois, a razão de ser do causado. Nem toda razão de ser, contudo, denota uma espécie de causalidade, podendo constituir apenas, por exemplo, uma

"condição necessária" ou uma "ocasião". As causas distinguem-se em *intrínsecas* e *extrínsecas*. As primeiras são a *causa material* (o de que a coisa é feita) e a *causa formal* (aquilo pela qual a coisa é tal ser determinado e não outro). As outras são a *causa eficiente* (que, por sua ação produz um ente, o efeito) e a *causa final* (em vista de que algo se produz; fim, cujo valor, conhecido e querido, atrai a causa eficiente). A essas quatro causas clássicas, acrescentou-se ainda, como ulterior, a *causa exemplar* ou *arquétipo* (modelo), redutível à causa formal. Fala-se também em *causa principal* e *causa instrumental*, mas não passam de variedades da causa eficiente. Uma explicação filosófica global de qualquer ser intramundano deve pôr o problema da causa em todas essas direções. A Filosofia moderna, entretanto, adotando posições exclusivamente científico-naturais, orientadas segundo a Física clássica, tem restringido a consideração das causas às conexões causais eficientes. Na Física, finalmente, a própria noção de causa foi sendo substituída pelo conceito de *função* (matemática), segundo o qual dois fenômenos se comportam de maneira tal que à variação de um corresponde a variação do outro numa relação determinada, expressável numericamente. Uma *causalidade* assim compreendida – que prescinde conscientemente da conexão ontológica entre causa e efeito – é, do ponto de vista filosófico, em verdade insuficiente. Teilhard, entretanto, colocando-se num plano fenomenológico – pretendendo, vale a pena insistir sempre, "descobrir, entre elementos do Universo, não um sistema de relações ontológicas e causais, mas uma lei experimental de recorrência que exprime seu aparecimento sucessivo no decurso do Tempo" (Cf. a *Advertência*) – está disposto, primeiramente, a se restringir a uma noção de *Causalidade Natural*, isto é, ao modo especial de causação existente na Natureza exterior e visível. Em seguida, reconhecendo que a conexão entre os fenômenos naturais não é só a de uma função matemática, mas realiza o próprio conceito de causa, uma vez que, segundo o *Princípio de Causalidade*, todo acontecimento requer uma causa produtora, Teilhard reivindica uma moderação na tendência pura e estr(e)itamente científica de tudo explicar por *Causas atuais*, quer dizer, pelo estabelecimento de conexões imediatas, no aqui e agora, simples registro positivista de variações e concomitância dos fenômenos. Como no domínio da Natureza não impera nenhuma autodeterminação livre, as causas naturais produzem seus efeitos de maneira necessária. Existe, por conseguinte, uma conexão unívoca entre causas naturais e efeitos naturais: as mesmas causas produzem os mesmos efeitos, não podendo a mesma causa produzir efeito diferente, maior ou menor do que na realidade produz (*Lei de Causalidade*). No domínio do orgânico, em particular, pertencem ao número das causas univocamente determinantes do efeito não apenas os excitantes externos, mas também o estado determinado do mesmo organismo reagente. Tudo isso Teilhard reconhece e admite, mas ressalvando, como se verá na seqüência do texto, a possibilidade de o Mundo não ter sido e não ter "funcionado" sempre como o vemos hoje. Assim, restringindo-se embora à "causalidade natural" (menos ampla e profunda que a "causalidade ontológica") –, ele não se restringe à "causalidade atual" (menos ampla e profunda que a "causalidade natural"...), demonstrando distinguir perfeitamente um *princípio metafísico* (Princípio de Causalidade) de uma *lei física* (Lei de Causalidade) – a qual se circunscreve aos processos do mundo corpóreo e exige para a natural explicação dos mesmos uma causa que os produza com necessidade física – e reivindicando para esta última uma compreensão mais vasta do que a sugerida ou permitida pela mera observação experimental do Presente.

121. *Mecânica*, do grego *mechaniké*, "arte de construir uma máquina", é a ciência que investiga os movimentos e as forças que os provocam. O Autor, referindo-se ao "grande mundo da Mecânica e da Biologia", tem em vista ainda o Mundo sob a atuação da Causalidade Natural (Cf. nota anterior), em que a produção do efeito deve ser encarada como atividade própria dos corpos. Tal atividade não é automovimento, mas em toda ação da causalidade natural os corpos se manifestam em "ação recíproca", quer dizer, atuando uns sobre os outros. Um corpo, pela eficácia de sua força, origina uma mudança noutro corpo. Essas alterações de estado são, quase sempre, de natureza energética. Daí o Autor se referir, logo em seguida, a "manifestações da Energia cósmica". (Cf. nota 124.)

122. Cf. final da nota 120, a partir de "Como no domínio da Natureza não impera..."

123. Cf. nota 68.

124. Filosoficamente, segundo Aristóteles, a *Energia* é o próprio exercício da atividade em oposição à potência ou possibilidade de atividade. Fisicamente, Energia é a propriedade

111

de um sistema que lhe permite realizar trabalho. Sendo o Cosmo, "um Sistema, um Totum e um Quantum" (Cf. Parte I, Capítulo I, 2), a Energia Cósmica é essa capacidade universalizada, apresentando-se sob as mais diversas formas (calorífera ou térmica, cinética, elétrica, eletromagnética, mecânica, potencial, química, nuclear ou atômica, radiante etc.), transformáveis umas nas outras e cada qual capaz de provocar fenômenos bem determinados e característicos nos sistemas físicos. Dado que a Energia, como acidente variável, pode passar de um corpo a outro, a ação da causalidade (Cf. nota 120) dá origem a nova energia, enquanto outra é consumida em seu lugar. Aplica-se aqui o *Princípio de Conservação da Energia*, segundo o qual a quantidade de energia nova resultante é igual à da energia que desaparece (Cf. Parte I, Capítulo I, 3, B). A massa de um corpo pode se transformar em energia, e a energia sob a forma radiante (transmissível de um ponto a outro do espaço, sem a presença de meios materiais, propagando-se como uma onda) pode se transformar num corpúsculo com massa. Tudo isso, lembremos bem, vendo apenas o *Fora das Coisas* ...

125. Inúmeras vezes, ao longo de sua obra, Teilhard insistiu sobre esse tema, que é, inclusive, título de um de seus escritos (*La découverte du passé*, 1935). Entretanto, nunca foi tão conciso e claro como na Comunicação feita no Congresso Internacional de Filosofia das Ciências, realizado em Paris, de 17 a 22 de outubro de 1949: "La vision du passé. Ce qu'elle apporte à la science et ce qu'elle lui ote". Por outro lado, considerar a *Descoberta do Passado* um ramo da "Física" (esta posta entre aspas) equivale ainda uma vez a fazer da *História* (enquanto uma visão ao longo do Tempo Orgânico ou Duração) uma extensão da Hiperfísica (enquanto visão de todo o Real e do Real todo). (Cf. nossa tese de doutoramento *A Hiperfísica de Teilhard de Chardin*, PUC, São Paulo, 1974, 908 pp., em especial Iª Parte A, Capítulo IV, "As Extensões da Hiperfísica: Ciência e História". Cf. também nota 1 à *Advertência*.)

126. É o caso dos *cometas de longo-período* ou *parabólicos* (de retorno acima de cem anos, cuja órbita é praticamente uma parábola), ou das *glaciações* (geleiras atuando sobre a superfície da Terra, em movimentos lentíssimos, mensuráveis por períodos) ...

127. Sócrates, filósofo grego (±470-399 a.C.), filho do escultor Sofronisco. Hostil ao ensino dogmático, seu método ("maiêutica") consistia em fazer seus interlocutores descobrirem a verdade por si mesmos por meio de perguntas habilmente formuladas ("ironia"), que os levava também a identificarem suas próprias contradições ("dialética"). Combateu os sofistas (particularmente o cético Górgias e o relativista Protágoras). Sua considerável influência sobre a juventude aristocrática e sua hostilidade à tirania de Crítias lhe valeram a acusação de impiedade por parte de Anitos, Melitos e Lícon. Preso e julgado, foi condenado a beber cicuta. Por oposição aos filósofos naturalistas anteriores, apontou como objeto próprio da Filosofia o Homem, a interpretação reflexiva da conduta humana e das regras morais. Sua personalidade e suas idéias ("Só sei que nada sei"; "Conhece-te a ti mesmo" ...) marcaram definitivamente a História Humana e chegaram a nós sobretudo pelos *Diálogos*, de seu discípulo Platão; pelas *Memoráveis* de Xenofonte; e inclusive pela comédia *As Nuvens*, de Aristófanes. Ele foi, sem dúvida, como Homem, um fenômeno singular.

128. Augusto (63 a.C. - 14 d.C.), em latim Caius Julius Caesar Octavianus Augustus, sobrinho-neto e herdeiro de Júlio César, imperador romano (63 a.C. - 14 d.C.). Dividindo inicialmente o triunvirato com Antônio e Lépido, acabou por deter sozinho todo o poder (após a vitória de *Actium* sobre Antônio, em 31) e recebendo o nome de Augusto (assim como os poderes repartidos até então entre os magistrados, em 27). Criou organismos governamentais (conselhos, prefeituras), dividiu Roma em catorze *regiões* para facilitar o censo e a cobrança de impostos, reorganizou a administração das províncias (divididas em províncias senatoriais e províncias imperiais), aumentando de todas as formas a centralização. Ordenou diversas expedições (Espanha, Panônia, Germânia, Arábia, Armênia, África etc.). Adotou Tibério, que o sucedeu após sua morte, e passou a ser honrado como um deus. O reinado de Augusto figura como uma das épocas mais brilhantes da História Romana (fala-se até em "século de Augusto"), quando floresceram, patrocinados por Mecenas mas protegidos pelo imperador, os gênios de Horácio, Virgílio, Tito Lívio e Ovídio.

129. Do latim *praeter*, o prefixo "preter" indica o "que vai além de", "que transcende". Dessa maneira, o Autor quer indicar como *Preter-Experimental* o fenômeno que não

pode ser objeto da observação ou experimentação direta e atual, sendo atingido por "recorrência" ou "extrapolação" (Cf. nota 5 à *Advertência*), no caso, o Nascimento da Vida.

130. Cf. nota 117.

131. Cf. Capítulo seguinte, item 3.

132. Do grego *polypous*, "polvo", *Pólipos* é, zoologicamente, a designação comum às formas tróficas dos cnidários ou celenterados (Cf. Parte I, Capítulo II, nota 13), com aspecto de tubo fechado em uma das extremidades e uma coroa de tentáculos em torno da abertura terminada em ápice.

133. Em diferentes eras geológicas, é claro. (Cf. nota 40 ao *Prólogo*.)

134. Cf. Capítulo anterior, nota 5. O *Magma*, do grego *mágma*, "pasta de farinha de trigo amassada", é a massa natural, fluida, ígnea, de origem profunda, e que, ao esfriar-se, se solidifica, originando rochas. Corresponde ao "manto". (Cf. Parte I, Cap. III, nota 5.)

135. Isto é, a variedade de formas.

136. Em termos de morfologia vegetal, *Ramificações* são subdivisões do eixo caulinar ou radicular em partes semelhantes, porém menores, das quais resultam os ramos de várias ordens, segundo o tamanho. Ao visualizar a Vida se desenvolvendo como uma "grande Árvore", podemos considerar as diversas famílias, gêneros e espécies como múltiplas "ramificações".

137. Cf. nota 41.

138. Do grego *chrónos*, "tempo", e *lógos*, "tratado", "estudo", "ciência", a *Cronologia* é o tratado das datas históricas e também astronomicamente (perspectiva que parece ser aqui a do Autor), a Ciência da utilização de regras baseadas na astronomia e em convenções próprias para estabelecer as divisões do tempo e a fixação das datas, também designada "Cronografia".

139. Cf. nota 73. A *Geofísica* é a Ciência que investiga os fenômenos físicos que afetam a Terra.

140. Do grego *rhytmós*, "movimento regrado e medido", a *Rítmica*, genericamente (quando não especificamente em Gramática, Versificação ou Música), trata das relações entre a expressão de um fenômeno e o tempo.

141. Cf. o início deste item 3 e nota 120.

142. Cf. nota 40 ao *Prólogo*.

143. Isto é, da evolução do planeta como um *todo* e, portanto, de uma evolução que abrange a totalidade do tempo (Passado, Presente, Futuro) e da realidade (Dentro e Fora). (Cf. Parte I, Capítulo I, nota 28.) Essa *Evolução Total*, processo generalizado a todos os níveis do ser e, portanto, a toda realidade experimental (inclusive nosso planeta) é

"(...) reconhecida como uma propriedade primeira do Real experimental (...), um Universo em via de transformação". (Cf. *Christologie et évolution*, 1933.)

144. O Autor está se referindo à teoria geofísica segundo a qual a crosta terrestre, ou litosfera, teria se formado por resfriamento lento e progressivo do planeta inicialmente incandescente. (Cf. nota seguinte.)

145. Cf. Parte I, Capítulo III, 1, notas 5 e 11, bem como o texto a que se referem.

146. Em termos de biologia geral, *Germinação* é o início de desenvolvimento, a partir do embrião da semente (na planta) ou de um esporo (célula reprodutora). O termo é sempre significativo no contexto da analogia entre a Vida e uma Árvore. O "ponto crítico e singular de germinação" é, pois, o próprio "Passo da Vida". (Cf. item 1 deste Capítulo.)

147. Matematicamente, *Parâmetros* são variáveis ou constantes, às quais, numa determinada relação ou numa questão específica, se atribuem um papel particular e distinto do das outras variáveis ou constantes. Por extensão, são parâmetros todos os elementos cuja variação de valor modifica a solução de um problema sem lhe modificar a natureza. O Passo da Vida, o fenômeno vital, considerado único, torna-se, pois, um parâmetro para a solução do problema da Evolução, "sem quebrar a unidade física do Mundo".

148. Cf. o *Prólogo*: "Sentido da Qualidade".
149. Cf. Parte I, Capítulo I, 2, C.
150. Dado o plano essencial deste trabalho: a Pré-Vida, a Vida, o Pensamento e, no futuro, a Sobrevida. (Cf. o *Prólogo*.)

CAPÍTULO II

A Expansão da Vida

Quando um físico quer estudar o desenvolvimento de uma onda, ele começa por submeter ao cálculo a pulsação de uma só partícula. Depois, reduzindo o meio vibratório às suas características e direções de elasticidade principais, generaliza, à medida desse meio, os resultados encontrados no caso do elemento. E assim obtém uma figura essencial, tão aproximada quanto possível, do movimento de conjunto que procurava determinar.[1]

Perante a tarefa de descrever a ascensão da Vida, o biólogo se vê levado a seguir, com seus próprios meios, um método semelhante. Impossível pôr ordem nesse fenômeno enorme e complexo, sem analisar primeiramente os processos imaginados pela Vida para avançar em cada um de seus elementos tomados isoladamente. E impossível também apreender o andamento geral adotado pela multidão desses progressos individuais adicionados, sem escolher na sua resultante os traços mais expressivos e mais luminosos.

Uma representação simplificada, mas estrutural, da Vida terrestre em evolução.[2] Uma visão cuja verdade jorre por puro e irresistível efeito de homogeneidade e de coerência.[3] Nem detalhes acessórios, nem discussões. Ainda e sempre uma perspectiva a ver e a aceitar, – ou a não ver.[4] Eis o que me proponho desenvolver no decurso dos parágrafos que se seguem.

Três pontos principais contêm e definem a essência do que eu quero dizer:

1. Os Movimentos elementares da Vida.
2. A Ramificação espontânea da massa viva.[5]
3. A Árvore da Vida.

Tudo isso considerado, para começar, do exterior e à superfície. Somente no capítulo seguinte é que procuraremos penetrar até o Dentro das Coisas.

1. Os Movimentos Elementares da Vida

A) REPRODUÇÃO

Na base de todo o processo através do qual se tece em torno da Terra o invólucro da Biosfera, situa-se o mecanismo, tipicamente vital, da Reprodução. Toda célula, a um dado momento, divide-se (por "cissiparidade"[6] ou "cariocinese"[7]) e dá origem a uma nova célula semelhante a si própria. Antes, havia apenas um centro:[8] agora, há dois. Tudo, nos movimentos ulteriores da Vida, deriva desse fenômeno elementar e poderoso.

Em si, a divisão celular[9] parece provocada pela simples necessidade em que se encontra a partícula viva de remediar sua fragilidade molecular e as dificuldades estruturais ligadas à continuidade de seus acréscimos. Rejuvenescimento e alívio. Os agrupamentos limitados de átomos, as micromoléculas, têm uma longevidade mas, em contrapartida, uma fixidez, quase indefinidas. A Célula, esta, porque em trabalho de assimilação contínua, tem que se dividir em duas para continuar a ser. Por essa razão, inicialmente, a Reprodução surge como um simples processo imaginado pela Natureza para assegurar a permanência do instável no caso dos vastos edifícios moleculares.

Mas, como sempre acontece no Mundo, aquilo que, na origem, não era senão um feliz acaso, ou um meio de sobrevivência, é imediatamente transformado em instrumento de progresso e de conquista e utilizado como tal. A Vida parece, nos primórdios, ter se reproduzido apenas para se defender. Ora, com esse mesmo gesto, ela preludiava suas invasões.

B) MULTIPLICAÇÃO

Com efeito, uma vez introduzido no Estofo do Universo, o princípio da duplicação das partículas vivas não conhece outros limites senão os da quantidade de Matéria que se oferece para o seu funcionamento. Em algumas gerações, como já se calculou, um único Infusório,[10] por simples divisão de si mesmo e de seus descendentes, poderia cobrir a Terra. Nenhum volume, por maior que seja, resiste aos efeitos de uma progressão geométrica.[11] E isso não é uma mera extrapolação do espírito.[12] Só pelo fato de se desdobrar e nada poder impedi-la de se desdobrar continuamente, a Vida possui uma força de expansão tão invencível quanto a de um corpo que se dilata ou se vaporiza. Mas enquanto que, no caso da Matéria dita inerte,[13] o aumento de volume encontra logo o seu ponto de equilíbrio, nenhum afrouxamento parece se manifestar no caso da substância viva. Quanto mais o fenômeno da divisão celular se alastra, mais ganha em virulência. Uma vez desencadeado o jogo da cissiparidade, nada poderia deter, no interior, esse fogo construtor e devorante porque ele é espontâneo. E nada, por conseguinte, é suficientemente grande, no exterior, para extingui-lo por saciedade.

C) RENOVAÇÃO

Ora, isso constitui apenas um primeiro resultado e a face quantitativa da operação em andamento. A Reprodução duplica a célula mãe. E assim, por um mecanismo inverso da desagregação química, *ela multiplica sem esmigalhar.*

Mas, ao mesmo tempo, por acréscimo, transforma o que visava apenas a prolongar. Fechado sobre si mesmo, o elemento vivo atinge, com maior ou menor rapidez, um estado de imobilidade. Ele se bloqueia e se paralisa na sua evolução. No momento e pelo jogo da reprodução, reencontra a faculdade de se re-ajustar interiormente e de tomar, por conseguinte, nova figura e orientação. Pluralização na forma tanto quanto no número. A onda elementar da Vida saída de cada indivíduo não se expande como um círculo monótono formado de outros indivíduos totalmente semelhantes a ele. Difrata-se e irisa-se com uma gama indefinida de tonalidades diversas. — Centro de irresistível multiplicação, o ser vivo acha-se constituído, por isso mesmo, em foco, não menos irresistível, de diversificação.[14]

D) CONJUGAÇÃO

E foi então, parece, que, para alargar a brecha assim aberta, por sua primeira vaga, na muralha do Inorganizado, a Vida descobriu o maravilhoso processo da Conjugação. Seria preciso um livro inteiro para determinar e admirar como cresce e se sublima, por evolução, da Célula até o Homem, a dualidade dos sexos. Nos seus começos, em que aqui o consideramos, o fenômeno se apresenta sobretudo como um meio de acelerar e de intensificar o duplo efeito, multiplicador e diversificador, obtido de início pela reprodução assexuada, tal como esta funciona ainda em tantos organismos inferiores e até em cada célula de nosso próprio corpo. Pela primeira conjugação de dois elementos (por pouco diferenciados que estivessem ainda em macho e fêmea) estava aberta a porta para esses modos de geração em que um só indivíduo pode se pulverizar numa miríade de germes. E, simultaneamente, iniciava-se um jogo sem fim: o das combinações de "caracteres",[15] cuja análise é minuciosamente efetuada pela genética moderna.[16] Em vez de irradiarem simplesmente a partir de cada centro em vias de divisão, os raios da Vida começavam desde então a se anastomosar,[17] — trocando e variando suas respectivas riquezas. Tal como perante o Fogo, o Pão ou a Escrita, nem sequer nos admiramos em face dessa invenção prodigiosa. E, no entanto, quantos acasos e quantas tentativas, — quanto tempo, por conseguinte —, não foram precisos para que amadurecesse essa descoberta fundamental donde saímos! E quanto tempo ainda para que ela encontrasse seu complemento e seu acabamento naturais na inovação, não menos revolucionária, da Associação!

E) ASSOCIAÇÃO

Em primeira análise, e sem prejulgar fatores mais profundos,[18] o agrupamento das partículas vivas em organismos complexos é uma consequência quase inevitável de sua multiplicação. As células tendem a se aglomerar porque elas se comprimem umas contra as outras, ou até porque nascem em cachos. Mas dessa oportunidade ou necessidade puramente mecânicas de aproximação acabou por germinar e decorrer um método definido de aperfeiçoamento biológico.

Na Natureza, parecem sobreviver a si próprios, sob os nossos olhos, todos os estádios dessa marcha, *que não terminou ainda*, para a unificação ou síntese dos produtos, sempre mais numerosos, da Reprodução viva. Bem embaixo, o simples *agregado*,[19] tal como existe nas Bactérias ou nos Fungos inferiores.[20] A um grau superior, a colônia soldada, com seus elementos mais distintamente especializados, mas ainda não centralizados: tais como os Vegetais superiores,[21] os Briozoários[22] ou os Polipeiros.[23] Mais acima ainda, o Metazoário,[24] verdadeira Célula de células, em que, por um prodigioso tipo de transformação crítica e como que por excesso de compressão, estabelece-se um centro autônomo sobre o grupo organizado das partículas vivas. E mais longe ainda, para terminar, no limite atual de nossa experiência e das experimentações da Vida, a *sociedade*,[25] essas misteriosas associações de Metazoários[26] livres, no seio das quais parece se ensaiar, segundo linhas desigualmente felizes, a formação de unidades hiper-complexas, por "megassíntese".[27]

A última parte deste livro será especialmente consagrada ao estudo dessa forma última e suprema de agrupamento em que culmina, talvez, no Social reflexivo, o esforço da Matéria para se organizar. Limitemo-nos aqui a notar que a Associação, considerada em todos os seus graus, não é, nos seres animados, um fenômeno esporádico ou acidental. Representa, pelo contrário, um dos mecanismos mais universais, mais constantes e portanto mais significativos, que a Vida utiliza para se expandir. Duas de suas vantagens são imediatamente óbvias. Graças à Associação, em primeiro lugar, a substância viva chega a se constituir em massas suficientemente volumosas para escapar às inúmeras servidões exteriores (adesão capilar, pressão osmótica, variação química de meio etc.)[28] que paralisam o ser microscópico. Em biologia, como em náutica, um certo tamanho é fisicamente requerido para possibilitar certos movimentos... – E graças a ela também (sempre em virtude do aumento de volume que ela permite), o organismo encontra dentro de si mesmo o espaço necessário para acomodar as múltiplas engrenagens nascidas progressivamente, *aditivamente*,[29] de sua diferenciação.

F) ADITIVIDADE DIRIGIDA

Reprodução, conjugação, associação... Por mais prolongados que sejam, esses diversos movimentos da célula não determinam, cada qual por sua vez, mais que um desdobramento dos organismos à superfície. Reduzida a esse único recurso, a Vida espalhar-se-ia e diversificar-se-ia sempre no mesmo plano. Assemelhar-se-ia ao avião que corre sobre o solo sem poder "decolar". Não se elevaria.

É aqui que intervém, desempenhando o papel de componente vertical, o fenômeno da *aditividade*.

Sem dúvida, no decurso da evolução biológica, não faltam exemplos de transformações que se operam no plano horizontal por mero cruzamento de caracteres. Tais como as mutações[30] chamadas "mendelianas".[31] Todavia, de um modo mais geral e mais profundo, os renovamentos possibilitados por cada reprodução fazem mais do que substituir-se mutuamente: *acrescentam-se* uns aos outros, aumentando sua soma *num sentido determinado*. Disposições que se acentuam ou então órgãos que se ajustam ou se sobrepõem. Aqui diversificação, ali especialização crescentes dos termos que formam uma mesma série genealógica. Aparecimento, em outras palavras, da *linhagem* enquanto unidade natural distinta do indivíduo.[32]

A essa lei de complicação dirigida, na qual amadurece o próprio processo donde, a partir das micromoléculas, e depois das mega-moléculas, tinham saído as primeiras células, a Biologia deu o nome de *Ortogênese*.[33]*

A ortogênese, forma dinâmica, e a única completa, da Hereditariedade.[34] Que realidade e que forças de amplidão cósmica esconde esse vocábulo? Iremos descobri-lo pouco a pouco. Desde já um primeiro ponto aparece claramente neste estádio de nossa pesquisa. Graças ao poder aditivo que a caracteriza, a substância viva se encontra (inversamente à Matéria dos físicos) "lastreada" de complicação e de instabilidade. Ela cai, ou mais exatamente, eleva-se em direção a formas cada vez mais improváveis.

Sem a ortogênese, não haveria senão um alastramento; com a ortogênese há invencivelmente uma ascensão da Vida.[35]

UM COROLÁRIO. OS PROCEDIMENTOS DA VIDA

Detenhamo-nos agora um momento. E, antes de procurar saber em que resultam, estendidas à Vida total, as diversas leis acima reconhecidas como reguladoras dos movimentos da partícula isolada, tentemos depreender quais são, precisamente por força dessas leis elementares, os comportamentos ou atitudes gerais que, em todos os níveis e em todas as ocorrências, vão caracterizar a Vida em movimento.

Essas atitudes, ou modos de proceder, podem ser reduzidos a três: a profusão, a engenhosidade, e (a julgar de nosso ponto de vista individual) a indiferença.

a) *Profusão*, em primeiro lugar, — nascendo esta do processo ilimitado da multiplicação.

A Vida procede por efeito de massas, a golpes de multidões que se lançam, aparentemente, sem ordem para a frente. Bilhões de germes e milhões de adultos, empurrando-se, afastando-se, entredevorando-se: a ver quem ocupará o maior espaço e os melhores lugares. Todo o aparente esbanjamento e toda a aspereza; todo o mistério e o escândalo; mas ao mesmo tempo, para sermos justos, toda a eficácia biológica da *luta pela Vida*. No decurso do jogo implacável que coloca frente a frente e força uns contra os outros os blocos de substância viva em vias de irresistível dilatação, o indivíduo é certamente impelido até os limites de suas possibilidades e de seu esforço. Emergência[36] do mais apto, seleção natural:[37] não são absolutamente palavras vãs, desde que não impliquem nem um ideal final, nem uma explicação última.

Mas não é sobretudo o indivíduo que parece importar no fenômeno. Mais profundo do que uma série de combates singulares, é um conflito de probabilidades que se desenvolve na luta por existir. Reproduzindo-se prodigamente, a Vida se encouraça contra os maus golpes. Aumenta suas probabilidades de sobrevivência. E, ao mesmo tempo, multiplica suas probabilidades de avanço.

E eis onde prossegue e re-aparece, no nível das partículas animadas, a técnica fundamental do *Tenteio*,[38] essa arma específica e invencível de toda multidão em expansão. O Tenteio, em que se combinam tão curiosamente a fantasia cega dos grandes números e a orientação precisa rumo a um alvo pretendido. O tenteio, que não é somente o Acaso, com o qual se quis confundi-lo, mas um *Acaso dirigido*.[39] Encher tudo para tudo tentar. Tentar tudo para tudo encontrar. O meio de desenvolver esse gesto, cada vez mais desmesurado e mais dispendioso à proporção que mais se estende, não será precisamente aquilo que, no fundo, a Natureza procura, por assim dizer, na profusão?

b) *Engenhosidade*, em seguida. Esta é a condição indispensável ou, mais exatamente, a face construtora da aditividade.

Para acumular os caracteres em conjuntos estáveis e coerentes, a Vida é levada a desenvolver uma prodigiosa habilidade. Precisa imaginar e combinar as engrenagens num mínimo de espaço. Tal como um engenheiro, tem que montar maquinarias leves e simples. Ora, isso implica e acarreta, para a estrutura dos organismos (quanto mais são estes elevados!) uma propriedade que não devemos jamais esquecer.

O que se monta, desmonta-se.

Num primeiro estádio de suas descobertas, a Biologia ficou surpresa e fascinada ao constatar que os seres vivos, por perfeita, ou até por mais perfeita, que fosse a sua espontaneidade, eram sempre decomponíveis entre seus dedos numa cadeia sem fim de mecanismos fechados. Acreditou então poder deduzir daí um materialismo universal.[40] Mas seria esquecer a diferença essencial que separa um todo natural dos produtos de sua análise.

Por sua própria construção, isso é verdade, qualquer organismo é sempre e necessariamente desmontável em peças combinadas. Mas dessa circunstância não se segue absolutamente que o próprio somatório dessas peças seja automático, nem que da sua soma não emerja algum valor especificamente novo. Que o "livre" se revele, até mesmo no Homem, pan-analisável em determinismos não constitui uma prova de que o Mundo não seja feito (como aqui o sustentamos) à base de liberdade. É simplesmente, da parte da Vida, resultado e triunfo da engenhosidade.

c) *Indiferença*, enfim, para com os indivíduos.

Quantas vezes a Arte, a Poesia e até a Filosofia não têm pintado a Natureza como uma mulher de olhos vendados, pisando uma poeira de existências esmagadas... Um primeiro vestígio dessa dureza aparente se imprime na profusão. Como os gafanhotos de Tolstoi,[41] a Vida passa por cima de uma ponte de cadáveres acumulados. E isso é um efeito direto da multiplicação. Mas no mesmo sentido "inumano" trabalham também, a seu modo, a ortogênese e a associação.

Pelo fenômeno de associação, a partícula viva é arrancada de si mesma. Presa num conjunto mais vasto do que ela própria, torna-se parcialmente escrava deste. Não se pertence mais.

E o que a incorporação orgânica ou social faz para a distender no Espaço, realiza-o não menos inexoravelmente no Tempo seu acesso a uma linhagem. Pela força da ortogênese, o indivíduo se acha incorporado numa fieira. De centro torna-se intermediário, elo. Já não existe: transmite. A Vida mais real do que as vidas, como já se disse...

Aqui a submersão do Número. Ali o esquartejamento no Coletivo. Lá ainda, numa terceira direção, o estiramento no Devenir.[42] Dramática e perpétua oposição entre o elemento nascido do múltiplo e o múltiplo a nascer constantemente do elemento, no decurso da Evolução.

À medida que o movimento geral da Vida se regulariza, o conflito, apesar dos retornos periódicos de ofensiva, tende a se resolver. Permanece, contudo, até o fim, cruelmente identificável. Somente a partir do Espírito, onde ela atinge seu paroxismo *sentido*, é que a antinomia se esclarece; e a indiferença do Mundo para com seus elementos transforma-se em imensa solicitude, — na esfera da Pessoa.[43]

Mas ainda não chegamos lá.

Profusão tenteante; engenhosidade construtora; indiferença para com o que não é Porvir e Totalidade. Sob esses três signos, a Vida se eleva, em virtude de seus mecanismos elementares. E sob um quarto signo ainda que os envolve a todos: o de uma *unidade global*.

Esta última condição, nós já a tínhamos encontrado na Matéria original; depois sobre a Terra Juvenil; depois na eclosão das primeiras células. Aqui ela se manifesta, sempre mais evidente, uma outra vez. Por mais vastas e multiformes que sejam as proliferações da Matéria animada, esses acréscimos jamais deixam de se estender *solidariamente*.[44] Um ajustamento contínuo as co-adapta no exterior. Um equilíbrio profundo as contrapesa no interior. Tomada em sua totalidade, a substância viva espalhada sobre a Terra desenha, desde os primeiros estádios de sua evolução, os lineamentos de um único e gigantesco organismo.

Como um refrão, no termo de cada uma das etapas que nos levam até o Homem, eu repito sem cessar a mesma coisa. Mas é porque, se se esquece essa coisa, não se compreende nada.

Para apreender a Vida é preciso nunca perder de vista a unidade da Biosfera, a recobrir a pluralidade e a rivalidade essenciais das existências individuais. Unidade essa ainda difusa nos começos. Unidade de origem, de quadro, de ímpeto disperso, mais do que agrupamento ordenado. Mas unidade que doravante, à medida que a Vida ascende, não mais deixará de se definir, de se dobrar sobre si mesma e, finalmente, de se centrar sob nossos olhos.[45]

2. As Ramificações da Massa Viva

Estudemos agora, sobre a extensão total da Terra animada, os diversos movimentos cuja forma acabamos de analisar no caso das células ou dos agrupamentos isolados de células. Poder-se-ia imaginar que, levada a tais dimensões, sua multidão fosse se emaranhar e engendrar apenas uma desesperante confusão. Ou, inversamente, poder-se-ia esperar que seu somatório, harmonizando-se, criasse uma espécie de onda contínua, semelhante àquela que se alastra à superfície da água tranqüila onde caiu uma pedra. De fato, é uma terceira coisa que acontece. Observada sob a forma que neste momento apresenta aos nossos olhos, a vanguarda da Vida ascendente não é nem confusa, nem contínua. Mas surge como um conjunto de fragmentos, ao mesmo tempo divergentes e escalonados: Classes, Ordens, Famílias, Gêneros, Espécies. — Toda a gama dos grupos cuja variedade, ordem de grandeza e encadeamentos a Sistemática moderna tenta exprimir com sua nomenclatura.[46]

Considerada em seu conjunto, a Vida se segmenta avançando. Rompe-se espontaneamente, por expansão, em vastas unidades naturais hierarquizadas. *Ramifica-se*. Tal é o fenômeno particular, tão essencial também às grandes massas animadas quanto o é para as células a "cariocinese",[47] de que é chegado o momento de nos ocupar.

Diferentes fatores contribuem, cada qual por um lado, para desenhar ou para acentuar a ramagem da Vida. Eu os reduzirei ainda a três, que são os seguintes:

a) As agregações de crescimento, que dão origem aos "filos".

b) Os desabrochamentos (ou disjunções) de maturidade, que produzem periodicamente os "verticilos".

c) Os efeitos de longes, que suprimem aparentemente os "pedúnculos".

A) AGREGAÇÕES DE CRESCIMENTO

Voltemos ao elemento vivo em vias de reprodução e de multiplicação. Em torno desse elemento enquanto centro, como vimos, irradiam, em virtude da ortogênese, diferentes linhagens, reconhecível cada qual pela acentuação de certos caracteres. Por construção, essas linhas divergem e tendem a separar-se. Nada, todavia, anuncia ainda que, por encontrar-se com as linhagens saídas dos elementos vizinhos, elas não se misturarão até formar por sua reunião uma rede impenetrável.

Por "agregação de crescimento" entendo o fato, novo e inesperado, de que uma dispersão *de tipo simples* se produz precisamente onde o jogo das probabilidades mais faria recear um intricamento complicado. Espalhada pelo chão, uma camada de água não tarda a se canalizar em regatos, depois em riachos definidos. Igualmente, sob a influência de causas várias (paralelismo nativo das ortogêneses elementares, atração e ajustamento mútuo das linhagens, ação seletiva do meio . . .), as fibras de uma massa viva em curso de diversificação tendem a aproximar-se, a agrupar-se, a aglutinar-se segundo um pequeno número de direções dominantes. Tomada em seus começos, essa concentração das formas em torno de alguns eixos privilegiados é indistinta e esfumada: simples aumento, em certos setores, do número ou da densidade das linhagens. E depois, gradualmente, o movimento se afirma. Verdadeiras nervuras se desenham, mas sem romper ainda o limbo da folha em que apareceram. Nesse momento, as fibras conseguem ainda escapar parcialmente à rede que as procura captar. De nervura em nervura, elas podem sempre juntar-se, anastomosar-se e cruzar-se. O agrupamento, dirá o zoólogo, acha-se ainda no estádio da raça. E é então que se produzem ao mesmo tempo, segundo o ponto de vista do qual se olhe, a agregação ou disjunção final. Tendo atingido um certo grau de ligação mútua, as linhagens se isolam num molho cerrado, impenetrável, a partir de então, aos molhos vizinhos. Sua associação daí por diante vai evoluir por si mesma, como uma coisa autônoma. A espécie se individualizou. Nasceu o filo.[48]

O Filo. O feixe vivo. A linhagem de linhagens. Muitos olhos se recusam ainda a ver, ou a considerar como real, essa malha da Vida em evolução. Mas é que eles não sabem se acomodar, nem olhar, como seria preciso.

O Filo, primeiramente, é uma realidade coletiva. Para distingui-lo bem é, portanto, essencial colocarmo-nos suficientemente alto e suficientemente longe. Encarado perto demais no espaço, esmigalha-se em irregularidades confusas. As árvores ocultam a floresta.

O Filo, em seguida, é algo de polimorfo e elástico. Semelhante nisso à molécula, que atinge todos os tamanhos e todos os graus de complicação, ele pode ser tão pequeno quanto uma Espécie ou tão vasto como um Ramo.[49] Há filos simples e filos de filos.[50] A unidade filética é menos quantitativa do que estrutural. É preciso, pois, saber reconhecê-la em quaisquer dimensões.

O Filo, enfim, é uma realidade de natureza dinâmica. Por conseguinte, não aparece nitidamente senão numa certa profundidade de duração, isto é, no movimento. Imobilizado no tempo, perde a sua fisionomia e como que a sua alma. O gesto morre num instantâneo.

Olhado sem essas precauções, o Filo parece ser apenas mais uma entidade artificial, recortada no continuum vivo,[51] pelas necessidades da classificação. Observado com a ampliação e sob a luz adequadas, revela-se, pelo contrário, como uma realidade estrutural perfeitamente determinada.

O que define o Filo, em primeiro lugar, é o seu "ângulo inicial de divergência", ou seja, a direção particular em que ele se agrupa e evolui ao se separar das formas vizinhas.

O que o define, em segundo lugar, é a sua "secção inicial". Sobre este último ponto (já abordado a propósito das primeiras Células, e que tomará tanta importância no caso do Homem) temos ainda quase tudo a aprender. Uma coisa, pelo menos, é certa desde já. Assim como uma gota de água não pode fisicamente condensar-se senão a partir de um certo volume; ou assim como uma transformação química não pode iniciar-se senão a partir de uma certa quantidade de matéria envolvida, do mesmo modo o filo não chegaria biologicamente a se estabelecer se não agrupasse em si próprio, desde a origem, um número suficientemente grande de potencialidades, e de potencialidades suficientemente variadas. A não apresentar uma consistência e uma riqueza inicial suficientes (como a não tomar à partida um afastamento suficiente) jamais, agora o vemos, um novo ramo chegaria a se individualizar. A regra é clara. Mas, concretamente, como imaginar de que modo funciona e se exprime essa regra? Segregação difusa de uma massa no interior de outra massa? Efeito contagioso que se propaga em torno de uma área de mutação estreitamente limitada? Sob que forma representarmos *em superfície* o nascimento de uma espécie? Hesitamos ainda; e a pergunta comporta talvez diversas respostas. Mas poder colocar claramente um problema não é tê-lo já quase resolvido?

Enfim, o que, para terminar, não somente acaba de definir o Filo, mas, além disso, o classifica, sem ambiguidade, na categoria das *unidades naturais* do Mundo, é o "seu poder e a sua lei particular de desenvolvimento autônomo". Sem metáfora, embora à sua maneira, ele se comporta como uma coisa viva: cresce e desabrocha.

B) DESABROCHAMENTOS DE MATURIDADE

Em virtude de analogias que se atêm — mais adiante o descobriremos — a uma profunda ligação natural, o desenvolvimento de um filo se paraleliza curiosamente aos sucessivos estádios percorridos por uma invenção humana. Esses estádios, nós os conhecemos bem por havê-los constantemente observado, no espaço de um século, em torno de nós. Primeiro a idéia toma corpo, aproximadamente, numa teoria[52] ou num mecanismo provisório. Vem então um período de modificações rápidas: retoques e ajustamentos contínuos do esboço, até uma afinação quase definitiva. Chegada a esse estado de acabamento, a nova criação entra então na sua fase de expansão e de equilíbrio. Qualitativamente, já não se modifica senão em alguns detalhes acessórios: "culmina". Quantitativamente, pelo contrário, expande-se e adquire sua plena consistência. Tal é a história de todas as invenções modernas, da bicicleta ao avião, da fotografia ao cinema e à radiodifusão.

De modo idêntico se desenha, aos olhos do naturalista, a curva de crescimento seguida pelos ramos vivos. No início, o filo corresponde à "descoberta", por tenteio, de um tipo orgânico vivo, viável e vantajoso. Mas esse tipo não atinge, desde logo, nem sua forma mais econômica nem a mais bem adaptada. Durante um tempo mais ou menos longo, dir-se-ia que emprega toda a sua força em tentear ainda sobre si mesmo. Os ensaios se sucedem, mas sem serem ainda definitivamente aceitos. Enfim, eis a perfeição que se aproxima. A partir desse momento, o ritmo das modificações diminui gradativamente; e a nova invenção, chegada aos limites do que ela pode render, entra em sua fase de conquista. Mais forte que seus vizinhos menos aperfeiçoados, o grupo recém-nascido estende-se ao mesmo tempo que se fixa. Multiplica-se, mas sem se diversificar mais. Acaba de entrar, simultaneamente, no máximo de seu tamanho e de sua estabilidade.

Desabrochamento do filo por *simples dilatação*, ou por simples engrossamento de sua haste inicial. A não ser que se trate de um ramo que chegou aos limites de sua potência evolutiva, esse caso elementar nunca se realiza rigorosamente. Por mais decisiva e triunfante que seja a solução fornecida pela nova forma aos problemas postos pela existência, essa solução admite, com efeito, um certo número de variantes, as quais, por apresentar cada uma suas vantagens próprias, não têm qualquer motivo, nem qualquer poder para se eliminarem reciprocamente. Assim se explica o fato de tender o filo, à medida que engrossa, a se dissociar em filos secundários, correspondendo cada qual a uma variante ou a um harmônico[53] do tipo fundamental. Ele se rompe, de alguma forma, ao longo de sua frente de alargamento. Subdivide-se qualitativamente, ao mesmo tempo em que, quantitativamente, se estende. É a disjunção que recomeça. Ora as novas subdivisões parecem corresponder apenas a diversificações superficiais, — efeitos do acaso ou de uma exuberante fantasia. Ora, pelo contrário, elas representam acomodações precisas do tipo geral a necessidades ou a habitats[54] particulares. Assim aparecem os raios ("radiações")[55] tão claramente acentuados, como vamos ver, no caso dos Vertebrados. Como é de se esperar, o mecanismo tende a funcionar de novo, de modo mais atenuado, no interior de cada raio. Estes, por sua vez, não tardam, pois, a manifestar os índices de uma re-segmentação em forma de leque. E teoricamente o processo não tem fim. Na verdade a experiência demonstra que o fenômeno não tarda a amortecer. Bem depressa, a formação de leques se detém; e a dilatação terminal dos ramos se produz sem mais qualquer divisão ulterior apreciável.

O aspecto mais geral apresentado por um Filo desabrochado é finalmente o de um *verticilo*[56] *de formas consolidadas.*

E é então que, dando o último retoque ao fenômeno inteiro, descobre-se, no âmago de cada peça do verticilo, sua inclinação profunda para a Socialização.[57] Quanto à Socialização, devo repetir aqui o que dizia anteriormente, de modo geral, do poder vital de Associação. Posto que, na Natureza, os agrupamentos definidos de indivíduos ou conjuntos organizados e diferenciados são relativamente raros (Térmitas,[58] Himenópteros,[59] Homens...) estaríamos arriscados a ver neles apenas um traço excepcional da Evolução. Contrariamente a essa impressão primeira, uma observação mais atenta não tarda a reconhecer que eles revelam uma das leis mais essenciais da Matéria organizada. — Último método empregado pelo grupo vivo para aumentar, por coerência, sua resistência à destruição e seu poder de conquista? Meio útil, sobretudo, imaginado por ele, de multiplicar sua riqueza interna por colocação dos recursos em comum?... Qualquer que seja a sua razão profunda, o fato está diante de nós. Tendo alcançado, ao cabo de cada raio verticilar, sua forma definitiva, os elementos de um filo tendem a aproximar-se e a socializar-se tão seguramente quanto os átomos de um corpo sólido tendem a cristalizar.

Uma vez realizado esse último progresso no reforço e na individualização das extremidades de seu leque, pode-se dizer que o Filo atingiu sua plena maturidade. A partir desse momento, ele vai durar até que, por enfraquecimento interno ou por competição externa, se rarefaz e acha-se por fim eliminado. Então, se excetuamos a sobrevivência acidental de algumas linhagens fixadas para sempre, sua história está encerrada, — a menos que, por um fenômeno de auto-fecundação, ele se ponha outra vez, num ou noutro de seus pontos, a lançar um novo rebento.

Para compreender o mecanismo dessa revivescência, é preciso ainda uma vez retornar à idéia ou símbolo do tenteio. A formação de um verticilo, dissemos, explica-se primeiro pelo fato de que o filo tem que se pluralizar para enfrentar necessidades ou possibilidades diversas. Mas precisamente porque o número de raios vai crescendo e porque cada raio que se expande aumenta ademais o número dos indivíduos, são os "ensaios", as "experiências" que se vão multiplicando também. Um leque na extremidade do filo é uma floresta de antenas exploradoras. Que uma dessas antenas encontre por acaso a fissura, a fórmula que dá acesso a um novo compartimento de Vida: então, em lugar de se fixar ou de culminar em diversificações monótonas, o ramo recupera nesse ponto toda a sua mobilidade. *Entra em mutação.*[60] Pela via aberta, uma pulsação de Vida parte de novo, logo levada, sob a influência das forças combinadas de agregação e de disjunção, a se dividir por sua vez em verticilos. É um novo filo que surge, que cresce e que, sem necessariamente abafar nem esgotar o Ramo sobre o qual nasceu, desabrocha acima dele. Esperando talvez que de si mesmo germine um terceiro ramo, e depois um quarto, — desde que a direção seja boa e desde que o equilíbrio geral da Biosfera o permita.[61]

C) EFEITOS DE LONGES

Assim, pois, pelo próprio ritmo de seu desenvolvimento, cada linha de Vida vai se contraindo e se dilatando alternativamente. Um rosário de "nós" e de "ventres", — uma seqüência de pedúnculos estreitos e de folhas desdobradas; tal é a sua figura.

Esse esquema, porém, só corresponde a uma representação teórica do que se passa. Para ser *visto* tal qual, suporia uma testemunha terrestre presenciando simultaneamente a duração inteira; e um tal observador não passa de uma monstruosidade imaginária. Na realidade das coisas, a ascensão da Vida só nos pode aparecer quando apreendida a partir de um instante muito breve, isto é, através de uma enorme espessura de tempo *decorrido*. O que é dado à nossa experiência, o que por conseguinte constitui "o fenômeno", não é pois o movimento evolutivo em si: é esse movimento, mas uma vez corrigida a sua alteração por *efeitos de longes*. Ora, como vai se exprimir essa alteração? — Muito simplesmente por acentuação (rapidamente crescente com a distância) da estrutura em leques nascida das irradiações filéticas da Vida; o que, aliás, se produz de duas maneiras diferentes: primeiro por exagero da dispersão aparente dos filos, e em seguida por supressão aparente de seus pedúnculos.

Exagero da dispersão aparente dos filos. — Este primeiro jogo de perspectiva, sensível a todos os olhos, decorre do envelhecimento e da "dizimação" dos ramos vivos por efeito da idade. Na natureza atual, já não subsiste para nós senão um número ínfimo dos organismos que brotaram sucessivamente no tronco da Vida. E, por mais diligente que seja a Paleontologia, jamais conheceremos muitas das formas extintas. Em conseqüência dessa destruição, formam-se continuamente falhas na fronde das formas vegetais e animais. E esses vazios se tornam cada vez mais hiantes à medida que descemos para as origens. Ramos secos que se quebram. Queda das folhas. Outros tantos intermediários morfológicos que desaparecem e cuja ausência dá tantas vezes às linhagens sobreviventes o aspecto de hastes descarnadas e solitárias. A mesma Duração que, por um lado, multiplica suas criações para a frente, empenha-se, por outro, com igual firmeza, em rarefazê-las para trás. Com esse gesto separa-as, isola-as cada vez mais perante nossos olhos, – ao mesmo tempo em que, por um outro processo mais sutil, nos dá a ilusão de as ver flutuar como nuvens, sem raízes, sobre o abismo dos séculos passados.

Supressão dos pedúnculos. — Desde os tempos heróicos de Lamarck e de Darwin,[62] a tática favorita empregada contra os transformistas tem sido sempre a de lhes lembrar a impossibilidade em que se encontram de provar *com vestígios materiais* o *nascimento* de uma espécie. "Sem dúvida, diz-se a eles, vocês nos mostram no passado, a sucessão de formas diversas, – e até, vá lá, a transformação dessas formas dentro de certos limites. Mas, por mais primitivos que sejam, o primeiro Mamífero de vocês já é um Mamífero; o primeiro Equídeo de vocês já é um cavalo; e assim por diante. Há, talvez, portanto, evolução no interior do tipo. Mas não há aparecimento do tipo por evolução." Assim continuam a falar os sobreviventes, cada vez mais raros, da escola fixista.[63]

Independentemente de todo argumento tirado, como o veremos, da acumulação incessante das evidências paleontológicas, há uma resposta mais radical (ou antes, uma rejeição categórica) a opor a essa objeção: negar o seu pressuposto. O que os anti-transformistas estariam a exigir, no fundo, é que se lhes mostre o "pedúnculo" de um filo. Ora essa exigência é desproposidada ao mesmo tempo que inútil. Porque, para satisfazê-la, seria preciso modificar a própria ordem do Mundo e as condições de nossa percepção.

Nada, por natureza, é tão delicado e fugaz quanto um começo. Enquanto um grupo zoológico é jovem, seus caracteres permanecem indecisos. Sua construção é frágil. Suas dimensões são fracas. São poucos, relativamente, os indivíduos que o compõem e estes mudam rapidamente. Tanto no espaço como na duração, o pedúnculo (ou, o que vem a dar no mesmo, o rebento) de um ramo vivo corresponde a um mínimo de diferenciação, de expansão e de resistência. Como irá, pois, agir o Tempo sobre essa zona débil?

Inevitavelmente, destruindo-a em seus vestígios.

Irritante, mas essencial fragilidade das origens, de que deviam se compenetrar todos aqueles que se ocupam de história![64]

Em todos os domínios, quando uma coisa verdadeiramente nova começa a despontar ao nosso redor, nós não a distinguimos, – pela simples razão de que, para apercebê-la em seus inícios, ser-nos-ia preciso ver seu desabrochar no futuro. E quando, tendo essa mesma coisa crescido, nós nos voltamos para trás a fim de redescobrir o seu germe e os seus esboços iniciais, são esses primeiros estádios, por sua vez, que se ocultam, destruídos ou esquecidos. Onde estão, tão próximos de nós contudo, os primeiros Gregos e os primeiros Latinos? Onde estão os primeiros teares, os primeiros veículos, os primeiros lares? Onde estão (já!) os primeiros modelos de automóveis, de aviões, de cinemas?... No campo da Biologia, da Civilização, da Lingüística, por toda parte, tal como a borracha entre as mãos de um artista, o Tempo apaga cada linha tênue nos desenhos da Vida. Por um mecanismo cujo detalhe, em cada caso, parece inevitável e acidental, mas cuja universalidade prova que ele reflete uma condição fundamental de nosso conhecimento, embriões, pedúnculos, fases iniciais de crescimento, quaisquer que sejam, vão se esvanecendo para trás sob os nossos olhos. Afora os máximos fixados, afora os aperfeiçoamentos consolidados, nada (nem sob a forma de "testemunhos", nem sequer em estado de vestígios) subsiste daquilo que existiu antes de nós. Em outras palavras, só os alargamentos terminais dos leques se prolongam até o presente por seus sobreviventes, ou por seus fósseis.

Nada de admirar, por isso mesmo, que as coisas, retrospectivamente, nos pareçam surgir *já todas prontas*.[65]* Automaticamente, por absorção seletiva dos séculos, é o movediço que tende a desaparecer de nossas perspectivas para se resolver, no domínio inteiro do Fenômeno, numa sucessão descontínua de planos e de estabilidades.[66]*

Assim, por efeito destrutivo do Passado superpondo-se a um efeito construtivo de Crescimento, acabam de se desenhar e de salientar, aos olhos da Ciência, as ramificações da Árvore da Vida.

Tentemos ver esta última na sua realidade concreta e tentemos medi-la.

3. A Árvore da Vida

A) AS GRANDES LINHAS

a) *Uma Unidade Quantitativa de Evolução: a Camada dos Mamíferos*

Das observações precedentes resulta imediatamente que, para bem apercebermos a Árvore da Vida, temos de começar "por ajustar a vista" sobre essa porção de sua ramagem onde não se tenha exercido senão moderadamente a ação corrosiva do Tempo. Nem perto demais, para não sermos incomodados pelas folhas, nem longe demais, para abrangermos ainda ramos suficientemente frondosos.

Onde encontrar, no seio da Natureza atual, essa região privilegiada? Com toda a certeza, na grande família dos Mamíferos.

Sabemo-lo positivamente pela Geologia; e uma simples inspeção de sua estrutura interna bastaria para prová-lo: no conjunto, se a Humanidade representa um grupo ainda "imaturo", os Mamíferos, esses, formam um grupo ao mesmo tempo adulto e *fresco*. Plenamente desabrochado apenas no decurso do Terciário, seu conjunto deixa ainda entrever um número apreciável de seus mais delicados apêndices. Eis por que ele constitui desde o princípio, e eis por que continua a constituir ainda um domínio de escol para o despertar e o desenvolvimento das idéias transformistas.

Observemo-lo, pois, aqui nas suas grandes linhas (Fig. 1), — limitando todavia, para começar, o campo de nossas investigações à sua parte mais jovem e mais progressiva: os Mamíferos placentários.[67*]

De um ponto de vista evolutivo (poder-se-ia mesmo dizer "fisiológico") os Mamíferos placentários, tomados em bloco, constituem o que eu chamarei aqui convencionalmente de um *Biota*. Por biota eu entendo um agrupamento verticilar cujos elementos não somente se acham aparentados por nascimento, mas também se sustentam e se completam mutuamente no esforço para subsistirem e se propagarem.[68]

Para começar a compreender esse ponto importante, posto em evidência com predileção pela Escola americana de Paleontologia, basta observar, sob a luz adequada, a repartição das formas animais mais familiares a cada um de nós. Aqui os Herbívoros[69] e os Roedores,[70] que tiram diretamente seu alimento do ramo vegetal, e ali os Insetívoros,[71] parasitando de um modo similar o ramo "artrópode"[72] da Vida. Aqui ainda os Carnívoros,[73] que subsistem uns dos outros, — e ali os Onívoros,[74] que comem a todas as mesas ao mesmo tempo. Tais são as quatro *Radiações* mestras,[75] que coincidem em essência com a divisão geralmente admitida dos filos.

Consideremos agora esses quatro raios ou setores um após outro, separadamente. Eles vão se subdividir, clivando-se cada um, perfeitamente à vontade, em unidades subordinadas. Seja, por exemplo, o mais robusto dentre eles, nas nossas atuais perspectivas: o dos Herbívoros. Conforme dois modos diferentes escolhidos para transformar a extremidade dos membros em patas corredoras (por hiperdesenvolvimento de dois dedos, ou então apenas do dedo médio), vemos surgir duas grandes famílias, os Artiodátilos[76] e os Perissodátilos,[77] cada uma delas formada por um feixe de vastas linhagens distintas. Aqui, entre os Perissodátilos, a multidão obscura dos Tapirídeos,[78] — o breve mas espantoso raminho dos Titanotérios,[79] — os Calicotérios[80] de garras escavadoras que o Homem talvez tenha visto ainda, — a tribo dos Rinocerotídeos, inermes ou corníferos,[81] — e finalmente os Eqüidas solípedes,[82] arremedados na América do Sul por um filo inteiramente independente. Ali, entre os Artiodátilos, os Suídeos,[83] os Camelídeos,[84] os Cervídeos[85] e os Antilopídeos,[86] — sem falar de outras hastes menos vivazes, mas identicamente individualizadas e interessantes aos olhos da Paleontologia. E nada dissemos do grupo denso e possante dos Proboscídeos...[87] — De acordo com a regra de "supressão dos pedúnculos",[88] cada uma dessas unidades mergulha

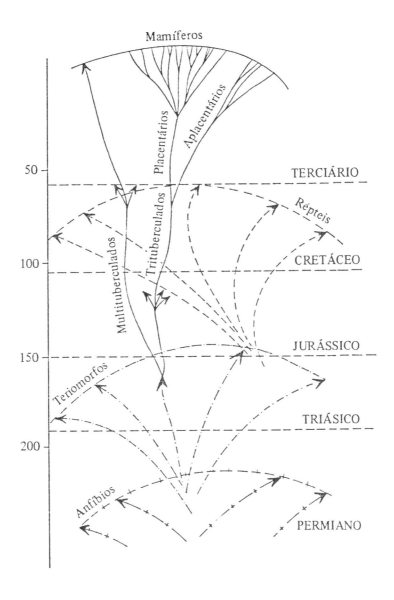

Fig. 1. Esquema simbolizando o desenvolvimento em camadas de Tetrápodes (excluídas as Aves). As cifras à esquerda exprimem os *milhões* de anos. Para pormenores, ver o texto.

pela base nas brumas do Passado. Mas, uma vez aparecidas, podemos também segui-las, todas e cada uma delas, nas fases principais de sua expansão geográfica; nas suas subdivisões sucessivas em sub-verticilos,[89] quase indefinidamente; no exagero, enfim, por ortogênese, de certos caracteres ósseos, dentários ou cranianos, que acabam habitualmente por torná-los monstruosos ou frágeis.

Isso é tudo? — Ainda não. Sobrepondo-se a essa floração de Gêneros e de Espécies saídos das quatro Radiações fundamentais, distinguimos uma outra rede que corresponde às tentativas feitas, aqui e ali, para abandonar a vida terrestre, e ocupar o ar, a água, ou até as profundezas do solo. Ao lado das formas, talhadas para a corrida, eis as formas arborícolas e mesmo voadoras; as formas nadadoras; as formas escavadoras. Umas (Cetáceos[90] e Sirênios[91]) aparentemente derivadas, com uma surpreendente velocidade, dos Carnívoros e dos Herbívoros. Outras (Quirópteros,[92] Toupeiras e Ratos-toupeiras[93]) fornecidas sobretudo pelos elementos mais antigos do grupo placentário: Insetívoros e Roedores, dois grupos que datam ambos do fim do Secundário.

Se considerarmos apenas em si mesmo esse conjunto funcional tão elegantemente equilibrado, não podemos fugir à evidência de que ele representa um agrupamento *sui generis*, orgânico e natural. Esta convicção é ainda maior quando nos damos conta de que ele não corresponde a um caso excepcional e isolado, mas que unidades semelhantes têm surgido periodicamente ao longo da História da Vida. Citemos apenas dois exemplos disso, sem sairmos ainda dos Mamíferos.

Durante o terciário, ensina a Geologia, um fragmento do Biota placentário, então em plena evolução, achou-se isolado pelo mar e aprisionado na metade meridional do continente americano. Ora, como reagiu esse bacelo[94] ao seu isolamento? Exatamente como uma Planta, — isto é, reproduzindo, em menor escala, o desenho do tronco de que se encontrava separado. Pôs-se a brotar seus pseudo-Proboscídeos, seus pseudo-Roedores, seus pseudo-Cavalos, seus pseudo-Símios[95] (os Platirrínios[96])... Todo um Biota em miniatura (um sub-Biota) no interior do primeiro!

E eis agora o segundo exemplo. Ele nos é fornecido pelos Marsupiais.[97]

A julgarmos por seu modo relativamente primitivo de reprodução, e também por sua distribuição geográfica atual, manifestamente descontínua e residual, os Marsupiais (ou Aplacentários[98]) representam um escalão à parte na base dos Mamíferos. Eles devem ter desabrochado mais cedo que os Placentários e formado, anteriormente a estes, o seu próprio Biota. No conjunto, excetuados alguns tipos estranhos (qual um pseudo-*Machairodus* recentemente encontrado em estado fóssil na Patagônia[99]*) esse Biota marsupial desapareceu sem deixar vestígios. Em compensação, um de seus sub-biotas, desenvolvido e conservado acidentalmente, também por isolamento, desde antes do Terciário, na Austrália, suscita ainda a admiração dos naturalistas pela nitidez de seus contornos e por sua perfeição. A Austrália, quando foi descoberta pelos Europeus,[100] não era habitada, como todos sabem, senão por Marsupiais[101]*, mas por Marsupiais de todos os tamanhos, de todos os habitats e de todas as formas: Marsupiais herbívoros e corredores, Marsupiais carnívoros, Marsupiais insetívoros, Marsupiais-ratos, Marsupiais-toupeiras etc.... Impossível imaginar um exemplo mais impressionante do poder inerente a qualquer filo para se diferenciar numa espécie de organismo fechado, fisiologicamente completo.

Isto bem colocado, elevemo-nos para observar o vasto sistema composto pelos Biotas placentário e aplacentário tomados em conjunto. Bem depressa, os zoólogos notaram que, em todas as formas de que se compõem esses dois grupos, os dentes molares consistem essencialmente em três tubérculos,[102] que se engrenam de um maxilar para o outro, de cima para baixo. Traço insignificante em si mesmo, mas tanto mais intrigante por sua constância. Como explicar a universalidade de um caráter tão acidental? — A chave do enigma nos foi dada por uma descoberta feita em certos terrenos jurássicos da Inglaterra. No jurássico médio, súbito entrevemos uma primeira pulsação dos Mamíferos, — um mundo de bichinhos não maiores que Ratos ou Musaranhos.[103] Pois bem, nesses minúsculos animais, já extraordinariamente variados, o tipo dentário não está ainda fixado, como na Natureza atual. Entre eles já se reconhece o tipo trituberculado. Mas, ao lado desse observam-se todas as espécies de outras combinações diferentes no desenvolvimento dos tubérculos e no seu modo de oposição aos molares. E essas outras combinações foram de há muito eliminadas! Impõe-se uma conclusão. Salvo talvez o Ornitorrinco[104] e a Équidna[105] (essas formas ovíparas[106] paradoxais em que já se pensou encontrar um prolongamento dos "Multituberculados"[107]), os Mamíferos existentes derivam todos de um feixe estreitamente único. Tomados todos juntos, representam apenas (no estado de desabrochamento) *um só dos múltiplos raios* em que se dividia o verticilo jurássico dos Mamíferos: *os Trituberculados.*[108]*

Nesse ponto, quase que atingimos os limites daquilo que a opacidade do Passado deixa transparecer. Mas abaixo, salvo a existência provável, bem no fim do Triásico, de ainda um outro verticilo ao qual se ligariam os Multituberculados, a história dos Mamíferos se perde na noite.

Pelo menos, ao redor e para cima, seu grupo, naturalmente isolado pela ruptura de seu pedúnculo, destaca-se com nitidez e individualidade suficientes para que o tomemos como *unidade prática* de "massa evolutiva".

Chamemos *Camada*[109] a essa unidade.

Vamos sem mais tardar ter a oportunidade de utilizá-la.

b) *Uma Camada de Camadas: os Tetrápodes*

Quando se trata de medir a distância das nebulosas, os astrônomos se utilizam de anos-luz.[110] Se quisermos, a partir dos Mamíferos, alargar e prolongar para baixo nossa visão da Árvore da Vida, será por Camadas, então, que teremos de contar.

E, para começar, as dos Répteis[111] do Secundário.

Quando o perdemos de vista, abaixo do Jurássico, não é numa espécie de vazio que o ramo dos Mamíferos se evapora. Antes uma espessa folhagem viva, de aspecto inteiramente diverso, envolve-o e recobre-o: Dinossauros,[112] Pterossauros,[113] Ictiossauros,[114] Crocodilídeos[115] e tantos outros monstros menos familiares aos não-iniciados na Paleontologia. Nesse conjunto, as distâncias zoológicas entre as formas são nitidamente maiores que entre as Ordens de Mamíferos. Três caracteres, contudo, saltam aos olhos. Primeiro, trata-se aqui, de um sistema ramificado. Nesse sistema, em seguida, os ramos se apresentam num estádio já avançado, ou mesmo terminal, de desabrochamento. Enfim, tomado no seu todo, o grupo inteiro não representa outra coisa senão um imenso, e talvez complexo, Biota. Aqui os Herbívoros, muitas vezes gigantescos. Ali seus satélites e seus tiranos, os Carnívoros, maciços ou saltadores. Acolá os Voadores com suas membranas de Morcegos[116] ou suas plumas de Pássaros. E, para terminar, os Nadadores, tão esguios quanto os Golfinhos.[117]

De longe, esse mundo dos Répteis surge-nos mais comprimido que o dos Mamíferos; no entanto, sua longevidade, avaliada por sua expansão e por sua complicação finais, só pode ser imaginada pelo menos igual. Em todo o caso, ele se esfuma, em profundidade, da mesma maneira. Lá pelo meio do Triásico, os Dinossauros são ainda reconhecíveis. Mas emergem precisamente então de uma outra Camada, — esta quase próxima de seu declínio: a dos Répteis permianos, caracterizada sobretudo pelos Teriomorfos.[118]

Maciços e disformes, e também raros em nossos museus, os Teriomorfos são muito menos populares que o *Diplódoco*[119] e os Iguanodontes.[120] Isso não os impede de assumirem uma importância cada vez maior no horizonte da Zoologia. Considerados de início como seres singulares e aberrantes, estreitamente confinados na África do Sul, estão agora definitivamente identificados como representando, por si sós, um estádio completo e particular da Vida vertebrada continental. Em dado momento, antes dos Dinossauros, antes dos Mamíferos, foram eles que ocuparam e possuíram todo o solo que o mar não recobria, ou mais ainda, bem firmados como já estavam sobre seus membros fortemente articulados, providos freqüentemente de dentes molariformes, foram eles, devemos dizer, os primeiros Quadrúpedes[121] que se instalaram solidamente sobre a terra firme. Quando nos apercebemos de sua presença, sobejam em formas estranhas, — corníferas, cristadas, armadas de defesas — que indicam (como sempre!) um grupo chegado ao termo de sua evolução. Grupo bastante monótono, de fato, sob suas extravagâncias superficiais, — e no qual, por conseqüência, não se distinguem ainda claramente as nervuras de um verdadeiro Biota. Grupo fascinante, contudo, pela expansão e pelas potencialidades de seu verticilo. De um lado, as imutáveis Tartarugas.[122] E, no outro extremo, tipos extremamente progressivos por sua agilidade e pela estrutura de seu crânio, entre os quais temos todas as razões para pensar que irrompeu a haste, por longo tempo adormecida, dos Mamíferos.

E depois, novo "túnel". — A tais distâncias, sob o Peso do Passado, as seções de duração se estreitam rapidamente. Quando, na base e abaixo do Permiano, discernimos uma outra superfície da Terra habitada, esta não é mais povoada senão por Anfíbios[123] que rastejam sobre a vasa. Os anfíbios: um fervilhar de corpos atarracados ou serpentiformes, entre os quais é muitas vezes difícil distinguir os adultos das formas larvares; pele nua ou couraçada; vértebras tubulares[124] ou em mosaico de ossículos... Aqui ainda, conforme a regra geral, só chegamos a apreender um mundo já altamente diferenciado, — prestes a se extinguir. Nesse pulular, quantas e quantas Camadas, talvez ainda confundidas por nós, através dos sedimentos cuja espessura e desmesurada história ainda apreciamos mal. Uma coisa, pelo menos, é certa: nesse estádio, surpreendemos um grupo animal em vias de emergir das águas nutrizes em que se havia formado.

Ora, nessa estréia inaugural de sua vida sub-aérea, os Vertebrados se apresentam a nós com um caráter surpreendente sobre o qual devemos refletir. Em todos eles, a fórmula do esqueleto é a mesma, e particularmente idêntica (deixemos de lado as maravilhosas homologias do crânio[125]) quanto ao número e à disposição dos membros ambulatórios. Onde encontrar uma razão dessa similitude?

Que todos os Anfíbios, Répteis e Mamíferos tenham quatro patas e somente quatro patas, poderia em rigor explicar-se por mera convergência para um modo particularmente simples de locomoção (os Insetos, entretanto, não têm nunca menos de seis patas...). Mas como justificar, unicamente por razões mecânicas, a estrutura tão semelhante desses quatro apêndices? À frente, o úmero único,[126] depois os dois ossos do antebraço, depois os cinco raios da mão?... Não está aí, novamente, uma dessas combinações acidentais que só podem ter sido descobertas e realizadas *uma única vez*? Eis então aqui, de novo, a conclusão já imposta ao nosso espírito, no caso dos Mamíferos, pela trituberculia. Apesar de sua extraordinária variedade, os animais terrestres pulmonados nada mais representam senão variações arquitetadas sobre uma solução absolutamente particular da Vida.

É pois num raio único que, prolongando-se em direção de suas origens, se redobra e se fecha o imenso e complexo leque dos Vertebrados caminhadores.

Um único pedúnculo para encerrar e definir na sua base *uma Camada de Camadas: o mundo da Tetrapodia.*[127]

c) *O Ramo dos Vertebrados*

No caso dos Mamíferos, pudemos apreender o verticilo donde se isolou e se projetou o raio "trituberculado". No que concerne à origem dos Anfíbios, a Ciência está menos adiantada. Não poderíamos todavia hesitar acerca da única região de Vida onde pôde se formar, entre outras combinações tentadas, a Tetrapodia. Esta deve ter germinado algures no meio dos Peixes de barbatanas lobadas e "membriformes"[128] cuja Camada, outrora vivaz, já não sobrevive hoje em dia senão através de alguns fósseis vivos: os Dipneustas (ou Peixes pulmonados)[129] e, surpresa recentíssima, um "Crossopterígio", ultimamente pescado nos mares austrais.[130]

Superficialmente "homogeneizados" por adaptação mecânica à natação, os Peixes (melhor seria dizer os Pisciformes)[131] são monstruosamente complexos em seu conjunto. Quantas Camadas, sobretudo aqui, acumuladas e confundidas sob o mesmo vocábulo?... Camadas relativamente jovens, que se desenvolveram nos Oceanos na própria época em que, sobre os Continentes, se expandiam as dos Tetrápodes. Camadas antigas, bem mais numerosas ainda, que terminam muito embaixo, perto do Siluriano, num verticilo fundamental donde divergem ante os nossos olhos dois raios principais: os Pisciformes sem mandíbulas, com uma só narina, representados na natureza atual unicamente pela Lampreia;[132] e os Pisciformes de mandíbulas, com duas narinas, *donde saiu todo o resto.*

Depois do que eu disse mais atrás sobre o encadeamento das formas terrestres, não tentarei agora suscitar e desarticular este outro mundo. Chamarei antes a atenção para um fato de ordem diferente que encontramos aqui pela primeira vez. Os mais antigos Peixes que conhecemos são, na maioria, fortemente, anormalmente até, couraçados.[133]*

Mas sob esse primeiro ensaio, bastante infrutuoso aparentemente, de consolidação pelo exterior, dissimulava-se um esqueleto ainda totalmente cartilaginoso.[134] À medida que os seguimos para baixo, os Vertebrados nos aparecem cada vez menos ossificados interiormente. E assim se explica o fato de que, mesmo nos sedimentos que permaneceram intactos no decorrer das idades, percamos completamente os seus vestígios. Ora, nesse caso particular encontramos um fenômeno geral de grande importância. Qualquer que seja o grupo vivo que consideremos, este acaba sempre por se perder em profundidade no *domínio do Mole*. Modo infalível de fazer desaparecer o seu pedúnculo...[135]

Abaixo do Devoniano, portanto, os Pisciformes entram numa espécie de fase fetal ou larvar, – não fossilizável. E, não fosse a sobrevivência acidental do estranho *Anfioxo*,[136] não teríamos a menor idéia dos múltiplos escalões pelos quais se deve haver construído o tipo Cordado,[137] até o ponto em que se achou pronto para encher as águas, enquanto esperava para invadir a terra.

Assim se encerra e se delimita na base, por um vazio maior, o enorme edifício de todos os Quadrúpedes e de todos os Peixes, *O Ramo dos Vertebrados*.

d) *O Resto da Vida*

Com o *Ramo*[138] temos o mais vasto tipo de conjunto definido reconhecido ainda pela Sistemática no interior da Biosfera. Dois outros Ramos, e dois somente, contribuem, além dos Vertebrados, para a formação da ramagem-mestra da Vida: o dos Vermes[139] e Artrópodes[140] e o dos Vegetais.[141] Um consolidado por meio de quitina ou de calcário,[142] o outro endurecido por meio de celulose,[143] ambos conseguiram, eles também, forçar a prisão das águas[144] e expandir-se possantemente na atmosfera. E é assim que Plantas e Insetos se entremeiam e lutam, na Natureza atual, com os animais ósseos, a ver quem mais ocupará o Mundo.

Para cada um desses dois outros Ramos seria possível, mas disso posso me eximir, recomeçar o trabalho de análise, empreendido nos parágrafos anteriores, sobre os Vertebrados. No alto, grupos frescos, ricos em tênues verticilos. Mais embaixo, Camadas com ramagens mais acentuadas, mas menos densas. Embaixo de tudo, o esvanecimento num mundo de formas quimicamente inconsistentes. A mesma figura geral de desenvolvimento. Mas, porque neste caso os Ramos são evidentemente mais velhos; maior é a complicação; e, no caso dos insetos, surgem até formas extremas de socialização.

Parece indubitável que, nos abismos do Tempo, essas diversas linhas convergem para algum pólo comum de dispersão. Mas muito antes de se reunirem Cordados, Anelídeos[145] e Plantas (os dois primeiros Ramos aparentemente entre os Metazoários; – estes e as Plantas, somente ao nível dos seres unicelulares), seus respectivos troncos desaparecem num complexo de formas positivamente estranhas: Espongiários,[146] Equinodermos,[147] Polipeiros...: outros tantos esboços de respostas dadas ao Problema da Vida. Uma moita de Ramos abortados.

Tudo isso emerge sem dúvida (mas sem que possamos dizer como, tão profundo se tornou o corte, por efeito de Duração) de um outro mundo inverossimilmente velho e multiforme; Infusórios, Protozoários diversos, Bactérias, – células livres, nuas ou em carapaças, onde os Reinos da Vida se confundem e a Sistemática deixa de intervir. Animais ou Vegetais? Essas palavras não têm mais sentido. Empilhamento de Camadas e de Ramos, – ou "micélio"[148] de fibras confusas, como o de um Fungo? Já não sabemos. Como também não saberíamos dizer sobre o que germinou tudo isso. A partir do Pré-Cambriano, os Unicelulares[149] também perdem, por sua vez, todo ou qualquer esqueleto de sílica ou de calcário. E é, *pari passu*, na moleza dos tecidos e na metamorfose dos limos originais que se perdem definitivamente ao nosso olhar as raízes da Árvore da Vida.[150]

B) AS DIMENSÕES

Eis aí pois terminado, bem resumidamente, o quadro estrutural das formas recolhidas e etiquetadas, desde Aristóteles[151] e Lineu,[152] pelo labor paciente dos naturalistas. No decurso da descrição, empenhamo-nos já em fazer sentir a enorme complexidade do Mundo que procurávamos ressuscitar. Falta-nos contudo, num último esforço de visão, tomar mais explicitamente consciência dessas dimensões prodigiosas — perante o conjunto todo inteiro. Espontaneamente, nosso espírito se inclina sem cessar não apenas a esclarecer (o que é a sua função) mas também a estreitar e a encurtar as realidades que toca. Ele cede, por lassidão, sob o peso das distâncias e das multidões. Depois de haver, bem ou mal, desenhado a expansão da Vida, importa então restituirmos aos elementos de nosso esquema suas verdadeiras dimensões: tanto em número quanto em volume e em duração.[153]

Tentemo-lo.

Em número, primeiro. Para ser mais simples, nosso esboço do mundo animado teve que se fazer por meio de largas seções coletivas: Famílias, Ordens, Biotas, Camadas, Ramos... Ora, ao manejar essas diversas unidades, acaso suspeitávamos das multidões com que estávamos realmente lidando? — Se alguém quer tentar pensar ou escrever a Evolução, que vá portanto, antes de mais nada, percorrer um desses grandes museus, dos quatro ou cinco que existem no mundo, onde (à custa de esforços cujo heroísmo e valor espiritual acabarão por ser um dia compreendidos) uma legião de viajores logrou condensar, em poucas salas, o espectro inteiro da Vida. Uma vez lá dentro, que olhe, sem se preocupar com os nomes, — mas tão-somente para se deixar impregnar por aquilo que o rodeia. Aqui, o universo dos Insetos, onde as "boas" espécies se contam por dezenas de milhares. Ali, os Moluscos,[154] outros tantos milhares, inesgotavelmente diversos em suas marmoreações[155] e seus enrolamentos. E depois os Peixes,[156] tão inesperados, caprichosos e de variegados matizes como as Borboletas.[157] E depois as Aves,[158] quase tão fantasistas, — de todos os talhes, de todos os bicos, de todas as cores. E depois os Antílopes,[159] de todas as roupagens, de todos os portes, de todas as galhas. Etc. Etc. Sob cada uma das palavras que apenas evocavam à nossa imaginação uma dúzia de formas pacatas, que multiplicidade, que ímpeto, que efervescência! E são apenas os sobreviventes que temos à nossa vista. Que seria, se pudéssemos ver também todo o resto... Em todas as épocas da Terra, em todos os escalões da Evolução, outros Museus teriam registrado a mesma ebulição, a mesma exuberância. Postos lado a lado, as centenas de milhares de nomes inscritos nos catálogos de nossa Sistemática não representam um milionésimo das folhas que despontaram até hoje na Árvore da Vida.

Em Volume, agora. Qual é, quero eu dizer com isso, a importância relativa, em quantidade, dos diversos grupos zoológicos e botânicos na natureza? Qual é a parte que cabe, materialmente, a cada um deles no conjunto geral dos seres organizados?

Para dar uma idéia sumária dessa proporção, reproduzo aqui (Fig. 2) o expressivo quadro onde um mestre naturalista, o Sr. Cuénot,[160] se compraz em delinear, segundo os dados mais recentes da Ciência, um mapa do Reino animal, com suas principais divisões. Mapa de posição, mais que de estrutura, que responde, porém, exatamente à pergunta que faço.

Olhemos esse esquema. Não é um choque, ao primeiro relance, para o nosso espírito, — a espécie de choque que sentimos quando um astrônomo nos mostra o sistema solar como uma simples estrela, — e todas as nossas estrelas como uma só Via-Láctea,[161] — e a nossa Via-Láctea como um átomo entre as outras Galáxias?...[162] Que são os Mamíferos, em que se resumem habitualmente para nós a idéia e imagem do "animal"? Pobre lóbulo,[163] que eclodiu tardiamente no tronco da Vida. E, em contrapartida, ao redor deles? e ao lado? e abaixo?... Que pulular de tipos rivais, de cuja existência, grandeza e multidão nem sequer desconfiávamos! Seres misteriosos que pudemos ver, ocasionalmente, a saltitar entre as folhas secas ou a se arrastarem por uma praia, — sem nunca nos perguntarmos o que significavam nem donde vinham. Seres insignificantes pelo tamanho, e hoje talvez pelo número... Essas formas menosprezadas surgem-nos agora sob a sua verdadeira luz. Pela riqueza de suas modalidades, pelo tempo que foi necessário à Natureza para as produzir, cada uma delas representa um Mundo tão importante quanto o nosso. *Quantitativamente* (note-se bem), não somos senão uma dentre elas, e a última que surgiu.

Em duração, para terminar. E esta é, como de costume, a reconstituição difícil para a nossa imaginação. Mais invencivelmente ainda que os horizontes do Espaço, como já observei, estreitam-se e "encaixam-se uns nos outros", em nossas perspectivas, os planos do Passado. Como conseguir separá-los?

Para dar às profundidades da Vida seu verdadeiro relevo, ser-nos-á proveitoso, de começo, retornar ao que denominei acima a Camada dos Mamíferos. Porque essa Camada é relativamente jovem, temos uma certa idéia do tempo requerido para seu desenvolvimento, a partir do momento em que ela emerge francamente acima dos Répteis, no fim do Cretáceo. Todo o Terciário e um pouco mais. Nisso, uns 80 milhões de anos. *Admitamos* agora que, sobre o eixo de um mesmo Ramo zoológico, as Camadas se formem periodicamente, como os galhos ao longo do tronco de uma Conífera;[164] de modo que seus máximos de desabrochamento (os únicos claramente registráveis) se sucedam, no caso dos Vertebrados, de oitenta milhões em oitenta milhões de anos. Para obter, em ordem de grandeza, a duração de um intervalo zoológico, bastar-nos-á multiplicar por oitenta milhões de anos o número das Camadas observadas no intervalo considerado: pelo menos três Camadas, por exemplo, entre os Mamíferos e a base dos Tetrápodes. Os números tornam-se impressionantes. Mas coincidem bastante bem com as idéias que a Geologia tende a formular acerca da imensidade do Trias,[165] do Permiano e do Carbonífero.

Mais aproximadamente, de Ramo para Ramo, podemos tentar seguir um outro método. No interior de uma mesma Camada (retomemos a dos Mamíferos) somos capazes de avaliar confusamente o afastamento das formas entre si, — tendo essa dispersão requerido, repetimo-lo, uns 80 milhões de anos para se produzir. Isso posto, comparemos entre si Mamíferos, Insetos e Plantas Superiores. A menos que (o que é possível) os três Ramos em cuja extremidade esses três grupos florescem não divirjam exatamente de uma mesma cepa, mas tenham germinado separadamente sobre um mesmo "micélio",[166] que duração não foi necessária, que acumulação de períodos, para criar, entre um tipo e outro, essas gigantescas fissuras! — Aqui é a Zoologia fornecendo números que parecem desafiar os dados da Geologia. Mil e quinhentos milhões de anos apenas desde os mais antigos traços de Carbono[167] nos sedimentos, decidem os físicos, depois de terem calculado a porcentagem de Chumbo[168] num mineral radífero[169] do Pré-Cambriano. Mas os primeiros organismos, não são eles ainda anteriores a esses primeiros vestígios?

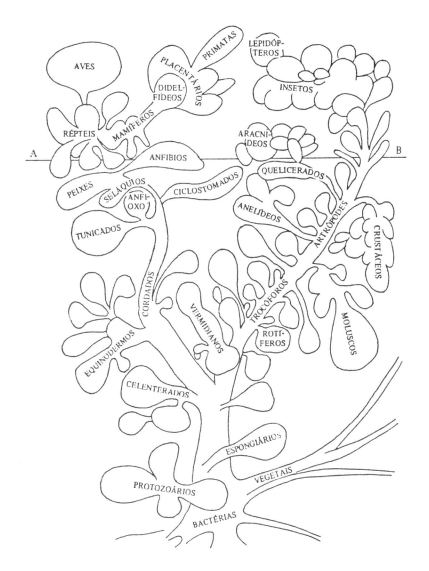

Fig. 2. A "Árvore da Vida", segundo Cuénot (Masson et Cie. Edit.). Nesta figura simbólica, cada lóbulo principal (ou cacho) equivale a uma "Camada" pelo menos tão importante (morfologicamente e quantitativamente) quanto a que é formada pelos Mamíferos tomados em conjunto. — Abaixo da linha AB, as formas são aquáticas; acima, vivem ao ar livre.

E depois, em caso de conflito, em qual dos dois cronômetros confiaremos para contar os anos da Terra? À lentidão de desagregação do Rádio[170] ou à lentidão de agregação da Matéria viva?

Se é preciso cinco mil anos para que uma simples *Sequóia*[171] atinja o seu pleno crescimento (e ninguém ainda viu uma *Sequóia* morrer de sua morte natural), qual pode ser exatamente a idade total da Árvore da Vida?...

C) A EVIDÊNCIA

E agora essa Árvore está aí, plantada diante de nós. Árvore estranha, sem dúvida. Negativo de árvore, poder-se-ia dizer: pois que, inversamente ao que se passa com os gigantes de nossas florestas, seus ramos, seu tronco não se manifestam aos nossos olhos senão por vazios de diâmetro crescente. Árvore também aparentemente estacionária, de tal forma nos parecem demorar a se abrir rebentos que jamais viremos a conhecer senão entreabertos. Mas árvore claramente desenhada, contudo, pela coma escalonada de sua folhagem de espécies visíveis. Em suas grandes linhas, em suas dimensões, essa copa se ergue ante os nossos olhos cobrindo a Terra. Antes de procurar penetrar no segredo de sua vida, olhemo-la bem. Pois, da simples contemplação de suas formas exteriores, resta-nos tirar uma lição e uma força: *o sentimento de sua evidência.*

Ainda há, pelo mundo afora, alguns espíritos que permanecem desconfiados ou céticos em matéria de Evolução. Conhecendo apenas pelos livros a natureza e os naturalistas, julgam que a batalha transformista prossegue sempre como no tempo de Darwin. E porque a Biologia continua a discutir os mecanismos pelos quais se devem ter formado as Espécies, imaginam que ela hesita, ou até que poderia hesitar ainda, sem se suicidar, sobre o fato e a realidade de um tal desenvolvimento.

A situação é já totalmente outra.

No decurso deste capítulo, consagrado aos encadeamentos do mundo organizado, pode ter causado espanto que eu não tenha ainda feito nenhuma menção das querelas, sempre vívidas, sobre a distinção do "soma" e do "germe",[172] sobre a existência e a função dos "genes",[173] sobre a transmissão ou não-transmissão dos caracteres adquiridos...[174] É que, no ponto em que estou do meu inquérito, essas questões não me interessam diretamente. Para preparar um quadro natural para a Antropogênese, e um berço para o Homem, – para garantir, quero dizer, a objetividade substancial de uma Evolução, – uma única coisa é com efeito necessária e suficiente: a saber, que uma filogênese geral da Vida (quaisquer que sejam, aliás, seu processo e sua mola) nos seja tão claramente reconhecível quanto a Ortogênese individual pela qual vemos passar, sem espanto, cada um dos seres vivos.[175]

Ora, desse crescimento global da Biosfera, uma prova quase mecânica se impôs ao nosso espírito, sem escapatória possível, pelo desenho material a que chegamos inevitavelmente a cada novo esforço envidado para fixar, ponto por ponto, os contornos e as nervuras do mundo organizado.

A ninguém ocorreria a idéia de pôr em dúvida a origem giratória das nebulosas espirais; ou a sucessiva agregação das partículas no seio de um cristal ou de uma estalagmite; ou a concrescência dos feixes lenhosos em torno do eixo de uma haste.

Certas disposições geométricas, perfeitamente estáveis aos nossos olhos, são o vestígio e o sinal irrefutável de uma Cinemática.[176] Como poderíamos nós hesitar, um instante que fosse, sobre as origens evolutivas da camada viva da Terra?[177]

Sob nosso esforço de análise, a Vida se descortica.[178] Desarticula-se, ao infinito, num sistema anatomicamente e fisiologicamente coerente de leques encaixados.[179]* Micro-leques, mal-delineados, das Sub-espécies e das Raças. Leques, já mais largos, das Espécies e dos Gêneros. Leques, cada vez mais desmesurados, dos Biotas, e, depois, das Camadas, e, depois, dos Ramos. E, para terminar, o conjunto inteiro, animal e vegetal, que forma apenas, por associação, um único gigantesco Biota, enraizando-se, como um simples raio talvez, em algum verticilo imerso no fundo do mundo mega-molecular. A Vida, um simples ramo, sobre outra coisa...

De alto a baixo, do maior ao mais pequeno, uma mesma estrutura visível, cujo desenho, reforçado pela própria distribuição das sombras e dos vazios, se acentua e se prolonga (*fora de qualquer hipótese!*) pela combinação quase espontânea dos elementos imprevistos que a cada dia vão se acrescentando. Cada nova descoberta – nenhuma, em realidade, é absolutamente "nova" – encontra o seu lugar natural no quadro traçado. Que mais é preciso para nos convencermos de que tudo isso *nasceu*, – de que tudo isso *cresceu*?...

A partir daí, podemos continuar, durante anos ainda, a discutir sobre a maneira como pode ter surgido esse organismo enorme. À medida que nos aparece melhor a alucinante complexidade de suas engrenagens, somos presas de vertigem. Como conciliar esse crescimento persistente com o determinismo das moléculas,[180] com o jogo cego dos cromossomos,[181] com a aparente incapacidade das conquistas individuais para se transmitirem por geração? Como, em outras palavras, conciliar a evolução externa, "finalista", dos *fenótipos*[182] com a evolução interna, mecanicista, dos *genótipos*?...[183] Não conseguimos mais compreender, à força de desmontá-la, como é que a máquina pode avançar. Talvez. Mas, entrementes, a máquina aí está diante de nós, – e funciona. Porque a Química balbucia ainda sobre a maneira como podem ter se formado os granitos, podemos contestar que os continentes vão incessantemente se granitizando?...[184]

Como todas as coisas num Universo onde o Tempo se instalou definitivamente (voltarei a esse ponto) a título de *quarta dimensão*,[185] a Vida é e não pode ser senão uma grandeza de natureza ou dimensões evolutivas.[186] Fisicamente e historicamente, ela corresponde a uma certa função X que define, no Espaço, na Duração e na Forma, a posição de cada um dos seres vivos. Eis o fato fundamental, que requer uma explicação, mas cuja *evidência*[187] está doravante acima de qualquer verificação, como também resguardada de qualquer desmentido ulterior da experiência.

Neste grau de generalidade, pode-se dizer que a "questão transformista" não existe mais.[188] Ela está definitivamente estabelecida. Para abalar, daqui por diante, nossa convicção da realidade de uma Biogênese,[189] seria preciso desenraizar a Árvore da Vida, minando toda a estrutura do Mundo.[190]*

NOTAS

1. Fisicamente, uma *Onda* é a perturbação periódica mediante a qual pode haver transporte de energia de um ponto a outro de um material ou do espaço vazio. Distinguem-se as *ondas materiais*, que se propagam por vibrações da matéria (gasosa, líquida ou sólida) e as *ondas eletromagnéticas*, devidas à vibração de um campo eletromagnético, sem qualquer suporte material. Entre as primeiras figuram, para freqüências compreendidas entre 8 e 30.000 por segundo, as *ondas sonoras*; os ultra-sons e os infra-sons têm, respectivamente, freqüências mais altas e mais baixas. As ondas eletromagnéticas compreendem, conforme o seu comprimento, desde os *raios gama* (mais curtos) até as *ondas de rádio* (mais longos). O comprimento é medido em Angstroms (Å), micrômetros (μm), centímetros (cm) e metros (m). Observe-se o gráfico:

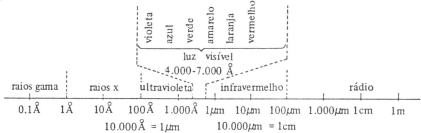

A *Mecânica Ondulatória* ou Quântica de Louis de Broglie (Prêmio Nobel 1929) associa uma onda imaterial às partículas em movimento. Eis por que o Autor afirma que o estudo do desenvolvimento de uma onda se reporta, basicamente, ao cálculo da pulsação de uma só partícula. A analogia é clara (e a seqüência do texto a evidencia): o estudo da propagação da Vida deve se reportar, basicamente, aos movimentos da partícula viva que é a célula.

2. Eis um posicionamento tipicamente *hiperfísico*: Teilhard se propõe a uma "representação" (quer dizer, uma re-presentação, uma tentativa de tornar presente, uma reprodução, uma exposição, uma descrição) da Evolução da Vida na Terra. E nesse ato descritivo, com base na pura observação científica, pretende uma representação "simplificada" (mera exposição, exibição) em relação à explicação filosófica. Afinal sua obra deve ser lida "como uma dissertação científica" (Cf. a *Advertência*). Fiel, contudo, ao seu *método fenomenológico* (estudo e compreensão de todo fenômeno e do fenômeno todo – Cf. nota 24 ao *Prólogo*), ele quer que essa representação simplificada seja todavia "estrutural", isto é, que aquele conteúdo concreto apreendido pelos sentidos (e também pela imaginação, pela memória ou pelo pensamento) – o Fenômeno que se oferece como espetáculo – evidencie a sua significação profunda e essencial para que possamos vê-lo totalmente. Essa "visão" em si é, então, *ultracientífica*, quer dizer, prolonga a apreensão, levando-a a uma ultrapassagem. Mas note-se bem:
    "(...) 'em prolongamento' não significa absolutamente 'em ruptura' nem 'em acoplamento' artificial. Aquilo de que precisamos é de uma ultra – não de uma meta – Biologia." (Cf. *A propos de "la nouvelle époque"*, 1925.)
    É, pois, com essa "Ultrabiologia" que ele se dispõe a ver a "Vida terrestre em evolução".

3. Objeto de pesquisa, por excelência, da Filosofia, a *Verdade* nem por isso deixa de ser objetivo da Ciência. Mas o Autor não está preocupado com a "verdade em si", com a "verdade ontológica"; antes pretende, por assim dizer, uma "verdade de compreensão", uma "verdade lógica", ou, bem melhor, uma "verdade de adequação e conformidade do Real em relação a si mesmo, mas também, e simultaneamente, em relação ao nosso conhecimento", uma "*verdade epistemológica*". Daí desejá-la jorrando "por puro e irresistível efeito de homogeneidade e coerência".

Quanto à *Homogeneidade*, Cf. nota 27 ao *Prólogo* e Parte I, Capítulo I, 1, B. Aliás, o *Princípio de Homogeneidade* é, em Teilhard, um conceito geral que impõe a todo objeto de experiência uma certa permanência de dimensões e de estruturas axiais através das metamorfoses de seu crescimento, de modo que ele satisfaça tanto à mudança (para evoluir) quanto à identidade (para continuar ele mesmo – e podermos reconhecê-lo sempre).

"... a condição primeira imposta por nossa experiência a todo objeto, para que ele seja *real*, consiste em que esse objeto não permaneça sempre idêntico a si mesmo, ou que, pelo contrário, mude sem cessar, – mas que cresça guardando certas dimensões próprias que o façam *continuamente homogêneo a si mesmo*. Ao nosso redor, toda vida nasce de uma outra vida, ou de uma 'pré-vida', toda liberdade de uma outra liberdade, ou de uma 'pré-liberdade' (...) Assim o exige (...) o princípio de homogeneidade que domina as transformações sintéticas da Natureza." (Cf. *Comment je crois*, 1934.)

Ora, a "Vida terrestre em evolução", objeto de experiência, real, nascendo de uma "Pré-Vida", em transformação contínua, deve, como qualquer outro – e, se cabe dizer, mais que qualquer outro fenômeno – obedecer àquele "Princípio de Homogeneidade".

Quanto à *Coerência*, critério de Verdade, Cf. nota 12 à *Advertência*.

4. Cf. o *Prólogo* "Ver". E, ali, particularmente:
"Minha única meta, e minha verdadeira força, ao longo destas páginas, consiste simplesmente, repito, em procurar *ver*, isto é, em desenvolver uma perspectiva *homogênea* e *coerente* de nossa experiência (...)".

5. Que o Autor desenvolverá, efetivamente, sob o título "As Ramificações da Massa Viva".

6. *Cissiparidade*, do latim *scissus*, "divisão", "separação", e *parere*, "parir", "produzir", ou Esquizogênese, é a forma de multiplicação ou geração na qual o organismo se divide em duas partes. No processo de divisão celular, uma célula madura e crescida se estrangula na região mediana e se separa, dando origem a duas células-filhas (Bipartição). (Cf. nota 9.)

7. *Cariocinese*, do grego *karyá*, "noz", "núcleo", e *kínesis*, "ação de mover", "movimento", ou Mitose, é o complexo processo de divisão celular, no qual o núcleo forma cromossomos e estes se bipartem, produzindo dois núcleos-filhos com o mesmo patrimônio original. A mitose inclui quatro fases: prófase, metáfase, anáfase e telófase. (Cf. nota 9.)

8. Convém ressaltar que *Centro* não é apenas um ponto estático situado no espaço, mas um foco dinâmico de união que surge num determinado mo(vi)mento da Evolução – a Vida – e que é suscetível de se intensificar sempre mais (à medida que, em torno dele, se concentra um maior número mais bem ligado de elementos).

9. Divisão Celular é o modo de reprodução (sexuado ou assexuado) das células. Distingue-se a divisão direta ou amitose, por *Cissiparidade*, da divisão indireta ou mitose, por *Cariocinese*.

10. *Infusórios*, do latim *infusus*, "espalhado em", ou Ciliados, são protozoários do sub-ramo dos Cilióforos, da classe *Ciliata*, providos de cílios por toda a vida: paramécios, opalinas e outras formas, em sua maioria de vida livre, capazes de se desenvolver em infusões vegetais.

11. Uma "progressão" é, em termos gerais, uma sucessão ininterrupta e constante dos diversos estádios de um processo. Matematicamente, a *Progressão Geométrica* é uma sucessão de números em que o quociente de cada termo pelo termo precedente é uma quantidade constante, chamada "razão". Ex.: ÷ 5, 10, 20, 40... (razão 2). Numa progressão geométrica, os valores crescem rapidamente; assim se multiplicou a Vida em sua evolução.

12. Cf. final da nota 5 à *Advertência*.

13. "dita inerte", enquanto considerada apenas por seu Fora, ou seja, em sua face exclusivamente material, uma vez que o próprio Estofo do Universo é concretamente Espírito-Matéria, Matéria em via de espiritualização e, portanto, em movimento evolutivo. O próprio Autor não perde o ensejo de explicitar com essa ressalva que está se utilizando do conceito de "Matéria-Matéria", limite ideal do múltiplo, simbolizado pelas formas mais rudimentares do reino mineral. (Cf. Parte I, Capítulo I, nota 4.)

14. Essa *Diversificação* (do latim tardio *diversificu*, "variado") se manifesta na imensa variedade dos seres vivos, formas da Vida.

15. Do grego *charaktér*, "sinal gravado", os *Caracteres* são elementos individualizadores e identificadores, traços distintivos, qualidades inerentes de um ser, especificidades morfológicas ou fisiológicas, que, biologicamente, podem ser *hereditários* (resultantes do patrimônio herdado e transmissíveis segundo as leis da Genética como, por exemplo, os sexuais, raciais etc.) ou *adquiridos* (não-hereditários e impostos apenas pelo meio ou contingências externas como pigmentação da pele devida ao sol, nanismo por carência alimentar etc.). (Cf. nota seguinte.)

16. *Genética*, do grego *genos*, "raça", e *genetikós*, "capaz de procriar", "que engendra", "que produz", é o ramo da Biologia que estuda as leis de transmissão dos caracteres hereditários nos indivíduos (Cf. nota anterior) e as propriedades das partículas que asseguram essa transmissão. As primeiras leis da Genética foram formuladas, em 1865, por Johann (Gregor) Mendel, religioso e botânico austríaco (1822-1884), que se dedicou a experiências de hibridação de plantas e estudou a hereditariedade nos vegetais. Desde então, a Genética tem evoluído muito, particularmente a partir do estudo do ARN (ácido ribonucleico) e do ADN (ácido desoxirribonucleico), constituintes fundamentais dos genes.

17. Isto é, a se reunirem por anastomose, junção — anatomicamente, junção ao longo de certa extensão, ou reunião através de um tronco intermediário, de dois vasos sanguíneos, dois nervos ou duas fibras musculares.

18. Já que se está a falar apenas em *complexidade material*.

19. Cf. Parte I, Capítulo I, nota 12.

20. O *Fungo* é um organismo vegetal heterotrófico (que se alimenta através de outras plantas), saprófito (ou de animais ou plantas em decomposição) ou parasito, cujas células organizadas em filamentos ditos "hifas" carecem de cloroplastos e têm paredes comumente não-celulóticas. O talo, chamado "micélio", formado de hifas entrelaçadas, é muito peculiar. Os fungos se multiplicam por grande número de tipos de espórios, alguns originados mediante fenômenos de sexualidade. Compreendem as formas microscópicas (que provocam doenças, como sapinhos, míldio, carvão, ferrugem) a que se refere o Autor, e espécies de grande talhe, exibindo freqüentemente frutificações em forma de chapéu encimando um pé (talófitos). Estes compreendem quatro grandes classes: ficomicetos, ascomicetos, protomicetos e basidiomicetos. Os deuteromicetos são fungos imperfeitos. A denominação "cogumelos" só se aplica aos fungos mais notáveis pelas dimensões avantajadas ou pelas colorações vivas. Há fungos comestíveis, tóxicos e mesmo venenosos.

21. Ou seja, as plantas possuidoras de vasos condutores de seiva.

22. Zoologicamente, os *Briozoários* são animais enterozoários (com cavidade digestiva), de simetria bilateral, ramo "Bryozoa". São coloniais e apresentam-se em forma de incrustações nas rochas, ou de massas gelatinosas, ou de plantas. Cada indivíduo da colônia se acha isolado dentro de um zoécio (célula ou tubo de paredes membranosas, gelatinosas, quitinosas ou calcárias), com tentáculos ciliados em torno da boca, tubo digestivo completo em forma de "U", ânus fora do círculo de tentáculos. São hermafroditos, de vida livre, marinhos ou de água doce.

23. Colônias de Pólipos. (Cf. Capítulo anterior, nota 132.)

24. Cf. Parte I, Capítulo II, 2, C, nota 23.

25. A *Sociedade*, que abrange desde o agrupamento de seres que vivem em estado gregário até o conjunto de pessoas associadas que convivem unificadas seguindo normas comuns e unidas pelo sentimento de consciência grupal, é verdadeiramente um organismo ou corpo social e, nesse sentido, um limiar atingido pela Vida. O Autor voltará repetidas vezes e sempre mais profundamente a esse tema, aliás uma de suas opções primordiais ("valor 'biológico' atribuído ao Fato Social"), uma de suas hipóteses fundamentais ("natureza orgânica da Humanidade"). (Cf. final da *Advertência*.)

26. Cf. nota 24.

27. Se a síntese em si já consiste numa ordenação ou arranjo progressivo e unitivo de elementos em conjuntos sempre mais bem centrados, a *Mega-Síntese* (do grego *mégas*, "grande") indica uma ultrapassagem hiperfísica, que será estudada na última parte do livro — A SOBREVIDA —, como o próprio Autor anuncia no parágrafo seguinte.

28. Fisicamente, a *Adesão* é a atração entre dois corpos sólidos ou plásticos, com superfícies de contato comuns, e produzida pela existência de forças atrativas intermoleculares de ação a curta distância. *Capilaridade* é o conjunto de fenômenos que ocorrem quando num tubo ou vaso capilar (de diâmetro extremamente reduzido, 5 mícrons) se forma uma interface líquido-vapor. *Pressão Osmótica* é o excesso de pressão que na osmose (Cf. Capítulo anterior, nota 57) deve se exercer sobre a solução, para impedir a passagem do solvente através da membrana semipermeável. Citando esses fenômenos de natureza físico-química, o Autor quer ressaltar o quanto o ser microscópico, mesmo vivo, está ainda, por seu tamanho, submetido às Leis Físicas e Químicas, às Leis Estatísticas que regem a matéria inorgânica e, por conseguinte, como que paralisado.

29. Como se falasse de uma verdadeira "construção", o Autor emprega aqui o advérbio "aditivamente" não apenas para sugerir adição, soma, mas também para evocar a incorporação de novas substâncias aos verdadeiros "aglomerantes" (materiais ativos que, em concretos, argamassas e alvenarias, ligam entre si as partículas de um agregado) da matéria viva, para lhes modificar certas características. O item seguinte é, contudo, cabal para a compreensão dessa "aditividade". (Cf. Parte III, Capítulo III, nota 65.)

30. Biologicamente, *Mutações* são variações resultantes de alguma alteração dos constituintes hereditários, com aparecimento de uma variedade nova em qualquer espécie viva. Voltaremos a esse termo e ao seu alcance e distinções em Teilhard. (Cf. nota 60.)

31. Cf. nota 16.

32. *Linhagem*, do latim *linea*, "fio", "corda", e do provençal — *atge* ou francês — *age*, "coleção", é o próprio conjunto ou feixe de eixos vitais que constituem a família, a estirpe, como um todo que engloba o indivíduo.

33. Sob o pretexto de que esse termo "ortogênese" tem sido empregado em diversos sentidos discutíveis ou restritos, — ou então de que tem um sabor metafísico, certos biólogos desejariam suprimi-lo pura e simplesmente. — Eu, pelo contrário, tenho a firme convicção de que essa palavra é essencial e insubstituível para assinalar e afirmar a propriedade manifesta que possui a Matéria viva de formar um sistema "no seio do qual os termos *se sucedem* experimentalmente segundo valores constantemente crescentes de centro-complexidade". (N. do A. Cf. nota 35.)

34. A *Hereditariedade* consiste no fenômeno de continuidade biológica do plasma germinativo, pelo qual as formas vivas se repetem nas gerações que se sucedem em evolução.

35. Após essas afirmações e considerando a nota do Autor (33), é possível estabelecer dois sentidos para o termo "Ortogênese":

— *No sentido biológico*, a Ortogênese consiste numa série de pequenas mutações (Cf. nota 30) anatômicas (e psíquicas) orientadas no mesmo sentido e que vão se adicionando, constituindo assim um fenômeno de crescimento contínuo numa direção. Essa última característica diferencia Ortogênese de Irreversibilidade, que pode comportar, no interior de um grande movimento de conjunto, fenômenos de regressão ou desvios. O Autor identifica bem esse sentido:

"Em si (...) Ortogênese (o termo é excelente e digno de ser conservado, ainda que tenha sido mal-empregado, como o foram Evolução e Socialismo...) significa simplesmente o fato de que a Vida, historicamente, se desenvolveu, e continua a se desenvolver (em nós mesmos, por exemplo) *aditivamente* (ou, o que dá no mesmo, *acentuando-se* continuamente segundo certas direções). Isso é pura experiência." (Cf. Carta de 16 de março de 1952.)

— *No sentido fenomenológico*, a Ortogênese é a deriva fundamental segundo a qual o Estofo do Universo se comporta aos nossos olhos como se deslocando em direção a estados corpusculares sempre mais complexos em sua ordenação ou arranjo material e, psiquicamente, sempre mais interiorizados (como teremos oportunidade de constatar no estudo dos vivos superiores e do Homem). Este sentido está bem expresso na nota do Autor (33), anteriormente citada e inteligentemente sugerida no texto em questão.

36. Cf. Capítulo anterior, nota 49.

37. Cf. Capítulo anterior, nota 21.

38. Termo típico teilhardiano, *Tenteio* designa uma multiplicidade de tentativas em diversas e quaisquer direções. Correspondendo embora ao nível estatístico, os tenteios são auxiliares da finalidade, no sentido de que os êxitos, as tentativas bem-sucedidas, caem no campo de atração da causa final.

39. O *Acaso* é o encontro fortuito de determinismos elementares, imitando o ato intencional e finalizado, mas, na realidade, submetido à Lei dos Grandes Números e ao Cálculo das Probabilidades (Cf. Capítulo anterior, notas 89 e 90). Esta importante categoria do pensamento teilhardiano é, portanto, empregada em seu sentido universal.

"Por toda a parte, a perder de vista, diante de mim, o Porvir ondula como um meio traiçoeiro e inapreensível... As únicas linhas que aí percebo são os traços não-humanos de certas leis de probabilidade. Do mesmo modo que o Acaso surge de um grupo de determinismos reunidos, um determinismo de segunda ordem nasce do encontro de todos os Acasos (...) O *Acaso*, quer dizer, os encontros imprevisíveis devidos ao jogo *coletivo* das forças cósmicas, deixa (...) de escandalizar a razão: ele representa, pelo contrário – e reserva, poder-se-ia dizer –, o lugar de Deus na direção do Mundo." (Cf. *La foi qui opère*, 1918.)

Imprescindíveis, para a exploração do tema, de Romano Rezek: *Deus ou nada*, Edições Paulinas, São Paulo, 319 pp. (em particular, pp. 289-310: "A Sexta Via – de casibus", resposta a Jacques Monod, autor de *O acaso e a necessidade*), e *O acaso na síntese teilhardiana*, Revista Síntese, nº 26, volume IX, set.-dez. 1982, pp. 27-59. Desses textos, e de outros de Teilhard que eles evocam, emerge claramente a noção de um *Acaso Dirigido*, ou seja, que vai se orientando, aos nossos olhos, sem se eivar de finalismo, fatalidade ou necessidade.

40. Comecemos por resumir e conceituar largamente *Materialismo Universal* como tendência, atitude, doutrina ou posição filosófica que admite que a matéria (concebida segundo o desenvolvimento paralelo das ciências) ou as chamadas condições concretas materiais são suficientes para explicar todos os fenômenos, inclusive mentais, sociais e históricos. Reduzindo, pois, o Real ao material, o Materialismo se afirma sobretudo perante a questão da origem do mundo (que dispensa Deus e a criação divina e se explica em termos puramente evolutivos), a questão ética (moral hedonista), a questão psicológica (estabelecimento de relações diretas entre fenômenos psíquicos e reações orgânicas a estímulos ambientais) e a questão epistemológica (adequação da razão ao conhecimento do mundo evidenciada pelo progresso contínuo das ciências). Desse *Materialismo Clássico*, cujos primórdios se encontram no chamado *Materialismo Antigo* (Demócrito, Epicuro, Lucrécio), derivam as várias formas de *Materialismo Mecanicista* (que explica os fenômenos da natureza, reduzindo-os a processos mecânicos, ou seja, regidos pelas leis do movimento dos corpos no espaço e das mudanças meramente quantitativas; Gassendi, Diderot, Helvétius, d'Holbach, La Mettrie, d'Alambert); *Materialismo Biológico* (que descobre no acontecer material um mistério para nós incompreensível, a Vida, mas sem aludir a qualquer princípio independente da matéria); *Materialismo Antropológico* (quer como negação da alma, quer como negação de sua independência ontológica da matéria); *Materialismo Dialético* (combinando a noção de real como pura matéria com a dialética de Hegel e consistindo na doutrina fundamental do Marxismo: o mundo é um complexo de processos, onde as coisas e os reflexos das coisas na consciência – os conceitos – estão em incessante movimento, gerado por mudanças qualitativas que decorrem necessariamente do aumento de complicação quantitativa; Marx, Engels, Lenine, Stalin) e *Materialismo Histórico* (resultante da aplicação do Materialismo Dialético à vida social e que afirma ser a essência da história constituída por processos econômicos – modos de produção da vida material – que determinam, como puros fenômenos conseqüentes ou concomitantes, os processos da vida social, política e espiritual). Cabe, porém, distinguir o Materialismo como *doutrina* (que nega *a priori*, de partida, o supramaterial) e o Materialismo como *método* (que prescinde

provisoriamente do supramaterial para tentar explicá-lo por suas condições materiais), sendo que este último, adotado sobremaneira na *análise científica*, poderia, por exagero ingênuo e estreiteza de visão, tender ao primeiro como *posição filosófica*. É a ilegitimidade dessa passagem que o Autor quer evidenciar, a partir da Biologia que tende a ir do *Mecanicismo* ao *Materialismo*: Mecanicismo é a tentativa de explicar mecanicamente, isto é, por meros movimentos de partes em si invariáveis, a estrutura íntima dos corpos e os acontecimentos da natureza em geral ou em certos domínios parciais (Leucipo, Demócrito). Descartes e o Cartesianismo conservam os tópicos do Mecanicismo geral (só quantidade e número, movimento local, exclusão de quaisquer forças não-mecânicas ou não-produtoras de movimento, negação da finalidade) e os estendem à explicação da vida dos vegetais e dos animais (meros autômatos sem consciência). Quando também a vida consciente é interpretada de maneira mecanicista (negando-se, por conseguinte, a alma essencialmente distinta do corpo e o espírito), o Mecanicismo se converte em Materialismo. Segundo Teilhard, o ponto fraco dessa passagem reside numa ilusão. Como muitas coisas que nos parecem originárias e supramateriais podem, de fato, ser reduzidas a seus elementos constitutivos materiais, adotamos com valor ilimitado o axioma segundo o qual o superior deve ser explicado pelo inferior, convertendo assim um método parcial num método total. Ora, até mesmo no domínio do inorgânico esse método é inadequado; pelo menos em face dos resultados da moderna física atômica. Se, por exemplo, de um quantum de luz se pode originar um par de elétrons, o quantum de luz não pode ser concebido apenas como composto de dois elétrons. A verdade é que toda redução ao elementar (inclusive material) deve ser complementada pela consideração do elemento globalizador, sintético (formal, essencial), que faz do objeto analisado um todo (Gestalt). Em suma, para Teilhard, o *Materialismo* que emana da Ciência é uma perspectiva baseada na afirmação de que o todo se explica por seus elementos e que, por conseguinte, a consistência do mundo reside no elementar, onde o Cosmo encontra o seu equilíbrio. A seqüência do texto refuta cabalmente tal afirmação, mas vale a pena citar ainda:

"A primeira idéia que ocorre ao homem que chegou, por meio da análise científica, *aos extremos limites inferiores* da Matéria é a de que ele detém realmente, nas últimas partículas da Matéria, a própria essência das riquezas do Universo. 'Os elementos contêm em si a virtude do todo: aquele que domina os elementos possui o todo.' Eis o princípio admitido implicitamente por inúmeros sábios e até filósofos... Se o princípio fosse verdadeiro, seria preciso dizer que a Ciência nos acuou para o materialismo." (Cf. *Science et Christ ou analyse et synthèse*, 1921.)

41. Lev Nikolaievitch Tolstoi, escritor russo (1828-1910). Autor de *Guerra e paz* (1865-1869), *Anna Karenina* (1876-1877), *Ressurreição* (1899) etc. soube captar e fixar extraordinariamente os costumes e a alma de seu povo. Idealista e místico, procurou retornar à caridade do cristianismo primitivo. Teilhard se refere, provavelmente, à célebre travessia do rio Beresina, de 26 a 29 de novembro de 1912, pelo grande exército de Napoleão, que se retirava da Rússia sob os rigores do inverno e que só pôde realizá-la graças ao empenho devotado dos pontoneiros do general Éblé; episódio do romance *Guerra e paz*.

42. Do francês *devenir*, tradução do alemão *das Werden*, "vir a ser", "tornar-se", o *Devenir* é a transformação incessante e permanente pela qual as coisas se constroem e se dissolvem noutras coisas.

43. A *Pessoa* é o indivíduo (mônada viva, todo distinto e autônomo, com função evolutiva de constituir um relé encarregado de transmitir, por meio da reprodução, os caracteres inatos do filo e os caracteres adquiridos, ao longo da Evolução) dotado de um núcleo, foco, centro espiritual de reflexão, liberdade e amor: a "personalidade". Emerge num limiar definido da Evolução, com abertura às relações unitivas interpessoais e à hipercentração numa Pessoa divina, e distingue-se da "individualidade", enquanto centro biopsíquico que lhe serve de infra-estrutura "física" que ela "hiperfisiciza". A Pessoa pode estruturar o seu Universo, personalizando-o... Sua própria união com outras pessoas a diferencia e a personaliza ainda mais... Finalmente, ela é capaz de identificar a presença da Pessoa divina por toda a extensão cósmica... Mas, como bem lembra o Autor, "ainda não chegamos lá".

44. Cf. Capítulo anterior, nota 96.

45. Há pois uma *Unidade Global* que designa, em Teilhard, o ato de síntese da multiplicidade,

através das etapas da Evolução. Essa Unidade apreendida hiperfisicamente como ação unitiva (espiritualmente) e unificadora (materialmente) é dinâmica e distinta da Unidade estática deduzida metafisicamente. No seu dinamismo – energia, em última instância, criadora –, ela se manifesta a nós em diferentes níveis, de diferentes formas ("ainda difusa nos começos..."), mas cada vez mais intensamente, até se definir como Amor, Energia Fundamental.

46. Cf. Capítulo anterior, notas 40 e 41.

47. Cf. nota 7.

48. *Filetização* é o nome desse processo de formação do Filo:
"Observada sobre um número de casos e num intervalo de duração suficientes, a especiação, por longo tempo repetida, dá origem a alinhamentos de conjunto: efeito, dizemos, de *filetização*, ou, o que dá no mesmo, de *ortogênese*: não designando este último termo, aqui, senão o aparecimento, no tempo, de uma distribuição estatisticamente orientada nas espécies aparentadas." (Cf. *Note sur la réalité actuelle et la signification évolutive d'une orthogénèse humaine*, 1951.)

49. O *Ramo* designa, biologicamente, a mais alta divisão do Mundo vivo, abrangendo tanto as Ramificações (Classes, Famílias, Gêneros e Espécies) quanto os Reinos (Vegetal e Animal). (Cf., adiante, item 3, A, d, e C – "A Vida, um simples Ramo, sobre outra coisa...") Não percamos de vista a analogia da Vida com uma Árvore. Prolongando suas obscuras raízes de Pré-Vida nas profundezas da Matéria, um só e único tronco vital emerge acima do Mineral. Então, qualquer divisão, a partir daí, já é um Ramo...

50. Como, por exemplo, os Équidas e os Primatas. (Cf. nota 56.)

51. Na Matemática, conjunto compacto e conexo, o *Continuum* ou Contínuo Espaço-Tempo designa, em Física, o Espaço quadridimensional onde ocorrem os fenômenos físicos, e que se pode caracterizar por três coordenadas espaciais num referencial tridimensional e por uma quarta coordenada dada pelo produto $c \cdot t$, em que c é a velocidade e t o instante de ocorrência de um acontecimento no referencial do espaço. O Autor fala em *Continuum Vivo* para expressar a sua noção própria de Espaço-Tempo ou Tempo Orgânico, Duração. (Cf. Parte I, Capítulo I, 2, C, e 3, notas 25 e 26.)

52. Do grego *theoria*, "ação de contemplar, examinar", *Teoria* consiste num conhecimento especulativo, meramente racional. Filosoficamente, Teoria é um conjunto de conhecimentos que apresentam diferentes graus de sistematização e de credibilidade, e que se propõem explicar, elucidar, interpretar ou unificar um dado domínio de fenômenos ou de acontecimentos que se oferecem à atividade prática. Matematicamente, e nas ciências em geral, a Teoria é proposição que para ser admitida tem que ser demonstrada. A aplicação na prática e a demonstração aperfeiçoam e amadurecem a teoria.

53. Diz-se *Harmônico* o fenômeno periódico cuja freqüência é um múltiplo inteiro da freqüência de outro. Estatisticamente, a freqüência é o número de vezes que um valor ou um subconjunto de valores do domínio de uma variável aleatória aparece numa experiência ou numa observação.

54. *Habitat* é o lugar de vida de um organismo, mas designa também o total de características ecológicas do lugar habitado por um organismo ou população.

55. *Radiações* são processos físicos de emissão e propagação de energia, quer por meio de fenômenos ondulatórios, quer por meio de partículas dotadas de energia cinética. De qualquer forma, tomando o termo no sentido físico mais amplo de "energia que se propaga de um ponto a outro no espaço ou num meio material" – porque, afinal, é a Energia da Vida que está a se expandir –, o Autor o coloca entre aspas para sugerir, com essa significação, a outra, mais imediata, de "raiar" ou "radiar", ou seja, "surgir, emitir raios, ondas e energia".

56. Do latim *verticillu*, "remate do fuso", *Verticilo* designa, em termos de morfologia vegetal, o conjunto de peças foliáceas colocadas no mesmo nível, quer dizer, inseridas em apenas um nó do caule. Teilhard toma emprestado esse termo à Botânica e o utiliza metaforicamente: os *Verticilos* designam as radiações (Cf. nota anterior) pelas quais um filo tende a se prolongar e "a se dissociar em filos secundários, correspondendo cada qual a uma variante

ou harmônico do tipo fundamental". Como existem filos de filos (os Primatas, por exemplo) apresentando a mesma estrutura em leque que um filo isolado (os Éqüidas, por exemplo), Teilhard, por extensão, qualifica de "verticilos" os ramos que divergem nesse conjunto mais vasto. De qualquer forma, nos dois casos, a noção de verticilo implica uma multiplicidade de raios num leque (ou camada) mais ou menos amplo. Todas essas noções ficarão mais claras adiante, no final do próximo Capítulo e desta segunda Parte.

57. A *Socialização*, aqui, é tomada como limiar atingido por toda forma viva e consiste numa associação dos indivíduos de uma mesma espécie:

"(...) cada linhagem animal, tendo chegado à maturidade específica, deixa despontar, à sua maneira, uma tendência a agrupar, sob forma de complexos supra-individuais, um número mais ou menos grande de elementos que a compõem. Nesses níveis pré-reflexivos, todavia (especialmente entre os insetos), o raio de socialização – por mais desenvolvida que esta seja – permanece sempre muito frágil, não ultrapassando absolutamente, por exemplo, o grupo familiar." (Cf. *La place de l'homme dans la nature*, 1949.)

O termo será ampliado, bem mais adiante, em compreensão.

58. *Térmitas* ou Isópteros são animais artrópodes (apêndices ou patas articuladas) da classe dos insetos, pterigotos, ordem *Isoptera*, com aparelho bucal mastigador, quatro asas membranosas iguais, com linhas transversais de sutura para a quebra espontânea. São sociais, vivendo em comunidades geralmente populosas, divididas em várias castas; os soldados e os operários são ápteros (sem asas) desde o início da vida, os demais alados. São os cupins que constroem cupinzeiros na madeira ou no solo. Vegetarianos, alguns atacam plantas vivas, raízes, sementes, cereais e tubérculos, podendo alimentar-se também de madeira, compensado, papel etc. Algumas espécies são xipófagas, possuindo protozoários intestinais que digerem a celulose.

59. *Himenópteros* são animais artrópodes, da classe dos insetos, ordem *Hymenoptera*, holometabólicos (metamorfose completa: ovo, larva, pupa, casulo ou crisálida, adulto ou imago), com aparelho bucal mastigador, quatro asas membranosas, larvas eruciformes (semelhante a lagartas), fitófagas (que se nutrem de vegetais) ou ápodas (sem pés). São freqüentemente parasitos de outros insetos, havendo espécies sociais. No grupo se incluem as abelhas, as vespas, os marimbondos e as formigas.

60. O termo biológico *Mutação* – que designa a brusca mudança de uma forma viva, constituindo o nascimento de uma nova orientação biológica por transmissão hereditária – é integrado por Teilhard à Ortogênese (Cf. nota 35), com grande alcance e importância. Teilhard estende o fenômeno de mutação a toda espécie de geração, concebendo esta última como uma pequena variação que se anula tão logo nasce, quer dizer, que não desencadeia bifurcação do filo (espécie ou subespécie):

"A vida, também ela, deve brotar e se bifurcar; sem isso, a própria existência dos filos seria inconcebível. O que isso quer dizer senão que, pela consideração dos fenômenos de crescimento contínuo numa direção (ortogênese), somos levados a prestar uma atenção cada vez maior e, depois, a abrir um lugar a movimentos de uma natureza absolutamente diferente: aqueles de brusca mudança de forma ou, como se diz, de mutação (?) As mutações, isto é, como acabamos de explicar, os nascimentos de novas orientações biológicas, começam a ser efetivamente constatados pelos zoologistas e pelos botanistas." (Cf. *Les mouvements de la vie*, 1928.)

Buscando apreender as leis gerais a que obedecem as mutações para melhor poder apreendê-las, Teilhard distingue:

– *Mutação por Dispersão*, diferenciação de formas vivas que não aciona a ortogênese, mas, pelo contrário, desemboca numa pulverização no interior de um mesmo gênero ou de uma mesma família (inúmeras formas, verdadeiras modulações de um mesmo tema zoológico, tão fixadas e tão vizinhas, em certos gêneros, ou famílias de Borboletas, Peixes, Pássaros, Antílopes);

– *Mutação por Radiações*, diferenciação de seres vivos segundo um processo de divergência operando num número de direções limitadas que, ao invés de se pulverizar, progridem num sentido comandado pela adaptação a diferentes fatores externos como meios ou condições de existência, terra, ar, água etc. (mamíferos no Terciário, marsupiais confinados na Austrália etc.);

— *Mutação por Canalização*, mudança aditiva que, no conjunto das que a precedem e das que a sucedem, desenha um processo evolutivo que obedece a uma figura de convergência (a linhagem dos Cavalos, por exemplo).

Deixemos que o próprio Autor se resuma:

"(...) sobre um dado grupo de seres vivos, as mutações podem atuar (e portanto deixarem-se apreender) de três maneiras pelo menos: por dispersão, por radiações, por canalização.

Por *dispersão*, em primeiro lugar; quando os vivos considerados se diferenciam em todos os sentidos no interior de seu tipo, como um raio de luz branca que se refrata num contínuo de vibrações irmãs (...)

Por *radiações*, em seguida; quando as novas diferenciações, ao invés de se dissiparem sem ir muito longe, efetuam-se segundo um número de direções, limitadas, mas progressivas, comandadas notoriamente por condições precisas de existência e de meio (...)

Por *canalização*, enfim; quando as mudanças de formas, muito fortemente 'polarizadas', convergem, e se adicionam numa direção comum. E isso nos faz reencontrar, num nível mais profundo de explicação, os próprios filos". (Cf. *Les mouvements de la vie*, 1928.)

61. Todo esse estudo dos filos deveria ser objeto de uma "*Filética*", disciplina que poria em jogo a dimensão temporal e a ortogênese, cuja constituição Teilhard preconizou reiteradas vezes:

"*Grosso modo*, todos estão de acordo, em Ciência, para admitir que o desenho assim formado é essencialmente constituído de segmentos ramificados e divergentes. Mas, quer quanto à estrutura interna e à transformação progressiva desses *filos*, quer sobretudo quanto às suas interligações e às leis (se existem...) de sua sucessão e de sua distribuição de conjunto na Biosfera, nossos conhecimentos são ainda esparsos ou rudimentares. Não obstante uma enorme quantidade de materiais acumulados e de idéias em circulação, uma *Filética*, digna desse nome, não conseguiu ainda se formular, como seria preciso, em prolongamento da moderna *Genética*." (Cf. *Une défense de l'orthogénèse a propos des figures de spéciation*, 1955.)

62. Cf. Capítulo anterior, notas 21 e 22.

63. A *Escola Fixista* postula o *Fixismo*, que o Autor rejeita e ao qual opõe seu "Transformismo", e que se resume na hipótese segundo a qual os seres vivos não seriam solidários no tempo (Cf. Capítulo anterior, nota 96) e não obedeceriam a uma lei de crescimento. Sua solidariedade, se admitida, não revelaria uma lei de nascimento (cronológica e fenomenal), mas somente um plano lógico e divino: todos saindo "prontos" (*fixos*), com o Mundo, das mãos de Deus.

"Perante o fato imenso da distribuição 'natural' (geográfica, morfológica, temporal) das formas vivas, as três grandes objeções feitas pelos fixistas ao Transformismo, a saber: a) impossibilidade de fazer variar artificialmente a menor das espécies identificadas pela Sistemática; b) a impossibilidade, para a Paleontologia, de reencontrar a origem precisa de numerosos ramos evolutivos; c) persistência sem mudança, através dos tempos geológicos, de certas formas vivas. Tais objeções, ao nosso ver, desaparecem e inexistem (...) As 'grandes objeções' do fixismo exprimem simplesmente características ou limitações que se encontram em toda ciência histórica." (Cf. *Que faut-il penser du transformisme?*, 1930.) (Cf. também nosso estudo "O 'anti-evolucionismo' de Teilhard", *Revista Portuguesa de Filosofia*, tomo XXVIII, março de 1972, Braga, pp. 332-354.)

64. Cf. texto do Autor citado na nota anterior.

65. Se os nossos aparelhos (automóveis, aviões etc.) se encontrassem enterrados e "fossilizados" por qualquer cataclismo, os geólogos futuros, ao descobri-los, teriam a mesma impressão que nós diante de um Pterodátilo: representados unicamente por suas últimas marcas, esses produtos de nossa invenção parecer-lhes-iam ter sido criados sem fase evolutiva de tenteio, — perfeitos e fixados no primeiro instante. (N. do A.)

66. Como o observo mais adiante (Parte III, Capítulo I, 2, nota 70) a propósito do "monogenismo", existe a impossibilidade não fortuita em que nos encontramos (por razões sempre fortuitas, – Cf. Cournot...) de ultrapassar um certo limite de pressão (de "separação") em nossa percepção do Passado muito remoto. – Em todos os sentidos (em direção ao muito antigo e ao muito pequeno, – mas também em direção ao muito grande e ao muito lento) nossa vista se turva; e, para além de um certo raio, não distinguimos mais nada. (N. do A.) Antoine Augustin Cournot (1801-1877), matemático, economista e filósofo francês, desenvolveu teorias sobre o *Cálculo das Probabilidades*, parte da matemática em que se investigam os processos e fenômenos aleatórios e se procura descobrir as regularidades e leis que os caracterizam. (Cf. Capítulo anterior, nota 90.)

67. Chamam-se assim, por oposição aos Aplacentários (ou Marsupiais), os mamíferos, em que o embrião, protegido e alimentado pela membrana especial dita *placenta*, pode ficar até a sua maturidade completa no seio da mãe. (N. do A. Cf. nota 97.)

68. Do grego *bióo*, "viver", o termo *Biota*, que designa em geral o conjunto da fauna e flora de uma região, é adotado, portanto, pelo Autor para designar uma unidade evolutiva definida pela origem comum e pela solidariedade vital. (Cf. nota 109.)

69. *Herbívoros*, do latim *herba*, "erva", e *vorare*, "devorar", "comer", são os animais que se alimentam de ervas ou de vegetais.

70. *Roedores*, do latim *rodere*, "roer", são animais mamíferos, da ordem *Rodentia*, terrestres ou fossórios, ocasionalmente arborícolas ou semi-aquáticos, vegetarianos ou onívoros, de pés ungüiculados e composição dentária peculiar (incisivos em bisel ou chanfrados e molares raladores). O esmalte dos incisivos superiores não alcança a superfície interna, provocando-lhes o crescimento contínuo. Esquilos, castores, ratos, camundongos, cobaias, ouriços, lebres, coelhos e preás são roedores.

71. *Insetívoros* são animais mamíferos, da ordem *Insectivora*, de pequeno porte, boca em forma de focinho longo e afilado, dentes numerosos, pequenos e pontudos, pés com cinco dedos, com unhas, polegar não oponível e pêlos às vezes espíneos. Alimentam-se de insetos, mas também de vermes. O porco-espinho e a talpa (toupeira) são insetívoros.

72. *Artrópodes*, do grego *ártron*, "juntura", "articulação", e *poús*, *podós*, "pé", são animais enterozoários (com cavidade digestiva) de simetria bilateral, ramo *Arthropoda*, cujo corpo invertebrado é revestido por esqueleto externo quitinoso dividido em cabeça, tórax e abdome, com quatro ou mais pares de apêndices, quase sempre articulados, tubo digestivo completo, respiração por meio de traquéias, pulmões ou brânquias; sexos geralmente separados. Terrestres ou aquáticos, de vida livre, comensais ou parasitas, são também denominados "Quitinóforos". Crustáceos, miriápodes (lacraias, centopéias), insetos, aracnídeos (aranhas, escorpiões, ácaros) – enfim, mais da metade de todo o reino animal – são artrópodes.

73. *Carnívoros* são animais mamíferos, da ordem *Carnivora*, de incisivos pequenos, caninos fortes, cônicos, curvos e pontudos, último pré-molar e primeiro molar transformados em dentes carniceiros (cortantes) e dedos ungüiculados (garras). Cães, gatos, hienas, ursos, lontras, focas etc. são carnívoros.

74. *Onívoros*, do latim *omni*, "tudo", e *vorare*, "devorar", "comer", são animais polífagos, que comem de tudo (carne, vegetais etc.).

75. Cf. nota 55.

76. *Artiodátilos* são os mamíferos, da ordem *Artiodactyla*, de pernas longas, número par de dedos funcionais em cada membro (dois ou, mais raramente, quatro), providos de cascos, passando o eixo funcional da perna entre os dedos. A maioria tem estômago dividido em compartimentos. Suínos, camelos, bovinos ruminantes etc. são artiodátilos.

77. *Perissodátilos*, do grego *perissos*, "supérfluo", e *daktylos*, "dedo", são os mamíferos da ordem *Perissodactyla*, geralmente de grande porte. Têm membros alongados, dedos (alguns desaparecidos) em número ímpar, cada um revestido de um casco córneo, e o estômago simples. Cavalos e rinocerontes são perissodátilos.

78. *Tapirídeos* são mamíferos perissodátilos, da família *Tapiradae*, ungulados, de grande

porte, pernas relativamente curtas, com quatro dedos na mão e três no pé. Têm pequena tromba, com a qual respiram e que usam como ferramenta auxiliar para pastar. Hábitos anfíbios, noturnos e vegetarianos. São as antas e os tapires.

79. *Titanotérios*, do grego *titán*, "gigante", e *thérion*, "animal", "animal selvagem"...

80. *Calicotérios*, do grego *chálix, ikos*, "pedra", "cascalho", e *thérion*, "animal", "animal selvagem"...

81. *Rinocerotídeos*, do grego *rhis, rhinós*, "nariz", *keras*, "chifre", *rhinókeros*, são grandes mamíferos perissodátilos, maciços, de cabeça alongada, em princípio com um ou dois chifres sobre a face, pele espessa. Rinocerontes são rinocerotídeos corníferos.

82. Os *Eqüidas*, do latim *equus*, "cavalo", constituem a família de ungulados perissodátilos de talhe médio, cabeça fina e alongada, pescoço musculoso e pernas delicadas, com um só dedo funcional em cada pé (solípedes). Cavalos, asnos e zebras são eqüídeos.

83. *Suídeos*, do latim *sus, suis*, "porco", são espécimes dos Suídas, família de mamíferos ungulados, compreendendo o porco, o javali, o pecari (caititu, "porco-do-mato"). Na tradução do texto tomamos o nome do espécime pelo da família por opção de consonância fonética na frase e para sugerir "aparência de".

84. *Camelídeos*, do latim *camellus*, "camelo", são espécimes dos Camélidas, família de mamíferos quadrúpedes ruminantes, compreendendo o camelo, o dromedário, a lama (lhama ou alpaca). Na tradução do texto tomamos o nome do espécime pelo da família por opção de consonância fonética na frase e para sugerir "aparência de".

85. *Cervídeos*, do latim *cervus*, "cervo", são animais mamíferos artiodátilos, da família "Cervidae", de casco partido em duas unhas, ruminantes, estômago dividido em quatro partes, desprovidos de incisivos superiores, caninos inferiores semelhantes aos incisivos, sendo os machos geralmente dotados de chifres inteiriços ou ramificados (galhadura), que caem periodicamente. Veados, cervos, cabras, alces e renas são cervídeos.

86. *Antilopídeos*, denominação derivada do nome do espécime, *Antílope* (do grego *anthálops*; pelo baixo-latim, *antilops*; pelo inglês, *antelops*; e pelo francês, *antilope*), mamífero artiodátilo ruminante da família dos bovídeos e antilocaprídeos, de porte médio ou pequeno, chifres permanentes, longos, apontando para cima e para trás. A denominação inclui gnus e búfalos (África), e nilgós (Ásia).

87. Os *Proboscídeos*, do latim *proboscis*, e pelo grego *proboskís, ídos*, "tromba", são mamíferos da ordem *Proboscidea*, e da subordem de mamíferos ungulados, de porte avantajado, cabeça grande, orelhas largas e foliáceas, pele grossa (paquiderme), esparsamente pilosa, lábio superior e nariz transformados em tromba, com aberturas nasais na ponta, dentes incisivos superiores em número de dois, transformados em longas presas, caninos ausentes, molares grandes, com faixas de esmalte transversais, e dos quais apenas um ou dois em cada maxila são funcionais. Os elefantes atuais e os mastodontes, mamutes e dinotérios fósseis são proboscídeos.

88. Cf. Capítulo anterior, nota 72 (e o texto de que decorre), bem como o texto "Supressão dos Pedúnculos", ao final do item anterior 2, C.

89. Cf. nota 56.

90. Os *Cetáceos*, do grego *kétos*, "peixe grande", constituem a ordem de animais mamíferos adaptados à vida marinha, que têm os membros anteriores transformados em nadadeiras, nadadeira caudal horizontal, grande quantidade de gordura (até nos ossos) e bolsas arteriais que facilitam a oxigenação do organismo. Compreendem as baleias, os cachalotes, os delfinídeos (golfinhos, botos, toninhas).

91. Os *Sirênios*, ou Sirenídeos, do latim científico *sireniu*, pelo latim *sirena*, "sereia", são mamíferos aquáticos, da ordem *Sirenis*, que têm os membros anteriores transformados em nadadeiras, cauda horizontal em forma de remo, não fendida no meio, focinho muito grande com alguns pêlos, boca pequena, desprovidos de membros posteriores e de orelhas externas. Alimentam-se de gramíneas. Compreendem peixes-bois, dudongos (Índias), manatis (Antilhas, Venezuela).

92. Os *Quirópteros*, do grego *kheir*, "mão", e *pteron*, "asa", são mamíferos da ordem *Chiroptera*, notívagos providos de patágio (membrana alar), que prende total ou parcialmente a cauda, com membros anteriores e dedos, em número de dois a cinco, muito alongados. Em geral insetívoros, mas há espécimes, de grande porte, frugívoros (Ásia e África). Compreendem morcegos, rinólofos etc.

93. *Toupeiras*, do latim *talpa*, "toupeira", são mamíferos insetívoros com patas anteriores grandes e robustas que lhes permitem cavar galerias no solo, onde caçam insetos e vermes. São quase cegos. *Ratos* são mamíferos roedores, miomorfos (pequeno porte), das famílias dos murídeos e cricetídeos, cuja espécie mais típica é constituída pelos ratos-pretos.

94. *Bacelo*, do latim *bacillu*, "varinha", vara de videira que, plantada, reproduz a vinha; vide. Fiel à analogia entre a Vida e a Árvore, o Autor considera esse fragmento isolado do Biota placentário como um bacelo arrancado ao tronco vital.

95. Cf. notas 87, 70, 77. *Símios* é a designação geral dos primatas que têm a cavidade orbitária fechada, em oposição aos prossímios, que a têm aberta. São os Platirrínios e os Catarríneos. (Cf. nota seguinte.)

96. Os *Platirrínios* ou *Platirrinos*, do grego *platus*, "largo", e *rhin*, *rhinos*, "nariz" constituem uma superfamília da ordem dos primatas, subordem dos antropóides, que se caracteriza pelo septo nasal largo, narinas afastadas e, amiúde, por uma cauda preênsil. Incluem numerosas espécies americanas: caiararas, micos, sagüis. Os *Catarríneos* ou *Catarrinos*, do grego *katá*, "em regressão", "completamente", e *rhin*, *rhinós*, "nariz", constituem outra superfamília da ordem dos primatas, subordem dos antropóides, caracterizada pelo septo nasal estreito e narinas voltadas para baixo, providos de 32 dentes, cauda não preênsil. Incluem espécies afro-asiáticas: macacos, cercopitecos, babuínos.

97. Os *Marsupiais*, do latim científico *marsupiale*, são animais mamíferos aplacentários da ordem *Marsupialia*, cujas fêmeas se caracterizam pelo marsúpio, bolsa ventral formada pela pele do abdome sustentada por dois ossos, ou dobras marsupiais circundando as tetas; útero e vagina duplos; os ovos se desenvolvem no útero e os filhotes, nascendo prematuramente e em estado embrionário, agarram-se às tetas na bolsa marsupial até se desenvolverem totalmente. Incluem cangurus (Austrália), gambás, sarigüês, cuícas.

98. Cf. nota 67.

99. *Machairodus*, ou "Tigre de dentes de sabre". Esse grande felino, muito comum no fim do Terciário e nos começos do Quaternário, é curiosamente arremedado pelo Marsupial carnívoro, pliocênico, da América do Sul. (N. do A.)

100. Descoberta pelos portugueses no século XVI, explorada pelos holandeses a partir de 1605, a *Austrália* foi ocupada pelos ingleses em 1770. De 1851 a 1859 foram criados seis Estados, que constituíram a Commonwealth da Austrália em 1901.

101. Afora um grupo de roedores, bem como, recém-chegados, o Homem e seu cão. (N. do A.)

102. Cf. Capítulo anterior, nota 103.

103. *Musaranhos*, do latim *musaranea*, "camundongo-aranha", são mamíferos insetívoros, do gênero *Sorex*, do tamanho de um camundongo, de focinho pontudo.

104. O *Ornitorrinco*, do grego *ornis*, *ornithos*, "pássaro", e *rynkhos*, "bico", é o animal mamífero, ovíparo, da ordem *Monotremata*, subclasse dos prototérios (aplacentários e ovíparos), que apresenta bico córneo semelhante ao do pato, patas palmadas (que lhe permitem cavar galerias e tocas perto da água), cauda achatada, cloaca (um só orifício urogenital) e osso coracóide (recurvo). Constitui uma forma de transição entre répteis e mamíferos, e habita a região zoogeográfica australiana.

105. *Équidna*, do grego *ékhidna*, "serpente", "víbora", é o animal mamífero ovíparo, da ordem *Monotremata*, subclasse dos monotremados, cavador e insetívoro. Habita a Austrália e a Tasmânia.

106. *Ovíparos* são os animais que põem ovos, que se reproduzem por meio de ovos.

107. *Multituberculados*, quer dizer, com vários tubérculos, saliências (cúspides) nos dentes molares.

108. Que poderíamos também denominar os "septemvertebrados", pois que, por uma coincidência tão inesperada quanto significativa todos eles possuem *sete* vértebras cervicais, qualquer que seja o comprimento de seu pescoço. (N. do A.)

109. *Camada* é a unidade evolutiva caracterizada como figura de expansão das formas vivas a partir de um pedúnculo que desaparece pouco a pouco. Designa a mesma realidade que o termo Biota (Cf. nota 68), mas sob um ângulo diferente e sobretudo prático.

110. *Ano-luz*, em Astronomia, é a unidade de distância que equivale à distância percorrida pela luz, no vácuo, em um ano, à velocidade de aproximadamente 300.000 km por segundo.

111. *Répteis*, do latim *repere*, "engatinhar", "rastejar", pelo francês *reptiles*, ou Escamíferos, são animais cordados, craniotas, gnastomados, tetrápodes, da classe *Reptilia*, com a pele seca, coberta por escamas, escudos ou placas, coração com quatro cavidades (ventrículos imperfeitos), respiração sempre pulmonar e fecundação interna. Entrando o Autor, a seguir, na consideração dos répteis pré-históricos, vale a pena detalhar a descrição dos répteis em geral. Os répteis são animais de sangue frio, geralmente ovíparos, organizados para a vida terrestre, se bem que muitos dentre eles, principalmente os crocodilianos, possam permanecer um tempo mais ou menos longo sob a água. Sua pele é reforçada por placas dérmicas às vezes muito resistentes (carapaças das tartarugas, dos grandes sáurios), imbricadas ou justapostas. Nas serpentes, esse revestimento sólido e leve se renova a cada "muda". Podem ter um par ou dois de membros que lhes permitem às vezes grande vivacidade de movimentos (sáurios). Mas, muitas vezes, esses membros são atrofiados e apenas aparentes, quando não de todo ausentes, como nas serpentes que avançam por "reptação", de rastos, por movimentos laterais. Salvo raras exceções, os répteis são carnívoros. Alguns podem, graças a uma faculdade excepcional de distensão da mandíbula e do esôfago, devorar sua presa sem dividi-la. Nas grandes espécies, a digestão se faz então lentamente e durante um tipo de sono letárgico do animal. Enfim, certos répteis são venenosos (víbora, naja) e sua mordida pode ser mortal para o homem e para outros animais. Muito resistentes às causas de destruição, podendo sofrer terríveis mutilações sem sucumbir, os répteis se espalham por toda a Terra, crescendo em tamanho e variedades de espécies nas proximidades do equador (gavial, píton, boa, anaconda), sem alcançar contudo as formas colossais dos répteis fósseis (até 30 metros de comprimento). A classe dos Répteis se divide em quatro Ordens: *Sáurios* (lagartos), *Ofídios* (serpentes), *Quelônios* (tartarugas, cágados, jabotis), *Crocodilianos* (crocodilos, jacarés, gaviais, aligatores — Cf. nota 115).

112. Os *Dinossauros*, do grego *deinós*, "terrível", e *saura*, "lagarto", constituem a espécie fóssil de répteis terrestres da Era Mesozóica (Secundário), compreendendo os *Brontossauros* (do grego *bronté*, "trovão"; os maiores animais que já existiram, atingindo até 40 m de comprimento; deviam ter uma vida semi-aquática e regime herbívoro); os *Diplódocos* (do grego *diplous*, "duplo", e *dokos*, "viga"; atingindo cerca de 25 m de comprimento, pescoço e cauda muito compridos; vida semi-aquática, herbívoros; Montanhas Rochosas na América do Norte), e outras formas, às vezes gigantescas.

113. Os *Pterossauros*, do grego *ptéron*, "asa", e *saura*, "lagarto", constituem a espécie de répteis fósseis da Era Mesozóica (Secundário), adaptados ao vôo graças a uma larga membrana sustentada pelo quinto dedo da mão, muito alongado.

114. Os *Ictiossauros*, do grego *ichtýs*, "peixe", e *saura*, "lagarto", constituem a espécie de répteis fósseis da Era Mesozóica (Secundário), de aspecto semelhante ao tubarão, vida aquática, atingindo até 10 m de comprimento.

115. Isto é, semelhantes aos (do grego *idéa*, "aparência", sufixo "ideo") Crocodilianos (de um vocábulo egípcio, "verme das pedras", através do grego *krokódeilos*), ordem de répteis de grande porte (os maiores e mais elevados em organização dos répteis atuais), coração com quatro cavidades, fenda anal longitudinal, dentes alveolados e palato bem-constituído. São animais pulmonados, mas habitam as águas, deixando à tona só as narinas e os olhos. A ordem compreende, além do crocodilo, o jacaré, o gavial e o aligator.

116. *Morcegos*, do latim *mure*, "rato", e *caecu*, "cego", é a designação geral para os mamíferos quirópteros (Cf. nota 92), cujos membros anteriores são transformados em asas pela presença do patágio ou membrana alar. A grande maioria do grupo é insetívora ou frugívora, mas há espécies hematófagas ou ictiófagas (que se alimentam de sangue ou de peixes).

117. Os *Delfins*, do grego *delphin*, são mamíferos cetáceos (Cf. nota 90), da família dos Delfinídeos, cosmopolitas, com rostro (bico de ave) separado da fronte por um sulco que vai de um olho ao outro, 38 a 65 dentes superiores e 40 a 58 inferiores, dorso preto, lados cinzentos, ventre branco. Atingem até 2 m de comprimento e alimentam-se de peixinhos, moluscos e crustáceos. Também denominados "Golfinhos" – por influência de "golfo" (do grego *kólpus*; pelo latim vulgar *colpu*, *colfu*), no sentido de "alto mar".

118. Entre os Répteis (Cf. nota 111) houve uma família que apresenta – nos seus vestígios fósseis abundantes na África do Sul e na Rússia, nos depósitos dos primevos mesozóicos – características que a aproximam dos mamíferos, daí a denominação *Teriomorfa* (do grego *thérion*, "animal", "animal selvagem", e *morphé*, "forma"): semelhantes a mamíferos.

119. Cf. nota 112.

120. Os *Iguanodontes*, da língua das Caraíbas, pelo espanhol *iguano* e do grego *odous*, *odóntos*, "dente", são os répteis fósseis gigantescos, dos terrenos do princípio do Cretáceo, cujas patas tinham a conformação das patas das aves. Atingindo até 10 m de comprimento, tinham estação bípede e eram herbívoros.

121. *Quadrúpedes*, do latim *quadru*, "quatro", e *pes, pedis*, "pé", são todos os animais que têm quatro pés. Designação já utilizada por Aristóteles para animais com sangue e providos de quatro pés. Para o Filósofo, os quadrúpedes vivíparos e ovíparos, juntamente com as aves e os peixes, formavam o grupo dos animais.

122. *Tartarugas*, do latim *tartaruca*, besta infernal do Tártaro, é a designação geral dos répteis quelônios (Cf. nota 111) aquáticos, que vêm à terra apenas para a desova. Corpo curto, encerrado numa carapaça ossosa, membros locomotores geralmente adaptados para a natação, a tartaruga é um animal pesado e lento. Sem dentes, suas maxilas formam uma espécie de bico. Há tartarugas marinhas, de água doce e terrestres. Algumas ultrapassam 1 m de comprimento e pesam mais de 300 kg.

123. *Anfíbios*, do grego *amphi*, "dos dois lados", e *bios*, "vida", são animais que podem viver tanto em terra como na água. Batráquios como as rãs, sapos, tritões e salamandras são anfíbios.

124. Cada um dos ossos que formam a espinha dorsal dos vertebrados, as *Vértebras* ou espôndilos são formadas por um corpo, pedículos, apófises articulares e lâminas que limitam o orifício vertebral por onde passa a medula espinal: daí "tubulares", em forma de tubo...

125. Em termos de Biologia Geral, *Homologias* são semelhanças de estrutura e de origem em partes dos organismos taxionomicamente (Cf. Capítulo anterior, notas 41 e 40) diferentes. Os crânios dos vertebrados são homólogos também no sentido de preencherem as mesmas funções e sofrerem as mesmas metamorfoses.

126. Zoologicamente, o *Úmero* é o osso de cada um dos membros dianteiros de um quadrúpede, ou asa de uma ave, correspondente ao que no homem tem esse mesmo nome. O úmero, no ser humano, é o osso do braço que vai do ombro ao cotovelo. Os dois ossos do antebraço são o cúbito e o rádio.

127. *Tetrapodia*, do grego *tetra*, "quatro", e *poús, podós*, "pé". (Cf. Capítulo anterior, nota 105.)

128. Isto é, barbatanas (dobra da pele dos peixes sustida por esqueleto ósseo ou cartilaginoso) em lobos ou lóbulos (do grego *lobós*, "extremidade da orelha"), salientes e arredondadas, em forma de membros.

129. Os *Dipneustas*, ou Dipnóicos, do grego *dís*, "em dois", e *pneuein*, "respiração", constituem a ordem dos peixes de água doce que podem respirar por pulmões ("Peixes

pulmonados") e guelras (ou brânquias), – daí serem também chamados Pneumobrânquios –, conforme o meio em que se encontrem. Crossopterígios (Cf. nota seguinte), da subordem *Dipnoi*, de corpo alongado, sem pré-maxila, ou maxila, dentes em duas placas no palatal e uma em cada maxilar inferior, situada na margem interna, bexiga natatória em forma de pulmão, nadadeiras pares, estreitas. Os *Peixes*, por sua vez, constituem animais cordados, gnastomados (com maxilas, dois tubos nasais, apêndices pares, sexos separados), aquáticos, com nadadeiras sustentadas por meio de raios ósseos, pele geralmente coberta de escamas, coração com uma só aurícula e aberturas nasais que não se comunicam com a boca. Respiram por brânquias. São os *condrictes* ou elasmobrânquios (tubarões e raias) e os *osteíctes* (sardinhas, piaus, bagres etc.).

130. Os *Crossopterígios* constituem a ordem de peixes marítimos cujas nadadeiras lobadas se assemelham às patas dos primeiros batráquios (Cf. nota 123) e que são conhecidos por várias formas da Era Paleozóica (Primário). Julgados totalmente extintos, foi encontrado contudo um exemplar vivo, em 1930, no Oceano Índico.

131. Isto é, os animais vertebrados aquáticos de forma semelhante à dos peixes.

132. *Lampreia* é a designação atribuída indiscriminadamente aos vertebrados aquáticos ciclostomados (cordados, craniotas, agnatos ou sem maxilas, pele nua, boca suctorial com dentes córneos, 6 a 14 pares de fendas branquiais), de forma cilíndrica e alongada (1 m), semelhantes às enguias, de pele lisa e viscosa.

133. Sem esses tegumentos ossificados, nada teriam deixado de si próprios e nós não os conheceríamos. (N. do A.)

134. Isto é, à base de "cartilagem", tecido resistente, elástico, flexível, de cor cinzenta ou branca, formado por matéria conjuntiva. A cartilagem forra as extremidades das superfícies articulares dos ossos, compõe certas partes do esqueleto do animal adulto e constitui, provisoriamente, a maior parte do esqueleto do embrião e do animal novo. Em certos peixes, porém, a cartilagem representa o esqueleto definitivo.

135. Para a atuação daquela verdadeira "lei de supressão automática dos pedúnculos evolutivos". (Cf. nota 88, o texto a que se reporta, e ainda a nota e os textos que indica.)

136. Cf. Capítulo anterior, nota 45.

137. *Cordado* é o animal que durante pelo menos um estágio da vida, ou durante toda ela, apresenta notocórdio, quer dizer, anatomicamente, um cordão fibroso ou cauda dorsal que constitui o esqueleto do embrião (no caso dos Vertebrados, é substituído pela coluna dorsal), e que persiste após o nascimento só em alguns casos (como na classe dos urocórdios), desaparecendo no adulto (no caso dos protocordados, de que é exemplo o Anfioxo).

138. Cf. nota 49.

139. *Vermes* foi a designação usada por Lineu (Cf. Capítulo anterior, nota 39) para agrupar todos os animais invertebrados, com exceção dos insetos. Posteriormente, foram incluídos no grupo todos os metazoários triploblásticos (formados embrionariamente por três folhetos: ectoderma, mesoderma e endoderma) de simetria bilateral, sem apêndices articulados (membros, patas), de corpo mole, sem concha, manto ou túnica, e sem esqueleto interno. Os vermes se classificam em anelídeos (Cf. nota 145), ou vermes anelados; platelmintos, ou vermes chatos; e nematelmintos, ou vermes roliços.

140. Cf. nota 72.

141. *Vegetais*, do latim *vegetus*, "que cresce", "vigoroso", são as plantas que constituem o Reino Vegetal. Observe-se que, ao colocá-los como Ramo que contribui "para a formação da ramagem-mestra da Vida", o Autor está consciente de não haver nenhuma diferença que sirva para distinguir, de modo absoluto, todos os Vegetais de todos os Animais, ao nível de "Árvore da Vida". É claro que se deve considerar – e ele naturalmente o faz – uma combinação de várias diferenças importantes, tais como presença de clorofila e de celulose, tipo de nutrição e de metabolismo, mobilidade e sensibilidade etc. Mas aqui importa divisar a "fronde" daquela "Árvore" em sua totalidade.

142. A *Quitina*, do grego *khitón*, "túnica", é uma substância de natureza gordurosa que reveste

os animais artrópodes em geral. Plástica a princípio, torna-se espessa e rígida, formando um exosqueleto, como ocorre nos insetos e crustáceos, aracnídeos e miriápodes. Nos crustáceos, apresenta-se impregnada de um revestimento contínuo e rígido de sais *calcários*, de modo que, para que possam crescer, sofrem periodicamente ecdises (do grego *ékdysis*, "ação de se despir") quando a quitina se desprende totalmente, sendo substituída por nova camada, que então se forma.

143. *Celulose* é a substância orgânica do grupo dos glucídios, polímero da glicose, de fórmula $(C_6H_{10}O_5)n$, que representa o principal constituinte das paredes das células vegetais.

144. Admitindo a Vida nascendo das e nas águas (umidade), Plantas e Insetos também se libertaram do "ventre materno" para conquistar a terra e o ar...

145. Os *Anelídeos*, do latim *annellus*, "anel", são animais enterozoários (com cavidade digestiva) de simetria bilateral, filo *Annelida*, de corpo segmentado, cada segmento ou anel com um par de nefrídios (órgãos excretores), tubo digestivo tubular completo; celoma (cavidade entre a parede do corpo e os órgãos internos) bem diferenciado; sistema vascular fechado. Minhocas, poliquetas (marinhos) e sanguessugas são anelídeos. (Cf. nota 139.)

146. Os *Espongiários*, do latim *spongia*, "esponja", ou Poríferos, do grego *póros*, "passagem", pelo latim *poru*, "canal", são animais parazoários (células digestivas numerosas, internas), do ramo *Porifera*, que têm simetria bilateral, formas variadas, esqueleto interno formado por espículas silicosas ou calcárias, ou fibras de espongina, e a superfície do corpo com numerosos poros ligados a canais ou câmaras revestidos por células flageladas (com flagelos ou filamentos protoplasmáticos muito móveis, constituindo órgãos locomotores de numerosos organismos unicelulares e de vários tipos celulares) ou coanócitos (células com colar membranoso em torno da base do flagelo). Esponjas marinhas ou de água doce, todas sésseis (sem suporte), são espongiários.

147. Os *Equinodermos*, do grego *echinos*, "ouriço", e *derma*, "pele", são animais enterozoários (com cavidade digestiva), com simetria radial superposta à bilateral, formada por um eixo longitudinal da boca à extremidade distal (distanciada da parte mediana do corpo); ramo *Echinodermata*, corpo revestido de placas calcárias, formando um esqueleto de espinhos externos; sistema vascular aquífero e tubos externos em forma de pés para locomoção. Ouriços-do-mar (conhecidas cerca de 800 espécies vivas e 7.200 fósseis) e estrelas-do-mar (conhecidas cerca de 2.000 espécies vivas e 300 fósseis) são equinodermos.

148. *Micélio*, do grego *mykes*, "cogumelo", é o talo dos fungos (Cf. nota 20), composto de filamentos denominados "hifas", destituídos de clorofila. As hifas constituem uma trama que representa o corpo vegetativo dos fungos, podendo este ser microscópico ou, como nas orelhas-de-pau, alcançar importantes dimensões. O que o Autor se pergunta é se os Reinos da Vida, as formas vivas animais e vegetais, na origem primeira, superpõem-se como ramos brotando alternadamente do tronco da "Árvore da Vida", ou se, pelo contrário, são como hifas se entrelaçando para compor um micélio, a própria sustentação da Vida...

149. Os *Unicelulares* são os organismos ou seres vivos que têm uma só célula, que são constituídos de uma só célula.

150. Pouco atrás, ao concluir a análise do Ramo dos Vertebrados, o Autor afirmava que todos os grupos vivos acabam "sempre por se perder em profundidade no *domínio do Mole*". E, com os grupos vivos – parece concluir agora –, a própria Vida.

151. Aristóteles (384-322 a.C.), filósofo grego nascido em Estagira, Macedônia, foi o preceptor de Alexandre, o Grande, e o fundador da Escola Peripatética. Seu sistema mostra toda a Natureza como um esforço imenso da Matéria para se elevar até o pensamento e a inteligência. Autor de um grande número de tratados de Lógica, de Política, de História Natural e de Física, sua obra é a base do Tomismo (conjunto de doutrinas teológicas e filosóficas desenvolvidas por Santo Tomás de Aquino e por seus seguidores) e da Escolástica (doutrinas teológico-filosóficas dominantes na Idade Média, a partir do século IX até o século XVII, caracterizadas sobretudo pelo problema da relação entre Razão e Fé – Cf. Parte III, Capítulo I, nota 14).

152. Cf. Capítulo anterior, 1, B, nota 39.

153. Conveniente e útil aplicação, a esta altura, dos *Sentidos Fenomenológicos* (do número, da profundidade, da proporção e, particularmente, do orgânico). (Cf. o *Prólogo*.)

154. Os *Moluscos*, do latim *mollusca nux*, "noz de casca mole", são animais enterozoários, de simetria bilateral (vísceras e concha espiraladas em algumas espécies), ramo *Mollusca*, de corpo mole e mucoso coberto por um manto que geralmente segrega uma carapaça ou concha calcária de uma, duas ou oito peças. Não possuem segmentação perceptível, respiram através de brânquias (ou pulmões), podem ser marinhos, de água doce ou terrestres. Quase todos são ovíparos e muitos, hermafroditas (com órgãos reprodutores dos dois sexos); muitas espécies são comestíveis. Dividem-se em *gastrópodes* (um pé alargado sob o ventre, em forma de disco carnudo, sobre o qual se arrastam – lesmas, caracóis), *pelecípodes* ou lamelibrânquios (sola pediosa em forma de machado – ostras, mexilhões) e *cefalópodes* (cabeça grande rodeada de oito, dez ou mais tentáculos – polvos, lulas, sépias e argonautas).

155. Com efeito, as conchas ou carapaças dos Moluscos, como capas de livros encadernados, assumem múltiplos aspectos de mármore. As conchas secretadas pelas fêmeas dos Argonautídeos (Cf. nota anterior) em particular, de variados ornamentos e que servem de proteção ao órgão ovopositor, são belíssimas.

156. Cf. nota 131.

157. *Borboleta* (hipoteticamente, de *belbellita*, calcado em "belo") é a designação comum dos insetos lepidópteros (asas membranosas recobertas de escamas), de cores mais ou menos brilhantes, diurnos, antenas em forma de clave, cujas larvas não tecem casulos, passando o período ninfal sob forma de crisálidas.

158. *Aves* são animais cordados, craniotas gnastomados (maxilas, dois tubos nasais), de pele revestida de penas, membros anteriores transformados em asas, boca desprovida de dentes (espécies atuais) e prolongada em bico, pulmões com sacos aéreos, sem bexiga; ovíparos.

159. Cf. nota 86.

160. Lucien Cuénot (1866-1951), biólogo francês que estudou a hereditariedade, a adaptação e a ecologia.

161. A *Via-láctea* é a faixa esbranquiçada, esbatida, de contornos irregulares, que faz a volta completa da esfera celeste e que se observa no céu nas noites límpidas. Ela não é senão a aparência da Galáxia (Cf. nota seguinte) constituída de centenas de milhões de estrelas, gás e poeira interestelares, à qual pertence o sistema solar e que tem a forma de um disco achatado com um bulbo central, vista por um observador situado no interior, não longe do plano médio. Na Via-láctea estamos a 300.000 anos-luz do núcleo, na orla de um braço espiral, onde a densidade local de estrelas é relativamente esparsa. Aglomerados globulares de estrelas – cada qual contendo entre cem mil e dez milhões de estrelas – gravitam em torno e demarcam o centro massivo da Via-láctea. Muitos estão localizados num grande halo esférico de estrelas e aglomerados estelares que limitam nossa galáxia espiral. Relativamente poucos estão concentrados no núcleo galáctico. Dos planetas de qualquer um dos sóis desses aglomerados, o céu deverá estar resplandecente de milhões de estrelas brilhantes visíveis a olho nu. Tais aglomerados globulares são chamados de NGC 6522 e NGC 6528, sendo NGC a sigla, em inglês, de "Novo Catálogo Geral", uma compilação de aglomerados e galáxias. O termo "novo" se refere à primeira compilação, que data de 1888...

162. As *galáxias*, do grego *galaktos*, "leite", são sistemas estelares análogos àquele a que pertence o sistema solar e a ele exteriores. No início do século XV os astrônomos acreditavam que havia somente uma galáxia no Cosmo, a nossa Via-láctea. Depois, no século XVIII, Thomas Wright e Emmanuel Kant intuíram que as formas espiraladas luminosas e intensas vistas ao telescópio eram outras tantas galáxias. Kant chegou a sugerir explicitamente que a M 31 na constelação de Andrômeda era outra Via-láctea composta de um grande número de estrelas e propôs a denominação de "universos-ilhas" para essas galáxias, das quais conhecemos hoje muitas espécies (distinguindo-as, inclusive, das nebulosas) situadas nos limites do Universo. Na escuridão das fronteiras cósmicas devem, contudo, existir muitas, muitas mais... Observe-se

que, quando se fala em galáxias, usa-se "g" minúsculo para diferenciá-las da Galáxia, a Via-láctea, e que, nesta, o adjetivo "láctea" (mesmo em francês) é também com minúscula. O Autor, contudo – deixando transparecer seu gosto pela universalização –, usa maiúsculas nos dois casos (Galáxias, Via-láctea) no texto original.

163. *Lóbulo*, aqui, como rebento, broto ou cacho, arredondado e saliente no tronco da "Árvore da Vida". (Cf. a figura 2.)

164. *Coníferas* são plantas gimnospermas (óvulos e sementes a descoberto) que, não abrigando num fruto as sementes que produzem, as reúnem em estróbilos (pinhas) coniformes. Lembrar a distribuição alternada e sobreposta dos galhos ao longo do tronco de um pinheiro, por exemplo.

165. *Trias*: outra denominação do Período Triásico, do grego *triâs*, pelo latim *trias*, "trindade", ou "Triádico" (segundo o Vocabulário Ortográfico de 1943).

166. Cf. nota 148.

167. O *Carbono*, do latim *carbonis*, "carvão", é o corpo simples, elemento de número atômico 6, que se encontra mais ou menos puro, na natureza, seja cristalizado (diamante, grafita), seja amorfo (carvão-de-pedra, hulha, antracito, linhita). O carbono é infusível, bom condutor de calor e de eletricidade. Combustível e redutor, forma numerosos compostos estudados pela Química Orgânica. Entra na composição de quase todos os tecidos animais ou vegetais. Seu isótopo radioativo (Cf. nota 169), o Carbono 14 – que nasce na atmosfera – permite datar vestígios ou fósseis.

168. O *Chumbo*, do latim *plumbum*, é o metal denso, elemento de número atômico 82, cinza-prateado, mole, utilizado em ligas de diversos compostos, que se encontra na natureza, sobretudo no estado sulfuroso (combinado com enxofre), "galena", ou então no estado argentífero (combinado com a prata), "minério de prata".

169. Mineral radífero é o mineral que contém "rádio" (Cf. Parte I, Capítulo II, nota 16), o elemento descoberto na pechblenda em 1898 pelo casal Curie, que consiste num metal alcalino-terroso, branco e brilhante; o rádio apresenta quatro isótopos (elementos que possuem átomos com propriedades químicas iguais, mas que têm peso diferente) naturais e nove artificiais radioativos (emissão invisível de energia – raios gama ou eletromagnéticos – e corpúsculos – raios alfa e beta – pelos núcleos dos átomos de elevado peso atômico).

170. Cf. nota anterior.

171. *Sequóia*, do antropônimo *Sikwâyi*, de um índio, é um gênero de coníferas, da região da Califórnia, antiqüíssimas (como observa o Autor) e de grande porte (podendo atingir até 140 m).

172. *Soma*, do grego *sôma*, "corpo", é o conjunto de tecidos do corpo vivo que mantém e transmite o *Germe*, elemento de perpetuação da espécie.

173. *Genes*, do grego *genos*, "geração", são partículas cromossômicas, unidades hereditárias ou genéticas que, em formas alternativas, viriam a ser responsáveis pelas diferenças num determinado caráter. Os genes são segmentos de ácido desoxirribonucleico (ADN) que codificam as proteínas.

174. Cf. nota 15.

175. Convém ressaltar a importância deste parágrafo. Já no início do Capítulo, o Autor se propusera a desenvolver *"uma representação simplificada, mas estrutural, da Vida terrestre em evolução"*, *"uma visão"* sem *"detalhes acessórios nem discussões"*, "uma perspectiva a ver (...) ou *a não ver*". Daí eximir-se de "querelas"... Interessa-lhe, sim, delinear nitidamente o cenário ou "quadro natural" em que irá inserir o Fenômeno Humano, o aparecimento e desenvolvimento do grupo humano, a "Antropogênese". Sendo esta processual e evolutiva, deve supor, de um certo ponto de vista, um pano de fundo também processual e evolutivo, já que, do ponto de vista da continuidade, o próprio Fenômeno Humano corresponde a uma ordenação ou arranjo superior do Fenômeno Vital, como este o foi do Fenômeno Cósmico. Em suma, o Cosmo – "berço" natural da Vida; a Vida – "berço" natural do Homem.

Eis "a objetividade substancial de uma Evolução". Para tanto, explicita o Autor, basta que possamos reconhecer naturalmente na Vida, tomada em seu conjunto, o mesmo movimento de crescimento e orientação progressiva que reconhecemos naturalmente em cada ser vivo, tomado em particular.

176. *Cinemática*, do grego *kínema*, "movimento", ou Cinética, é a parte da Mecânica que estuda os movimentos independentemente das forças que os produzem ou das massas dos corpos em movimento.

177. O raciocínio do Autor — sempre fiel à sua proposta inicial de evidenciar, ou seja, de nos fazer ver — é simples: trata-se, como ele mesmo diz, de "uma prova quase mecânica" (Cf. nota anterior). Constatando as formas espiraladas das nebulosas, bem depressa deduzimos sua origem giratória... Observando a disposição geométrica de um cristal, salta aos olhos a agregação sucessiva de suas partículas... Deparando com uma estalagmite, formada no solo de uma caverna ou subterrâneo, vemos logo tratar-se de um precipitado mineral resultante de respingos caídos do teto e que foram se superpondo (e do qual as correspondentes estalactites, do grego *stalaktos*, "que cai gota a gota", são, aliás, a comprovação irrefutável)... Registrando a concrescência, ou seja, a aderência íntima e congênita dos feixes lenhosos na constituição de uma haste vegetal, concluímos facilmente que aquela planta cresceu... O mesmo se dá quando analisamos a "Árvore da Vida": ela se descortica, descasca-se, e, exibindo seus feixes, filos ou biotas, patenteia-nos claramente o seu movimento de crescimento. (Cf. nota 179, do Autor.)

178. Cf. final da nota anterior.

179. Seria evidentemente possível, nesse jogo de leques, desenhar os encaixes de maneira diferente da que fiz, particularmente dando maior lugar aos paralelismos e à convergência. Por exemplo, os Tetrápodes poderiam ser considerados como um feixe composto de vários raios, saídos de diferentes verticilos, mas tendo todos alcançado igualmente a fórmula quadrúpede. Esse esquema polifilético, na minha opinião, não explica bem os fatos. Mas em nada alteraria minha tese fundamental: a saber, que a Vida se apresenta como um conjunto organicamente articulado, deixando transparecer manifestamente um fenômeno de crescimento.(N. do A.)

180. Que tenderiam sempre ao mesmo comportamento e às mesmas combinações...

181. Cf. nesta Parte II, Capítulo I, 1, C, 1, nota 58.

182. *Fenótipo*, do grego *phaino*, "brilhar", "aparecer", e *týpos*, "cunho", "molde", "marca", "modelo", é o conjunto de caracteres que se manifestam visivelmente num indivíduo e que exprimem as reações do seu genótipo (Cf. nota seguinte) em face das circunstâncias particulares de seu desenvolvimento e em face de seu meio. Eis por que a evolução dos fenótipos é externa e "finalista", quer dizer, faz-se "por" e "para" adaptações do ser vivo aos eventos e às situações que lhe sobrevêm.

183. *Genótipo* (Cf. notas 173 e 181) é o conjunto de genes, de fatores hereditários constitutivos de um indivíduo (ou de uma linhagem) e que lhe dão caracteres transmissíveis. Eis por que a evolução dos genótipos é interna e mecanicista, quer dizer, faz-se "por" e "para" constituição orgânica dos seres vivos e, automaticamente, de seus descendentes.

184. *Granitização* é o fenômeno pelo qual uma rocha qualquer preexistente se transforma noutra de caráter semelhante ao do granito (Cf. Capítulo anterior, notas 113 e 114, bem como o texto a que se referem), sem ter havido um estágio magmático de fusão anterior. Ainda que desconhecêssemos a natureza ou gênese das rochas magmáticas granulares originais (os granitos), não poderíamos deixar de constatar o fenômeno da granitização de outras rochas.

185. O Autor se refere à noção de *Duração* ou *Tempo Orgânico*. (Cf. Parte I, Capítulo I, 2, C, nota 25, onde, inclusive, indicamos em que altura ele voltará a esse ponto.)

186. Eis a vida exigindo o "berço" natural do Universo, tão móvel, processual e evolutivo quanto ela própria. (Cf. nota 175.)

187. Ainda e sempre uma questão de "ver" o "que se mostra" ou manifesta, aberto à "explicação filosófica", mas já acima da "verificação científica", isto é, "hiperfisicamente" estabelecido. A *Evidência* acompanha os diversos tipos de assentimento ou adesão mental, aceitação da verdade (em Teilhard, por harmonia, coerência e fecundidade) de uma proposição —

opinião, crença e certeza –, mas liga-se, sobretudo, a esta última. Adquirida a *certeza* por demonstração, o Autor pode concluir o parágrafo seguinte afirmando a sua *convicção*.

188. Cf. Capítulo anterior, nota 23.

189. *Biogênese*, do grego *bíos*, "vida", e *génesis*, "geração", "criação", é o processo de aparecimento e desenvolvimento da Vida. Limiar de emergência do processo de complexificação, revela o eixo principal da Cosmogênese e desemboca na edificação de seres vivos autônomos e cada vez mais centrados sobre si mesmos:
" 'Compressão / Complexidade / Consciência'
ou ainda, se preferirmos:
'Compressão / Competição / Complexidade / Consciência'.
Tal é, na realidade, a fórmula de três (ou quatro) termos, verdadeiramente satisfatória, para traduzir, ao longo de seu encadeamento completo, o processo da Biogênese."
(Cf. *La structure phylétique du groupe humain*, 1951.)

190. De fato, à medida que ele exprime simplesmente a impossibilidade em que nos encontramos de perceber experimentalmente qualquer ser (vivo ou não-vivo) de outro modo que não inserido numa série temporoespacial, o evolucionismo deixou há muito de ser uma hipótese, para se tornar uma condição (dimensional) à qual devem doravante satisfazer, em Física e em Biologia, todas as hipóteses. – Presentemente, biólogos e paleontólogos ainda disputam entre si acerca das modalidades, – e sobretudo acerca do mecanismo das transformações da Vida: preponderância (neodarwiniana) do Acaso, ou jogo (neolamarckiano) da invenção, no aparecimento de caracteres novos. Mas, quanto ao fato geral e fundamental de que há evolução orgânica tanto no caso da Vida considerada globalmente como no caso de qualquer ser vivo tomado particularmente, – quanto a esse ponto, insisto, todos os sábios hoje estão de acordo; – e pela simples razão de que não poderiam fazer Ciência se pensassem de outro modo... Tudo o que se pode lamentar aqui (não sem espanto) é que, apesar da clareza dos fatos, a unanimidade não vá até o reconhecimento de que a "galáxia" das formas vivas desenha (como se admite nestas páginas) um vasto movimento "ortogenético" de enrolamento, sobre cada vez mais complexidade e mais consciência (ver a *conclusão*, no fim desta obra). (N. do A.)

CAPÍTULO III
Deméter

Deméter! Terra-Mãe![1] Um fruto? Que fruto?... Tenta ele nascer na Árvore da Vida?

Ao longo de todo o capítulo precedente, falamos de crescimento para exprimir os comportamentos da Vida. Conseguimos até, numa certa medida, reconhecer o princípio dessa propulsão, ligada como nos surgiu ao fenômeno de *aditividade dirigida*.[2] Por acumulação contínua de propriedades (qualquer que seja o exato mecanismo dessa hereditariedade) a Vida faz como "bola de neve". Ajunta caracteres sobre caracteres no seu protoplasma. Vai se complicando cada vez mais. Mas que representa, no conjunto, esse movimento de expansão? Explosão operante e definida, como a de um motor? ou disparo desordenado, em todas as direções, como o de um estouro?...

Sobre o fato geral de que há *uma* evolução, todos os investigadores, dizia eu, estão atualmente de acordo. Quanto à questão de saber se essa evolução é *dirigida*, já é outra coisa.[3] Pergunte-se hoje a um biólogo se ele admite que a vida vá *para alguma parte* ao longo de suas transformações: nove vezes em dez, ele responderá: "Não", — e até apaixonadamente. "Que a matéria organizada esteja em contínua metamorfose, dirá ele, e mesmo que essa metamorfose a faça deslizar com o tempo em direção a formas cada vez mais improváveis, — isso salta a todos os olhos. Mas que escala poderíamos encontrar para apreciar o valor absoluto, ou simplesmente relativo, dessas frágeis construções? Com que direito, por exemplo, dizer que o Mamífero, — que seja o Homem — é mais avançado e mais perfeito que a Abelha ou a Rosa?... Até certo ponto, podemos dispor os seres em círculos cada vez maiores, segundo o seu afastamento no Tempo, a partir da célula inicial. Mas, a partir de um certo grau de diferenciação, não conseguiríamos mais estabelecer, cientificamente, nenhuma prioridade entre essas diversas elucubrações da Natureza. Soluções diversas, mas equivalentes. Em volta do centro, todos os raios, em todos os azimutes[4] da esfera, são igualmente bons. Pois nada parece ir ter a nada."

A Ciência, em suas ascensões, e mesmo — como mostrarei — a Humanidade, em sua marcha, marcam passo neste momento porque os espíritos hesitam em reconhecer que há *uma orientação*[5] precisa e um *eixo*[6] privilegiado de evolução. Debilitadas por essa dúvida fundamental, as pesquisas se dispersam e as vontades não se decidem a construir a Terra.

Gostaria de fazer compreender aqui por que é que, postos de lado qualquer antropocentrismo e qualquer antropomorfismo,[7] creio ver que existem, para a

Vida, um sentido e uma linha de progresso, — sentido e linha tão bem definidos até, que a sua realidade, disso estou convencido, será universalmente admitida pela Ciência de amanhã.

1. O Fio de Ariadne[8]

E, para começar, uma vez que se trata aqui de graus na complicação orgânica, tentemos descobrir uma ordem na complexidade.

Visitado sem qualquer fio condutor, é preciso reconhecer que o conjunto dos seres vivos forma, qualitativamente, um labirinto inextricável. Que é que se passa, para onde é que vamos, através dessa monótona sucessão de leques?... Com os séculos, sem dúvida, os seres multiplicam o número e a sensibilidade de seus órgãos. Mas também os reduzem por especialização. E depois, que significa ao certo o termo "complicação"?... Há tantas maneiras diversas de um animal se tornar menos simples! Diferenciação dos membros? dos tegumentos?[9] dos tecidos?[10] dos órgãos sensoriais? — Conforme o ponto de vista adotado, todas as espécies de distribuições se tornam possíveis. Entre essas múltiplas combinações, existe realmente uma que seja mais *verdadeira* do que as outras, — isto é, que dê ao conjunto dos seres vivos uma coerência mais satisfatória, quer em relação a si mesmo, quer em relação ao Mundo no seio do qual a Vida se encontra inserida?

Para responder a essa pergunta, é preciso, penso eu, que voltemos atrás e retomemos as considerações com que tentei, anteriormente, fixar as relações mútuas entre Fora e Dentro das Coisas. A essência do Real, dizia eu então, poderia muito bem ser representada por aquilo que o Universo contém, num dado momento, de "interioridade"; e a Evolução nada mais seria, nesse caso, que o crescimento contínuo, no decurso da Duração, dessa Energia "psíquica" ou "radial", por sob a Energia mecânica ou "tangencial", praticamente constante à escala de nossa observação (Parte I, Capítulo II, 3, nota 42). Qual é, de resto, acrescentava eu, a função particular que religa *experimentalmente* uma à outra, em seus respectivos desenvolvimentos, as duas Energias, radial e tangencial, do Mundo? Evidentemente, o *arranjo*:[11] o arranjo, cujos progressos sucessivos se forram interiormente, como podemos verificar, de um aumento e de um aprofundamento contínuos de consciência.[12]

Invertamos agora (sem círculo vicioso, mas por simples ajustamento de perspectiva) essa proposição. Temos nós dificuldade em distinguir, entre as inúmeras complicações a que está sujeita a Matéria orgânica em ebulição, aquelas que não passam de diversificações superficiais e aquelas (e quantas existem!) que corresponderiam a um agrupamento renovador do Estofo do Universo? Pois bem, procuremos apenas reconhecer se, entre todas as combinações ensaiadas pela Vida, algumas delas não estariam organicamente associadas a uma variação positiva de psiquismo nos seres que a possuem. — Se sim, — e se minha hipótese é justa, são elas, não tenhamos dúvida, que, na massa equívoca das transformações banais, representam as complicações por excelência, as metamorfoses essenciais — aprendemo-las, e sigamo-las. É bem possível que elas nos levem a algum lugar.[13]

Posto nesses termos, o problema se resolve imediatamente. Sim, é certo, existe nos organismos vivos uma engrenagem especial para o jogo da consciência: e basta olhar em nós mesmos para percebê-la: é o sistema nervoso.[14] Nós só apreendemos positivamente uma única interioridade no Mundo: a nossa, diretamente;[15] e, ao mesmo tempo, por uma equivalência imediata, graças à linguagem, a dos outros homens. Mas temos todas as razões para pensar que, também nos animais existe um certo dentro, aproximadamente mensurável pela perfeição de seu cérebro.[16] Procuremos então distribuir os seres vivos por grau de "cerebralização".[17] O que é que se passa? — Uma ordem, a própria ordem que desejávamos, se estabelece, — e automaticamente.

Retomemos, para começar, na Árvore da Vida, a região que melhor conhecemos, porque ela é particularmente vivaz ainda hoje e porque a ela pertencemos: o Ramo "Cordado". Nesse conjunto, surge uma primeira característica, bem revelada desde muito pela Paleontologia: é que, de *camada em camada*, por saltos maciços, o sistema nervoso vai se desenvolvendo e se concentrando. Quem não conhece o exemplo desses enormes Dinossauros nos quais a massa cerebral, ridiculamente pequena, formava apenas um estreito rosário de lobos, de diâmetro bem inferior ao da medula na região lombar? Essas condições lembram aquelas que prevalecem mais abaixo, nos Anfíbios e nos Peixes. Mas se agora passarmos ao escalão acima, nos Mamíferos, que mudança!

Nos Mamíferos, isto é, desta vez, *no interior de uma mesma camada*, o cérebro é em média muito mais volumoso e pregueado do que em qualquer outro grupo de Vertebrados. E, no entanto, se o examinamos mais detalhadamente, quantas desigualdades ainda, — e sobretudo que ordenação na repartição das diferenças! Em primeiro lugar, gradação segundo a posição dos Biotas: na natureza atual, os Placentários, cerebralmente, passam à frente dos Marsupiais. E, em seguida, gradação segundo a idade, no interior de um mesmo Biota. Pode-se dizer que no Terciário inferior os cérebros dos Placentários (excetuados alguns Primatas[18]) são sempre relativamente mais pequenos e menos complicados do que a partir do Neogeno.[19] Constata-se isso peremptoriamente em alguns filos extintos, — tais como os Dinoceratídeos,[20] monstros corníferos cuja caixa craniana não ultrapassava muito, pela pequenez e pelo espaçamento dos lobos, o estádio atingido pelos Répteis Secundários. Tais como ainda os Condilártreos.[21] Mas isso se observa até *no interior de uma mesma linhagem*. Nos Carnívoros Eocênicos, por exemplo, o cérebro, ainda no estádio marsupial, é liso e bem separado do cerebelo.[22] E seria fácil alongar a lista. De um modo geral, seja qual for o raio escolhido num verticilo qualquer, é raro que não possamos, se é suficientemente comprido, observar que ele alcança, com o tempo, formas cada vez mais "cefalizadas".[23]

Saltemos agora para um outro Ramo, o dos Artrópodes e dos Insetos. O fenômeno é o mesmo. Aqui, porque se trata de um outro tipo de consciência, é menos fácil uma estimativa dos valores. Entretanto, o fio que nos guia parece ainda resistente. De grupo para grupo, de idade para idade essas formas, psicologicamente tão longínquas, sofrem também, como nós próprio a influência da cefalização.[24] Os gânglios nervosos[25] se concentram. Localizam-se e engrossam para diante, na cabeça. E, no mesmo passo, complicam-se os instintos.[26] E, ao mesmo tempo também, manifestam-se (voltaremos a esse ponto) extraordinários fenômenos de socialização.[27]

Poder-se-ia prolongar indefinidamente esta análise. Já disse o bastante para indicar quão simplesmente, uma vez pego o fio certo, a meada se desembaraça. Por razões evidentes de comodidade, os naturalistas são levados a utilizar certas variações de ornatos, ou até certas modificações funcionais do aparelho ósseo, na classificação das formas organizadas. Guiada por ortogêneses que afetam a coloração e a nervação das asas, ou a disposição dos membros, ou o desenho dos dentes,[28] sua classificação destrinça os fragmentos, ou mesmo o esqueleto de uma estrutura no mundo vivo. Mas porque as linhas assim traçadas não exprimem senão harmônicos secundários da evolução, o conjunto do sistema não toma, nem figura, nem movimento. Desde o momento em que, pelo contrário, a medida (ou parâmetro) do fenômeno evolutivo é procurada na elaboração do sistema nervoso, não somente a multidão dos gêneros e das espécies entra na ordem, mas também a rede inteira de seus verticilos, de suas camadas, de seus ramos, se eleva como um feixe fremente. Uma repartição das formas animais conforme seu grau de cerebralização, não apenas acompanha exatamente os contornos impostos pela Sistemática, mas confere também à Árvore da Vida um relevo, uma fisionomia, um impulso onde é impossível não reconhecer o cunho da verdade. Tanta coerência, — e, acrescentemos, tanto à vontade, tanta fidelidade inesgotável e tanto poder evocativo na coerência — não poderiam ser um efeito do acaso.[29]

Entre as infinitas modalidades em que se dispersa a complicação vital, a diferenciação da substância nervosa se destaca, tal como a teoria o fazia prever, como uma transformação significativa. *Ela dá um sentido à evolução, — e, por conseguinte, prova que há um sentido na evolução.*

Tal será a minha primeira conclusão.

Ora, esta proposição tem seu corolário. Nos seres vivos (foi o nosso ponto de partida) o cérebro é indicador e medida de consciência. Nos vivos, acabamos de acrescentar agora, verifica-se que o cérebro vai se aperfeiçoando continuamente com o tempo, a ponto de certa qualidade de cérebro surgir essencialmente ligada a certa fase de Duração.

A conclusão última deduz-se por si mesma, — uma conclusão que, ao mesmo tempo, verifica as bases e determina a seqüência de nossa Exposição. Se, pois, tomada em sua totalidade e ao longo de cada ramificação, a História Natural dos seres vivos desenha *exteriormente* o estabelecimento gradual de um vasto sistema nervoso, é então porque ela corresponde *interiormente* à instalação de um estado psíquico com as próprias dimensões da Terra. Na superfície, as fibras e os gânglios. Em profundidade, a consciência. Não buscávamos senão uma simples regra para ordenar o emaranhado das aparências. E eis que possuímos (em plena conformidade com nossas antecipações iniciais acerca da natureza última e psíquica da Evolução) uma variável[30] fundamental, capaz de seguir no Passado, e talvez até de definir no Porvir, a curva verdadeira do Fenômeno.

Ficaria resolvido o problema?

Sim, quase. Mas com uma condição, é claro, e que parecerá dura a certos preconceitos da Ciência: É que, por uma mudança ou inversão de plano, deixemos o Fora, para nos transportarmos ao Dentro das Coisas.[31]

2. A Ascensão de Consciência

Retomemos então, tal como nos surgiu em suas grandes linhas, o movimento "expansional" da Vida. Mas desta vez, em lugar de nos perdermos no dédalo dos arranjos que afetam as energias "tangenciais" do Mundo, tentemos seguir a marcha "radial" de suas energias internas.

Tudo se esclarece definitivamente, — em valor, em funcionamento e em esperança...

a) O que, para começar, se descobre, graças a essa simples mudança de variável, é *o lugar ocupado pelo desenvolvimento da Vida na história geral de nosso planeta.*

Mais atrás, depois de havermos discutido a origem das primeiras células, nós tínhamos calculado que, se a sua geração espontânea não se produziu senão uma única vez no decurso dos tempos, foi aparentemente porque a formação inicial do protoplasma estava ligada a um estado atravessado, uma vez somente, pelo quimismo geral da Terra.[32] A Terra, dizíamos então, deve ser olhada como a sede de uma certa evolução global e irreversível, cuja consideração, para a Ciência, deve ser mais importante do que qualquer das oscilações que correm à sua superfície; e a emersão primordial da matéria organizada assinala um ponto (um ponto crítico!) na curva dessa evolução.

Depois disso, o fenômeno parecera se perder numa exuberância de ramagens. Tínhamos quase esquecido dele. E eis que ele emerge de novo. Com a maré e na maré (devidamente registrada pelos sistemas nervosos) que impele a onda viva em direção a sempre mais consciência, vemos reaparecer o grande movimento de fundo, cuja seqüência apreendemos.

Tal como o geólogo ocupado em enumerar as transgressões[33] e os enrugamentos,[34] o paleontólogo que fixa no tempo a posição das formas animais está exposto a não ver no Passado mais que uma série de pulsações monótonas, homogêneas entre si. Nesses quadros, os Mamíferos se sucedem aos Répteis, e os Répteis aos Anfíbios, tal como os Alpes às Cadeias cimerianas e estas aos Montes hercínios.[35] — Podemos, e devemos, doravante escapar dessa perspectiva sem profundidade. Já não é a sinusóide que rasteja, mas a espiral que irrompe em hélice.[36] De Camada para Camada zoológica, *alguma coisa passa e cresce sem cessar, aos arrancos, no mesmo sentido.* E essa coisa é a mais fisicamente essencial no astro que nos carrega.[37] Evolução dos corpos simples segundo a via radioativa, — segregação granítica dos continentes, — isolamento talvez dos invólucros interiores do Globo, muitas outras transformações, além do movimento vital, formam sem dúvida uma nota contínua sob os ritmos da Terra. Desde que a Vida se isolou no seio da Matéria, esses diversos processos perderam a qualidade de constituir o evento supremo. Com o primeiro nascimento dos Albuminóides,[38] a essência do Fenômeno terrestre decididamente emigrou, — concentrou-se na película, aparentemente tão sem importância, da Biosfera. O eixo da Geogênese[39] passa e se prolonga, a partir de então, pela Biogênese. E esta se exprime definitivamente por uma Psicogênese.[40]

De um ponto de vista interno, justificado por harmonias que só farão crescer aos nossos olhos, eis os objetos de nossa Ciência dispostos em sua perspectiva e em suas proporções verdadeiras. À frente, a Vida, — com toda a Física subordinada a ela. E, no âmago da Vida, para explicar sua progressão, a mola de uma Ascensão de Consciência.

b) A mola da Vida... Questão asperamente debatida entre naturalistas, desde que o conhecimento da Natureza se resume na compreensão da Evolução. Fiel a seus métodos analíticos e deterministas, a Biologia continua a querer encontrar nos estimulantes externos ou estatísticos o princípio dos desenvolvimentos da Vida: luta pela sobrevivência, seleção natural... Desse ponto de vista, o mundo animado só se elevaria (na medida em que verdadeiramente se eleva!) pela soma, automaticamente regularizada, das tentativas que faz para permanecer ele próprio.

Longe de mim, repito mais uma vez aqui, a idéia de recusar sua parte, – uma parte importante e até essencial –, a esse jogo histórico das formas materiais. Não o sentimos em cada um de nós, pois que somos vivos? Para arrancar o indivíduo à sua preguiça natural e às suas rotinas adquiridas, – para romper também, periodicamente, os quadros coletivos que o aprisionam – são indispensáveis urgências ou sacudidas exteriores. Que faríamos nós sem nossos inimigos?... Capaz de regular facilmente, no interior dos corpos organizados, o movimento cego das moléculas, parece que a Vida consegue também utilizar para suas combinações criadoras as vastas reações que nascem fortuitamente através do mundo entre correntes materiais e massas animadas. Ela parece jogar tão habilmente com as coletividades e os acontecimentos quanto com os átomos. Mas o que poderiam essa engenhosidade e esses excitantes se aplicados a uma inércia fundamental? E que seriam de resto, já o dissemos, as próprias energias mecânicas sem algum Dentro que as alimentasse?... Sob o "tangencial", o "radial". O "impetus"[41] do Mundo, revelado pelo grande surto de consciência, não pode ter sua fonte última, não encontra explicação para sua marcha, irreversivelmente tendente para mais altos psiquismos, senão na existência de algum princípio interior ao movimento.

Como pode a Vida, com o Fora inteiramente respeitado em seus determinismos, operar livremente do Dentro? Isso, talvez um dia o compreenderemos melhor.

Entrementes, tão logo se admite a realidade de um impulso de fundo, o fenômeno vital toma, em suas grandes linhas, configuração natural e possível. Melhor ainda: sua própria micro-estrutura se esclarece. Pois distinguimos agora uma nova maneira de explicar, além da corrente geral da evolução biológica, a marcha e a disposição particular de seus diversos filos.[42]*

Uma coisa é constatar que, seguindo uma mesma linhagem animal, os membros se tornam solípedes[43] ou os dentes carnívoros, – e outra é adivinhar como pôde se produzir essa deriva. No ponto de junção do raio com o verticilo, uma mutação. Certo. Mas depois?... Tão graduais são geralmente as modificações ulteriores ao longo do filo, – tão estável é também, por vezes, já desde o embrião, o órgão (dentes, por exemplo) que elas afetam, que devemos decididamente renunciar a falar simplesmente, em todos esses casos, de sobrevivência do mais apto, ou de adaptação mecânica ao meio e ao uso. E então?...

Quanto mais deparei e lidei com esse problema, mais se impôs ao meu espírito a idéia de que nos encontrávamos, nesse evento, perante um efeito, não de forças externas, mas de psicologia.[44] Segundo nossa maneira atual de falar, um animal desenvolveria seus instintos carnívoros *porque* seus molares se tornam cortantes e suas patas se armam de garras. Ora, não será preciso inverter essa posição? Em outras palavras, se o Tigre alongou seus colmilhos e aguçou suas unhas,[45] não será justamente porque, segundo sua linhagem, ele recebeu, desenvolveu e transmitiu uma "alma de carnívoro"? E assim também os corredores tímidos, assim os nadadores, – assim os escavadores, – assim os voadores... Evolução de caracteres, sim: mas com a condição de tomar esse termo no sentido de "temperamento"[46]. À primeira vista, a explicação faz pensar nas "virtudes" escolásticas.[47] Mais aprofundada, adquire uma verossimilhança crescente. Qualidades e defeitos, no indivíduo, desenvolvem-se com a idade. Por que, – ou antes como – não se acentuariam também *fileticamente*? E por que, nessas dimensões, não reagiriam sobre o organismo para moldá-lo à sua imagem? Afinal, as Formigas[48] e as Térmitas[49] não conseguem aquinhoar seus guerreiros ou suas obreiras com um exterior adaptado ao seu instinto? E não conhecemos nós homens de rapina?

c) Admitindo isso, horizontes inesperados abrem-se à Biologia. Por razões práticas evidentes, somos levados, para seguir os encadeamentos dos seres vivos, a utilizar as variações de suas partes fossilizáveis. Mas essa necessidade de fato não deve nos esconder o que há de limitado e superficial nessa ordenação. Número dos ossos, forma dos dentes, ornamentação dos tegumentos, todos esses "fenocaracteres"[50] não são em verdade senão a vestimenta moldando um suporte mais profundo. Essencialmente, um único acontecimento em curso: a Grande Ortogênese, de tudo o que vive, em direção a mais espontaneidade imanente. Secundariamente, por dispersão periódica desse impulso, o verticilo das pequenas ortogêneses, onde a corrente fundamental se divide para formar o eixo interior, e verdadeiro, de cada "radiação". Lançado enfim por cima de tudo isso, como um simples invólucro, o véu dos tecidos e a arquitetura dos membros. Tal é a situação.

Para exprimir, em toda a sua verdade, a História Natural do mundo, seria, pois, necessário poder segui-la pelo dentro: não mais como uma sucessão articulada de tipos estruturais que se substituem uns aos outros; mas como uma ascensão de seiva interior que desabrocha numa floresta de instintos consolidados. Bem no fundo de si mesmo, o mundo vivo é constituído por consciência revestida de carne e osso. Da Biosfera à Espécie, tudo, portanto, não é senão uma imensa ramificação de psiquismo que se busca através das formas. Eis aonde nos conduz, seguido até o fim, o fio de Ariadne.

No estado presente de nossos conhecimentos, não podemos, é certo, pretender exprimir o mecanismo da evolução sob essa forma interiorizada, "radial". Em compensação, uma coisa é patente. É que, se essa é mesmo a verdadeira significação do transformismo, a Vida, na medida exata em que corresponde a um processo *dirigido*,[51] não podia ir cada vez mais longe em sua linha original senão com a condição de sofrer, a um dado momento, algum reajustamento profundo.

A lei é formal. Nenhuma grandeza no mundo (já o lembrávamos ao falar ao próprio nascimento da Vida) pode crescer sem atingir algum ponto crítico, alguma mudança de estado. Há um limite inultrapassável para as velocidades e para as temperaturas. Aumentemos sempre mais a aceleração de um corpo até nos aproximarmos das velocidades luminosas: ele adquire, por excesso de massa, uma natureza infinitamente inerte. Aqueçamo-lo: ele se funde e depois se evapora. E assim acontece com todas as propriedades físicas conhecidas. – Enquanto a evolução representava aos nossos olhos apenas uma simples marcha para o complexo, podíamos conceber que ela fosse se desenvolvendo indefinidamente igual a si mesma: nenhum limite superior, com efeito, para a mera diversificação.[52] Agora que, sob o intricado historicamente crescente das formas e dos órgãos, revela-se ao nosso olhar o aumento irreversível, não somente quantitativo, mas também *qualitativo*, dos cérebros (e portanto das consciências), nós nos damos conta de que um acontecimento de ordem nova, uma *metamorfose* era inevitavelmente esperada para fechar, no decurso dos tempos geológicos, esse longo período de síntese.

Devemos agora assinalar os primeiros sintomas desse grande fenômeno terrestre que resulta no Homem.

3. A Aproximação dos Tempos

Voltemos à onda vital em movimento, no ponto em que a deixamos, ou seja, na expansão dos Mamíferos. Ou, para nos situarmos concretamente na Duração, transportemo-nos pelo pensamento ao mundo tal como o podemos imaginar, lá pelo fim do Terciário.

Nesse momento, uma grande calma parece reinar à superfície da Terra. Da África meridional à América do Sul, através da Europa e da Ásia, ricas estepes e espessas florestas. Depois, outras estepes e outras florestas. E, por entre essa verdura sem fim, miríades de Antílopes e de Cavalos zebrados; bandos variados de Proboscídeos; Cervos[53] de todas as galhaduras; Tigres, Lobos,[54] Raposas,[55] Texugos,[56] inteiramente semelhantes aos de hoje. Em suma, uma paisagem bastante próxima da que nós procuramos preservar, aos retalhos, em nossos parques nacionais, no Zambeze, no Congo ou no Arizona.[57] Salvo algumas formas arcaicas atrasadas, uma natureza tão familiar que temos que nos esforçar para nos convencermos de que *em parte alguma* se ergue o fumo de um acampamento ou de uma aldeia.

Período de calma profusão. A camada dos Mamíferos estagnou-se. — E no entanto a evolução não pode ter parado... Alguma coisa, em algum lugar, certamente se acumula, prestes a surgir por um outro salto à frente. O quê? e onde?...

Para detectar o que amadurece nesse momento no seio da Mãe universal, sirvamo-nos do índice que temos agora em mãos. A Vida é ascensão de consciência,[58] acabamos de reconhecer. Se ela progride ainda é, pois, porque sob o manto de uma Terra florida, a energia interna, em certos pontos, se eleva secretamente. Aqui ou acolá, a tensão psíquica aumenta, sem dúvida, no fundo dos sistemas nervosos. Assim como um físico ou um médico aplica aos corpos um delicado instrumento, façamos passear nosso "termômetro" de consciência sobre essa Natureza adormecida. Em que região da Biosfera, no Plioceno, está a temperatura a subir?

Procuremos nas cabeças, naturalmente.

Afora os Vegetais, que, evidentemente, não contam,[59]* dois ápices de Ramos, e dois somente, emergem diante de nós, no ar, na luz, na espontaneidade. Do lado Artrópodes, os *Insetos*, — e os *Mamíferos* do lado Vertebrados. De que lado o futuro, — e a verdade?

a) *Os Insetos*. Nos insetos superiores, uma concentração cefálica dos gânglios nervosos acompanha uma extraordinária riqueza e precisão de comportamentos.

Tornamo-nos pensativos ao ver viver em torno de nós esse mundo tão maravilhosamente ajustado, ao mesmo tempo, e tão assustadoramente longínquo. Concorrentes? Sucessores talvez?... Não deveríamos, antes, dizer multidão pateticamente comprometida e lutando num impasse?

O que parece eliminar, de fato, a hipótese de que os Insetos representem a saída, — ou até simplesmente que constituam *uma* saída — para a evolução, é que, muito mais velhos que os Vertebrados superiores pela data de seu florescer, eles parecem agora "culminar"[60] irremediavelmente. Depois de se complicarem indefinidamente, como caracteres chineses, ao longo talvez de períodos geológicos[61] inteiros, dir-se-ia que não conseguem mudar de plano: como se o seu impulso ou metamorfose de fundo se achassem parados. E, pensando bem, descobrimos certas razões para esse ficar marcando passo.

Primeiro, eles são pequenos demais. Para o desenvolvimento quantitativo dos órgãos, um esqueleto externo de quitina[62] é uma solução ruim. Apesar de repetidas mudas, a carapaça aprisiona; e cede rapidamente sob a ação de volumes interiores crescentes. O Inseto não pode crescer para além de alguns centímetros sem se tornar perigosamente frágil. Ora, qualquer que seja o desdém com que encaramos por vezes o que é apenas "questão de dimensões", é óbvio que certas qualidades, *pelo próprio fato de estarem ligadas a uma síntese material*, não se podem manifestar senão a partir de determinadas quantidades. Os psiquismos superiores exigem fisicamente cérebros volumosos.

Em seguida, e precisamente talvez por essa razão de tamanho, os insetos deixam transparecer uma estranha inferioridade psíquica exatamente onde seríamos tentados a situar sua superioridade. Nossa habilidade fica confundida perante a exatidão de seus movimentos e de suas construções. Mas tenhamos cuidado. Observada de perto, essa perfeição não decorre afinal senão da extrema rapidez com que se endurece e se mecaniza sua psicologia. O Inseto, como já se mostrou bem, dispõe, para suas operações, de uma margem apreciável de indeterminação e de escolha. Só que, mal começam, seus atos parecem carregar-se de hábito e traduzir-se logo em reflexos organicamente montados. Automaticamente e continuamente, dir-se-ia, sua consciência se extravasa para, ao mesmo tempo, se fixar: 1) primeiro, nos seus comportamentos, que sucessivas correções, imediatamente registradas, tornam cada vez mais precisos; e depois, 2) com o correr do tempo, numa morfologia somática em que as particularidades do indivíduo desaparecem, absorvidas pela função. Daí os ajustamentos de órgãos e de gestos que, com razão, maravilhavam Fabre.[63] E daí também as combinações, simplesmente prodigiosas, que agrupam numa só máquina viva o fervilhar de uma colmeia ou de um cupim.[64]

Paroxismo de consciência, se se quiser: mas que jorra do dentro para o fora para se materializar em arranjos rígidos. Movimento diretamente inverso ao de uma concentração!...[65]

b) *Os Mamíferos*. Deixemos, pois, os Insetos. E voltemo-nos para os Mamíferos.

Imediatamente, aqui, sentimo-nos à vontade: e tão à vontade que esse alívio poderia ser atribuído a uma impressão "antropocêntrica".[66] Se respiramos, ao sair das colmeias e dos formigueiros, não será simplesmente porque, entre os Vertebrados superiores, estamos "em nossa casa"? Oh! a ameaça da relatividade sempre suspensa sobre o nosso espírito!...

E no entanto, não — não podemos estar enganados. Neste caso, pelo menos, não se trata de uma impressão que nos iluda, — mas é verdadeiramente nossa inteligência que julga com o poder que ela tem de apreciar certos valores absolutos. Não, se um quadrúpede felpudo nos parece, em comparação com uma Formiga, tão "animado", tão propriamente vivo, não é apenas porque com ele nos encontramos zoologicamente em família. No comportamento de um Gato,[67] de um Cachorro,[68] de um Golfinho,[69] quanta flexibilidade! Quanto de imprevisto! Quanto espaço aberto à exuberância de viver e à curiosidade! Ali o instinto não está mais, como na Aranha[70] ou na Abelha,[71] estreitamente canalizado e paralisado numa única função. Individualmente e socialmente, permanece flexível. Interessa-se, borboleteia, desfruta. Na verdade, toda uma outra forma de instinto, que não conhece *as balizas impostas ao instrumento pelos limites que sua precisão atingiu*. Ao contrário do Inseto, o Mamífero já não é mais o elemento estreitamente escravo do filo sobre o qual apareceu. Ao seu redor, uma "aura" de liberdade, um halo de personalidade,[72] começam a flutuar. E desse lado, por conseguinte, desenham-se possibilidades, — interminadas e intermináveis para a frente.

Mas quem, definitivamente, haverá de se lançar em direção a esses horizontes prometidos?

Olhemos de novo, e mais em detalhe, a grande horda dos animais Pliocênicos: esses membros levados ao cúmulo da simplicidade e da perfeição; essas florestas de esgalhos na cabeça dos veados; essas liras espiraladas na testa estrelada ou listrada dos Antílopes; essas defesas pesadas na ponta do focinho dos Proboscídeos; esses colmilhos e essas tesouras na goela dos grandes carniceiros... Tanta exuberância e tanto acabamento não condensam precisamente o futuro dessas criaturas magníficas? Não assinalam uma morte próxima para formas encurraladas, — seja qual for a vitalidade de seu psiquismo, — num impasse morfológico? Não é tudo isso muito mais um fim do que um começo?...

Sim, sem dúvida. Mas ao lado dos Policládios,[73] dos Estrepsípteros,[74] dos Elefantes,[75] dos Machairodus,[76] e de tantos outros,[77] *há ainda os Primatas*!

c) *Os Primatas*.[78] Aos Primatas já me referi só uma ou duas vezes, — e de passagem. Ao falar da Árvore da Vida, não fixei nenhum lugar para essas formas, tão próximas de nós. Essa omissão foi intencional. No ponto em que se encontrava a minha exposição, sua importância não se manifestava ainda: não podiam ser compreendidos. Agora, pelo contrário, depois do que apreendemos da mola secreta que impulsiona a evolução zoológica, neste instante fatídico do fim do Terciário, eles podem e devem entrar em cena. Chegou a sua hora.

Morfologicamente, como todos os outros grupos animais, os Primatas formam no conjunto uma série de leques ou verticilos encaixados uns nos outros, — nítidos na periferia, esbatidos na região de seus pedúnculos (Fig. 3). No alto, os Símios[80] propriamente ditos, com seus dois grandes ramos geográficos: os verdadeiros símios, Catarríneos, do Velho Mundo, com 32 dentes, — e os Platirríneos da América do Sul, de focinho achatado, todos com 36 dentes.[81] Abaixo, os Lemurianos, de focinho geralmente alongado, com incisivos muitas vezes proclives.[82] Bem na base, esses dois verticilos escalonados parecem desprender-se, na origem do Terciário, de um leque "Insetívoro", os Tupaídeos,[83] de que parecem representar um simples raio em estado de desabrochamento. Isso não é tudo. No âmago de cada um dos dois verticilos, distinguimos um subverticilo central de formas particularmente "cefalizadas".[84] Do lado Lemuriano, os Tarsióideos,[85] minúsculos animais saltadores,

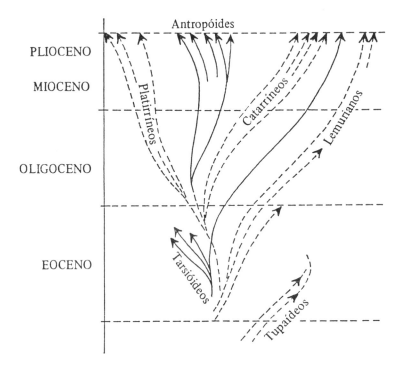

Fig. 3. Esquema que simboliza o desenvolvimento dos Primatas.[79]

de crânio redondo e dilatado, de olhos imensos, e cujo único sobrevivente atual, o Társio da Malásia, faz estranhamente lembrar um pequeno Homem. Do lado Catarríneo, os Antropóides[86] (Gorila,[87] Chimpanzé,[88] Orangotango,[89] Gibão[90]), Símios sem cauda, os maiores e os mais espertos dos Símios, que todos nós bem conhecemos.

Os Lemurianos e os Tarsióides são os primeiros a atingir seu apogeu, pelos fins do Eoceno. Quanto aos Antropóides, distinguem-se na África desde o Oligoceno. Mas não chegam, é certo, ao seu máximo de diversificação e de tamanho senão no fim do Plioceno: na África, na Índia, — sempre nas zonas tropicais ou subtropicais. Retenhamos essa data e essa distribuição: elas encerram todo um ensinamento.

Aí estão, portanto, vistos de fora, os Primatas situados: por sua forma exterior e na duração. Penetremos agora no interior das Coisas e tratemos de compreender em que é que esses animais, vistos de dentro, se distinguem dos outros.

O que, ao primeiro relance de olhos, intriga o anatomista quando observa os Símios (e sobretudo os Símios superiores), é o grau espantosamente fraco de diferenciação que apresentam seus ossos. A capacidade craniana, neles, é relativamente bem mais volumosa do que em qualquer outro Mamífero. Mas que dizer do resto? — Os dentes? Um molar isolado de Driopiteco[91] ou de Chimpanzé confundir-se-ia facilmente com um dente de Onívoros eocênicos tais como os Condilártreos. Os membros? Com os seus raios todos intactos, conservam exatamente o plano e a proporção que tinham nos primeiros Tetrápodes do Paleozóico. No decorrer do Terciário, os Ungulados[92] transformaram radicalmente o ajustamento de suas patas; os Carnívoros reduziram e aguçaram sua dentadura; os Cetáceos se tornaram fusiformes[93] como os Peixes; os Proboscídeos complicaram formidavelmente seus incisivos e seus molares... E durante esse tempo os Primatas, esses não; conservaram inteiros seu cúbito e seu perònio;[94] preservaram ciosamente seus cinco dedos; permaneceram tipicamente trituberculados. — Seriam eles, pois, dentre os Mamíferos, uns conservadores? os mais conservadores de todos?

Não. Mas mostraram-se os mais avisados.

Considerada em seu ponto ótimo, a diferenciação de um órgão, em si, é um fator imediato de superioridade. Mas, por ser irreversível, aprisiona o animal que a experimenta num caminho fechado, ao fim do qual, sob o impulso da ortogênese, ele corre o risco de chegar ao monstruoso e à fragilidade. A especialização paralisa e a ultra-especialização mata.[95] A Paleontologia é feita dessas catástrofes. — Porque, até o Plioceno, se mantiveram, por seus membros, os mais "primitivos" dos Mamíferos, os primatas resultaram também os mais *livres*. — Ora, que fizeram eles dessa liberdade? Utilizaram-na para se elevar, por surtos sucessivos, até as próprias fronteiras da inteligência.[96]

E eis aí diante de nós, simultaneamente, com a verdadeira definição do Primata, a resposta ao problema que nos tinha levado a considerar os Primatas: "Depois dos Mamíferos, no fim do Terciário, onde é que a Vida vai poder continuar?"

O que constitui o interesse e o valor biológico dos Primatas, vejamos antes de tudo, é que eles representam *um filo de pura e direta cerebralização*.[97] Nos outros Mamíferos, sem dúvida, sistema nervoso e instinto vão também crescendo gradualmente. Mas, neles, esse trabalho interno foi desviado, limitado e finalmente detido por diferenciações acessórias. O Cavalo, o Veado, o Tigre, ao mesmo tempo que o seu psiquismo aumentava, tornaram-se parcialmente, como o Inseto, prisioneiros dos instrumentos de corrida e de rapina *em que seus membros se transformaram*. Nos Primatas, pelo contrário, a evolução, negligenciando, e por conseguinte deixando plástico todo o resto, trabalhou diretamente no cérebro. E eis por que, na marcha ascendente para a maior consciência, são eles que se mantêm à testa. *Nesse caso privilegiado e singular, a ortogênese particular do filo coincide exatamente com a Ortogênese principal da própria Vida*; segundo uma expressão de Osborn,[98] que tomarei emprestada mudando-lhe o sentido, ela é "aristogênese"[99] — e, por conseguinte, sem limites.

Donde esta primeira conclusão de que se, na Árvore da Vida, os Mamíferos formam um Ramo mestre, *o* Ramo mestre, — os Primatas, por sua vez, ou seja os cérebro-manuais, são a flecha desse Ramo, — e os Antropóides o próprio rebento que arremata essa flecha.

E, a partir daí, acrescentaremos, é fácil decidir em que lugar da Biosfera deve se deter o nosso olhar, na espera do que há de acontecer. Por toda parte, já sabíamos, as linhas filéticas ativas, em seu ápice, se aquecem de consciência. Mas, numa região bem determinada, no centro dos Mamíferos, ali onde se formam os mais poderosos cérebros jamais construídos pela Natureza, elas atingem o rubro. E até já se acende, no âmago dessa zona, um ponto de incandescência.

Não percamos de vista essa linha que se purpureia de aurora.

Depois de haver subido, durante milhares de anos, por sob o horizonte, num ponto estritamente localizado, vai agora romper uma chama.

— O pensamento[100] está aí!

NOTAS

1. Deméter, na mitologia grega, ou Ceres, na mitologia romana, é a deusa agrária que personifica a Terra. Nela os Iniciados viam também a mãe das almas, uma vez que sua filha Perséfona (Coré) ou Proserpina, revive, em sua própria estória, a história da alma humana ou Psique. O mito de Deméter e de sua filha constitui o núcleo do culto de Elêusis, com seus "Pequenos Mistérios" (em Agras, no mês de fevereiro) e "Grandes Mistérios" ou "Orgias Sagradas" (em Elêusis, no mês de setembro, de cinco em cinco anos). A analogia sugerida pelo Autor, para estabelecer a relação entre a *Matéria Matrix* e a *Consciência*, é eloqüente.

2. Cf. Capítulo anterior, 1, F. Cf. nota seguinte.

3. Entenda-se bem: não se trata de estabelecer e impor qualquer "finalismo" ou "plano" à Vida, mas de reconhecer — tendo-a identificado como um processo acumulativo — que ela é um processo que vai se orientando à medida que avança, que seus crescimentos são progressos numa direção (da multiplicidade à unidade, da dispersão à síntese, da divergência à convergência, da simplicidade à complexidade...) e num sentido (para a centreidade, a interioridade, a consciência...), que, sendo evolução, ela não é dispersiva mas convergente. (Cf. importante nota 42, do Autor.)

4. *Azimute*, do árabe *alsamt*, "o caminho reto", em astronomia é a distância angular, medida sobre o horizonte, a partir de um ponto de origem, em geral o sul, no sentido dos ponteiros do relógio ou no sentido inverso, até o círculo vertical que passa por um dado ponto da esfera celeste. Em termos de geometria analítica, num sistema de coordenadas esféricas

o azimute é a coordenada angular definida pela família de superfícies cônicas.

AZIMUTE

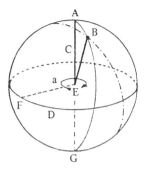

A. zênite
B. estrela
C. vertical do lugar
D. plano do horizonte
E. observador
a-F. baliza terrestre
G. nadir

5. Ou seja, um *encaminhamento*. (Cf. nota 3.)
6. *Eixo*, aqui, em termos de geometria analítica, designando reta sobre a qual se fixa um sentido positivo; reta orientada; reta comum aos planos de um feixe.
7. Não se trata, pois, de conceber o Universo e a Vida em termos de experiências ou valores humanos e, nem mesmo, de aplicar ao domínio físico e biológico uma linguagem ou conceitos próprios ao homem ou ao seu comportamento.
8. *Ariadne*, na mitologia grega, é a filha do rei *Minos*, que deu a *Teseu* – quando este foi à ilha de Creta para combater o *Minotauro* – o fio graças ao qual o herói pôde sair do Labirinto depois de haver matado o monstro. É preciso dispor de um fio condutor – referencial, parâmetro, critério – para nos movimentarmos no "labirinto das formas vivas". Acompanhemos o Autor na procura desse fio (que é o "nascimento do Espírito" – Cf. *L'esprit de la terre*, 1931.)
9. *Tegumento*, do latim *tegumentum*, de *tegere*, "cobrir", é o que cobre o corpo do homem e dos animais (pele, pêlos, penas ou escamas).
10. Biologicamente, *Tecido* é o conjunto de células de origem comum igualmente diferenciadas para o desempenho de certas funções, num organismo vivo.
11. O *Arranjo* é o efeito improvável de síntese e de complexificação por organização e centração (dobramento sobre si mesmo, unificante e interiorizador) hierarquizada. Podemos distinguir dois sentidos, um lato outro estrito, do termo em Teilhard:
– *em sentido lato*, arranjo designa a mediação entre o tangencial e o radial. É o sentido que o Autor está utilizando neste exato ponto de sua dissertação.
– *em sentido estrito*, mais específico, o arranjo designa uma das duas formas da energia tangencial, aquela em que o radial assume um valor dominante, por oposição à irradiação; forma mais rudimentar da energia tangencial, onde o radial apresenta valor negligenciável ou insignificante. (Cf. Parte I, Capítulo II, 3, B, nota 42, do Autor, e próprio texto a que ela se reporta.)
12. Consciência, ainda no sentido generalizado de "qualquer forma de psiquismo, desde a mais diluída e elementar..."
13. Eis uma típica aplicação da *Dialética* (no sentido epistemológico) teilhardiana, também por ele próprio denominada "Dialética do Espírito", que consiste num procedimento de conhecimento e pesquisa que o pensamento realiza em três mo(vi)mentos: 1) passagem do mais conhecido ao menos conhecido; 2) retorno aos conhecimentos iniciais, enriquecendo-os com os resultados adquiridos; 3) novo salto desse saber enriquecido sobre um novo desconhecido a descobrir; e assim por diante...

14. Do grego *systema*, "reunião", "grupo", "conjunto", o *Sistema Nervoso* é o conjunto dos centros nervosos e de todos os nervos do organismo vivo, consistindo no condicionador biológico próximo de todas as ações do ser vivo. Nos protozoários, animais unicelulares, o trabalho fisiológico não pode se dividir: todas as funções vitais (nutrição, reprodução, relações com o meio) são desempenhadas pelo elemento único do animal. Nos metazoários, porém, pluricelulares, as várias atividades orgânicas se repartem entre diferentes grupos de células, que, por sua vez, se reúnem em órgãos e aparelhos. No estabelecimento de correspondência e harmonia entre diversos elementos constitutivos do animal (bem como no estabelecimento de relações do organismo em conjunto com o meio exterior), um tecido (Cf. nota 10) se diferencia, o tecido nervoso, essencialmente excitável e condutor. Dispondo-se em órgãos ligados entre si, o tecido nervoso forma o sistema nervoso.

15. Por *Introspecção* (observação direta da vida interior pelo próprio sujeito) ou *Auto-Intuição* (apreensão direta, imediata e atual da realidade individual do próprio sujeito que se é).

16. *Cérebro* é a parte súpero-anterior do encéfalo, porção do sistema nervoso (Cf. nota 14) contida na cavidade do crânio e que abrange, além do cérebro, o cerebelo, a protuberância e o bulbo raquiano.

17. *Cerebralização* é, teilhardianamente, termo sinônimo de "cefalização". (Cf. nota 24.)

18. Os *Primatas*, do latim *primate*, "que está no primeiro plano", são animais mamíferos, da ordem *Primates*, em sua maioria adaptados à vida arborícola, de membros muito desenvolvidos, polegares geralmente opostos, dedos em número de cinco, em geral com unhas achatadas, duas tetas na região peitoral e encéfalo complicado. Compreendem os macacos, os lemuróides, os antropóides e o homem. (Cf. adiante, item 3, c.)

19. O *Neogeno* corresponde à parte final do Período Terciário (e da própria Era Cenozóica ou Terciário), abrangendo duas épocas: o Mioceno e o Plioceno.

20. *Dinoceratídeos*, isto é, com "aparência de", próximos aos *Dinotérios*, do grego *deinós*, "terrível", e *thérion*, "animal", "fera", mamíferos proboscídeos fósseis da Época Miocena, característicos da Europa e da Ásia.

21. *Condilártreos*, do grego *kóndylos*, "articulação", e *árthron*, "juntura", expressando a idéia de "à semelhança de" e "condilartrose" (articulação por meio de côndilos ou saliências ósseas).

22. *Cerebelo* é a parte póstero-inferior do encéfalo. (Cf. nota 16.)

23. Isto é, submetidas ao processo de "Cefalização". (Cf. nota seguinte.)

24. *Cefalização*, do grego *kephalé*, "cabeça", ou "Cerebralização", é o processo de crescimento da matéria cerebralizada, concomitante ao crescimento da complexidade das conexões cerebrais. Trata-se, pois, de registrar

"a variação do sistema nervoso, ou, mais precisamente, a variação de sua porção cefalizada, ou ainda mais simplesmente e numa só palavra, a *Cefalização*" (Cf. *La place de l'homme dans la nature*, 1949),

lembrando que se está a falar ainda de "aditividade" (os cérebros crescem em volume...) e "arranjo" (e se complicam, aumentam a complexidade de suas conexões...).

Vale a pena também, desde já — mesmo com o risco de nos adiantarmos em relação ao texto (que retornará aprofundadamente ao tema) —, observar que o "fenômeno" da Cefalização, devidamente rastreado, será transformado em "lei" por Teilhard. A *Lei da Cefalização* permite traçar uma curva continuamente ascendente da Vida, tomando por abscissa o tempo e por coordenada a proporção (em quantidade e qualidade) da matéria nervosa ("pré-cefalização"), e, mais especialmente, a partir de um certo nível, a proporção da matéria cerebralizada (cefalização propriamente dita) que foi aparecendo na Terra, a cada etapa evolutiva.

"*Lei de Cefalização em primeiro lugar.*

Qualquer que seja o grupo animal (Vertebrado ou Artrópode) cuja evolução se estuda, é um fato notável que, em todos os casos, o sistema nervoso cresce com o tempo em volume e em ordenação e, simultaneamente, se concentra na região anterior, cefálica, do corpo. Tomados no detalhe dos membros e do esqueleto, os diversos tipos organizados podem de fato se diferenciar, cada qual segundo sua linha própria, nas direções mais diversas ou mais opostas. Considerada no desenvolvimento dos gânglios cerebrais, toda vida, toda a Vida, deriva (mais ou menos depressa, porém essencialmente) como uma só vaga ascendente, na direção dos maiores cérebros." (Cf. *Super-humanité, super-Christ, super-charité. De nouvelles dimensions pour l'avenir*. 1943.)

Esta "Lei da Cefalização" leva, pois, ao estabelecimento de uma verdadeira *Ortogênese de Fundo*, que consiste na deriva de complexidade – consciência, manifestando-se, no nível da Vida, por meio de sistemas cada vez mais complexos em direção a uma *Cerebração* (constituição do cérebro e atividade ou capacidade intelectual).

"Insistíamos acima sobre a *ortogênese* geral de *corpusculização*, sobre a 'ortogênese de fundo' que, dizíamos, arrasta toda a Matéria *em direção ao mais complicado e ao mais consciente.*" (Cf. *Les singularités de l'espèce humaine*. 1954.)

Desse último texto, eis um gráfico, do Autor:

Expressão simbólica da "onda de cerebração"

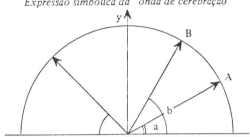

Oy, eixo de cerebração (ortogênese de fundo).
$x'Ox$, eixo de diferenciação morfológica (ortogênese de forma).
OA, OB etc., diversos filos cerebralizados.
a, b etc., ângulos que exprimem, para cada filo, a relação entre diferenciação morfológica e cerebração. Nos Primatas, o ângulo tende a se acercar de $90°$.

Mas já avançamos demais. Retornemos ao texto (guardando essas noções para voltar a elas quando necessário) e à noção mais simples de "gânglios" (Cf. nota seguinte), a partir de onde tudo começou...

25. *Gânglio*, do grego *gágglion*, "glande", é uma massa ou nódulo de substância nervosa, matéria cinzenta no sistema nervoso central, formando um núcleo nervoso do qual irradiam fibras nervosas.

26. *Instintos*, do latim *instinctus*, "excitado", são os fatores inatos de comportamento dos animais, variáveis segundo a espécie e que se caracterizam, em determinadas condições, por atividades elementares e automáticas (as aves migram, os mamíferos sugam...). Verdadeiras forças de origem biológica, inerentes ao homem e aos demais animais, os instintos atuam em geral com finalidade precisa e independentemente de qualquer aprendizado, como impulsos, tendências naturais, aptidões inatas (instinto de conservação, sexual, maternal, gregário). A complicação progressiva dos instintos é correlata e paralela à Cefalização.

27. Cf. Capítulo anterior, 2, C, particularmente nota 57. A Socialização também se mostra crescente e evolutiva, paralela e correlata que é à Cefalização.

28. Ou seja, guiada por "ortogênese de forma". (Cf. final da nota 24.)

29. Nunca é demais insistir: harmonia e coerência, fecundidade – critérios de verdade para Teilhard.

30. *Variável* é o termo que, numa função ou numa relação, pode ser alternadamente substituído por outros. No caso, a variável que se tem em mãos é a complexificação material que se traduz em diferenciação da substância nervosa, cefalização, cerebralização, interiorização e, provisoriamente, "conscientização".

31. A respeito de todos esses últimos parágrafos, enquanto desenvolvimento de um raciocínio, enquanto sustentação de uma argumentação como conseqüente e verdadeira, caberiam as mesmas observações feitas acerca do método epistemológico dialético teilhardiano. (Cf. nota 13.)

32. Cf. Capítulo I, particularmente 1 e 3.

33. Em geologia, *Transgressão* é o recobrimento sedimentar causado pelo aumento espacial de uma sedimentação. Na transgressão marinha, quando as águas do mar invadem um trecho do continente, submergindo-o, aumentam ali os depósitos marinhos.

34. Em geologia, *Enrugamento* é o dobramento, a formação de pregas, na crosta terrestre, de forma intensiva e em grande escala, a partir de forças tectônicas (internas e construtivas).

35. O *Enrugamento hercínio* foi o último dos enrugamentos (Cf. nota anterior) primários, que teve lugar no Carbonífero e criou toda uma série de altos relevos, dos Apalaches à Ásia central, passando pela Europa. Destruídas pela erosão e depois, várias vezes, rejuvenescidas por movimentos tectônicos terciários, as cadeias hercínias constituem hoje uma série de "maciços antigos" (*maciços hercínios*) de altitude variável, sulcados por vales profundos. Por enrugamento também se formaram as *Cadeias cimerianas* (do grego *kimmérios*, pelo latim *cimeriu*, "higubre", "infernal", "fúnebre") e os *Alpes*, estes constituindo o maior maciço montanhoso da Europa. Edificados no Terciário e estendendo-se por mais de 1.000 km, do Mediterrâneo até Viena, na Áustria, os Alpes se dividem entre Alemanha Ocidental, Áustria, França, Itália, Suíça e Iugoslávia. Todos esses maciços não passam de sucessivos enrugamentos, resultando de um fenômeno da mesma natureza, no mesmo nível ou plano da realidade.

36. *Sinusóide* ou Senóide é a curva plana que representa as variações do seno (perpendicular que vai de uma das extremidades de um arco de círculo ao raio que passa pela outra extremidade) quando o arco varia; suas abscissas são proporcionais ao arco ou ângulo e as ordenadas, ao seu seno. *Espiral* é qualquer curva gerada por um ponto móvel que gira em torno de um ponto fixo ao mesmo tempo que dele se afasta (ou se aproxima); na espiral o raio polar é uma função constantemente crescente (ou decrescente) do ângulo polar. *Hélice* é a curva reversa cujas tangentes formam um ângulo constante com uma reta fixa no espaço; na hélice é constante a razão entre a curvatura e a torção, por isso ela resulta numa linha em forma de rosca traçada em volta de um cilindro ou de um cone.

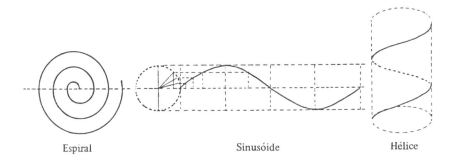

Espiral   Sinusóide   Hélice

O autor pretende, através do exemplo de inspiração geométrica, evidenciar que os avanços da Evolução não se reduzem a uma sucessão repetitiva de transformações ou alterações, *num mesmo plano*, mas constituem, pelo contrário, crescimentos efetivos, progressos, conquista, emergência ou manifestação *de novas dimensões*.

37. Deixemos bem claros os pressupostos do Autor quando fala em algo "*fisicamente*" essencial. Primeiramente, o adjetivo "*físico*", em Teilhard, tem muitas vezes o sentido de "muito real", "concreto", "dinâmico", "natural", "intrínseco", por oposição a "*moral*" ou "*jurídico*" com sentido de "pseudo-absoluto", "abstrato", "estático", "artificial",

"extrínseco". Essa significação é tirada da teologia dos Padres gregos e se aplica não apenas às realidades corporais, mas também às realidades sobrenaturais. "Físico" no sentido de "muito real" é, em Teilhard, também sinônimo de *"Orgânico"*. Veja-se por exemplo:

"(...) o amor não estabelece entre os seres uma relação apenas *extrínseca*, que se consumaria numa simples completação moral de uns pelos outros. O amor é, em nós, a marca consciente da ação que nos cria, fundindo-nos. Ele é um fator de organização, de construção, *físicas*." (Cf. *L'union créatice*, 1917.)

Portanto, "físico" (*physikós*) é também aquilo "conforme a Natureza" (*physis*). Esse "*Fisicismo*" do Autor opõe-se a qualquer "Logicismo". Designa uma concepção do Real considerado como uma totalidade orgânica e, por assim dizer, física, que se pode constituir não somente no nível do cósmico, mas também, correlatamente, no nível do humano e até no nível do divino, sintetizando finalmente todos os níveis.

"A (...) resposta (...) bem geral que se pode dar à questão crucial 'Qual é a natureza da função que regula a forma e a ordem de chegada dos sucessivos seres vivos?' é a seguinte: 'Os seres vivos se enfileiram em suas diversas categorias, comandam-se entre si no seu aparecimento sucessivo, sob a influência de um fator que, na sua realidade imediata, é *físico, orgânico, cósmico*. O Universo é constituído de tal modo que os seres vivos, considerados na ordem das causas segundas se suscitam uns aos outros, imediatamente, enquanto condição biológica um dos outros'." (Cf. *Note sur l'essence du transformisme*, 1919.)

Isso posto, entende-se a "fisicidade essencial" da Consciência na Vida como a da Vida na Terra.

38. *Albuminóides* ou Proteínas são substâncias azotadas cuja composição química e cuja função fisiológica se aproximam das da "albumina", substância orgânica azotada, viscosa e esbranquiçada, solúvel na água, coagulável pelo calor, composta de carbono, hidrogênio, nitrogênio, oxigênio, fósforo e enxofre. A albumina forma quase toda a clara do ovo, está presente no plasma (soro sangüíneo) e no leite, e entra na composição da matéria nervosa, do humor vítreo dos olhos etc. Ao "primeiro nascimento dos Albuminóides" está pois ligada a síntese orgânica da matéria, a emergência da Vida.

39. A *Geogênese*, do grego *gê*, "terra", e *génesis*, "origem", "formação", "geração", é o processo orientado (que se vai dirigindo para...), de natureza geral convergente, de constituição da Terra. Aproveitemos para explicitar o conceito teilhardiano de *"Gênese"*. "Creio que, nas discussões, introduz-se freqüentemente uma confusão entre 'evolução' (no sentido genérico) e 'gênese'. A evolução pode ser (abstratamente falando) indefinida, ou periódica, ou *quolibet*... A gênese é uma evolução dirigida para um ponto de consumação; nela a 'fixidez' se sintetiza com o 'movimento'. *Ela é* o Fixo tomista transportado e transposto em termos de Cosmogênese." (Cf. Carta a T. V. Fleming, S. J., Nova York, 18 de maio de 1954.)

40. A *Psicogênese*, do grego *psyché*, "alma", "espírito", e *génesis*, "origem", "formação", "geração", é o processo, considerado de modo bem geral, de aparecimento e crescimento do psiquismo através de sucessivos limiares da ascensão evolutiva. (Esse processo se precisa num outro: a "Noogênese", noção e termo que teremos oportunidade de analisar e que o Autor introduz na Parte III, Capítulo I, 1, C.)

41. Isto é, o ímpeto, o impulso, a força, o movimento arrebatado e que arrebata...

42. De todos os lados, não faltará quem ressalte, nas explicações que se seguem, um pensamento por demais lamarckiano (influência exagerada do "dentro" sobre o arranjo orgânico dos corpos). Mas, por favor, não nos esqueçamos que, na ação "morfogenética" do instinto, tal como aqui a entendo, é facultada uma parte essencial ao jogo (darwiniano) das forças externas e do acaso. Na verdade (Cf. *supra, passim*), é só a golpes de acasos que a Vida procede: mas a golpes de acaso reconhecidos e aproveitados, isto é, psiquicamente selecionados. Bem compreendido, o "anti-acaso" neolamarckiano não é a simples negação, mas, pelo contrário, apresenta-se como a utilização do acaso darwiniano. Entre os dois fatores, existe complementaridade funcional, – poder-se-ia dizer até "simbiose".

Acrescentemos que, se levamos em conta a distinção essencial (conquanto ainda pouco observada) entre uma Biologia dos pequenos e uma Biologia dos grandes complexos (como existe uma Física do Ínfimo e uma Física do Imenso), notamos que caberia separar, e tratar de modo diferente, duas zonas maiores na unidade do Mundo organizado: a) de um lado, a zona (lamarckiana) dos muito grandes complexos (o Homem, sobretudo), em que o anti-acaso domina nitidamente; e b) de outro lado, a zona (darwiniana) dos pequenos complexos (seres vivos inferiores), em que esse mesmo anti-acaso já não pode ser apreendido, sob o véu do acaso, senão por raciocínio ou conjectura, ou seja, indiretamente (Cf. *Resumo ou Posfácio*). (N. do A.)

43. *Solípede*, do latim *solus*, "só", "único", ou *solidus*, "maciço", e *pedis*, "pé", é o animal cujos membros apresentam apenas um dedo terminando em casco maciço. Eqüídeos, como o cavalo, o asno, a zebra, são solípedes.

44. *Psicologia*, do grego *psiqué*, "alma", e *lógos*, "estudo", "tratado", "ciência", aqui, no sentido mais geral de "estudo da alma", ou "ciência dos fenômenos psíquicos e do comportamento". O Autor quer sublinhar que não se trata mais de explicar os avanços evolutivos da Vida pelo "Fora", mas de procurar compreendê-los pelo "Dentro". A seqüência do texto é explícita nesse sentido.

45. *Tigre*, do iraniano e através do grego *tígris*, é o mamífero carnívoro da família dos felídeos, da Ásia e da Índia, de coloração amarelo-alaranjada, com listras negras sobre o corpo, e esbranquiçada no ventre; pode atingir 2 m de comprimento e pesar até 200 kg. Com o leão, é o mais possante dos carnívoros, daí o desenvolvimento de seus dentes caninos, presas ou colmilhos, bem como de suas unhas, aguçadas e curvas, ou garras.

46. *Temperamento*, aqui, no sentido de "conjunto de pendores, índole, feitio, caráter" ou, teilhardianamente falando, de "interioridade, centreidade, consciência".

47. *Virtudes*, do latim *virtus*, "força", "coragem", segundo a Filosofia Escolástica, são disposições constantes do espírito, as quais, por um esforço da vontade, inclinam o comportamento num determinado sentido (em moral, a prática do bem). Assim, virtudes equivaleriam a capacidade, habilidade e disposição para levar a efeito determinadas ações adequadas à natureza do ser que as pratica. Tais ações, repetindo-se, atuam progressivamente sobre a indeterminação da liberdade e das potências que ela governa, atualizando-as, realizando-as e, assim, engendrando novos princípios de ação, que permitem agir sempre com maior perfeição e deleitação. São esses hábitos que, na ordem do bem, constituem as virtudes.

48. *Formiga* é a designação comum a todos os insetos himenópteros (Cf. Capítulo anterior, nota 59), da família dos formicídeos, caracterizados por terem o hipopígio (conjunto dos órgãos sexuais) do macho em espinho voltado para cima. As fêmeas são dimórficas: as operárias ápteras (sem asas), com suturas torácicas ausentes ou muito reduzidas, e as formas férteis com suturas presentes. Vivem em colônias.

49. Cf. Capítulo anterior, 2, B, nota 58.

50. Ou seja, elementos individualizadores e identificadores de um "fenótipo". (Cf. Capítulo anterior, nota 182.)

51. Cf. nota 3.

52. *Diversificação*, aqui sinônimo de "dispersão" ou "divergência", é mera criação de multiplicidade, crescimento ou multiplicação quantitativos, materiais.

53. *Cervos* são mamíferos artiodátilos, da família dos Cervídeos (Cf. Capítulo anterior, nota 85), hoje presentes sobretudo nas regiões pantanosas ou de florestas da Europa, Ásia e América (Bolívia, Brasil meridional, Paraguai e Uruguai). Castanho-claro, pés escuros, anel branco em torno da boca, garganta e abdome claros, cerca de 2 m de comprimento e 1,30 m de altura; a galhada tem 50 cm de comprido, podendo chegar a quatro ou mais pontas em cada chifre, ramificadas dicotomicamente.

54. *Lobos* são mamíferos, da ordem dos carnívoros, família *Canidae*, que habitam grandes regiões da Europa, Ásia e América do Norte. Existem muitas espécies subgeográficas, que diferem em tamanho, cor e forma, indo desde o marrom acinzentado (lobos da Eslováquia)

até o branco-cinza (das regiões de tundra) ou avermelhado (das estepes). Adultos, chegam a pesar até 55 kg e atingem 1,50 m de altura.

55. *Raposas*, do espanhol antigo leonês ou asturiano *rabosa*, "com rabo grande", são animais mamíferos, da ordem dos carnívoros, família *Canidae*, que habitam a Europa; pequeno porte, grandes predadores de aves em geral, pêlo farto, indo do castanho ao branco-prateado.

56. *Texugos*, talvez do gótico *thahsuks*, diminutivo de *thahsus*, são mamíferos plantígrados (andam sobre as solas dos pés), onívoros, comuns nos bosques da Europa ocidental, onde cavam tocas. Atingem até 70 cm de comprimento e 20 kg de peso.

57. O Autor se refere às exuberantes florestas da África do Sul (onde esteve em 1951 e 1953 em expedições científicas), à África do Norte e às regiões desérticas da América do Norte, verdadeiros parques nacionais de preservação da fauna e da flora.

58. *Ascensão de Consciência* ou "Conscientização" é o processo pelo qual, correlatamente à Complexidade material, a Consciência se faz — ou seja, manifesta-se — crescente.
    "Desde os mais ínfimos e os mais instáveis elementos nucleares até os seres vivos mais elevados, nada existe, vemo-lo agora; nada é cientificamente pensável na Natureza senão em função de um único processo conjugado de 'corpusculização' e de 'complexificação', no decurso do qual desenham-se as faces de uma gradual e irreversível interiorização ('conscientização') daquilo que chamamos (sem saber o que é) de Matéria:
    a) Bem embaixo, primeiramente, e em quantidade imensa, corpúsculos relativamente simples e ainda (pelo menos aparentemente) *inconscientes* (Pré-Vida).
    b) Depois, consecutivamente à emergência da Vida, e em quantidade relativamente fraca, seres *simplesmente conscientes*.
    c) E agora (precisamente agora!) seres que súbito se tornaram *conscientes de se tornarem a cada dia um pouco mais conscientes* (...)." (Cf. *Le Dieu de l'évolution*, 1953.)

59. No sentido de que não podemos acompanhar neles, ao longo de um sistema nervoso, a evolução de um psiquismo que, evidentemente, permaneceu difuso. Que esse psiquismo não exista ou que cresça à sua maneira, isso é outro problema. E longe de nós negá-lo. Para tomar um único exemplo entre mil, não basta observar as armadilhas para Insetos montadas por certas Plantas, para nos convencermos de que, por pouco que seja, o Ramo vegetal obedece, como os outros dois, à ascensão de consciência? (N. do A.)

60. Essa expressão "culminar" (no original francês, *plafonner*) tão cara ao Autor, que a utiliza amiúde, tem sempre o sentido de "chegar a um teto", "ir tão longe quanto possível", "atingir o seu limite máximo".

61. Os *Períodos Geológicos* são as divisões de cada uma das eras geológicas e se subdividem em épocas. Ao longo do texto, esses referenciais têm sido muito usados e muito o serão ainda. Dispensamo-nos de qualquer anotação ou comentário, fiados em que o leitor, sempre que necessário, esteja recorrendo ao quadro do Tempo Geológico apresentado ao final da nota 40 ao *Prólogo*.

62. Cf. Capítulo anterior, nota 142.

63. Jean Henri Fabre (1823-1915) foi o entomologista francês, autor das notáveis *Recordações entomológicas*, uma obra que se tornou clássica no assunto.

64. *Cupim*, do tupi *kopi'i*, cupinzeiro ou cupineiro, é o ninho dos térmitas (Cf. Capítulo anterior, nota 58), como a colméia o é das abelhas. Em ambos é intensa, contínua e organizada a atividade dos insetos.

65. *Concentração*, aqui, no sentido preciso de uma "co-centração", de uma "centração (movimento pelo qual o ser se dobra sobre si mesmo, unificando-se e interiorizando-se) conjunta". Ora, a rigidez de ordenação dos membros numa colônia de insetos é tão "mecanizada" que só muito analogamente se poderia falar em "sociedade" de abelhas, de térmitas ou de formigas, tratando de colméias, cupins ou formigueiros...

66. Afinal somos da família dos mamíferos e "reis da criação"...

67. *Gato* é o animal mamífero, carnívoro, da família dos felídeos, digitígrado (que anda nas pontas dos dedos), de unhas retráteis, domesticado pelo homem desde tempos remotos.

68. *Cachorro*, do latim vulgar hipoteticamente *cattulu*, "filhote de cão", ou Cão, é o mamífero quadrúpede da ordem dos carnívoros, família dos canídas, domesticado desde a Pré-História, apresentando grande número de raças e variedades.

69. Cf. Capítulo anterior, nota 117.

70. *Aranha* é o animal artrópode aracnídeo, da ordem dos araneídeos, de cefalotórax e abdome não segmentados, unidos por pedúnculo estreito, quelíceras (apêndices anteriores) terminadas em ponta para inoculação de peçonha, abdome com glândulas ou fiandeiras que segregam seda, com a qual fazem as teias. São, na maioria das espécies, terrestres e predadoras de outros artrópodes.

71. *Abelha* é a designação comum aos insetos himenópteros (Cf. Capítulo anterior, nota 59) da superfamília *Apoidea*, que inclui numerosas espécies de abelhas solitárias (que produzem mel apenas o necessário para formar a bola de pólen que alimentará a larva), sociais (que produzem mel em abundância) e parasitas.

72. *Personalidade*, aqui, evidentemente, no sentido bem geral, de "caráter ou qualidade particular, individual", "conjunto de características físicas, volitivas, afetivas e cognitivas de um indivíduo".

73. Os *Policládios*, do grego *polys*, "muito", e *klados*, "ramo", são animais platelmintos (vermiformes, achatados), turbelários (corpo revestido de epiderme ciliada com numerosas glândulas mucosas), da ordem *Polycladida*, providos de tubo digestivo com várias ramificações irregulares. São marinhos (algumas espécies pelágicas) e medem até 150 mm de comprimento.

74. Os *Estrepsíteros*, do grego *strépsis*, "ação de gerar", e *ptéron*, "asa" ou Rípípteros, são animais artrópodes, da classe dos insetos, ordem *Strepsitera*, providos de aparelho bucal mastigador, com asas anteriores coriáceas (consistência semelhante à do couro) e torcidas, muito pequenas, e posteriores membranosas e muito grandes. Fêmeas ápteras (sem asas). São parasitas de outros insetos.

75. O *Elefante* é o mamífero ungulado, da subordem dos proboscídeos, família dos elefântidas, do qual há três espécies no mundo atual (duas africanas e uma asiática). Herbívoro, caracterizado por sua pele espessa, seus incisivos superiores alongados para defesa (pesando até 100 kg, em marfim) e sua tromba ágil e preênsil que forma o nariz e o lábio superior. Com altura de 2 a 3,70 m e um peso que pode chegar a 5 ou 6 toneladas, o Elefante é o maior animal terrestre atual. Pode viver cem anos, e sua gestação chega a 21 meses.

76. Cf. Capítulo anterior, nota 99, do Autor.

77. O Autor pretende ressaltar que, ao lado de formas animais extremamente pequenas ou extremamente grandes, que são também "extravagâncias" da Vida, como as que acabou de citar, há outras, medianas e não monstruosas, como os Primatas, por exemplo.

78. Cf. nota 18.

79. Conservamos a forma, hoje em desuso, "Lemurianos" para os Lemuróides (Cf. nota 82).

80. Cf. Capítulo anterior, nota 95.

81. Cf. Capítulo anterior, nota 96.

82. Os *Lemurianos* ou Lemuróides são animais metazoários, cordados, vertebrados, mamíferos, primatas, subordem *Lemuroidea*, de focinho pontudo, alongado, pelagem densa e sedosa, segundo dedo externo curto ou rudimentar, provido de garra e os demais com unhas. A cauda é longa, mas nunca preênsil e os dentes freqüentemente proclives, inclinados para diante.

83. Os *Tupaídeos* constituem a família dos pequenos mamíferos arborícolas, insetívoros e frutívoros, semelhantes aos esquilos, do sudoeste da Ásia e da Malásia.

84. Cf. notas 23 e 24.

85. Os *Tarsióideos* constituem a subordem de primatas do grupo dos lemurianos. Apresentam evolução acentuada; face achatada, crânio redondo, olhos e órbitas separadas da fossa temporal. O Autor os descreve expressivamente.

86. Os *Antropóides*, do grego *anthropos*, "homem", e *eidés*, "aspecto ou forma de", "semelhante a", são o grupo de símios catarríneos do Velho Continente, caracterizados sobretudo pela ausência de cauda, como registra o Autor. Ocasionalmente bípedes. A denominação foi substituída por "Pongídeos" (do malaio *pongo*, "chimpanzé").

87. *Gorila* é o mamífero da ordem dos primatas, subordem *Simae*, do gênero *Gorilla*. É encontrado nas florestas do Camarões, Gabão e do Congo; a subespécie gorila-das-montanhas habita as regiões altas ao norte das montanhas dos lagos Kivu, Tanganica e Alberto; população estimada entre 8.000 e 10.000 exemplares. O gorila é o maior e o mais forte dos primatas, podendo o macho adulto atingir 1,80 m de altura e 220 kg de peso. Orelhas pequenas, olhos escondidos em supercílios grossos; possui uma crista sagital (em forma de seta) na cabeça, os membros apresentam proporções quase humanas, sendo, os braços, entretanto, maiores do que as pernas; a cor varia desde o branco ao negro retinto, passando pelo castanho desbotado e pelo cinza sujo. Nível mental semelhante ao do orangotango.

88. *Chimpanzé* é o grande mamífero antropóide da África, sobretudo frugívoro, corpo peludo, pequena capacidade craniana, nariz chato, focinho alongado e sem queixo, caninos salientes, coluna vertebral curvada para a frente, braços muito longos e pés quase sem calcanhar. Parece ser o mais inteligente de todos os animais depois do homem; medíocre marchador bípede e excelente trepador arborícola.

89. *Orangotango*, do malaio *orang-utan*, "homem da floresta virgem", é o grande macaco antropomorfo de Sumatra e Bornéu. Nível mental baixo.

90. *Gibão* é o antropóide, de longos braços e arborícola, do sudeste da Ásia.

91. O *Driopiteco* ou Antropopiteco, do grego *anthropos*, "homem", e *píthekos*, "macaco", é o "homem-macaco", animal fóssil intermediário entre os macacos superiores e o homem, elo hipotético segundo alguns naturalistas.

92. *Ungulados* são os mamíferos com dedos ou patas providos de cascos. A designação, aplicando-se aos mamíferos cordados com essa característica, caiu em desuso. Os Ungulados compreendiam os perissodátilos, artiodátilos, proboscídeos (Cf. Capítulo anterior, notas 76, 77 e 87) e os hiracóides (pequeno porte, orelhas e cauda curtas, três ou quatro dedos nos pés providos de cascos, caninos ausentes, herbívoros, arborícolas ou de regiões rochosas, na África e no Oriente Médio).

93. *Fusiformes* ou Afusados, do latim *fusu*, "fuso", com forma de fuso, afuselados, fusóides.

94. *Cúbito* é o longo osso situado na parte interna do antebraço.
Perônio, do grego *perónion*, diminutivo de *peroné*, "cravelha", é o osso da perna situado na parte externa, ao lado da tíbia.

95. Essa *Especialização* consiste em adquirir caracteres estruturais (anatômicos, fisiológicos etc.) e faculdades operacionais especiais em função de uma determinada atividade. A especialização paralisa porque fixa o tipo, estaticamente, na realização de uma atividade e no exercício de uma faculdade restrita, não lhe deixando possibilidades de aquisição e/ou desenvolvimento de novos caracteres ou capacidades, em termos de adaptação, invenção etc. A ultra-especialização mata porque, exacerbando a especialização, não permite o acompanhamento do próprio avanço evolutivo geral da Natureza e dos demais seres vivos.

96. *Inteligência*, como faculdade de apreender, perceber, compreender, saber, refletir, conhecer e autoconhecer-se; incluindo a capacidade de resolver situações problemáticas novas mediante reestruturação dos dados adquiridos. (Cf. Capítulo seguinte, nota 11.)

97. Cf. nota 17.

98. Henry Fairfield Osborn (1857-1935), fundador e diretor do American Museum e criador

da Osborn Library, foi brilhante paleontólogo, autor de *Evolução dos dentes molares dos mamíferos* (1907), *A idade dos mamíferos na Europa, na Ásia e no norte da América* (1910), *A origem e a evolução da vida* (1921). Foi Osborn quem escreveu o primeiro estudo importante dedicado a Teilhard: "Esplorations, Researches and Publications of Pierre Teilhard de Chardin, 1911-1931" em *American Museum Novitates*, 25/8/1931, nº 485, pp. 1-13, um mapa, um retrato e bibliografia. Teilhard, por seu lado, sempre lhe dedicou grande amizade e respeito (chamava-o de "grande chefe") e, quando Osborn faleceu, em 6 de novembro de 1935, redigiu uma nota necrológica, publicada em *L'Anthropologie*, 1936, t. 46, p. 706, na qual conclui:

"O que prevalecerá do professor Osborn na memória de quantos o conheceram é, antes de tudo, a luminosa estrela de um ser que sabia confiar indefectivelmente nos homens, e que, indefectivelmente também, acreditava na potência espiritual da Humanidade."

99. Do grego *áristos*, "ótimo", e *génesis*, "formação", "origem", "geração", a *Aristogênese* (no texto, entre aspas) designa um processo ótimo de orientação evolutiva: o filo dos Primatas evoluindo pura e diretamente no sentido de uma *cerebralização crescente* e, através dele, nele e com ele, a Vida – que avança, ortogeneticamente, por meio de pequenas mutações anatômicas e psíquicas orientadas no sentido de uma *conscientização crescente* – evoluindo também. O rendimento evolutivo desse aumento de complexidade conjugado com esse aumento de consciência é então, a partir dessa "co-incidência", ilimitado (Cf. final da nota seguinte), como conclui o Autor.

100. Cabe observar aqui que o *Pensamento* é o modo de conhecimento não intuitivo dirigido ao ente enquanto tal e às relações implicadas no seu sentido. No espírito humano, o pensamento se perfaz em diversos atos de apreensão (compreensão da relação, formação de conceitos, juízos, raciocínio) e de posicionamento (interrogação, dúvida etc.), a fim de, no assentimento do juízo, abarcar de modo (pretendido) definitivo, um objeto. Numa transição rítmica, passa-se da mera contemplação do objeto apreendido ao processamento e busca de conhecimentos sempre novos *(pensamento discursivo)*. Depois, do ato de entender, em forma simplesmente reprodutiva, uma verdade apresentada – por meio de suas relações lógicas com verdades anteriormente adquiridas *(pensamento reprodutivo)* – transita-se para uma forma de pensar mais independente, a inspiração *(pensamento criador)*. Distinguindo-se essencialmente do conhecimento sensorial (pois não se dirige só ao que recai sob os sentidos, mas também ao intuitivo e, no sensorialmente perceptível, à própria qüididade da coisa, não apreensível pelos sentidos), o Pensamento – a despeito de seus múltiplos vínculos com a realidade material – não é, como o conhecimento sensorial, uma atividade imediatamente co-executada com a matéria, mas é de natureza espiritual. Tendendo para o ser propriamente dito, ele pode entrar em contato, ainda que só analogicamente, com tudo o que de algum modo tem ser. Portanto, sua amplitude é ilimitada. É o que demonstra o Autor, na Parte III, a seguir.

III
O Pensamento

CAPÍTULO I
O Nascimento do Pensamento

Observação Preliminar : O Paradoxo Humano.

Numa perspectiva puramente positivista,[1] o Homem é o mais misterioso e o mais desconcertante dos objetos com que a Ciência se depara. E, de fato, temos de confessar, a Ciência não lhe encontrou ainda um lugar nas suas representações do Universo. A Física chegou a circunscrever provisoriamente o mundo do átomo. A Biologia logrou estabelecer uma certa ordem nas construções da Vida. Apoiada na Física e na Biologia, a Antropologia, por sua vez, explica, mais ou menos, a estrutura do corpo humano e certos mecanismos da sua fisiologia.[2] Mas, uma vez reunidos todos esses traços, o retrato, manifestamente, não corresponde à realidade. O Homem, tal como a Ciência o consegue reconstituir hoje em dia, é um animal como os outros, — tão pouco separável, por sua anatomia, dos Antropóides, que as modernas classificações da Zoologia, retornando à posição de Lineu, o incluem com eles na mesma super-família dos Homínidas.[3] Ora, a julgar pelos resultados biológicos do seu aparecimento, não constitui ele precisamente algo totalmente diferente?

Salto morfológico ínfimo; e, ao mesmo tempo, incrível abalo das esferas da Vida: todo o paradoxo humano... E toda a evidência, por conseguinte, de que, nas suas atuais reconstruções do Mundo, a Ciência negligencia um fator essencial, ou, melhor dizendo, uma dimensão inteira do Universo.

Em conformidade com a hipótese geral que nos guia, desde o início destas páginas,[4] para uma interpretação coerente e expressiva das aparências atuais da Terra, eu gostaria de fazer ver, nesta nova Parte, consagrada ao Pensamento, que, para dar ao Homem sua posição *natural* no Mundo experimental,[5] é necessário e suficiente levar em conta o Dentro ao mesmo tempo que o Fora das coisas. Este método já nos permitiu apreciar a grandeza e o sentido do movimento vital. É ele ainda que vai reconciliar perante nossos olhos, numa ordem que desce harmoniosamente sobre a Vida e a Matéria, a insignificância e a suprema importância do Fenômeno humano.

Entre os últimos estratos do Plioceno, donde o Homem está ausente, e o nível seguinte, onde o geólogo deveria ser sacudido de estupefação ao identificar os primeiros quartzos lascados,[6] o que é que se passou? E qual é a verdadeira dimensão do salto?

Eis o que nos importa adivinhar e medir, — antes de acompanharmos, de etapa em etapa, até o passo decisivo em que hoje se encontra empenhada, a Humanidade em marcha.

1. O Passo da Reflexão[7]

A) O PASSO ELEMENTAR. A HOMINIZAÇÃO DO INDIVÍDUO

a) *Natureza*

Assim como, entre os Biólogos, reina sempre a incerteza no que se refere à existência de um sentido, e *a fortiori* de um eixo definidos na Evolução, – assim também, e por uma razão conexa, a maior divergência ainda se manifesta, entre Psicólogos, quando se trata de decidir se o psiquismo humano difere especificamente (por "natureza") do psiquismo dos seres que apareceram antes dele.[8] De fato, a maioria dos "sábios" tenderia a contestar a validez de um tal corte. Que é que já não foi dito – e que é que não se diz ainda –, sobre a inteligência dos Bichos!

Se queremos resolver essa questão (cuja solução é tão necessária para a Ética da Vida quanto para o conhecimento puro...) da "superioridade" do Homem sobre os Animais, eu não vejo senão um meio: pôr decididamente de lado, no feixe dos comportamentos humanos, todas as manifestações secundárias e equívocas da atividade interna e encarar bem de frente o fenômeno central da *Reflexão*.[9]

Do ponto de vista experimental, que é o nosso, a Reflexão, como a própria palavra o indica, é o poder adquirido por uma consciência de se dobrar sobre si mesma, e de tomar posse de si mesma *como de um objeto* dotado de sua própria consistência e de seu próprio valor: não mais apenas conhecer, – mas conhecer-se; não mais apenas saber, mas saber que se sabe. Por essa individualização de si mesmo no fundo de si mesmo, o elemento vivo, até aqui espalhado e dividido sobre um círculo difuso de percepções e de atividades, acha-se constituído, pela primeira vez, em *centro* punctiforme,[10] onde todas as representações e experiências se entrelaçam e se consolidam num conjunto consciente de sua organização.

Ora, quais são as conseqüências de semelhante transformação? – São imensas; e nós as distinguimos na Natureza tão claramente quanto qualquer dos fatos registrados pela Física ou pela Astronomia. O ser reflexivo, precisamente em virtude de sua inflexão sobre si mesmo, torna-se de repente susceptível de se desenvolver numa esfera nova. Na realidade, é um outro mundo que nasce. Abstração, lógica, opções e invenções ponderadas, matemáticas, arte, percepção calculada do espaço e da duração, ansiedades e sonhos do amor... Todas essas atividades da *vida interior* nada mais são que a efervescência do centro recém-formado explodindo sobre si mesmo.

Isto posto, eu pergunto. Se, como decorre do que foi dito, é o fato de se encontrar "refletido" que constitui o ser verdadeiramente "inteligente", podemos nós seriamente duvidar de que a inteligência[11] seja o apanágio evolutivo do Homem e *só* do Homem? E podemos nós, por conseguinte, hesitar em reconhecer, por não sei que falsa modéstia, que sua posse representa para o Homem um avanço radical em relação a toda a Vida antes dele? O animal sabe, bem entendido. Mas, certamente, *ele não sabe que sabe*: de outro modo, teria há muito tempo multiplicado invenções e desenvolvido um sistema de construções internas que poderiam escapar à nossa observação. Conseqüentemente, permanece fechado para ele todo um domínio do Real, no qual nós nos movemos, nós, — mas no qual ele, por sua vez, não consegue entrar. Um fosso, — ou um limiar — para ele intransponível, nos separa. Em relação a ele, por sermos reflexivos, não somos apenas diferentes, mas outros. Não só simples mudança de grau, — mas mudança de natureza — que resulta de uma mudança de estado.[12]

E eis-nos exatamente diante daquilo que esperávamos. A Vida (e nessa expectativa terminava o capítulo de Deméter), a Vida, por ser ascensão de consciência, não podia continuar a avançar indefinidamente em sua linha sem se transformar em profundidade. Ela, dizíamos, como toda grandeza crescente no Mundo, tinha que se tornar diferente para continuar ela mesma. Mais claramente definível do que quando perscrutávamos o psiquismo obscuro das primeiras células, eis que se descobre, no acesso ao poder de refletir, a forma particular e crítica de transformação em que consistiu para ela essa sobre-criação,[13] — ou esse re-nascimento. E, ao mesmo tempo, eis a curva inteira da Biogênese que reaparece, se resume e se clarifica neste ponto singular.

b) *Mecanismo Teórico*

Sobre o psiquismo dos animais, naturalistas e filósofos têm defendido, desde sempre, as teses mais opostas. Para os Escolásticos da antiga Escola, o instinto é uma espécie de sub-inteligência homogênea e fixada, assinalando um dos estádios ontológicos e lógicos através dos quais, no Universo, o ser "se degrada", se irisa, desde o Espírito puro até a pura Materialidade.[14] Para o Cartesiano, só existe o pensamento; e o animal, desprovido de qualquer dentro, não é senão um autômato.[15] Para a maior parte dos biólogos modernos, enfim, já o lembrava acima, nada separa nitidamente instinto e pensamento, — um e outro não sendo muito mais que uma espécie de luminescência de que se revestiria o jogo, único essencial, dos determinismos da Matéria.

Em todas essas opiniões diversas, sobressai a parte de verdade, ao mesmo tempo que aparece a causa do erro, logo que, colocando-nos no ponto de vista adotado nestas páginas, decidimo-nos a reconhecer: 1) que o instinto, longe de ser um epifenômeno,[16] traduz em suas diversas expressões o próprio fenômeno vital; e 2) que ele representa, por conseguinte, uma grandeza *variável*.

Que se passa, efetivamente, se, para olhar a Natureza, nos colocamos sob esse ângulo?

Primeiramente, realizamos melhor em nosso espírito o fato e a razão da *diversidade* dos comportamentos animais. Do momento em que a Evolução é transformação primariamente psíquica, não há *um* instinto na Natureza, mas uma multidão de formas de instintos, dos quais cada um corresponde a uma solução particular do problema da Vida. O psiquismo de um Inseto não é (e já não pode ser) o de um Vertebrado — nem o instinto de um Esquilo ou de um Gato ou de um Elefante: isso precisamente em virtude da posição de cada um na Árvore da Vida.

Por isso mesmo, nessa variedade, começamos a ver destacar-se legitimamente um relevo, desenhar-se uma gradação. Se o instinto é grandeza variável, *os* instintos não podem ser apenas diversos: eles formam, na sua complexidade, um sistema crescente, — desenham, no seu conjunto, uma espécie de leque em que os termos superiores, em cada nervura, são reconhecíveis por um raio cada vez maior de opção, apoiado num centro mais bem definido de coordenação e de consciência.[17] E é justamente isso o que observamos. O psiquismo de um Cão, diga-se o que se disser, é positivamente superior ao de uma Toupeira ou de um Peixe.[18]*

Dito isso, no que eu não faço senão apresentar sob um outro ângulo o que já nos revelou o estudo da Vida, os espiritualistas podem tranqüilizar-se quando, nos animais superiores (nos grandes Símios em particular) notam, ou são obrigados a ver, comportamentos e reações que lembram estranhamente aqueles de que se servem para definir a natureza e reivindicar a presença de uma "alma racional" no Homem.[19] Se a História da Vida não é, como já o dissemos, senão um movimento de consciência velada de morfologia, é inevitável que, cerca desse ápice da série, nas vizinhanças do Homem, os psiquismos cheguem e apareçam *à flor da inteligência*. O que precisamente ocorre.

E, a partir daí, é o próprio "paradoxo humano" que se esclarece. Nós ficamos perturbados ao constatar o quanto o "Anthropos",[20] apesar de certas preeminências mentais incontestáveis, difere pouco, anatomicamente, dos outros Antropóides; — tão perturbados que quase renunciaríamos, pelo menos cerca do ponto de origem, a separá-los. Mas, essa extraordinária semelhança, não é exatamente o que devia acontecer?...

Quando a água, sob pressão normal, chegou a 100 graus e continuamos a aquecê-la, o primeiro acontecimento que se segue, — sem mudança de temperatura — é a tumultuosa expansão das moléculas liberadas e vaporizadas. — Quando, ao longo do eixo ascendente de um cone, as secções se sucedem, com área constantemente decrescente, chega o momento em que, por um deslocamento infinitesimal a mais, a superfície se esvanece, tornando-se *ponto*. — Assim, por essas comparações remotas, podemos imaginar em seu mecanismo o *passo crítico da reflexão*.[21]

No fim do Terciário, havia mais de 500 milhões de anos que a temperatura psíquica subia no mundo celular. De Ramo em Ramo, de Camada em Camada, como vimos, os sistemas nervosos iam, *pari passu*, complicando-se e concentrando-se. Finalmente se construíra, para o lado dos Primatas, um instrumento tão admiravelmente dúctil e rico que o passo imediatamente seguinte não podia ser dado sem que o psiquismo animal todo, inteiro, não se encontrasse como que refundido, e consolidado sobre si mesmo. Ora, o movimento não parou: pois nada, na estrutura do organismo, o impedia de avançar. Ao Antropóide, levado "mentalmente" a 100 graus, foram acrescentadas então mais algumas calorias. No Antropóide quase chegado ao ápice do cone exerceu-se um último esforço ao longo do eixo. E mais não foi preciso para que todo o equilíbrio interior se encontrasse invertido. O que não era ainda senão superfície centrada tornou-se centro.[22] Por um acréscimo "tangencial" ínfimo, o "radial" voltou-se sobre si mesmo e, por assim dizer, saltou para o infinito adiante. Aparentemente, quase nada de mudado nos órgãos. Mas, em profundidade, uma grande revolução: a consciência jorrando, borbulhante, num espaço de relações e de representações super-sensíveis; e, simultaneamente, a consciência capaz de se aperceber a si mesma na simplicidade conjunta de suas faculdades, — tudo isso pela primeira vez.[23]*

Os espiritualistas têm razão quando defendem tão energicamente uma certa transcendência do Homem, em relação ao resto da Natureza. Os materialistas também não estão errados quando sustentam que o Homem é apenas mais um termo na série das formas animais. Neste caso, como em tantos outros, as duas evidências antitéticas se resolvem num movimento, — desde que, nesse movimento, se reserve a parte essencial ao fenômeno, tão altamente natural, de "mudança de estado".

Sim, da célula ao animal pensante, assim como do átomo à célula, um mesmo processo (aquecimento ou concentração psíquica) prossegue sem interrupção, sempre no mesmo sentido. Mas, precisamente em virtude dessa permanência na operação, é fatal, do ponto de vista da Física, que certos saltos transformem bruscamente o sujeito submetido à operação.

c) *Realização*

Descontinuidade de continuidade. Assim se define e se apresenta para nós, na teoria do seu mecanismo, exatamente como o aparecimento primeiro da Vida, o nascimento do Pensamento.

E agora, na sua realidade concreta, como funcionou o mecanismo? Para um observador, testemunha hipotética da crise, que teria transpirado exteriormente da metamorfose?...[24]

Como o direi dentro em pouco, ao tratar das "aparências humanas originais", essa representação, que desejamos avidamente, continuará provavelmente a ser tão impossível para o nosso espírito quanto a representação da própria origem da Vida, — e pelas mesmas razões. Quando muito, neste caso, temos, para nos guiar, o recurso de imaginar o despertar da inteligência na criança, durante a ontogênese...[25] Duas observações contudo merecem ser feitas, — uma que circunscreve, outra que torna ainda mais profundo o mistério em que se envolve, para nossa imaginação, esse ponto singular.

A primeira é que, para atingir, no Homem, o passo da reflexão, a Vida teve de preparar, desde muito cedo e simultaneamente, um feixe de fatores, cuja "providencial" ligação nada, à primeira vista, permitiria supor.

Afinal de contas, é verdade, toda a metamorfose hominizante se reduz, do ponto de vista orgânico, a uma questão de melhor cérebro. Mas como se teria produzido esse aperfeiçoamento cerebral, — como teria podido funcionar? — se uma série inteira de outras condições não se encontrassem, ao mesmo tempo, e todas, em conjunto, realizadas?... Se o ser de que saiu o Homem não tivesse sido bípede, suas mãos não se teriam achado livres a tempo para eximir as maxilas de sua função apreensora, e, por conseguinte, a espessa faixa de músculos maxilares que apertava o crânio não se teria relaxado. Foi graças à bipedia liberando as mãos que o cérebro pôde se avolumar; e foi graças a ela, ao mesmo tempo, que os olhos, acercando-se um do outro sobre a face reduzida, puderam se pôr a convergir e a fixar o que as mãos apreendiam, aproximavam e em todos os sentidos apresentavam:[26]

o próprio gesto, exteriorizado, da reflexão!...[27] — Em si mesmo, esse maravilhoso encontro não nos deve surpreender. A mínima coisa que se forma no mundo não é sempre assim o produto de uma formidável coincidência, — um nó de fibras acorrendo desde sempre dos quatro cantos do espaço? A Vida não trabalha seguindo um fio isolado, nem por retomadas. Ela empurra para diante toda a sua trama ao mesmo tempo. Assim se forma o embrião no seio que o carrega. Devíamos sabê-lo. Mas reconhecer que o Homem nasceu sob a mesma lei maternal é para nós, de fato, uma satisfação. Que o nascimento da inteligência corresponda a um reviramento sobre si mesmo, não somente do sistema nervoso, mas do ser todo inteiro, com prazer o admitimos. Em contrapartida, o que nos aterra, à primeira vista, é ter de constatar que esse passo, para ser executado, deve ter se dado de *uma só vez*.

Pois essa tem de ser a minha segunda observação, a qual não posso iludir. No caso da ontogênese humana, nós podemos passar por alto o problema de saber em que momento se pode dizer que o recém-nascido acede à inteligência, torna-se pensante: série contínua de *estados* que se sucedem num mesmo indivíduo, desde o óvulo até o adulto. Que importa saber onde se situa ou mesmo se existe um hiato? Totalmente diferente é o caso de uma embriogênese filética,[28] onde cada estádio, cada estado, é representado por um *ser diferente*. Aqui já não há meio (pelo menos com nossos atuais métodos de pensar) de escapar ao problema da descontinuidade... Se, como sua natureza física parece exigi-lo, e como já o admitimos, a passagem à reflexão é verdadeiramente uma transformação crítica, uma mutação de zero para tudo, impossível imaginarmos, nesse nível preciso, um indivíduo intermediário. Ou bem esse ser está ainda aquém, — ou bem está já além, — da mudança de estado... Revire-se o problema como se quiser. Ou temos de tornar o Pensamento impensável, negando sua transcendência psíquica em relação ao instinto. Ou então temos de nos resolver a admitir que seu aparecimento se deu *entre* dois indivíduos.

Proposição desconcertante em seus termos, seguramente, — mas cuja extravagância se atenua até se tornar inofensiva, se observarmos que, em todo e puro rigor científico, nada nos impede de supor que a inteligência pode (ou mesmo deve) ter sido tão pouco perceptível exteriormente, nas suas origens filéticas, quanto ainda o é, aos nossos olhos, em cada recém-nascido, no estádio ontogênico. Caso em que qualquer assunto tangível de discussão se dilui entre o observador e o teórico.

Sem contar que (segunda forma de "inapreensível" — cf. mais adiante, item 2, nota 70) qualquer discussão científica acerca das aparências eventualmente apresentadas pela primeira emergência da Reflexão sobre a Terra (mesmo que as suponhamos perceptíveis para um espectador contemporâneo) tornou-se hoje impossível: uma vez que, aqui ou nunca, nós nos encontramos em presença de um desses *começos* ("infinitamente pequenos evolutivos") automaticamente e irremediavelmente subtraídos à nossa vista por uma espessura suficiente de Passado. (Cf. mais atrás, Parte II, Capítulo II, 2, C, nota 65.)

Retenhamos portanto apenas, sem tentar imaginar o inimaginável, que o acesso ao Pensamento representa um limiar, — que deve ser franqueado de um só passo. — Intervalo "trans-experimental"[29] sobre o qual nada podemos cientificamente dizer; mas além do qual nos encontramos transportados para um patamar[30] biológico inteiramente novo.

d) *Prolongação*

E é somente aqui que acaba de se revelar a natureza do passo da reflexão. Mudança de estado, em primeiro lugar. Mas, em seguida, e por isso mesmo, começo de uma outra espécie de vida, – precisamente essa vida interior que mencionei anteriormente. Há pouco comparávamos a simplicidade do espírito pensante à de um ponto geométrico. É antes de linha ou de eixo[31] que devíamos ter falado. "Ser posto", para a inteligência, não significa, com efeito, "estar consumado". Mal nasce, a criança tem de respirar: senão morre. De modo semelhante, o centro psíquico refletido, uma vez concentrado sobre si mesmo, não poderia subsistir senão por um duplo movimento que faz apenas um: centrar-se ainda mais sobre si, por penetração num espaço novo; e, ao mesmo tempo, centrar o resto do mundo em torno de si, por estabelecimento de uma perspectiva cada vez mais coerente e mais bem organizada nas realidades que o rodeiam. Não o foco imutavelmente fixo, mas o turbilhão que se aprofunda aspirando o fluido no seio do qual nasceu. O "Eu" que só se sustenta tornando-se sempre mais ele mesmo, na medida em que torna todo o resto ele próprio. *A pessoa na e pela Personalização.*[32]

É claro que, sob o efeito de semelhante transformação, a estrutura da Vida fica inteiramente modificada. Até aí o elemento animado se achava tão estreitamente submetido ao filo que sua própria individualidade também a ele poderia parecer acessória e sacrificada. Receber; manter, e, se possível adquirir; reproduzir e transmitir. E assim por diante, sem trégua, indefinidamente... O animal, preso na cadeia das gerações, parecia não ter o direito de viver, não tinha, aparentemente, nenhum valor em si mesmo. Efêmero ponto de apoio para uma corrida que passava por cima dele, ignorando-o. A Vida, ainda uma vez, mais real do que os seres vivos.

Com o aparecimento do reflexivo, propriedade essencialmente elementar (pelo menos para começar!), tudo muda: e nós então nos damos conta de que, sob a realidade mais manifesta das transformações coletivas, efetuava-se secretamente uma marcha paralela para a individualização. Quanto mais cada filo se carregava de psiquismo, mais tendia a se "granular". Valorização crescente do animal em relação à espécie. No nível do Homem, enfim, o fenômeno se precipita e toma definitivamente figura. Com a "pessoa", dotada pela "personalização" de um poder indefinido de evolução elementar, o ramo cessa de carregar no seu conjunto anônimo as promessas exclusivas do porvir. A célula tornou-se "alguém". Depois do grão de Matéria, depois do grão de Vida, eis o *grão de Pensamento* enfim constituído.

Quer isso dizer que, a partir desse momento, e tal como esses animais que se diluem na poeira dos germes a que dão origem quando morrem, o filo perde sua função e se volatiliza? Inverte-se, acima do ponto de reflexão, todo o interesse da Evolução para passar da Vida a uma pluralidade de seres vivos isolados?

De modo algum. Só que, a partir dessa data crucial, o jorro global, sem se deter o mínimo que seja, ganha um grau, uma ordem, de complexidade. Não, porque está doravante carregado de centros pensantes, o filo não se parte como um jato frágil; não se fragmenta em seus psiquismos elementares: mas, pelo contrário, reforça-se, forrando-se interiormente com uma armadura a mais. Até então bastava considerar, na Natureza, uma larga vibração simples: a ascensão *da*

Consciência. Agora vai se tratar de definir e harmonizar em suas leis (fenômeno muito mais delicado!) uma ascensão *das* consciências. Um progresso feito de outros progressos tão duradouros quanto ele. Um movimento de movimentos. Procuremos elevar-nos suficientemente alto para dominar o problema. E, para tanto, esqueçamos por algum tempo o destino particular dos elementos espirituais implicados na transformação geral. Só assim, seguindo a ascensão e o alastramento do conjunto em suas linhas mestras, é que podemos chegar, por um longo desvio, a determinar a parte reservada, no êxito total, às esperanças individuais.

Para a personalização do indivíduo pela hominização[33] do grupo inteiro!

B) O PASSO FILÉTICO. A HOMINIZAÇÃO DA ESPÉCIE

Assim, pois, através do salto da inteligência, cuja natureza e cujo mecanismo acabamos de analisar na partícula pensante, a Vida continua, de algum modo, a se expandir como se nada houvesse acontecido. É claro que, tanto depois como antes do limiar do pensamento, no Homem como nos animais, propagação, multiplicação, ramificação seguem sua rotina habitual. Nada se modificou, dir-se-ia, na corrente. Mas as águas já não são as mesmas. Como as ondas de um rio enriquecidas ao contato de uma planície limosa, o fluxo vital carregou-se de princípios novos ao franquear os portais da reflexão; e vai, por conseguinte, manifestar atividades novas. Doravante, o que a seiva evolutiva rola e veicula na haste viva[34] já não são apenas grãos animados, mas, como dissemos, grãos de pensamento. O que irá surgir, sob essa influência, na cor ou na forma das folhas, das flores e dos frutos?

Eu não poderia, sem me antecipar a desenvolvimentos ulteriores, dar imediatamente a essa pergunta uma resposta detalhada nem genérica. Mas o que é oportuno indicar aqui, sem mais delongas, são três particularidades que, a partir do passo do Pensamento, se irão manifestando em todas as operações ou produções, quaisquer que sejam, da Espécie. A primeira dessas particularidades concerne à composição de novos ramos; – a outra, ao sentido geral de seu crescimento; – a última, enfim, às relações ou diferenças de conjunto entre eles e o que antes deles havia desabrochado na Árvore da Vida.

a) *A Composição dos Ramos Humanos*

Qualquer que seja a idéia que se tenha do mecanismo interno da Evolução, é certo que cada grupo zoológico se circunda de um certo invólucro psicológico. Já o dissemos anteriormente (item 1.A., b), cada tipo de Inseto, de Ave ou de Mamífero tem seus instintos próprios. Até aqui não se fez nenhuma tentativa para ligar sistematicamente um ao outro os dois elementos somático e psíquico da Espécie. Há naturalistas que descrevem e classificam as formas. Outros naturalistas se especializam no estudo dos comportamentos. De fato, a distribuição das espécies se opera muito satisfatoriamente, abaixo do Homem, por meio de critérios puramente morfológicos. A partir do Homem, pelo contrário, as dificuldades aparecem. Reina ainda, como o sentimos, uma extrema confusão no que diz respeito à significação e à repartição dos grupos tão variados em que se fragmenta, aos nossos olhos, a massa humana: raças, nações, estados, pátrias, culturas etc. ... Nessas categorias, diversas e instáveis, tende-se em geral a distinguir apenas unidades heterogêneas, umas naturais (a raça...), outras artificiais (a nação), sobrepondo-se irregularmente umas às outras nos diferentes planos.

Irregularidade desagradável e inútil que se esvanece por pouco que se dê lugar ao Dentro tanto quanto ao Fora das coisas!

Não, aparentemente desse ponto de vista mais compreensivo, por mista que ela possa parecer, a composição do grupo e dos ramos humanos não é irredutível às regras gerais da Biologia. Mas, por exagero de uma variável que permaneceu insignificante nos animais, ela faz simplesmente aparecer a trama essencialmente dupla dessas leis, para não dizer, pelo contrário (se o próprio Soma é tecido por Psique...), sua fundamental unidade. Não se trata de exceção, mas de generalização. Impossível duvidar disso. No mundo tornado humano, é sempre ainda a ramificação zoológica que, apesar das aparências e da complexidade, se prolonga e opera segundo o mesmo mecanismo que anteriormente. Só que, em conseqüência da quantidade de energia interior liberada pela reflexão, a operação tende então a emergir dos órgãos materiais para se formular *também*, ou até *sobretudo*, em termos de espírito. O psíquico espontâneo não é mais somente uma auréola do somático. Ele se torna parte apreciável, ou até parte principal, do fenômeno. E porque as variações da alma são muito mais ricas e matizadas que as alterações orgânicas, muitas vezes imperceptíveis, que as acompanham, é natural que a mera inspeção dos ossos e dos tegumentos já não permita seguir, explicar, catalogar os progressos da diferenciação zoológica total. Eis a situação. E eis também o remédio para ela. Para destrinçar a estrutura de um filo pensante, já não basta a anatomia: esta exige doravante ser acompanhada de psicologia.

Complicação laboriosa, bem entendido: pois que nenhuma classificação satisfatória do "gênero"[35] humano poderia ser estabelecida, como vemos, a não ser pelo jogo combinado de duas variáveis parcialmente independentes.[36] Complicação fecunda, porém, por dois motivos diferentes.

Por um lado, à custa desse incômodo, a ordem, a homogeneidade, ou seja, a verdade,[37] voltam a entrar em nossas perspectivas da Vida estendidas ao Homem; e, porque se revela correlativamente a nós o valor orgânico de qualquer construção social,[38] sentimo-nos já mais dispostos a considerar essa como objeto de ciência, e por isso mesmo a respeitá-la.

Por outro lado, pelo próprio fato de se mostrarem as fibras do filo humano embainhadas no seu psíquico, começamos a compreender o extraordinário poder de aglutinação e de coalescência[39] que elas apresentam. E eis-nos, no mesmo passo, a caminho de uma descoberta fundamental em que acabará por culminar nosso estudo do Fenômeno humano: a Convergência do Espírito.[40]

b) *O Sentido Geral de Crescimento*

Enquanto as nossas perspectivas sobre a natureza psíquica da evolução zoológica só encontravam apoio no exame das linhagens animais, e de seu sistema nervoso, o sentido dessa evolução permanecia forçosamente tão vago para o nosso conhecimento quanto a própria alma desses irmãos longínquos. A consciência sobe através dos seres vivos: eis tudo o que podíamos dizer. Em compensação, desde o instante em que, franqueado o limiar do Pensamento, a Vida, não só acede ao patamar em que nós próprios nos encontramos, mas ainda começa a extravasar francamente, por suas atividades livres, dos limites em que a canalizavam até então as exigências da fisiologia, seus progressos se nos tornam mais fáceis de decifrar. A mensagem está mais bem escrita; e nós podemos também lê-la melhor, porque nela nos reconhecemos. — Mais atrás, observando a Árvore da Vida, notávamos esse caráter fundamental: ao longo de cada ramo zoológico, os cérebros aumentam e se diferenciam. Para definir o prolongamento e o equivalente dessa lei, acima do passo da reflexão, bastar-nos-á daqui por diante dizer: "ao longo de cada linhagem antropológica, é o Humano que se busca a si próprio e que cresce".[41]

Evocávamos de passagem, há apenas um instante, a imagem do grupo humano em sua inigualável complexidade: essas raças, essas nações, esses Estados, cujo emaranhado desafia a sagacidade dos anatomistas e da etnologia.[42] Tantas raias no espectro[43] desencorajam nossa análise... Procuremos antes perceber o que é que representa essa multiplicidade, tomada em seu conjunto. Já não veremos então, em seu agregado perturbador, mais do que um amontoamento de lantejoulas que, por reflexão, transmitem umas às outras a mesma luz. Centenas ou milhares de facetas, — mas cada uma delas exprimindo, sob um ângulo diferente, uma realidade que se busca a si própria por entre um mundo de formas tateantes. Não nos espantamos (porque isso *nos* acontece) ao vermos, em cada pessoa ao nosso redor, desenvolver-se de ano para ano a centelha da reflexão. Todos temos também consciência, ao menos confusamente, de que *alguma coisa* muda em nossa atmosfera, no decurso da História. Como é que, confrontando essas duas evidências, e retificando ao mesmo tempo certas idéias excessivas sobre a natureza puramente "germinal" e passiva da hereditariedade, não somos nós mais sensíveis à presença de um maior que nós mesmos,[44] em marcha no âmago do nosso ser?...

Até o nível do Pensamento, uma questão podia continuar colocada à Ciência da Natureza: a questão do valor e da transmissão evolutivos dos caracteres adquiridos. A esse respeito, como sabemos, a Biologia tendia, e tende ainda, a se mostrar evasiva e cética. E, afinal de contas, no que concerne às zonas fixadas do corpo em que ela desejaria se confinar, talvez tenha razão. Mas que acontece, se atribuímos ao psíquico seu legítimo lugar na integridade dos organismos vivos? Imediatamente, a atividade individual do soma retoma os seus direitos sobre a pretensa independência do "germe" filético. Já nos Insetos, por exemplo, ou no Castor,[45] apreendemos, e de maneira flagrante, a existência de instintos hereditariamente formados, ou mesmo fixados, sob o jogo das espontaneidades animais. A partir da reflexão, a realidade do mecanismo se torna não apenas manifesta mas também preponderante. Sob o esforço livre e engenhoso das inteligências que se sucedem, é evidente que *alguma coisa* (mesmo na ausência de qualquer variação mensurável do crânio e do cérebro) se acumula irreversivelmente, e se transmite, pelo menos coletivamente por educação, ao longo das idades. Voltaremos a esse ponto. Ora, essa "alguma coisa", construção de matéria ou construção de beleza, sistemas de pensamento ou sistemas de ação, acaba sempre por se traduzir em aumento de consciência, —

sendo a consciência, por sua vez, agora o sabemos, nada menos que a substância e o sangue da Vida em evolução.

E o que quer dizer isso senão que, acima do fenômeno particular que é o acesso individual à reflexão, cabe à Ciência reconhecer um fenômeno ainda de natureza reflexiva, mas, desta vez, de extensão humana total! Aqui, como algures no Universo, o Todo se manifesta como maior que a simples soma dos elementos de que é formado. Não, o indivíduo humano não esgota em si mesmo as possibilidades vitais de sua raça. Mas, ao longo de cada um dos fios distinguidos pela Antropologia e pela Sociologia, uma corrente hereditária e coletiva de reflexão se estabelece e se propaga: o advento da Humanidade através dos Homens; — a emergência, pela filogênese humana, do ramo humano.

c) *Relações e Diferenças*

Visto e admitido isso, sob que forma devemos esperar ver surgir esse ramo humano? Irá ele, porque pensante, romper as fibras que o religam ao Passado, — e, no cimo do Ramo vertebrado, desenvolver-se a partir de elementos e num plano inteiramente novos, — como qualquer neoplasma?[46] — Imaginar semelhante ruptura seria, uma vez mais, ignorar e subestimar, ao mesmo tempo que a nossa "grandeza", a unidade orgânica do Mundo e os métodos da Evolução. Numa flor, as peças do cálice, as sépalas, as pétalas, os estames, o pistilo, não são folhas. Provavelmente, jamais foram folhas. Mas carregam, reconhecível em suas funções e em sua textura, tudo aquilo que teria dado uma folha se não se tivessem formado sob uma influência e com um destino novos. Igualmente, na inflorescência humana, encontram-se, transformados e em vias de transformação, os vasos, as ordenações e a própria seiva da haste sobre a qual nasceu essa inflorescência: não somente a estrutura individual dos órgãos e as ramificações interiores da espécie, mas as próprias tendências da "alma" e os seus comportamentos.

No Homem, considerado como grupo zoológico, prolongam-se ao mesmo tempo: a atração sexual com as leis da reprodução; a tendência à luta pela vida com as suas competições; a necessidade de se alimentar com o gosto de aprender e devorar; a curiosidade de ver com o prazer da investigação; o desejo de aproximação mútua para viver junto... Cada uma dessas fibras atravessa cada um de nós, vindo de mais baixo e subindo mais alto do que nós; de modo que, para cada uma delas, poderia ser retomada uma história (e não a menos verdadeira!) de toda a evolução: evolução do amor, evolução da guerra, evolução da pesquisa, evolução do sentido social... Mas também, cada uma delas, precisamente por ser evolutiva, se metamorfoseia à passagem da reflexão. E daí ela parte novamente enriquecida de possibilidades, de cores e de fecundidades novas. A mesma coisa, em certo sentido. Mas toda uma outra coisa também. A figura que se transforma ao mudar de espaço e de dimensões... A descontinuidade, ainda uma vez, sobre o contínuo. A mutação sobre a evolução.

Nessa dúctil inflexão, nessa harmoniosa refundição que transfigura o feixe inteiro, externo e interno, das antecedências vitais, como não encontrar uma confirmação preciosa de tudo aquilo que já tínhamos adivinhado? Quando um objeto se põe a crescer por algum acessório de si próprio, desequilibra-se e torna-se disforme. Para continuar simétrico e belo, um corpo tem que se modificar todo, inteiro, ao mesmo tempo, conforme algum de seus eixos principais. A Reflexão conserva, retocando-as, todas as linhas do filo sobre o qual se estabelece. O que significa, pois, que ela não representa a excrescência fortuita de uma energia parasita. O Homem não progride senão elaborando lentamente, através das idades, a essência e a totalidade de um Universo nele depositado.

É a esse grande processo de sublimação que convém aplicar, com toda a sua força, o termo de *Hominização*. Hominização, que é, de partida, se se quiser, o salto individual, instantâneo, do instinto para o pensamento. Mas Hominização que é também, num sentido mais lato, a espiritualização filética, progressiva, na Civilização humana, de todas as forças contidas na Animalidade.

E eis-nos levados, depois de havermos considerado o Elemento, — depois de termos encarado a Espécie, a olhar a Terra, em sua totalidade.

C) O PASSO TERRESTRE PLANETÁRIO. A NOOSFERA[47]

Observado em relação ao conjunto de todos os verticilos vivos, o filo humano não é um filo como os outros. Mas porque a Ortogênese específica dos Primatas (aquela que os impele para uma crescente cerebralidade) coincide com a Ortogênese axial[48] da Matéria organizada (aquela que impele todos os vivos para uma mais alta consciência), o Homem, surgido no âmago dos Primatas, desabrocha na flecha da Evolução zoológica.[49] Nesta constatação culminavam, se bem lembramos, nossas considerações sobre o estado do Mundo pliocênico.

Que valor privilegiado essa situação única irá conferir ao passo da Reflexão? É fácil percebê-lo.

"A mudança de estado biológico que atinge o despertar do Pensamento não corresponde simplesmente a um ponto crítico atravessado pelo indivíduo, ou mesmo pela Espécie. Mais vasta do que isso, ela afeta a própria Vida em sua totalidade orgânica, — e, por conseguinte, assinala uma transformação que afeta o estado do planeta inteiro."

Tal é a evidência que, nascendo de todas as outras evidências pouco a pouco adicionadas e ligadas no decurso de nossa investigação, se impõe irresistivelmente à nossa lógica e aos nossos olhos.

Não deixáramos de seguir, desde os indecisos contornos da Terra Juvenil, os estádios sucessivos de um mesmo vasto empreendimento. Sob as pulsações da geoquímica, da geotectônica, da geobiologia,[50] um único e só processo de fundo, sempre reconhecível: aquele que, depois de se haver materializado nas primeiras células, prolongava-se na edificação dos sistemas nervosos. A Geogênese, dizíamos, emigrando para uma Biogênese, que outra coisa finalmente não é senão uma Psicogênese.[51]

Com e na crise da Reflexão, descobre-se nada menos que o termo seguinte da série. A Psicogênese nos conduzira até o Homem. Apaga-se agora, revezada ou absorvida por uma função mais alta: o parto, primeiro, e, ulteriormente, todos os desenvolvimentos do Espírito, — a *Noogênese*.[52] Quando, pela primeira vez, num ser vivo, o instinto se percebeu no espelho de si mesmo, foi o Mundo inteiro que deu um passo.

São enormes as conseqüências dessa descoberta para as opções e as responsabilidades de nossa ação. Voltaremos a esse ponto.[53] Para a nossa inteligência da Terra, elas são decisivas.

Os geólogos, de há muito, concordam em admitir a composição zoneada de nosso planeta. Já nos referimos à Barisfera, metálica e central, — rodeada por sua Litosfera rochosa, — à qual, por sua vez, se sobrepõem as camadas fluidas da Hidrosfera e da Atmosfera.[54] A essas quatro superfícies encaixadas entre si, a Ciência habituou-se com razão, desde Suess,[55] a acrescentar a membrana viva formada pelo feltro vegetal e animal do Globo: a Biosfera, tantas vezes mencionada nestas páginas; — a Biosfera, invólucro tão nitidamente universal quanto as outras "esferas", e até muito mais nitidamente individualizado do que elas, pois que, em vez de representar um agrupamento mais ou menos frouxo, forma uma só peça, — o próprio tecido das relações genéticas que, uma vez desdobrado e erguido, desenha a Árvore da Vida.

Por termos reconhecido e isolado, na história da Evolução, a nova era de uma Noogênese, eis-nos forçados, correlativamente, a distinguir, na majestosa ordenação das folhas telúricas, um suporte proporcionado à operação, quer dizer, uma membrana mais. Em volta da centelha das primeiras consciências reflexivas, os progressos de um círculo de fogo. O ponto de ignição se alargou. O fogo ganha terreno. Finalmente, a incandescência cobre todo o planeta. Uma só interpretação, um só nome se acham à medida desse grande fenômeno. Exatamente tão extensiva, mas muito mais coerente ainda, como veremos, do que todas as camadas precedentes, é verdadeiramente uma camada nova, a "camada pensante", que, após ter germinado nos fins do Terciário, se expande desde então por cima do mundo das Plantas e dos Animais: fora e acima da Biosfera, uma *Noosfera*.

Aqui explode a desproporção que falseia toda classificação do mundo vivo (e, indiretamente, toda construção do mundo físico) em que o Homem não figura logicamente senão como um gênero novo ou uma nova família. Erro de perspectiva que desfigura e descoroa o Fenômeno universal! Para dar ao Homem o seu verdadeiro lugar na Natureza,[56] não basta abrir nos quadros da Sistemática uma seção suplementar, — mesmo uma Ordem, mesmo um Ramo a mais... Pela hominização, a despeito das insignificâncias do salto anatômico, é uma Idade nova que começa. A Terra "muda de pele". Melhor ainda, encontra a sua alma.

Por conseguinte, situado em meio às coisas com suas verdadeiras dimensões, o passo histórico da Reflexão é muito mais importante do que qualquer corte zoológico, seja aquele que assinala a origem dos Tetrápodes ou aquele dos próprios Metazoários. Dentre os escalões sucessivamente franqueados pela Evolução, o nascimento do Pensamento segue-se diretamente, e só é comparável, em ordem de grandeza, à condensação do quimismo terrestre ou ao próprio aparecimento da Vida.[57]

O paradoxo humano se resolve tornando-se desmedido!

Não obstante o relevo e a harmonia que introduz nas coisas, esta perspectiva nos desconcerta de momento porque contradiz a ilusão e os hábitos que nos levam a medir os acontecimentos por sua face material. E parece-nos desmesurada também porque, mergulhados nós mesmos no humano como um peixe no mar, a custo emergimos dele pelo espírito para apreciar sua especificidade e sua amplitude.

Mas observemos um pouco melhor à nossa volta: esse dilúvio súbito de cerebralidade; essa invasão biológica de um novo tipo animal que elimina ou subjuga gradualmente toda forma de vida que não seja humana; essa maré irresistível de campos e de fábricas; esse imenso edifício crescente de matéria e de idéias...[58] Todos esses sinais, que olhamos, quotidianamente, sem tentar compreender, não estão a nos gritar que algo, sobre a Terra, mudou "planetariamente"?[59]

Na verdade, para um geólogo imaginário que viesse, daqui a muito tempo, inspecionar o nosso globo fossilizado, a mais espantosa das revoluções sofridas pela Terra situar-se-ia, sem equívoco possível, no início do que, com toda razão, se chamou o *Psicozóico*.[60] E neste mesmo instante, para qualquer Extraterrestre capaz de analisar tanto psiquicamente quanto fisicamente as radiações siderais, a primeira característica de nosso planeta seria certamente o fato de este lhe aparecer não azul, de seus mares, ou verde, de suas florestas, – mas fosforescente de Pensamento.

O que pode haver de mais revelador para a nossa Ciência moderna é perceber que todo o precioso, todo o ativo, todo o progressivo originariamente contidos no retalho cósmico, do qual nosso mundo saiu, encontra-se agora centrado na "coroa"[61] de uma Noosfera.

E o que há de supremamente instrutivo (se soubermos ver) na origem dessa Noosfera é constatarmos quão *insensivelmente*, à força de ser universalmente e longamente preparado, se produziu o enorme acontecimento que o seu nascimento representa.

O Homem entrou no mundo sem ruído...

2. As Formas Originais

O Homem entrou sem ruído...

Há cerca de um século que se põe o problema científico das Origens humanas; – há um século que uma equipe cada vez maior de investigadores se empenha em escavar o Passado no seu ponto inicial de hominização; – e eu não consigo encontrar uma fórmula mais expressiva do que essa para resumir as descobertas da Pré-História. Quanto mais se multiplicam os achados de fósseis humanos, quanto mais se esclarecem seus caracteres anatômicos e sua sucessão geológica, – mais evidente se torna, por uma convergência incessante de todos os indícios e de todas as provas, que a "espécie"[62] humana, por única que seja em razão do plano entitativo[63] a que a ergueu a Reflexão, nada abalou na Natureza no momento de seu aparecimento. Com efeito, quer a observemos no seu ambiente, – quer a consideremos na morfologia de sua haste, – quer a inspecionemos na estrutura global de seu grupo, ela emerge fileticamente aos nossos olhos exatamente *como qualquer outra espécie*.

No seu ambiente, primeiro. Uma forma animal, sabemo-lo pela Paleontologia, nunca aparece só; antes se desenha no seio de um verticilo de formas vizinhas, entre as quais toma corpo, como que às apalpadelas. Assim acontece com o Homem. Na natureza atual, o Homem, considerado zoologicamente, se configura quase isolado. No seu berço, estava mais bem rodeado. Já não podemos mais duvidar: numa área bem-definida, mas imensa, que se estende da África meridional até a China do Sul e à Malásia, nos rochedos e nas florestas, os Antropóides eram, no fim do Terciário, muito mais numerosos do que hoje. Além do Gorila, do Chimpanzé e do Orangotango, agora encurralados em seus últimos refúgios, como hoje os Australianos[64] e os Pigmeus,[65] vivia então uma população de outros grandes Primatas. E, entre essas formas, certos tipos, os Australopitecos[66] da África, por exemplo, parecem ter sido muito mais hominídeos de que qualquer ser vivo de que tenhamos conhecimento.

Na morfologia de sua haste, em seguida. Com a multiplicação das "formas-irmãs", o que revela ao naturalista a origem de um ramo vivo é uma certa convergência do eixo desse ramo com o eixo dos ramos vizinhos. Perto de um nó, as folhas se aproximam umas das outras. Uma espécie, apreendida no estado nascente, não apenas forma um buquê com várias outras, mas revela ainda, muito mais claramente do que quando adulta, seu parentesco zoológico com estas últimas. Quanto mais se segue para baixo, na direção do Passado, uma linhagem animal, mais numerosos e claros se fazem nela os traços "primitivos". O Homem, aqui ainda, obedece rigorosamente, no conjunto, ao mecanismo habitual da Filética. Tente-se apenas colocar, em série descendente, o Pitècantropo[67] e o Sinantropo,[68] depois dos Neandertalóides,[69] abaixo do Homem atualmente vivo. A Paleontologia raramente consegue traçar um alinhamento tão satisfatório...

Na estrutura do seu grupo, enfim. Por mais definido que seja por seus caracteres, um filo nunca se nos depara absolutamente simples, como uma radiação pura. Manifesta, pelo contrário, por mais profundamente que possamos segui-lo, uma tendência interna à clivagem, à dispersão. Mal acaba de nascer, — ou mesmo ao nascer —, a espécie já se fragmenta em variedades ou subespécies. Isso, todos os naturalistas o sabem. Estabelecido esse ponto, voltemo-nos uma última vez para o Homem, — o Homem, cuja congênita aptidão a se ramificar, a Pré-História, mesmo a mais antiga, não faz senão analisar e, portanto, provar. Quem contestará que, no leque dos Antropóides, ele próprio se haja isolado como um leque, obedecendo assim às leis de toda matéria animada?

Portanto, eu não exagerava, em absoluto. Quanto mais a Ciência sonda o passado da nossa humanidade, mais esta, *enquanto espécie*, se conforma às regras e ao ritmo que, antes dela, regiam o aparecimento de cada novo rebento na Árvore da Vida. Mas, nesse caso, temos, logicamente, que ir até o fim, — dar um último passo. Pois que é tão semelhante, em seu nascimento, a todos os outros filos, deixemos de nos admirar se, exatamente como todo o resto de conjuntos vivos, o Homem-espécie escapa à nossa ciência pelos frágeis segredos de suas primeiríssimas origens; e abstenhamo-nos então de tentar, por meio de perguntas mal-formuladas, forçar e falsear essa condição natural.

O homem entrou sem ruído, dizia eu. De fato, ele caminhou tão discretamente que quando, denunciado pelos indeléveis instrumentos de pedra que multiplicam sua presença, começamos a percebê-lo, — ele já cobre o Velho Mundo, do Cabo da Boa Esperança até Pequim. Já, com certeza, fala e vive em grupos. Já produz o fogo. Afinal de contas, não é isso exatamente que devíamos esperar?

Todas as vezes que uma nova forma viva se ergue das profundezas da História aos nossos olhos, não sabemos acaso que ela surge perfeitamente pronta e que já é legião?...

Ao olhar da Ciência, portanto, que, de longe, só apreende conjuntos, o "primeiro homem" é e não pode ser senão *uma multidão*; e sua juventude é feita de milhares e milhares de anos.[70]*

É fatal que essa situação nos decepcione e deixe insatisfeita a nossa curiosidade. O que pode ter se passado no decurso desses primeiros mil anos não é precisamente o que mais nos preocupa? E, muito mais ainda, o que pode ter caracterizado o primeiro instante? – Mesmo à borda do fosso, apenas franqueado, da Reflexão, gostaríamos de saber qual pode ter sido o aspecto exterior de nossos primeiros pais. O salto, já o observei, deve ter-se dado de um só passo. Imaginemos o Passado fotografado, secção por secção: nesse instante crítico da hominização primeira, que veríamos nós desenrolar-se no nosso filme, ao revelá-lo?...

Se tivermos compreendido os limites de aumento impostos pela Natureza ao instrumento que nos ajuda a perscrutar o céu do Passado, saberemos renunciar a esses desejos inúteis, – e veremos porquê. Nenhuma fotografia poderia registrar no filo humano essa passagem à reflexão que, legitimamente, nos intriga; e pela simples razão de o fenômeno ter-se operado no interior daquilo que *sempre* falta num filo reconstituído: o pedúnculo de suas formas originais.[71]

Se é verdade que as formas tangíveis desse pedúnculo nos escapam, podemos nós, ao menos, conjecturar indiretamente sua complexidade e sua estrutura inicial?... Sobre esses pontos a Paleantropologia[72] não se posicionou definitivamente ainda. Mas é possível tentar formar uma opinião.[73]*

Entre os paleontólogos, vários, e não dos menores, acham que o pedúnculo de nossa Raça deve ter-se composto de vários feixes aparentados, mas distintos. Tal como, no meio intelectual humano, chegado a um certo grau de preparação e de tensão, uma mesma idéia pode nascer em vários pontos ao mesmo tempo, – assim também, acreditam eles, sobre a "camada antropóide" do Plioceno, o Homem deve ter começado (e esse seria, de fato, o mecanismo geral de toda a vida) em diversas regiões simultaneamente. Não "polifiletismo" propriamente dito,[74] pois que os diversos pontos de germinação se encontrariam localizados sobre a mesma folha zoológica: mas mutação extensiva dessa folha inteira. "Hologênese"[75] e, portanto, policentria.[76] Toda uma série de pontos de hominização, disseminados ao longo de uma zona subtropical da Terra; e, por conseguinte, diversas linhagens humanas soldando-se geneticamente umas às outras em algum lugar *abaixo* da Reflexão. Não um foco, mas "uma frente"[77] de evolução.

Sem contestar o valor e as probabilidades científicas dessa perspectiva, sinto-me pessoalmente atraído em direção a uma hipótese de matiz diferente. Já várias vezes insisti nessa curiosa particularidade que apresentam as ramificações zoológicas de carregarem, fixados sobre elas à maneira de caracteres essenciais, certos traços de origem claramente particular e acidental: os dentes trituberculados e as sete vértebras cervicais dos Mamíferos superiores; a tetrapodia dos Vertebrados caminhadores; o poder rotatório, em sentido único, das substâncias organizadas... Precisamente porque esses traços são secundários e acidentais, dizia eu, sua universal ocorrência em grupos, por vezes imensos, só se explica de modo satisfatório se esses grupos desabrocharam a partir de um rebento altamente particularizado e, portanto, extremamente localizado. Nada mais, talvez, do que um simples raio num verticilo, para suportar, no início, uma Camada, ou mesmo um Ramo, ou mesmo a Vida inteira. Ou, se alguma convergência atuou, só pode ter sido entre fibras extremamente vizinhas.

Sob a influência dessas considerações, e sobretudo no caso de um grupo tão homogêneo e especializado como o que nos ocupa, eu estaria inclinado a reduzir, tanto quanto possível, os efeitos de paralelismo na formação inicial do ramo humano. No meu entender, este não deve ter respigado suas fibras aqui e ali, fio por fio, um pouco em todos os raios do verticilo dos Primatas superiores. Mas, ainda mais estritamente do que qualquer outra espécie, ele representa o melhor possível, creio eu, o engrossamento e o êxito de uma única haste entre todas as hastes, — sendo, aliás, essa haste, a mais central do feixe, porque a mais vivaz e, seu cérebro à parte, a menos especializada. Todas as linhagens humanas, nesse caso, se reuniriam geneticamente, para baixo, no próprio ponto da Reflexão.[78]*

Depois disso, e se admitirmos, nas origens humanas, a existência rigorosamente única de um tal pedúnculo, que podemos nós acrescentar (sempre sem deixar o plano do puro fenômeno) a respeito de seu comprimento e de sua provável espessura? Convém, tal como o fazia Osborn,[79] imaginá-lo como se separando muito embaixo, no Eoceno ou no Oligoceno, num leque de formas pré-antropóides? É melhor, pelo contrário, considerá-lo, com K. W. Gregory,[80] como uma radiação saída, só no Plioceno, do verticilo antropóide?...

Outra pergunta ainda, sempre a mesma: ainda do mesmo ponto de vista, estritamente "fenomenal", que diâmetro mínimo de possibilidade biológica devemos supor para esse raio (quer seja profundo ou não), se o consideramos em seu ponto inicial de hominização? Para que ele tenha conseguido "efetuar a mutação", resistir e viver, quantos indivíduos pelo menos (em ordem de grandeza) tiveram de sofrer simultaneamente a metamorfose da Reflexão?... Por mais monofilética que a suponhamos, uma espécie não se desenha sempre como uma corrente difusa no seio de um rio, — por efeito de massas? Ou, pelo contrário, propaga-se ela, como a cristalização, antes a partir de algumas parcelas, — por efeito de unidades?... Já o disse, ao esboçar a teoria geral dos filos. Em nosso espírito, os dois símbolos (cada qual, talvez, parcialmente verdadeiro) se chocam ainda, com suas respectivas vantagens e atrativos. Saibamos esperar que sua síntese se estabeleça.

Saibamos esperar. E, para termos paciência, lembremo-nos das duas coisas seguintes.

A primeira é que, em qualquer hipótese, e por mais solitário que tenha surgido, o Homem emergiu de um tenteio geral da Terra. Nasceu, em linha direta, de um esforço total da Vida. Sobreeminente dignidade e valor axial de nossa Espécie. Para satisfazer à nossa inteligência e às exigências de nossa ação não precisamos, no fundo, de saber mais nada.

E a segunda é que, por mais fascinante que seja o problema das origens, mesmo resolvido em pormenores, não resolveria o problema humano. Temos toda a razão em considerar a descoberta dos homens fósseis como uma das linhas mais iluminantes e mais críticas da Pesquisa moderna. Nem por isso, no entanto, deveríamos nos iludir acerca dos limites, em todos os domínios, dessa forma de análise que é a Embriogênese. Se, em sua estrutura, o embrião de cada coisa é frágil, fugaz e, por conseguinte, praticamente inapreensível no Passado, quanto mais ainda, em suas feições, não é ele equívoco e indecifrável! Não é em seus germes que os seres se manifestam, mas em seu desabrochar. Considerados em sua nascente, os maiores rios não passam de parcos arroios.

Para apreender a amplitude verdadeiramente cósmica do Fenômeno humano, era necessário que seguíssemos suas raízes, através da Vida, até os primeiros envolvimentos da Terra sobre si mesma. Mas, se quisermos compreender a natureza específica e adivinhar o segredo do Homem, outro método não há senão observar o que a Reflexão já deu, e o que ela anuncia, *para adiante*.

NOTAS

1. Cf. nota 33 ao *Prólogo*.
2. Isto é, de sua anatomia e de sua parte fisiológica, incluindo esta última: funções orgânicas e processos ou atividades vitais (respiração, nutrição, crescimento etc.).
3. Os *Hominídas*, zoologicamente, constituem a família de mamíferos, da ordem dos Primatas, que têm como tipo o homem. Seus espécimens são ditos Hominídeos ("semelhante ao homem"), ou Hominidos. O Autor utiliza, em francês, a forma *Hominoïdés* que corresponderia a "Hominóides" em português (viável porque correlata a "Antropóides"...). Preferimos, contudo, a forma clássica "Hominídas" ao neologismo, por questões de rigor técnico-científico e etimológico. Cumpre observar, por outro lado, que o próprio Teilhard, em outro texto, reconhece que
    "diferenças anatômicas relativamente insignificantes separam o Homem primitivo do mais adiantado macaco fóssil". (Cf. *Spiritualistic Evolution*, 1938.)
4. Trata-se da "preeminente significação do Homem na Natureza" fundamentada pela "primazia concedida ao psíquico e ao Pensamento no Estofo do Universo". (Cf. final da *Advertência*.)
5. *Mundo Experimental* é o mundo que conhecemos com fundamento na experiência, que pode ser objeto de nossa experimentação, enquanto método científico que consiste em observar um fenômeno natural sob condições determinadas, permitindo-nos aumentar o conhecimento das manifestações ou leis que regem esse fenômeno. Nessa experimentação é preciso também considerar o Dentro das Coisas.
6. *Quartzos* são minerais trigonais (óxidos de silício), que se apresentam em numerosas variedades. Também denominados "cristais de rocha" quando duros e transparentes, os quartzos estão entre as primeiras pedras que o Homem talhou. Pedras em geral, aparentemente fragmentadas com o propósito de fazê-las instrumentos, foram encontradas em camadas já do Oligoceno (na Bélgica), mas foi só em depósitos do Plioceno que se encontraram numerosos sílices (e pedras) grosseiramente *lascados* e modelados para sua melhor utilização: os eólitos. Esses instrumentos primitivos, usados provavelmente como machados, são provas remotas da existência de seres mais semelhantes ao Homem do que qualquer macaco atual. Os eólitos são tão grosseiros e tão simples que por muito tempo se discutiu se deviam ser considerados como produtos naturais ou artificiais (intencionais). Entre os defensores da segunda hipótese – os colitófilos – inscrevem-se Harrison e Lewis Abbott. As investigações de J. Reid Moir, realizadas nos depósitos pliocênico e plistocênico de *East Anglia*, foram da maior importância para a definitiva solução do problema. Os mais primitivos eólitos, segundo os geólogos, datam do Plioceno.
7. O *Passo da Reflexão* – expressão tipicamente teilhardiana e simétrica a Passo da Vida (Cf. Parte II, Capítulo I, 1) – é a passagem da Vida não refletida (no Animal) para a Vida refletida (no Homem), ou seja, da Biosfera à Noosfera, marcando uma emergência descontínua num processo contínuo de interiorização, centração, conscientização. Deixemos, porém, que o próprio Autor nos conduza à sua compreensão.

8. Uma perspectiva hiperfísica deve sempre tomar pé nas conclusões da(s) Ciência(s). Sendo o intuito do Autor apreender a passagem do nível animal para o nível humano, do ponto de vista da interioridade, ele poderia pensar em recorrer às ciências ditas "humanas" e invocar critérios da Psicologia. Mas reconhece de partida que os próprios psicólogos não nos informam com a unanimidade e a precisão desejáveis acerca das relações entre psiquismo animal e psiquismo humano. Divergem entre si e hesitam em atribuir uma diferença específica (de "natureza") entre um psiquismo e outro. Mesmo as modernas linhas de estudo da conduta não saem do impasse: umas procuram evidenciar os traços "inteligentes" dos comportamentos animais; outras sugerem diretrizes e reforços para fixação ou extinção de comportamentos humanos por condicionamento... Daí Teilhard — querendo sempre evitar "detalhes acessórios e discussões" — partir em busca de um critério insofismável no fenômeno da Reflexão. (Cf. nota seguinte.)

9. *Reflexão* é a faculdade que cada mônada humana tem de se centrar mais perfeitamente sobre si mesma para tomar consciência de seu próprio pensamento em vista de uma ação livre, cada vez mais bem adaptada. Em outras palavras, e, até de um ponto de vista cibernético, Reflexão é o poder especificamente humano de criar informação a partir de informação. (Cf. nota 27, adiante.)

"Reflexão: estado de uma consciência que se tornou capaz de se ver e de prever a si mesma. *Pensar* é não apenas saber, mas *saber que se sabe.*" (Cf. *Un problème majeur pour l'anthropologie*, 1951.)

10. Na *Matéria inorgânica*, os núcleos cósmicos (elétrons, átomos, moléculas...) são *elementos incompletamente fechados* sobre si mesmos: já dotados de uma curvatura psíquica, mas constituindo *fragmentos abertos* como frações de uma esfera ou círculo rompidos; não ainda um verdadeiro Dentro, mas apenas uma "disposição a" fazê-lo emergir.

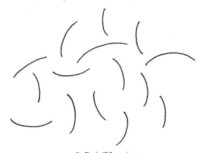

O Pré-Cêntrico

Na *Vida orgânica*, no nível da célula ou um pouco abaixo (mega-molécula), juntando-se os fragmentos de pré-consciência numa curva fechada, surgem no Mundo os *primeiros núcleos fechados*, os *primeiros corpúsculos centrados*, dotados de um notável poder de autocomplexificação e portanto de autocentração. O Dentro já é convergente e constitui um foco (também de irradiação).

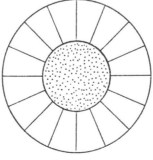

O Cêntrico

No *Pensamento*, ao nível dos seres reflexivos, é preciso reconhecer que aquilo que chamamos anteriormente de "centro" não seria propriamente comparável a um ponto geométrico, mas antes a uma pequena superfície circular (foco) cada vez mais reduzida, conservando contudo um certo "diâmetro cêntrico". A passagem desse estado ainda difuso para um estado rigorosamente punctiforme define o aparecimento do *grão de pensamento*: no âmago do indivíduo, um foco "eu-cêntrico" (bem centrado), "pontual", isto é, um *ego* de ordem pessoal, reflexivo.

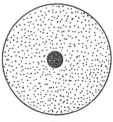

O Eu-Cêntrico

A propósito dessa noção de centreidade como expressão de interioridade e de consciência, integrante do coeficiente de centrocomplexidade, "verdadeira medida absoluta do ser nos seres que nos rodeiam" e que pode fundamentar uma classificação natural dos elementos do Universo (Cf. o magnífico ensaio de Teilhard *La centrologie. Essai d'une dialectique de l'union*, 1944), de onde procedem estas descrições e esquemas.

11. *Inteligência* é a faculdade de apreender, aprender, compreender. Filosoficamente, constitui o princípio espiritual e abstrato que é considerado fonte de toda a intelectualidade. Psicologicamente, é a capacidade de resolver situações novas com rapidez e êxito (medido na execução de tarefas que envolvem apreensão de relações abstratas), bem como de aprender, para que essas situações possam ser bem resolvidas. Nada, contudo, pode caracterizar melhor a inteligência do que o ato da reflexão, consciente e autoconsciente; e este só se manifesta explicitamente no Homem.

12. *Mudança* é tornar-se outra coisa, passar de um modo de ser a outro. Em sentido impróprio, é a *mudança externa* na qual uma coisa recebe nome diferente por causa de uma mudança que, de fato, ocorreu em outra com ela relacionada; assim o sol "muda", passa de sol nascente a sol poente, devido à rotação do globo terrestre, sem que o próprio sol experimente mudança real. Mudança, em sentido próprio, é a *mudança interna* na qual um determinante existente na própria coisa se converte noutro diferente. Pode-se distinguir ainda mudança substancial (de natureza) e mudança acidental (qualitativa, quantitativa e local). Na *mudança substancial*, é a própria substância, essência ou qüididade que muda, transformando-se em outra. Como tal considerava-se antigamente a conversão de uma matéria em outra, mas, de acordo com o atual estado da ciência, tais variações não são de natureza substancial. Na *mudança acidental*, o que muda é a determinação acidental. Assim a forma exterior se converte em outra (*mudança qualitativa ou configurativa*), a matéria aumenta ou diminui (*mudança quantitativa*), a coisa se movimenta (*mudança local*) etc. Portanto, no Passo da Reflexão, Teilhard identifica não apenas uma mudança acidental ("de grau"), mas uma autêntica mudança substancial ("de natureza"), contudo ligada a uma mudança acidental ("de estado"): o Pensamento se torna Reflexão não apenas por uma "intensificação" em maior *grau* de si mesmo, mas "trans-formando-se", "passando a ser outra *natureza*"; e isso se dá como resultado, para nós, de uma mudança de *estado* de sua infra-estrutura material, o cérebro que se complexifica... Por mais "acidental" que consideremos essa base material, ela é, de um ponto de vista fenomenológico, um determinante que muda e acarreta mudança, mudança interna. Cabe ainda acrescentar que mudanças acidentais, no mundo corpóreo, realizam-se não de maneira momentânea, mas sucessiva. E, segundo a teoria quântica, elas não se efetuam num ritmo contínuo, mas aos saltos, em "quanta", exatamente definidos. Com a sua teoria do Passo da Reflexão, o Autor está, pois, conseguindo objetivar um enunciado da física quântica e, na sua colocação hiperfísica, sendo, mais uma vez, rigorosamente científico. (Cf. nota 21.)

13. *Sobre-criação*, aqui, significa sobre-animação ou transfiguração, transformação profunda do Universo em que a Matéria continua se complexificando e o Espírito continua se intensificando (agora, por meio da Consciência), atingindo um estádio ou mo(vi)mento evolutivo, inaugural de uma nova "esfera" do Real, que é criação (divina) por via sintética, unificadora, unitiva, tão inédita quanto a própria esfera da Vida:
"Do mesmo modo que, nas origens do filético, o fechamento de uma cadeia de segmentos sobre si mesma (Centração) havia determinado o primeiro aparecimento de centros *vivos*, aqui, pela passagem a zero de seu diâmetro cêntrico (Reflexão), o centro vivo tem acesso, por sua vez, à condição e à dignidade de 'grão de Pensamento'. E assim, através de um novo ponto crítico, constitui-se uma isosfera de tipo fundamentalmente novo, a isosfera do Espírito, a Noosfera." (Cf. *La centrologie. Essai d'une dialectique de l'union*, 1944.)

14. *Escolástica*, do latim *schola*, *scholasticus*, "escola", "mestre", significa a "ciência da escola" e designa a ciência filosófico-teológica cultivada nas escolas da Idade Média, que se caracteriza por respeito à tradição (clássica), método próprio para ensino e produção escrita (*lectio*, preleção, comentários, disputas; *quaestiones*, questões incluindo *sic et non*, razões pró e contra e respostas, sistematizações ou *summas*), crescimento orgânico, conservação de um patrimônio comum de doutrina e método. A *Filosofia Escolástica*, que se desenvolve de 800 a 1450, encontra seu apogeu no século XIII, época das grandes criações sistemáticas, particularmente na obra de S. Tomás de Aquino (1225?-1274), o maior sistematizador da Idade Média. Entre os seus seguidores, identificam-se aqueles que integram a chamada *Antiga Escola* tomista (aproximadamente em 1300), caracterizada pela liberdade de interpretação nas minúcias. São eles os dominicanos Herveu Natalis (+ 1328) e Tomás de Sutton; os agostinianos, chefiados espiritualmente por Egídio Romano ou Gil de Roma (1245?-1316); os carmelitas e cistercienses seguidores de Godofredo de Fontaine. Nas sistematizações, sínteses ou sumas escolásticas, o Universo é ordenado em planos, níveis ou esferas que vão do Centro Espiritual Divino até as profundezas da Matéria. Veja-se, por exemplo, a projeção desse modelo estrutural na *Divina Comédia*, de Dante Alighieri (1265-1321): nove esferas no Paraíso, sete patamares na montanha do Purgatório e nove círculos no abismo do Inferno...

15. A doutrina de René Descartes (1596-1650), abandonando o esquema escolástico do universo e estimulada pelo êxito das ciências naturais como caminho para a autonomia da razão, tem por objetivo a elaboração de uma teoria sobre a conexão mecânica universal da natureza e sobre a relação entre natureza e espírito, fundamentando epistemologicamente a nova filosofia. Os *Cartesianos*, seus adeptos em diversos graus (ocasionalistas, oratorianos e jansenistas, na França e na Alemanha), defendiam o Racionalismo epistemológico (a única fonte do conhecimento humano é a razão, sede de "idéias inatas", claras e distintas; sendo as sensações "idéias confusas") e o Mecanicismo universal. (Cf. Parte II, Capítulo II, 1, nota 40, no corpo da nota.)

16. *Epifenômeno*, do grego *epí*, "sobre", "por cima", e *phainómenon*, "o que aparece", é o fenômeno cuja presença ou ausência não altera o fenômeno que se toma principalmente em consideração: fenômeno acessório, sem eficácia. O Epifenomenismo ou Epifenomenalismo, como teoria psicológica, considera os fenômenos psíquicos como meros acessórios dos movimentos nervosos. Contrariamente, o Autor os considera expressões várias da própria Vida.

17. A *Centreidade*, ou grau de centração, isto é, de interiorização,
"(...) não corresponde, no Mundo, nem a uma qualidade abstrata, nem a uma espécie de 'tudo ou nada' que não conheceria nem matizes nem graus. Mas representa, pelo contrário, *uma grandeza* essencialmente *variável, proporcional ao número de elementos e de ligações* contidas em cada partícula cósmica considerada. *Um centro é tanto mais simples e mais profundo quanto mais se forma no seio de uma esfera mais densa e de maior raio*. (Cf. *La centrologie. Essai d'une dialectique de l'union*, 1944.)

18. Desse ponto de vista poder-se-ia dizer que toda forma de instinto tende a tornar-se "inteligência", à sua maneira, mas que foi somente na linha humana que (por razões extrínsecas ou intrínsecas) a operação teve êxito completo. O Homem representaria, portanto,

chegada ao estado reflexivo, uma só das inúmeras modalidades de consciência ensaiadas pela Vida no mundo animal. E este mundo animal representaria uns outros tantos mundos psíquicos, nos quais é, na verdade, difícil penetrar, não somente porque o conhecimento neles é mais confuso, mas também porque neles o conhecimento funciona de maneira diferente da que funciona em nós. (N. do A.)

19. Dá-se o nome de *Alma* (do latim *anima*, em grego *psiquê*), no Homem, à substância imaterial que permanece em meio às variações dos processos vitais, e que em si produz e sustém as atividades da vida psíquica e vivifica o organismo; se bem que nos tratados de psicologia influenciados pelo positivismo, freqüentemente se considere a alma como mero complexo de processos psíquicos, então mero viver consciente não-racional etc. Em conformidade com os três graus de vida, é clássica a distinção de: "*alma vital ou vegetativa*" (enteléquia, princípio vital do organismo), "*alma sensitiva ou animal*" (princípio de vida sensível e animal) e "*alma racional ou espiritual*" (princípio das atividades vitais superiores, espirituais do pensar e do apetecer). A existência de uma alma imaterial é impugnada pelo Materialismo (Cf. Parte II, Capítulo II, 1, nota 40), para o qual só existem matéria e processos físico-químicos, e sua cognoscibilidade filosófica é negada pelo Positivismo (Cf. *Prólogo*, nota 33) — de acordo com o seu postulado de que o pensamento científico não pode transitar para o plano metafísico — e pelo Criticismo de Kant (1724-1804) — que na *Crítica da razão pura* afirma estar toda a doutrina teorética acerca da alma fundada sobre um paralogismo ou sofisma de boa-fé. Contra tais posições (bem como a outras análogas, tais como a Filosofia Atualista ou Atualismo, a Psicologia Atualista de Wundt e de Bergson, de Paulsen etc.) erguem-se os *Espiritualistas*: quase todas as religiões da humanidade e a convicção do pensamento filosófico quanto à existência da alma, desde os clássicos da Filosofia Antiga (Sócrates, Platão, Aristóteles, Plotino), passando pelos representantes da Filosofia Patrística e Escolástica (Agostinho, Tomás de Aquino), pelo Racionalismo (Descartes, Leibniz), pelo Empirismo (Locke, Berkeley) e a Ética de Kant (que, pelo menos, "postula" a alma) até a moderna filosofia, à qual retornam doutrinas da alma e do princípio vital (Driesch, Becher, Pfänder e muitos outros).

20. Isto é, o homem, o ser humano — na forma grega e entre aspas, para frisar bem a designação do espécimen animal, inserido entre outros Antropóides nas ramificações da Vida. A classificação sistemática ou taxionômica do Homem moderno é a seguinte:

Reino	*Animalia* (animais)
Filo	*Vertebrata* (vertebrados)
Classe	*Mammalia* (mamíferos)
Ordem	*Primates* (primatas)
Superfamília	*Hominoidea* (hominóides ou antropóides)
Família	*Hominidae* (homínidas ou hominídeos)
Subfamília	*Homininae* (homíneos, hominianos ou antropianos)
Gênero	*Homo* (homem)
Espécie	*sapiens* (homem moderno ou *antropo*) ou *Anthropus*

21. Cf. Parte II, Capítulo I, 1, c, 2, nota 68.

O Passo da Reflexão é "crítico" porque atravessa um limiar, representando uma "mudança de estado" (Cf. nota 12), com emersão do novo. (Cf. Parte II, Capítulo I, notas 6, 8 e 10.)

"A Ciência moderna nos familiarizou com a idéia de que certas mudanças súbitas e radicais aparecem inevitavelmente no decurso de todo o desenvolvimento, desde que este seja suficientemente prolongado, sempre no mesmo sentido. Por uma modificação mínima em seu arranjo (ou nas condições que presidem a esse arranjo) a Matéria, tendo chegado a certos níveis extremos de transformação, é suscetível de modificar bruscamente suas propriedades, ou mesmo mudar de estado. Essa noção de *liminares críticos* é correntemente aceita hoje em Física, em Química, em Genética. Não terá chegado o momento de nos servirmos dela para reconstruir, sobre uma base nova e sólida, o edifício inteiro da Antropologia?" (Cf. *La convergence de l'univers*, 1951.)

22. Cf. nota 10. (Observar esquemas.)

23. É escusado repetir, mais uma vez, que eu me limito aqui ao Fenômeno, isto é, às relações experimentais entre Consciência e Complexidade, sem nada prejulgar da ação de Causas mais profundas, que conduziriam o jogo todo. Por força das limitações impostas ao nosso conhecimento sensível pelo jogo das séries temporoespaciais, é apenas, ao que parece, *sob as aparências* de um ponto crítico que podemos apreender experimentalmente o passo hominizante (espiritualizante) da Reflexão. – Mas, isto posto, nada impede o pensador espiritualista – por razões de ordem superior, e num tempo ulterior de sua dialética – de situar, *sob o véu fenomenal* de uma transformação revolucionária, a operação "criadora" e a "intervenção especial" que ele quiser (Cf. *Advertência*). Que haja para nosso espírito diferentes e sucessivos planos de conhecimento não constitui um princípio universalmente aceito pelo pensamento cristão em sua interpretação teológica da Realidade? (N. do A.)

24. Cf. Parte II, 1, c, 2, nota 66. Agora a *Metamorfose* ou *Transformação* pode ser plenamente compreendida como "mudança de natureza". (Cf. nota 12.)

25. A *Ontogênese*, do grego *ón, óntos*, "ser", "indivíduo", e *génesis*, "formação", "origem", "geração" (Cf. Parte I, Capítulo I, 3, A, nota 31), abrange todos os processos evolutivos, no domínio da vida orgânica, desde o germe vital até o ente formado, maduro e capaz de viver. É, pois, uma evolução enquanto processo pelo qual vem à luz um princípio interno e anteriormente oculto, e como, no seu decurso, produz-se realmente algo novo, pode ser considerada uma "epigênese" (do grego *epí*, "sobre", "por cima") ou "neo-evolução". Ontogênese é também evolução no sentido de transformação lenta e gradual, mas que se vai orientando em determinado sentido; transformação que, do informe, uniforme ou pouco determinado, leva ao formado e plenamente determinado, "diferenciado". Essa diferenciação se faz tanto quanto à estrutura (cada vez mais complexa) como quanto à função (cada vez mais especializada). No decurso da ontogênese do ser humano e precisamente durante a infância, é possível observar o despertar progressivo de sua inteligência. Esse processo pode nos fornecer um modelo para, analogicamente, nos representarmos o aparecimento do Pensamento no seio da Vida – desde que conservemos lucidamente as distinções necessárias entre Ontogênese e Filogênese (Cf. Parte I, Capítulo I, 3, A, nota 32), que é, no domínio do orgânico, o surto de espécies novas por transformação lenta ou intermitente (saltos) de uma forma ou espécie (Cf. também nota 28). As duas observações do Autor que se seguem, no texto, são definitivamente esclarecedoras.

26. Esse conjunto de condições interligadas se expressa como "*Antropização*", base somática da "Hominização". (Cf. nota 33, e, no corpo da nota, texto do Autor.)

27. Em sentido lato e amplo, a *Reflexão* significa meditação examinadora e comparativa, em contraposição à percepção simples ou aos juízos primeiros e espontâneos sobre um objeto. Esse sentido está incluso na noção de "reflexão ontológica" utilizada por alguns escolásticos modernos que a consideram como um redobrar-se ou volver-se para o objeto conhecido. A reflexão pertence apenas à inteligência, ao passo que a mera conscienciaização compete também à sensibilidade.

28. Consistindo a "Embriogênese", do grego *émbryon*, "feto", "embrião", e *génesis*, "formação", "origem", "geração", no conjunto de processos pelos quais se formam os embriões, a *Embriogênese Filética* é o conjunto de processos pelos quais se formam os embriões de filos, ou seja, os embriões primeiros e primordiais, origem e início, de feixes evolutivos de linhagens genealógicas. Como concebê-los e localizá-los individualmente?...

29. Isto é, "para além da experiência e/ou da experimentação". (Cf. nota 5.)

30. *Patamar* ou Escalão é conceito teilhardiano sinônimo de *Esfera*. Designa sempre uma totalidade estrutural que dá origem a certas dominantes qualitativas específicas. A passagem de um patamar, escalão ou esfera a outro implica uma mudança de estrutura suficientemente importante para fazer surgir um conjunto qualitativo diferente. Portanto, se a complexificação é contínua, essa passagem supõe uma descontinuidade, um limiar, um ponto crítico, um passo. Voltemos ao início desta obra (Parte I, Capítulo II, 1) e recordemos com o Autor:

"Se há uma perspectiva claramente aberta pelos últimos progressos da Física, é, por certo, a de que existem para a nossa experiência, na unidade da Natureza, esferas (ou escalões) de diferentes ordens, cada qual deles caracterizado pela dominância de certos fatores que se tornam imperceptíveis ou insignificantes na esfera ou no escalão vizinhos."

31. *Eixo*, do grego *áxon*, pelo latim *axe*, é a reta, real ou fictícia, que passa pelo centro de um corpo, e em volta da qual esse corpo pode executar um movimento de rotação. Em termos de Geometria Analítica, vale lembrar, o eixo ou "reta orientada" é a reta sobre a qual se fixa um sentido positivo, ou a reta comum aos planos de um feixe. Teilhardianamente, o termo Eixo assume, em dimensão evolutiva, uma função análoga ao termo essência, em dimensão estática. Na perspectiva teilhardiana, o Real é energia, dinamismo e, portanto, movimento que se encaminha, que se vai orientando... A própria Ortogênese (que se manifesta nos seres vivos superiores pela cefalização e no Homem pelo aparecimento da reflexão) implica um eixo... Na perspectiva antiga, de um Cosmo estático, o Real tinha por fundamento a imutabilidade da Idéia ou da Essência... Na perspectiva hiperfísica, de uma Cosmogênese dinâmica, o Real vai se fundamentando na progressão e evolução dos Eixos... O "essencial", agora o vemos, é realmente *"axial"*:

"É ao eixo cósmico, de arranjo físico e de interiorização psíquica, revelado por essa deriva ou *ortogênese* de fundo, que estarei me referindo constantemente a seguir, cada vez que se tratar de apreciar a significação de um acontecimento ou de um processo em valor absoluto. *Eixo de complexidade-consciência*, chamá-lo-ei, que pode ser transposto com proveito, repito, para *eixo de cefalização* (ou *cerebração*), a partir do aparecimento dos sistemas nervosos na Natureza." (Cf. *Les singularités de l'espèce humaine*, 1954.)

32. Basta, por ora, observar que
"Pelo fato de sermos pessoais até certo ponto, não se prova que essa personalidade esteja consumada: ela deve prosseguir duplamente no esforço que fazemos para nos ultrapassarmos a nós mesmos e para nos reunirmos aos outros seres com os quais devemos constituir um grau superior de personalidade." (Cf. *Essai d'intégration de l'homme dans la nature*, 1930.)

E concluir que *Personalização* é também um processo (pelo qual a *Pessoa* vai se fazendo).

33. A *Hominização*, típico termo teilhardiano, constitui a passagem da vida animal não-reflexiva à vida humana reflexiva, segundo um processo progressivo de continuidade que não exclui, a certa altura, uma emergência em descontinuidade a todo o precedente. Essa passagem pode ser considerada tanto no seu aspecto particular — o salto individual, instantâneo, do instinto ao pensamento; e, nesse caso, tal *Hominização Elementar* é correlata ao Passo da Reflexão (Cf. *Comment je vois*, 1948) — como no seu aspecto mais geral, significando resumidamente o aparecimento e o desenvolvimento do Fenômeno Humano; e, nesse caso, Hominização designa uma fase, um estádio, um mo(vi)mento da Evolução: é o Real, a Matéria, a Vida que se "hominiza" (Cf. penúltimo parágrafo deste item B). E convém, aqui mesmo, distinguir "Hominização" de "Antropização" e de "Humanização".

A *Antropização* consiste na acentuação dos caracteres somáticos hominais e difere da Hominização no sentido de se limitar a uma acumulação quantitativa de traços que preparam a emergência qualitativa do Homem, esta sim, verdadeira Hominização.

"(...) Os Hominídas se situam historicamente e morfologicamente, em todos os casos, no final de uma longa série de especiações (ou, se se pode dizer, de uma vasta população de espécies) formando estatisticamente uma trilha desde o Eoceno até o Plioceno: efetuando-se a deriva segundo um eixo principal e médio de crescente antropização (globulização do crânio, redução da face, liberação das mãos, aumento do talhe etc.). (Cf. *Note sur la réalité actuelle et la signification évolutive d'une orthogénèse humaine*, 1951.)

(Obs.: Por "especiação" entenda-se não apenas a "formação de espécies", mas também o próprio mecanismo evolutivo que leva a essa formação: um processo que se compõe de muitas fases e que decorre ao longo de um enorme lapso de tempo, segundo o qual as espécies vivas vão se diferenciando umas a partir das outras.)

Por *Humanização* – como teremos oportunidade de constatar bem mais adiante – deve-se entender o crescimento da especificidade humana no Homem, graças ao esforço que ele realiza sobre si mesmo. O Homem se "humaniza", faz-se sempre mais humano, tudo tentando, até o fim. Essa seria, por assim dizer, a *Humanização Elementar*. Por repercussão desse trabalho é que se dá uma Humanização geral, penetração do Universo pelas intenções humanas. Em ambos os casos, distingue-se da Hominização no sentido de que essa expressa a especiação (Cf. observação acima) ainda biológica, enquanto a Humanização já é francamente de natureza cultural.

"O século XIX e o XX (no seu princípio) estavam sobretudo empenhados em esclarecer o *passado* do Homem, consistindo o resultado de suas investigações em estabelecer com evidência que o aparecimento do Pensamento na Terra correspondia biologicamente a uma *'hominização'* da Vida. Eis que agora o facho das pesquisas científicas, dirigido *para a frente*, sobre os prolongamentos do 'fenômeno humano', está prestes a fazer surgir, nessa direção, uma perspectiva mais surpreendente ainda: a de uma *'humanização' progressiva da Humanidade*." (Cf. *Le Christ evoluteur ou Un développment logique de la notion de rédemption*, 1942.)

Resumindo, pode-se dizer então que a Antropização é a base "física" da Hominização, que a "hiperfisiciza", assim como esta o é da Humanização, que, por sua vez, lhe faz o mesmo. A eclosão do Fenômeno Humano é Hominização que, no Espaço-Tempo, tem atrás de si a Antropização (Passado) e, adiante de si, a Humanização (Futuro).

34. O Autor volta a sugerir aqui a imagem da "Árvore da Vida" (que explicita no fim do parágrafo seguinte), alimentada pela seiva da Evolução.

35. Entre aspas para ressaltar que já não se pode considerar simplesmente o Homem, reduzindo-o a um *gênero* zoológico nas classificações da Sistemática, um animal entre outros. (Cf. nota 20.)

36. Ou seja, o somático e o psíquico; a anatomia e o comportamento; o corpo e a alma; a matéria e o espírito; enfim, o Fora e o Dentro.

37. Cf., se ainda necessário, nota 27 ao *Prólogo*.

38. Sempre a premissa do valor "biológico" atribuído ao Fato Social e a correlata hipótese da natureza orgânica da Humanidade. (Cf. final da *Advertência*.)

39. *Coalescência* é junção, aderência. Em Física, diz-se do fenômeno de crescimento de uma gotícula de líquido pela incorporação à sua massa de outras gotículas com as quais entra em contacto. Se é por meio de seu invólucro ou bainha psíquica, halo de interioridade, que as fibras do filo humano se aglutinam e se juntam, superando o natural estado de dispersão que ocorre após a emergência (Cf. nota seguinte), é, mais do que adequado, imperioso falar em "poder de aglutinação e de coalescência".

40. Cf. Parte IV, Capítulo II, 1. Por ora, contudo, cabe lembrar que, segundo a Dialética da Natureza adotada pelo Autor, ao mo(vi)mento de *emergência* (aparecimento do todo novo – o ser refletido – por síntese), segue-se um mo(vi)mento dispersivo, a *divergência* (criação de uma nova multiplicidade – os seres refletidos, as consciências – matéria segunda a ser unificada, base "física" a ser "hiperfisicizada"), que é ultrapassado por um mo(vi)mento de integração e ordenação, a *convergência* (unificação e união – pelo Dentro, pelo Espírito – que levarão à emersão de novas sínteses).

"(...) O grupo humano, zoologicamente, outra coisa não é senão um feixe normal de filos no qual, em conseqüência do aparecimento de um poderoso campo de atração, a divergência fundamental dos raios evolutivos acha-se dominada por forças de convergência." (Cf. "*Une interprétation biologique plausible de l'histoire humaine. La formation de la 'noosphère'*", 1947.)

41. Ou então: "a partir e acima da Hominização dá-se a *Humanização*". (Cf. nota 33, final.)

42. A *Etnologia*, do grego *éthnos*, "raça", "nação", "povo", e *lógos*, "tratado", "estudo", "ciência", ou Antropologia Cultural, é o ramo da Antropologia que estuda a cultura (maneiras de ser, sentir, pensar e agir) material e espiritual dos povos. Esse estudo pode ser histórico ou comparativo.

43. *Raia*, Raia Espectral ou Linha Espectral, em Física, é a radiação monocromática no espectro de emissão ou de absorção de uma substância. Em Astronomia, fala-se em "Raias (ou Linhas) de Fraunhofer", que são raias espectrais de absorção, descobertas pelo astrônomo alemão Joseph von Fraunhofer (1787-1826). No espectro do grupo humano, tantas e diversificadas são as raias que desafiam a análise anatômica e etnológica conjugadas.

44. Como a Vida, maior do que os vivos; o Humano, a Humanidade, maior do que os indivíduos humanos tomados isoladamente. (Cf. a conclusão deste subitem b.)

45. O *Castor* é um mamífero roedor da América do Norte e da Europa, com patas posteriores palmadas e cauda achatada. Os castores são capazes de construir abrigos ou cabanas de terra e diques nos cursos de água. Abatem árvores roendo-as na base. Podem atingir 70 cm de comprimento (30 cm só para a cauda) e viver até vinte anos.

46. *Neoplasma*, do grego *néos*, "novo", e *plásma*, "obra modelada", é qualquer tecido orgânico de formação recente. Em Patologia, usa-se para designar qualquer tumor de formação acidental. O Autor estabelece uma analogia muito sugestiva: se um neoplasma é, em si, o aumento de volume desenvolvido em qualquer parte de um organismo, a partir da multiplicação das células de um tecido, não seria o ramo humano também uma massa, sem raízes, desenvolvendo-se volumosa no ápice dos vertebrados? Uma excrescência acidental ou tumor no organismo da Vida?

47. A *Noosfera*, do grego *noùs*, "espírito", "psique", e *sphaîra*, pelo latim *sphaera*, "esfera" (Cf. nota 30), neologismo teilhardiano, é a camada pensante (humana) da Terra, constituindo um novo reino, um tipo específico e orgânico, em via de unanimização (unificação material, união espiritual), e distinto da Biosfera (camada viva não-refletida), se bem que alimentado e sustentado por ela. A Noosfera, como veremos, é uma realidade já dada, mas também um valor a ser realizado livremente, a partir da Hominização. A Noosfera, realidade hiperfísica, tem na Humanidade sua base física, e, portanto, dimensões planetárias.

"Pois bem, o que propomos aqui, não obstante aquilo que esta perspectiva possa ter, em primeira aproximação, de desmesurado e de fantástico, é olhar o invólucro pensante da Biosfera como sendo da mesma ordem de grandeza zoológica (ou, se se quiser, telúrica) que a própria Biosfera. Quanto mais a consideramos, mais esta solução extrema parece ser a única autêntica. Se não desistimos de fazer o Homem entrar na história geral da unidade terrestre sem mutilá-lo, a ele – e sem a desorganizar, a ela –, é preciso colocá-lo acima dela, sem contudo desarraigá-lo dela. E tudo isso equivale, de um modo ou de outro, a supor, acima da Biosfera animal, uma esfera humana, a esfera da reflexão, da invenção consciente, da união sentida das almas (a Noosfera, se se quiser), e conceber, na origem dessa nova entidade, um fenômeno de transformação: a *Hominização*. A Humanidade não pode ser menos que isso sem perder aquilo que constitui seus caracteres físicos mais bem assegurados, ou (o que seria também lamentável) sem se tornar, entre os outros objetos terrestres, uma Realidade impossível de se localizar cientificamente. Ou bem ela é um fato sem precedente e sem medida – e então não entra nos nossos quadros naturais, quer dizer: nossa Ciência é vã –, ou então ela representa uma nova volta na espiral ascendente das coisas – e, nesse caso, não vemos outra volta que lhe corresponda, senão a organização primordial da Matéria." (Cf. *L'hominisation. Introduction a une étude scientifique du phénomène humain*, 1925.)

48. Cf. nota 31.

49. Uma questão de *"aristogênese"*. (Cf. final do Capítulo anterior – lembrado, em seguida, pelo Autor – nota 99.)

50. A *Geoquímica* estuda a composição química do globo terrestre. A *Geotectônica* estuda as deformações da crosta terrestre devidas às forças internas que sobre ela se exerceram. A *Geobiologia* estuda a evolução da vida em função da evolução da Terra. Para Teilhard, contudo, esta última consiste ou deve consistir numa nova ciência que integre num todo a Geofísica e a Biosfera, de forma que a camada viva, que já constitui um todo, se encontre ligada à evolução físico-química do nosso planeta como unidade estelar.

"Assim definida como 'a ciência da Biosfera', a Geobiologia se afirma imediatamente como autônoma (...): 1. Estudo, primeiramente, das ligações orgânicas de toda ordem, reconhecíveis entre os seres vivos, considerados como formando *por sua totalidade um único sistema fechado sobre si mesmo*. 2. Estudo, em seguida, das ligações físico-químicas que religam o nascimento e os desenvolvimentos dessa 'camada viva fechada' à história planetária." (Cf. *Géobiologie et géobiologia*, 1943.)

51. Cf. Parte II, Capítulo III, 2, a, nota 40.

52. A *Noogênese*, do grego *noûs*, "espírito", "psique", e *génesis*, "geração", "origem", "formação", neologismo teilhardiano, designa o movimento do Universo enquanto este – por um processo de concentração gradual de seus elementos em sistemas cada vez mais ordenados e mais bem centrados – desemboca na emergência de uma Noosfera (Cf. nota 47), num ponto alto da deriva de complexidade-consciência. A Noogênese é também uma precisão ou definição maior da "Psicogênese".

53. Cf. adiante, Capítulo III, 2.

54. Cf. Parte I, Capítulo III, 1, nota 4.

55. Eduard Suess (1831-1914), famoso geólogo austríaco, autor de *A face da terra*, que propôs (com *Vernadsky*) o termo "Biosfera", adotado e ampliado em significação por Teilhard.

56. E esta sempre foi uma das preocupações maiores de Teilhard. Tema central deste livro, foi também objeto (e até título) de muitos outros artigos, monografias, conferências etc. do Autor. (Cf., particularmente, *La place de l'homme dans la nature. Le groupe zoologique humain*, 1949.)

57. Geogênese, Biogênese, Noogênese... processos marcados por limiares e descontinuidades entre as quais se destacam o Passo da Vida e o Passo da Reflexão.

58. Eis a observação *fenomenológica* como método exercendo-se sobre o próprio Homem, considerado como fenômeno.

59. *Planetário* para Teilhard é tudo quanto diz respeito à Terra, nas suas dimensões e com suas esferas sucessivamente engendradas, desde a Barisfera até a Noosfera, reagindo umas sobre as outras num único movimento evolutivo.

60. Do grego *psychê*, "alma", "espírito", "intelecto", e *zoikós*, "relativo à vida", *Psicozóico* designa a era ou período geológico que começou com o despertar do Pensamento sobre a face da Terra.

61. *Coroa*, no texto, entre aspas para designar, como em Astronomia, uma camada planetária, assim como se fala em "coroa solar" para designar a camada da atmosfera solar que envolve a cromosfera (vermelha brilhante) e se estende a milhões de quilômetros, luminosa e difusa, com estrutura complexa e variável, segundo a atividade solar. A Noosfera seria, pois, uma "coroa terrestre" envolvendo as demais esferas, "fosforescente de Pensamento".

62. *Espécie*, no texto, entre aspas para indicar o Homem como uma espécie animal entre outras nas classificações da Sistemática. (Cf. nota 20.)

63. *Plano Entitativo*, do latim *ens, entis*, "ser", designando um plano ou nível de ser – no caso, racional. A Reflexão elevou a "espécie (animal) humana" a um novo nível, ao nível da racionalidade, sem desarraigá-la, contudo, de sua animalidade natural, como o demonstra o Autor, a seguir, analisando o "ambiente", a "morfologia da haste" e a "estrutura do grupo" da espécie humana.

64. Os *Australianos*, no caso, constituem a população indígena primitiva da Austrália, estimada em cerca de 40.000 indivíduos, pertencentes ao ramo oceânico (Melanésia, Micronésia, Polinésia) das raças negras. Dispersos na parte central do continente, vivem da colheita e da caça; estão em vias de extinção.

65. Os *Pigmeus*, do grego *pygmaîos*, pelo latim *pigmaeu*, "da altura de um côvado", são os indivíduos pertencentes a certas raças de homens muito pequenos (altura inferior a 1,50 m) da África central.

66. Os *Australopitecos*, do latim *auster, austri*, "sul", "meridional" (*Austrália*), e do grego *pithékos*, "macaco", são os antropóides fósseis que Teilhard sugeriu serem considerados como *um grupo intercalar* particularmente significativo (como "uma tentativa de Homem"), surgido no Plioceno no tronco dos Primatas superiores e desaparecido ulteriormente, sem evoluir mais e sem deixar vestígios. Representariam, no fim do Terciário, para a África do Sul e a um nível pré-humano, o que os Pitecantropianos (Pitecantropo, Megantropo, Sinantropo etc. – Cf. Capítulo seguinte) parecem ter sido, no Quaternário inferior, para o Extremo Oriente e na corrente humana: não a haste principal, mas um ramo marginal. (Cf., de Teilhard, no mínimo: *Les australopithèques et le chaînon manquant ou 'Missing Link' de l'évolution*, 1950; *Notes de préhistoire sud-africaine*, 1951; *Australopithèques, pithécanthropes et structure phylétique des hominiens*, 1952; *Observations sur les australopithécinés*, 1952; *Les recherches pour la découverte des origines humaines en Afrique au Sud du Sahara*, 1954, e *L'Afrique et les origines humaines*, 1954. Cf. também nota 73, do Autor.)

67. O *Pitecantropo*, do grego *pithékos*, "macaco", e *anthropos*, "homem", é o primata fóssil com numerosos caracteres humanos, cujas principais ossadas foram encontradas em Java. O Autor tratará dele no Capítulo seguinte.

68. O *Sinantropo*, do latim *Sina*, "China", e do grego *anthropos*, "homem", é o fóssil que apresenta, simultaneamente, caracteres primitivos simiescos e caracteres evoluídos hominídeos, de cuja descoberta o Autor participou pessoalmente como geólogo e paleontólogo, em Chu-ku-tien, nas proximidades de Pequim, de 1929 a 1931, ano em que, com Abbé Breuil, ele descobre que o Sinantropo é *faber* (talha de pedras e emprego do fogo). (Cf. a propósito, no mínimo: *Le sinanthropus pekinensis*, 1930; *Les fouilles préhistoriques de Péking*, 1934; *La découverte du Sinanthrope*, 1937, e *La question de l'homme fossile*, 1943. Cf. também Capítulo seguinte.)

69. *Neandertalóides* é a designação para primatas fósseis semelhantes ao homem primitivo de Neandertal (Reno, Alemanha, perto de Düsseldorf). Numa gruta da região, em 1856, foi encontrada a parte superior de um crânio com características osteológicas suficientemente peculiares para suscitar a hipótese, posteriormente confirmada (na Bélgica, França, Espanha, Itália e Oriente Médio, a partir de 1900), de um tipo de homem primitivo. Todos esses fósseis datam da Glaciação Würm, a última glaciação a tornar a península da Europa um lugar gelado e inóspito. Teilhard os considera um Grupo, ou antes um Estádio, primitivo do Homem. (Cf. a respeito, no mínimo: *La question de l'homme fossile*, 1943.)

70. Eis por que à Ciência, enquanto tal, parece *escapar*, por sua própria natureza, o problema do *monogenismo* no sentido estrito (não digo do *monofiletismo* – Cf. mais adiante). Nas profundezas do tempo em que se situa a hominização, a presença e os movimentos de um casal único são positivamente inapreensíveis, indesvendáveis, para o nosso olhar direto, qualquer que seja a ampliação. De modo que se poderia dizer que há lugar, *nesse intervalo*, para tudo o que viesse a exigir uma fonte transexperimental de conhecimento. (N. do A.) O "Monogenismo" é um termo não-teilhardiano, antes teológico, segundo o qual a Humanidade teria saído de um único casal:

"(...) convém insistir, mais uma vez, sobre a diferença essencial que separa as noções (muito freqüentemente tomadas ainda como sinônimas!) de:
Mono – e poli – *genismo*: um ou vários *casais* primitivos;
Mono – e poli – *filetismo*: um ou vários *ramos* (ou filos), na base da Humanidade."
(Cf. *Monogénisme et monophylétisme. Une distinction essentielle à faire*, 1950.)

Cf. nota 74. E vale esclarecer que o *Poligenismo* é a teoria biológica acerca das origens do Homem e segundo a qual a mutação hominizante, por razões estatísticas superiores, não se pôde manter senão por causa da pluralidade dos mutantes, e isso, em princípio, numa zona mais ou menos restrita.

71. Sempre a atuação da mesma "Lei de supressão automática dos pedúnculos evolutivos". (Cf. Parte II, Capítulo 1, 2, nota 72; Capítulo II, 2, c, e 3, A, a, nota 88.)

72. A *Paleantropologia*, do grego *palaiós*, "antigo", "primitivo", *anthropos*, "homem", e *logos*, "ciência", "tratado", é simplesmente a Antropologia ou História Natural do Homem Primitivo.

73. Uma certa idéia da maneira como se efetuou zoologicamente a passagem para o Homem talvez nos seja sugerida pelo caso dos Australopitecos, anteriormente mencionados. Nessa família de Antropomorfos pliocênicos sul-africanos (evidentemente um grupo em ativa mutação), em que uma série inteira de caracteres hominídeos aparecem disseminados sobre um fundo ainda nitidamente simiano, apreendemos porventura uma imagem, ou até um eco enfraquecido, do que, pela mesma época, ou inclusive não longe dali, se passava num outro grupo de Antropóides que desembocavam, esses sim, na verdadeira Hominização. (N. do A.)

74. O *Polifiletismo* é a teoria biológica, rejeitada pelo Autor, segundo a qual a Humanidade atual teria saído de vários filos. Opõe-se ao *Monofiletismo*, que o Autor adota, segundo o qual a Humanidade atual saiu de um só filo. (Cf. nota 78.)

75. *Hologênese*, do grego *hólos*, "todo", "inteiro", "completo", e *génesis*, "origem", "geração", é a teoria de Daniel Rosa, biologista italiano, segundo a qual cada espécie se desenvolve e dá origem a outras, desaparecendo a primitiva.

76. Geometricamente, diz-se "policêntrica" a espiral que tem vários centros; em Biologia, é "policêntrico" o organismo ou grupo de organismos que tem diversos centros de desenvolvimento ou diferenciação. A *Policentria* da Espécie Humana significaria, pois, a simultaneidade de vários centros de Hominização em diferentes pontos da Terra.

77. *Frente*, no texto, entre aspas para sugerir uma linha que avança como uma "vanguarda", tomando a dianteira de um combate ou ataque. Em Física, diz-se também "frente de onda", para designar, num sistema de ondas que se propagam num meio, o lugar geométrico dos pontos das ondas que num determinado instante têm a mesma fase. Seria como se a mutação hominizante tivesse ocorrido numa frente de linhagens evolutivas, ondas evolutivas, todas alcançando um mesmo limiar, no mesmo ritmo, ao mesmo tempo, em diversos pontos da Biosfera planetária.

78. O que equivale a dizer que, se a ciência do Homem nada pode afirmar diretamente pró ou contra o monogenismo (um único casal inicial, cf. nota 70), em contrapartida pronuncia-se decididamente, ao que parece, em favor do *monofiletismo* (um único filo). (N. do A. Cf. nota 74.)

79. Cf. Capítulo anterior, nota 98.

80. William King Gregory, geólogo norte-americano, diretor do Serviço do Pacífico, de grande influência, que Teilhard conheceu no Havaí, em 1931.

CAPÍTULO II
O Desdobramento da Noosfera

Para multiplicar os contatos necessários aos seus tenteios, e para poder armazenar a variedade polimórfica de suas riquezas, a Vida só pode avançar por massas profundas.[1] Quando, pois, o seu curso sai das gargantas em que se encontrava como que estrangulada por uma nova mutação, — quanto mais estreita é a fiandeira de que emerge[2] e quanto mais vasta é a superfície que deve cobrir com sua vaga, — tanto mais também lhe é necessário reconstituir-se em multidão.

A Humanidade trabalhando, sob o impulso de um instinto obscuro, para transbordar ao redor de seu estreito ponto de emersão até submergir a Terra. O Pensamento fazendo-se Número para conquistar todo o espaço habitável, acima de qualquer outra forma da Vida. Em outras palavras, o Espírito tecendo e desdobrando as camadas da Noosfera. Nesse esforço de multiplicação e de expansão organizada,[3] resumem-se e exprimem-se finalmente, para quem sabe ver, toda a Pré-História e toda a História humanas, desde as origens até os nossos dias.[4]

Tentemos desenhar, em alguns traços, as fases ou vagas sucessivas dessa invasão (fig. 4).

1. A Fase Ramificada dos Pré-Hominianos[5]

Lá pelo extremo fim do Plioceno,[6*] um vasto movimento de levantamento, um empuxão definitivo, parece ter afetado as massas continentais do Velho Mundo, desde o Atlântico até o Pacífico. Nessa época, um pouco por toda parte, esvaziam-se as bacias, cavam-se as gargantas e espessas massas de aluviões[7] derramam-se pelas planícies. Antes dessa grande mudança, nenhum vestígio do Homem foi ainda identificado em parte alguma. Mal ela termina e já as pedras lascadas se encontram misturadas aos cascalhos e areias de quase todos os terraços da África, da Europa ocidental e da Ásia Meridional.

Do Homem quaternário-inferior, contemporâneo e autor desses primeiros utensílios, ainda não conhecemos senão dois representantes fósseis, mas conhecemo-los bem: o Pitecantropo de Java, durante muito tempo representado por uma simples calota craniana,[8] mas redescoberto ultimamente em amostras muito mais

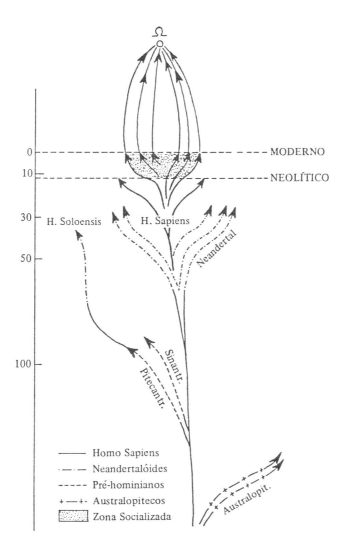

Fig. 4. Figura esquemática que simboliza o desenvolvimento da Camada humana. Os números à esquerda exprimem os *milhares* de anos. Representam um mínimo e deviam, sem dúvida, ser pelo menos dobrados. A zona hipotética de convergência sobre Ômega (em pontilhado) não está evidentemente expressa na devida escala. Por analogia com as outras Camadas vivas, sua duração seria da ordem de milhões de anos.

satisfatórias;[9] e o Sinantropo da China, descoberto, em numerosos exemplares, no decurso dos últimos dez anos.[10] Dois seres tão estreitamente aparentados que a natureza de cada um deles ficaria obscura se não tivéssemos, para os compreender, a sorte de poder compará-los entre si.[11]*

Que nos ensinam esses restos veneráveis, que datam, pelo menos, de uns cem ou duzentos mil anos?

Um primeiro ponto sobre o qual os Antropólogos estão agora de acordo é que, com o Pitecantropo, do mesmo modo que com o Sinantropo, dispomos de formas já francamente hominianas *por sua anatomia*. Se dispomos em série os seus crânios, entre os crânios dos maiores Símios e os dos Homens recentes, logo se evidencia um hiato morfológico, uma lacuna entre eles e os Antropóides, enquanto que, para o lado dos Homens, formam naturalmente um bloco. Face relativamente curta. Caixa craniana relativamente espaçosa: no Homem de Trinil,[12] a capacidade cerebral mal desce abaixo de 800 cm^3 e, no Homem de Pequim,[13] ela atinge, nos maiores machos, 1.100 cm^3.[14]* Maxilar inferior essencialmente construído para a frente, tendendo à sínfise,[15] no tipo antropiano.[16] Enfim, e sobretudo, membros anteriores livres e estação bípede. Diante desses sinais, é claro que nos encontramos decididamente na vertente humana.

E, no entanto, por mais hominianos que fossem, Pitecantropo e Sinantropo eram ainda, a julgar por sua fisionomia, criaturas estranhas, tais como sobre a Terra, e desde há muito, já não existem. Crânio alongado, fortemente comprimido para trás de enormes órbitas. Crânio achatado, cuja seção transversal, em lugar de ser ovóide ou pentagonal como no nosso, desenha um arco largamente aberto no nível dos ouvidos. Crânio poderosamente ossificado, em que a caixa cerebral não forma bossa[17] proeminente para trás, mas se encontra cercada, na parte posterior, por uma espessa saliência occipital. Crânio prognata, enfim, em que as arcadas dentárias se projetam fortemente para a frente, por cima de uma sínfise, não só desprovida de queixo, mas reentrante. E depois, para terminar, dimorfismo sexual extremamente acentuado: fêmeas pequenas, com dentes e maxilares relativamente gráceis; machos robustos, com molares e caninos potentes. — Como não reconhecer nesses diversos caracteres, de modo algum teratológicos,[18] mas expressivos de uma arquitetura bem estabelecida e bem equilibrada, uma convergência anatômica, do lado de baixo, para o mundo "simiano"?[19]

Tudo devidamente considerado, a propósito do Homem de Trinil e do Homem de Pequim, pode-se desde já afirmar cientificamente que, graças à descoberta de um e de outro, nós conhecemos, no interior da Humanidade, mais um grau morfológico, — mais um estádio evolutivo, — e mais um verticilo zoológico.

Um grau morfológico: porque sobre a linha que separa, por exemplo, um Branco de um Chimpanzé, eles se situam, pela forma de seu crânio, quase exatamente a meio caminho.

Um estádio evolutivo, também: porque, quer tenham ou não deixado descendentes diretos no mundo atual, eles representam verossimilmente um tipo pelo qual o Homem moderno deve ter passado a um dado momento, no decurso de sua filogênese.

Um verticilo zoológico, enfim: porque, por mais estritamente localizado que seu grupo pareça ter sido na orla extrema da Ásia oriental, esse grupo fazia evidentemente parte de um conjunto muito mais vasto, a cuja natureza e a cuja estrutura voltarei um pouco mais adiante.

Em suma, o Pitecantropo e o Sinantropo são muito mais que dois tipos antropológicos interessantes. Através deles, é uma vaga inteira de Humanidade que entrevemos.

Ao isolarem, a título de unidade natural distinta, essa antiqüíssima e primitivíssima camada humana, os antropólogos provaram pois, uma vez mais, o sentido que têm das perspectivas naturais da Vida. Chegaram até a criar para ela o nome de "Pré-Hominianos". Termo expressivo e correto, se se considera a progressão anatômica das formas. Mas termo que corre o risco de velar, ou de situar mal, a descontinuidade psíquica em que julgamos dever colocar o essencial da hominização. — Qualificar de Pré-hominianos o Pitecantropo e o Sinantropo poderia insinuar que estes não eram ainda absolutamente Homens, — isto é, que, no meu modo de falar, eles não tinham dado ainda o passo da Reflexão. Ora, pelo contrário, parece-me muito mais provável que, sem terem atingido nesse plano, longe disso, o nível em que nós nos encontramos, eles já eram, tanto um como o outro, seres inteligentes, no sentido completo do termo.

Que assim fossem é o que me parece, antes do mais, exigido pelo mecanismo geral da filogênese. Uma mutação tão fundamental como o Pensamento, e que confere a todo o grupo humano o seu elance específico, não poderia, na minha opinião, ter aparecido durante o caminho, a meia-altura da haste. Ela determina todo o edifício. Seu lugar é, pois, *abaixo* de todo e qualquer verticilo reconhecível, nas profundezas inatingíveis do pedúnculo, — abaixo, portanto, de seres que, por mais pré-hominianos que sejam pela construção de seu crânio, situam-se já distintamente *acima* do ponto de origem e de desabrochamento de nossa Humanidade.

Mas há mais.

Não conhecemos ainda nenhum vestígio de indústria diretamente associada aos restos do Pitecantropo. Isso por causa das condições do jazigo: nos arredores de Trinil, os fósseis se encontram no estado de ossadas carregadas por cursos d'água para um lago. Perto de Pequim, em contrapartida, onde o Sinantropo é surpreendido em seu habitat, numa gruta atulhada, sobram instrumentos de pedra de mistura com ossos queimados. Devemos, conforme o sugeriu o Sr. Boule,[20] ver nessa indústria (por vezes, confesso, de qualidade surpreendente) os vestígios deixados por um outro Homem desconhecido, ao qual o Sinantropo, ele próprio não "faber", teria servido de presa? Enquanto não se achar nenhuma ossada desse Homem hipotético, a idéia me parece gratuita e, bem feitas as contas, menos científica. O Sinantropo já lascava pedras; e já produzia o fogo.[21] Até prova em contrário, essas duas propriedades fazem, tal como a Reflexão, parte integrante do "pedúnculo". Reunidos num feixe inseparável, os três elementos surgem universalmente ao mesmo tempo que a Humanidade. Eis, objetivamente, a situação.

Se assim é, vemos que, a despeito de seus caracteres osteológicos que tanto lembram os Antropóides,[22] os Pré-hominianos estavam psicologicamente muito mais perto de nós, — e, por conseguinte, eram, fileticamente, muito menos jovens e primitivos do que poderíamos pensar. Porque, enfim, foi preciso muito tempo para se descobrir a chama e a arte de fabricar um instrumento cortante... Tanto que, para atrás deles, haveria largamente lugar para pelo menos outro verticilo humano, que acabaremos talvez por encontrar no Vilafranquiano.[23]

Ao mesmo tempo que o Pitecantropo e o Sinantropo, viviam certamente, como dissemos antes, outros Hominianos que haviam alcançado o mesmo estádio de desenvolvimento. Destes só possuímos, infelizmente, restos insuficientes: talvez o famoso maxilar de Mauer[24] na Alemanha; e, na África Oriental, o crânio malconservado do Africantropo.[25] Não é o suficiente para determinar a fisionomia geral do grupo. No entanto, o que observaremos a seguir pode servir indiretamente para nos esclarecer acerca do que gostaríamos de saber.

Do Pitecantropo conhecemos agora duas espécies: uma relativamente pequena; a outra muito mais robusta e "brutal". A elas vêm se juntar duas formas positivamente gigantes, representadas: em Java, por um fragmento de maxilar; e na China do Sul, por dentes isolados. O que, com o Sinantropo, faz ao todo (para a mesma época e na mesma orla continental) cinco tipos diferentes, seguramente aparentados.

Essa multiplicidade de formas vizinhas, comprimidas umas contra as outras numa faixa estreita, e também essa curiosa tendência comum ao gigantismo, não sugerem elas a idéia de um "raio" ou folha zoológica marginal isolada, que opera uma mutação sobre si mesma de maneira quase autônoma? E o que se passava então na China e na Malásia não teria, no mesmo momento, seu equivalente alhures, no caso de outros raios, mais para o Ocidente?

Nesse caso, dever-se-ia dizer que, zoologicamente falando, o grupo humano não formava, no Quaternário inferior, senão um conjunto ainda pouco coerente onde dominava ainda a estrutura divergente habitual dos outros verticilos animais.

Mas também já, sem dúvida, nas regiões mais centrais dos continentes,[26*] se agrupavam os elementos de uma nova vaga humana mais compacta, prontos a revezar esse mundo arcaico.

2. O Feixe dos Neandertalóides

Geologicamente, depois do Quaternário inferior, cai o pano. Durante o intervalo, os depósitos de Trinil se enrugam. As Terras vermelhas da China cavam-se em barrancos, prontas a receber seu espesso manto de Loesse amarelo.[27] A África se tratura pouco mais. Alhures, os gelos avançam e recuam. Quando, há uns 60.000 anos, o pano sobe de novo, permitindo-nos ver o palco, os Pré-Hominianos desapareceram. E, sob o seu cenário, a Terra está ocupada pelos Neandertalóides.[28]

Os fósseis que conhecemos dessa nova Humanidade são já muito mais numerosos do que na época precedente. Efeitos de proximidade, sem dúvida. Mas efeito também de multiplicação. Pouco a pouco, a rede pensante se estende e se fecha...

Progresso em número. E, simultaneamente, progresso em hominização.

Diante do Pitecantropo e do Sinantropo, a Ciência pôde ainda ficar desconcertada e se perguntar com que espécie de ser se deparava. No caso do Quaternário médio, salvo um minuto de hesitação diante do crânio de Spy[29] ou da calota de Neandertal,[30] nunca se duvidou seriamente de que estivéssemos na presença de vestígios deixados por certos representantes de nossa raça. Esse vasto desenvolvimento do cérebro.[31] Essa indústria das cavernas.[32] E, pela primeira vez, esses indiscutíveis casos de sepulturas.[33] Tudo aquilo que define e revela um verdadeiro Homem.

Verdadeiro Homem, pois; – e, contudo, Homem que não era ainda exatamente igual a nós.

Crânio geralmente alongado. Fronte baixa. Órbitas maciças e proeminentes. Prognatismo ainda sensível da face. Ausência normal de fossas caninas. Ausência de queixo. Dentes maciços, sem colo distinto entre coroa e raiz... Nesses diversos caracteres, nenhum antropólogo poderia deixar de identificar, ao primeiro olhar, os restos fósseis de um Neandertalóide europeu.[34] Mesmo entre os australianos[35] e os ainos,[36] já nada mais existe, com efeito, sobre a Terra, com que se possa confundi-los. O avanço é manifesto, dizia eu, em relação aos homens de Trinil e de Pequim. Mas o hiato é apenas pouco menor, para a frente, em relação ao Homem moderno. Novo grau morfológico a notar, portanto. Novo estádio evolutivo a distinguir. E, inevitavelmente também, em virtude das leis da filogênese, novo verticilo zoológico a suspeitar, – verticilo cuja realidade não cessou, no decurso dos últimos anos, de se impor à Pré-História.

Quando se descobriram, na Europa ocidental, os primeiros crânios "mustierenses",[37] e ficou bem patenteado que essas ossadas não tinham pertencido nem a idiotas nem a degenerados, os anatomistas tiveram a idéia muito natural de imaginar, nos tempos Paleolíticos médios, uma Terra povoada de Homens que corresponderiam exatamente ao tipo de "Neandertal". Donde uma certa decepção, talvez, ao se constatar que os achados, multiplicando-se, não confirmavam a simplicidade dessa hipótese. – De fato, a diversidade, cada vez mais aparente, dos Neandertalóides é precisamente aquilo com que devíamos contar. E é ela, vemo-lo agora, que finalmente confere a esse feixe todo o seu interesse e a sua verdadeira fisionomia.

No atual estado de nossa ciência, reconhecem-se, entre as formas ditas "neandertalóides", dois grupos distintos, traduzindo cada qual um estádio diferente de evolução filética: o grupo das formas terminais e um grupo juvenil.

a) Grupo terminal, em primeiro lugar, onde sobrevivem a si próprios e depois se extinguem os diversos raios, mais ou menos autônomos, que compunham verossimilmente, como dissemos, o verticilo dos Pré-Hominianos. Em Java, o Homem do Solo,[38] descendente direto, e tão pouco mudado, dos homens de Trinil.[39]* Na África, o extraordinariamente brutal Homem de Rodésia.[40] E na Europa, enfim, se não me engano, o próprio Homem de Neandertal que, apesar de sua notável e persistente extensão por toda a Europa ocidental, não parece representar mais do que a última frondescência de um ramo em extinção.

b) Mas também, ao mesmo tempo, *grupo juvenil*, – nebulosa ainda mal-definida de Pseudoneandertalóides, de traços ainda bem primitivos, mas distintamente modernizados ou modernizáveis: cabeça mais redonda, órbitas menos salientes, fossas caninas mais acentuadas, queixo por vezes a despontar. Tal o Homem de Steinheim.[41] Tais os homens da Palestina.[42] Neandertalóides, incontestavelmente. Mas já tão mais perto de nós!... Ramo progressivo e, dir-se-ia, dormitando à espera de um próximo despertar![43]

Recoloquemos em boa luz, geograficamente e morfologicamente, esse tríplice feixe. Longe de formar um complexo perturbador, ele desenha uma ordenação familiar. Folhas que acabam de cair; folhas abertas, mas que começam a amarelar;

foihas ainda enroladas, mas vigorosas, no âmago do ramalhete de palmas: a seção completa, quase ideal, de um leque zoológico.

3. O Complexo Homo Sapiens

Um dos grandes espantos da Botânica é ver, no início do Cretáceo, o mundo das Cicadáceas[44] e das Coníferas bruscamente deslocado e submergido por uma floresta de Angiospermas:[45] Plátanos, Carvalhos..., a maior parte dos nossos espécimens modernos, desabando, já perfeitos, sobre a flora jurássica, a partir de alguma região desconhecida do globo. Tal é a perplexidade do antropólogo quando descobre nas cavernas, sobrepostos um ao outro, e apenas separados entre si por um piso de estalagmites, o Homem de Moustier[46] e o Homem de Cro-Magnon,[47] ou o Homem de Aurignac.[48] Nesse caso, praticamente, nenhum hiato geológico. E, no entanto, um fundamental rejuvenescimento da Humanidade. Por cima dos Neandertalóides, a brusca invasão do *Homo sapiens*, repelido pelo clima ou impelido pela inquietação de sua alma.

Esse Homem novo, donde vinha?... Alguns antropólogos quiseram ver nele o remate de certas linhagens já identificadas em épocas anteriores, — o descendente direto, por exemplo, do Sinantropo. Por razões técnicas precisas, e mais ainda por analogias de conjunto, convém encarar as coisas de outro modo. Sem dúvida alguma, em algum lugar e *à sua maneira*, o Homem do Paleolítico superior deve ter passado por uma fase pré-hominiana e depois por uma fase neandertalóide. Mas, nisso semelhante aos mamíferos, aos Trituberculados, e a todos os outros filos, ele parece escapar à nossa vista no decurso, talvez acelerado, dessa embriogênese. Imbricação e substituição, — mais do que continuidade e prolongamento: *a lei dos revezamentos*, ainda aqui, dominando a História.[49] Eu imagino, pois, de bom grado, o recém-vindo como nascendo de uma linha de evolução autônoma, por muito tempo oculta, ainda que secretamente ativa, — e que, um belo dia, emergiu triunfante dentre todas as outras, — no âmago, sem dúvida, desses Pseudoneandertalóides, cujo feixe vivaz, e provavelmente muito antigo, assinalávamos mais atrás. Em qualquer hipótese, um fato é certo e todos o admitem. O Homem de que nos apercebemos na Terra, em fins do Quaternário, é já verdadeiramente o Homem moderno, — sob todos os aspectos.

Anatomicamente, em primeiro lugar, sem sombra de dúvida. Essa fronte alta de órbitas reduzidas; esses parietais largamente dilatados; essa crista occipital fraca e reentrante sob o cérebro abaulado; essa mandíbula delgada, de queixo proeminente; todos esses traços tão nitidamente acentuados nos últimos habitantes das cavernas: são os nossos, definitivamente. E tanto os nossos que, a partir desse momento, o Paleontólogo, habituado a lidar com fortes diferenças morfológicas, já não se sente à vontade para distinguir, entre eles e o Homem vivo, os restos do Homem fóssil. Para essa tarefa sutil seus métodos e seu golpe de vista já não são suficientes: ele deve, a partir de então, ceder lugar às técnicas (e às audácias) da mais delicada Antropologia.[50] Não mais a reconstituição, em grandes linhas, dos horizontes ascendentes da Vida. Mas, numa espessura de duração que não vai além de 30 milênios, a análise dos matizes enredados que tecem nosso primeiro plano. Trinta mil anos. Um longo período à escala de nossas vidas. Um segundo para a evolução. Do ponto de vista osteológico, nenhum hiato sensível, nesse intervalo, ao longo do filo humano; – e mesmo, até certo ponto, nenhuma modificação *maior* nos progressos de sua ramificação somática.

Porque eis aí o que leva nossa surpresa ao cúmulo. Em si, nada mais natural se, estudada no seu ponto de saída, a haste do *Homo sapiens fossilis*, longe de ser simples, deixa transparecer, na composição e na divergência de suas fibras, a estrutura complexa de um leque. Tal é, como sabemos, a condição inicial de todo e qualquer filo na Árvore da Vida. Contaríamos, pelo menos, nessas profundidades, com um buquê de formas relativamente primitivas e generalizadas: algo como um antecedente, quanto à forma, de nossas raças atuais. Ora, é antes com o contrário que nos deparamos. Que eram efetivamente (na medida em que podemos nos fiar nos ossos para conjecturarmos a carne e a pele), que eram, na idade da Rena,[51] os primeiros representantes do novo verticilo humano recém-despontado? Nada de diferente, àquela altura, disso que vemos viver ainda hoje, aproximadamente nas mesmas regiões da Terra. Negros, Brancos, Amarelos (pré-Negros, pré-Brancos, pré-Amarelos que seja), – e já acantonados, *grosso modo*, esses diversos grupos, do sul ao norte, do oeste ao leste, em suas zonas geográficas atuais: eis o que, da Europa à China, nós divisamos no Velho Mundo, no fim do último período glaciário. – No Homem do Paleolítico superior, portanto, se notamos não apenas os traços essenciais de sua anatomia, mas se também seguimos as linhas mestras de sua etnografia,[52] é verdadeiramente a nós mesmos, é nossa própria infância que descobrimos. Não somente já o esqueleto do Homem moderno, – mas as peças principais da Humanidade moderna. A mesma forma geral do corpo. A mesma repartição fundamental das raças. A mesma tendência (pelo menos esboçada) dos grupos étnicos a se agregarem, acima de toda divergência, num sistema coerente. E (como não haveria isso de prosseguir atualmente?) as mesmas aspirações no fundo das almas.

Nos Neandertalóides, como vimos, um passo psíquico é manifesto, assinalado, entre outros indícios, pelo aparecimento das primeiras sepulturas nas cavernas.[53] Mesmo aos Neandertalianos mais acentuados, todo mundo concorda em atribuir a chama de uma verdadeira inteligência. Contudo, a atividade dessa inteligência parece ter sido largamente absorvida pelas preocupações da sobrevivência e da propagação. Se mais havia, nós não o conhecemos, ou não o reconhecemos. Que poderiam exatamente pensar esses primos longínquos? Não temos disso a menor idéia. Na idade da Rena, pelo contrário, com o *Homo Sapiens*, é um Pensamento definitivamente liberado que explode, ainda quente, nas paredes das cavernas.[54] Os recém-chegados traziam consigo a Arte, – uma arte naturalista ainda, mas prodigiosamente consumada. E, graças à linguagem dessa arte, nós podemos, pela primeira vez, entrar abertamente na consciência dos seres desaparecidos cujo esqueleto reconstituímos. Estranha proximidade espiritual, até nos pormenores! Os ritos expressos em vermelho e preto nas paredes das grutas, na Espanha, nos Pireneus, no Périgord,[55] não se praticam ainda sob os nossos olhos, na África, na Oceania, na própria América? Que diferença existe, por exemplo, como já se observou, entre o Feiticeiro dos "Três Irmãos", metido na sua pele de Veado,[56] e tal ou qual divindade da Oceania?... Mas isso não é ainda o mais importante. Podemos nos equivocar ao interpretar à moderna as impressões de mãos, os bisontes enfeitiçados, os emblemas de fecundidade, por meio dos quais se exprimiam as preocupações e a religião de um Aurignaciano[57] ou de um Magdaleniano.[58] Pelo contrário, não poderíamos nos enganar quando, tanto pela perfeição do movimento e das silhuetas como pelo jogo imprevisto das cinzeladuras ornamentais, percebemos nos artistas dessa era longínqua o sentido da observação, o gosto pela fantasia, a alegria de criar: essas flores de uma consciência, não somente reflexiva, mas exuberante sobre si mesma. Assim, pois, o exame dos esqueletos e dos crânios não nos iludia. No Quaternário superior, é incontestavelmente o Homem atual, em toda a força da expressão, que nos surge pela frente: o Homem não adulto ainda, mas já chegado à "idade da razão". A partir desse momento, em relação a nós, seu cérebro está acabado, — tão bem acabado que, desde essa época, nenhuma variação mensurável parece haver aperfeiçoado *nec plus ultra* o instrumento orgânico de nosso pensamento.

No fim do Quaternário, a evolução, no Homem, ter-se-ia, pois, detido?

De modo algum. Mas, sem prejulgar acerca do que pode continuar a se desenvolver insensivelmente no segredo dos sistemas nervosos, podemos dizer que a evolução, a partir dessa data, transbordou francamente por sobre suas modalidades anatômicas, a fim de se estender, ou mesmo talvez emigrar pelo essencial de si própria, para as zonas, individuais e coletivas, da espontaneidade psíquica.

É, doravante, quase exclusivamente sob essa forma que a teremos de reconhecer e acompanhar.

4. A Metamorfose Neolítica

Ao longo dos filos vivos, pelo menos entre os animais superiores nos quais podemos seguir as coisas mais comodamente, a socialização representa um progresso relativamente tardio. Ela se produz como um remate de maturidade. No Homem, por razões intimamente ligadas ao poder de reflexão, a transformação se acelera. Por mais longe que divisemos nossos grandes ancestrais, eles já nos aparecem *em grupos*, em volta do fogo.

Por mais claros, todavia, que possam ser, nessas épocas remotas, os indícios de associação, o fenômeno está ainda incompletamente delineado. Mesmo no Paleolítico superior, os bandos que discernimos não parecem ter constituído muito mais do que hordas de caçadores errantes, frouxamente vinculados. É somente no Neolítico[59] que começa a se produzir, entre elementos humanos, a grande soldagem que não devia mais se deter. O Neolítico, idade desdenhada pelos pré-historiadores, porque jovem demais. Idade negligenciada pela História, porque suas fases não podem ser datadas com precisão. Idade crítica, contudo, e solene entre todas as idades do Passado: o nascimento da Civilização.

Esse nascimento, como se deu? — Mais uma vez, e sempre em conformidade com as leis que regem nossa visão do Tempo para trás, não o sabemos.

Há alguns anos, falava-se apenas de "grande hiato" entre os últimos níveis de pedras lascadas e as primeiras camadas de pedras polidas e de cerâmica. Desde então, uma série de horizontes intercalares, mais bem identificados, têm aproximado pouco a pouco os lábios da fissura. Mas, essencialmente, a fenda subsiste. Jogo de migrações ou efeito de contágio? Brusca chegada de alguma vaga étnica, silenciosamente avolumada em algum outro lugar nas regiões mais férteis do globo, — ou propagação irresistível de inovações fecundas? Movimento de povos, sobretudo, — ou, sobretudo, movimento de cultura?... Não poderíamos dizê-lo por enquanto.[60] O que é certo é que, após uma lacuna que, geologicamente, não conta, mas na qual é preciso, apesar de tudo, situar o tempo requerido para a seleção e a domesticação de todos os animais e plantas de que vivemos ainda hoje, — nós nos encontramos, não mais perante caçadores de Cavalos e de Renas, mas diante de uma Humanidade sedentária e organizada. Em uma ou duas dezenas de milênios, os Homens dividiram a Terra entre si e nela se arraigaram.

Nesse período decisivo da Socialização, como no instante da Reflexão, um feixe de fatores parcialmente independentes parece ter misteriosamente confluído para sustentar e forçar o avanço da Hominização.[61] Tentemos pôr uma ordem nisso.

Antes de tudo, os progressos incessantes da Multiplicação. Com o número rapidamente crescente dos indivíduos, o terreno livre se reduz. Os grupos se entrechocam. Por isso a amplitude dos deslocamentos diminui, e põe-se a questão de tirar o melhor partido possível de domínios cada vez mais limitados. Deve ter sido, podemo-lo imaginar, sob a pressão dessa necessidade que despontou a idéia de conservar e de reproduzir no próprio lugar o que outrora era preciso buscar e perseguir ao longe. A criação dos animais e a cultura das plantas substituindo a caça e a colheita. O pastor e o agricultor.

E, dessa mudança fundamental, todo o resto se segue.

Em primeiro lugar, nas aglomerações sempre maiores, aparece a complexidade dos direitos e dos deveres, obrigando a imaginar todas as espécies de estruturas comunitárias e de jurisprudências[62] cujos vestígios persistem sob os nossos olhos, à sombra das grandes civilizações, entre as populações menos progressivas da Terra. Socialmente, em matéria de propriedade, de moral, de casamento, pode-se muito bem dizer que tudo foi experimentado...

Simultaneamente, no meio mais estável e mais denso criado pelos primeiros estabelecimentos agrícolas, a necessidade e o gosto da pesquisa regularizam-se e animam-se. Maravilhoso período de investigação e de invenção, em que explode, sob a forma reflexiva, no frescor inigualável de um novo começo, o eterno tentear da Vida! Tudo o que era acessível parece ter sido experimentado nessa época extraordinária. Seleção e melhoramento empírico dos frutos, dos cereais e dos rebanhos. Ciência da cerâmica. Tecelagem. Muito cedo, os primeiros elementos de uma escrita pictográfica,[63] — e muito rápido as primeiras estréias da metalurgia.[64]

E então, por isso mesmo, mais solidamente concentrada sobre si própria, mais bem equipada para a conquista, a Humanidade pode enfim lançar suas últimas vagas ao assalto das posições que lhe haviam ainda escapado. Ela está doravante em plena expansão. É, com efeito, na aurora do Neolítico, pelo Alasca liberto de seus gelos, e talvez por outras vias ainda, que o Homem penetra na América, — para aí recomeçar, sobre novo material e com novos esforços, seu paciente trabalho de instalação e domesticação. Muito numerosos ainda caçadores e pescadores, nos quais, apesar do uso da cerâmica e da pedra polida, a vida paleolítica se prolonga. Mas, ao lado desses, verdadeiros agricultores também, – os comedores de milho. – E, ao mesmo tempo, sem dúvida, balizada pelo longo rasto, ainda visível, das Bananeiras, das Mangueiras, dos Coqueiros, uma outra camada começa a se estender, fabulosa aventura, através do Pacífico.

À saída dessa metamorfose, cuja existência, uma vez mais, não conhecemos senão pelos resultados, o mundo se encontra praticamente recoberto de uma população cujos vestígios, utensílios de pedra polida, cilindros de moer grãos, fragmentos de vasos, juncam, por toda a parte em que se descobre sob o húmus ou as areias recentes, o velho solo dos continentes.

Humanidade ainda bem fragmentada, sem dúvida. Para a imaginarmos, é preciso conjecturar o que eram a América ou a África quando o Branco aí chegou pela primeira vez: um mosaico de grupos profundamente diversos, sob o aspecto étnico e social.

Mas Humanidade já delineada e ligada. A partir da idade da Rena, os povos encontraram pouco a pouco, até os pormenores, seu lugar definitivo. Pelo comércio dos objetos e pela transmissão das idéias, aumenta a condutibilidade entre eles. Organizam-se as tradições. Desenvolve-se uma memória coletiva. Por mais tênue e granular que seja ainda essa primeira membrana, a Noosfera começou desde então a fechar-se sobre si mesma, – envolvendo a Terra.[65]

5. Os Prolongamentos do Neolítico e a Ascensão do Oeste

Conservamos o hábito, do tempo em que ignorávamos a Paleontologia humana, de isolar numa secção especial os seis mil anos, pouco mais ou menos, acerca dos quais possuímos documentos escritos ou datados. A História por oposição à Pré-História. Na realidade, não existe semelhante ruptura. Quanto mais restabelecemos as perspectivas do Passado, tanto mais constatamos que os tempos ditos "históricos" (até, *e inclusive*, o início dos tempos "modernos") outra coisa não são que os prolongamentos diretos do Neolítico.[66] Complexidade e diferenciação crescentes, – é evidente, e disso falaremos. Mas, essencialmente, segundo as mesmas linhas e no *mesmo plano*.

Do ponto de vista biológico, em que nos colocamos, como definir e representar, no decurso desse período tão breve e tão prodigiosamente fecundo, os progressos da Hominização?[67]

Essencialmente, o que a História registra, através da multiplicidade movediça das instituições, dos povos, dos impérios, é o desabrochar normal do *Homo sapiens* no seio da atmosfera social criada pela transformação neolítica. Queda gradual das mais velhas escamas, das quais algumas, tais como os Australianos, aderem ainda à extrema superfície de nossa civilização e dos continentes. Acentuação, pelo contrário, e predomínio de certas outras hastes, mais centrais e mais vigorosas, que procuram monopolizar o solo e a luz. Aqui, desaparecimentos que abrem claros na ramagem, — ali, eclosão de brotos que a adensam. Ramos que secam, ramos que dormem, ramos que se lançam para tudo invadir. Entrecruzar-se infindável de leques, sem que nenhum deles deixe ver claramente, mesmo a dois milênios atrás, o seu pedúnculo... Toda a série dos casos, das situações, das aparências, habitualmente encontradas em qualquer filo em vias de ativa proliferação.

Mas, isso é mesmo tudo?

Poder-se-ia pensar que o que constitui, a partir do Neolítico, a extrema dificuldade, e também o excepcional interesse da Filogênese humana, é a proximidade dos fatos, permitindo acompanhar, como que a olho nu, o mecanismo biológico da ramificação das espécies. De fato algo mais ali se passa.

Enquanto a ciência só tinha que lidar com grupos humanos "pré-históricos", mais ou menos isolados, e mais ou menos em vias de formação antropológica, podiam ainda se aplicar, aproximadamente, as mesmas regras gerais da filogênese animal. A partir do Neolítico, a influência dos fatores psíquicos começa a predominar francamente sobre as variações, cada vez mais atenuadas, dos fatores somáticos.[68] E, desde então, emergem em primeiro plano as duas séries de efeitos que anunciávamos mais atrás, ao descrever, em suas grandes linhas, a marcha da Hominização:[69] 1) Aparecimento, em primeiro lugar, por cima dos verticilos genealógicos, das unidades políticas e culturais: gama complexa de agrupamentos que, nos múltiplos planos da distribuição geográfica, das ligações econômicas, das crenças religiosas, das instituições sociais, se mostram capazes, depois de terem submergido "a raça", de interferir entre si em todas as proporções. 2) E, simultaneamente, manifestação, entre esses ramos de um novo gênero, das forças de coalescência[70] (anastomoses,[71] confluências[72]) liberadas em cada um deles pela individualização de um invólucro, — ou mais exatamente de um eixo-psicológico. — Todo um jogo conjugado de divergências e de convergências.[73]

É inútil insistir sobre a realidade, a diversidade e a contínua germinação de unidades coletivas humanas ao menos virtualmente divergentes. Nascimento, multiplicação e evolução das nações, dos estados, das civilizações... O espetáculo está em toda parte sob os nossos olhos; e suas peripécias enchem os anais dos povos. Só uma coisa não pode ser esquecida, se quisermos penetrar nele e avaliar o seu drama. Sob essa forma racionalizada, — por mais hominizados que sejam os acontecimentos —, a História humana prolonga realmente, à sua maneira e ao seu nível, os movimentos orgânicos da Vida. Pelos fenômenos de ramificação social que nos conta, ela é história natural, *ainda*.

Bem mais sutis e mais carregados de possibilidades biológicas são os fenômenos de confluência. Procuremos segui-los em seu mecanismo e em suas conseqüências.

Entre ramos ou filos animais fracamente "psiquizados", as reações se limitam à competição e, eventualmente, à eliminação. O mais forte ocupa o lugar do mais fraco e acaba por sufocá-lo. Dessa lei brutal, quase mecânica, de substituição,[74] só constituem mesmo exceção, as associações (sobretudo funcionais) de "simbiose",[75] nos organismos inferiores, — ou a dominação de um grupo por outro grupo, entre os Insetos mais socializados.

No Homem (pelo menos entre Homens pós-neolíticos), a eliminação pura e simples tende a se tornar excepcional, ou pelo menos secundária. Por mais brutal que seja a conquista, a supressão é sempre acompanhada de alguma assimilação.

Mesmo parcialmente absorvido, o vencido reage ainda sobre o vencedor para o transformar. Como se diz em Geologia, ele o endomorfiza.[76] *A fortiori* no caso de uma invasão cultural pacífica. E com muito mais razão ainda, se se trata de populações igualmente resistentes e ativas, que se interpenetram lentamente sob tensão prolongada. — Permeabilidade mútua dos psiquismos, aliada a uma notável e significativa interfecundidade. Sob essa dupla influência, que mistura e associa as tradições étnicas ao mesmo tempo que os gens cerebrais, desenham-se e fixam-se verdadeiras combinações biológicas. Outrora, na Árvore da Vida, o simples emaranhado das hastes. Agora, em todo o domínio do *Homo sapiens*, a síntese.[77]

Mas não igualmente em toda parte, bem entendido.

Na Terra, em conseqüência da configuração fortuita dos continentes, existem certas regiões mais favoráveis do que outras à reunião e à mistura das raças: arquipélagos extensos, encruzilhadas estreitas, — vastas planícies cultiváveis, sobretudo, irrigadas por algum grande rio. Nesses lugares privilegiados, a massa humana tendeu naturalmente, desde que se instalou a vida sedentária, a concentrar-se, a associar-se e a sobreaquecer-se. Donde o aparecimento, sem dúvida "congênito", na camada neolítica, de certos pólos de atração e de organização: presságio e prelúdio de algum estado superior e novo para a Noosfera. — Cinco desses focos podem ser identificados, mais ou menos longe no passado: a América central, com a civilização Maia; os mares do Sul, com a civilização polinésia; a bacia do Rio Amarelo, com a civilização chinesa; os vales do Ganges e do Indo, com as civilizações da Índia; o Nilo e a Mesopotâmia, enfim, com o Egito e a Suméria. Focos provavelmente surgidos (salvo os dois primeiros, bem mais tardios) quase na mesma época. Mas focos largamente independentes uns dos outros e dos quais cada um trabalha cegamente para se expandir e irradiar, como se lhe coubesse, com exclusividade, absorver e transformar a Terra.

No fundo, não é no encontro, no conflito e, finalmente, na gradual harmonização dessas grandes correntes somático-psíquicas que consiste o essencial da História?

De fato, essa luta de influência logo se localizou. O foco Maia, isolado demais no Novo Mundo, — e o foco polinésio, disperso demais na poeira monótona de suas ilhas longínquas, não tardaram, aquele a se extinguir completamente, este a irradiar no vazio. Foi, pois, na Ásia e na África do Norte, entre agricultores das grandes planícies, que se jogou a partida pelo futuro do Mundo.

Um ou dois milênios antes de nossa era, as oportunidades dos parceiros poderiam parecer iguais. E, no entanto, instruídos pela seqüência dos acontecimentos, reconhecemos hoje que já existiam então, em dois dos concorrentes mais orientais, germes de fraqueza.

Seja por gênio próprio, seja por efeito de imensidade, à China, em primeiro lugar (e falo da *velha* China, evidentemente) faltava o gosto e o impulso necessários para as renovações profundas. Singular espetáculo o dessa região gigante que, ainda ontem, representava, bem vivo sob os nossos olhos, um fragmento quase inalterado do mundo, tal como o mundo podia ser há dez mil anos... População não só fundamentalmente agrícola, mas essencialmente organizada segundo a hierarquia das possessões territoriais, — o imperador nada mais era que o maior dos proprietários. População ultra-especializada no tijolo, na cerâmica e no bronze. População que levava até à superstição o estudo dos pictogramas e a ciência das constelações.

Civilização incrivelmente refinada, por certo, — mas, exatamente como a escrita em que se revela tão ingenuamente, que nunca mudou de métodos desde os primórdios. Em pleno século XIX, um Neolítico ainda, não rejuvenescido como alhures, mas meramente e interminavelmente complicado sobre si mesmo, não apenas segundo as mesmas linhas, mas no mesmo plano, — como se não tivesse podido arrancar-se da terra em que se formara.

Ora, enquanto a China já se incrustava no solo, multiplicando tenteios e descobertas sem se dar ao trabalho de construir uma Física, a Índia deixava-se atrair, até nela se perder, pela Metafísica. A Índia, região por excelência das altas pressões filosóficas e religiosas... Nunca atribuiremos importância demais às influências místicas descidas desse anticiclone[78] sobre nós, no passado. Mas, por mais eficazes que tenham sido essas correntes para ventilar e iluminar a atmosfera humana, é forçoso reconhecer que elas eram, por excesso de passividade[79] e de desapego,[80] incapazes de construir a Terra. Surgida na sua hora como um grande sopro, — como um grande sopro também, e novamente na sua hora, a alma primitiva da Índia passou. E como poderia ter sido diferente? Encarando os fenômenos como uma ilusão (maia)[81] e suas ligações como uma cadeia (karma),[82] o que restava a essas doutrinas para animar e dirigir a evolução humana? — Simples erro cometido, — mas erro total! — na definição do Espírito e na apreciação dos elos que o ligam às sublimações da Matéria.

E é assim que, progressivamente, nos encontramos repelidos para as zonas mais ocidentais do Mundo, — aquelas em que, às margens do Eufrates, do Nilo, do Mediterrâneo, uma excepcional confluência de lugares e povos iria, em alguns milênios, produzir a mescla favorável, graças à qual, sem nada perderem, antes pelo contrário, de sua força ascensional, a razão poderia atrelar-se aos fatos e a religião à ação. A Mesopotâmia, o Egito, a Hélade — e em breve Roma, — e por cima de tudo isso (aí voltarei ao terminar) o misterioso fermento judeu-cristão que daria à Europa a sua forma espiritual!

É fácil para o pessimista repartir esse período extraordinário em civilizações que desmoronam uma após a outra. Não é, porém, muito mais científico reconhecer, mais uma vez, por sob essas oscilações sucessivas, a grande espiral da Vida a se elevar irreversivelmente, por revezamentos, segundo a linha mestra de sua evolução? Susa, Mênfis, Atenas podem morrer. Uma consciência cada vez mais organizada do Universo passa de mão em mão; e o seu fulgor aumenta.

Mais adiante, ao falar da planetização[83] em curso da Noosfera, empenhar-me-ei em restituir aos outros fragmentos de Humanidade a parte, grande e espiritual, que lhes é reservada na esperada plenitude da Terra. Nesse ponto de nossa investigação, seria preciso falsear as coisas, por razões sentimentais, para não reconhecer que, durante os tempos históricos, foi pelo Ocidente que passou o eixo principal da Antropogênese.[84] Nessa zona ardente de crescimento e de refundição universal, tudo o que constitui hoje o Homem foi encontrado ou, pelo menos, *deve ter sido reencontrado*. Pois mesmo aquilo que era de longa data conhecido em outras partes só adquiriu definitivo valor humano ao ser incorporado no sistema de idéias e de atividades européias.[85] Não é simples candura celebrar como um grande evento o descobrimento da América por Colombo[86]...

Na verdade, em torno do Mediterrâneo, de seis mil anos para cá, germinou uma Neo-Humanidade[87] que acaba, neste exato momento, de absorver os últimos vestígios do mosaico neolítico: o despontar de uma outra camada, a mais densa de todas, sobre a Noosfera.

E a prova disso é que, invencivelmente, de um extremo a outro do mundo, todos os povos, para permanecerem humanos, ou para mais humanos se tornarem, são levados a se colocar, nos próprios termos com que chegou a formulá-los o Ocidente, as esperanças e os problemas da Terra moderna.

NOTAS

1. Multiplicando tentativas em diversas e quaisquer direções (*tenteios*), e em muitas e várias formas (*variedade polimórfica*) de seres vivos, a Vida vai evoluindo não através de indivíduos ou pequenos grupos, mas através de populações inteiras, verdadeiras massas vivas.

2. Em Zoologia, *Fiandeira* é cada um dos apêndices abdominais das aranhas, por onde saem os fios com que elas fazem a teia. A imagem é sugestiva, uma vez que é o evolutivo "Fio da Vida" (que, cerebralizado, já foi "Fio de Ariadne" – Cf. Parte II, Capítulo III) que o Autor está a acompanhar...

3. Expansão "organizada" porque "convergente", isto é, arranjada, ordenada, integrada, que se vai orientando como um todo vivo, sempre no sentido da maior complexidade e consciência.

4. *Pré-História* é o período que antecede o aparecimento da escrita e o uso de metais, cuja reconstituição e estudo científico se faz por meio da Antropologia, da Paleontologia, da Arqueologia etc., visando estabelecer as condições de vida e de civilização do Homem, desde a sua origem. A Pré-História se estende sobre quase todo o Quaternário até, inclusive, a "Idade dos Metais" (precedida pela "Idade da Pedra" – lascada e polida – e dividida em "Idade do Bronze" e "Idade do Ferro"), quando as armas e utensílios, até então feitos de pedra, osso ou chifre, começam a ser feitos de metal. Esses tempos ditos "pré-históricos" vão até cerca de 2.000 a.C. Ingressa-se, então, nos "tempos históricos". A História, como narração científica metódica dos fatos notáveis ocorridos na vida dos povos, em particular, e da Humanidade, em geral, divide-se em quatro períodos: *História Antiga*, que vai desde a invenção da escrita até 395 (morte do imperador romano Teodósio I, o Grande) ou 476 (fim do Império Romano do Ocidente); *Idade Média*, que vai daí até 1453 (tomada de Constantinopla pelos turcos e queda do Império Romano do Oriente); *Tempos Modernos*, de 1453 a 1781 (início da Revolução Francesa); e *Época Contemporânea* (de 1789 até nossos dias). Percorrendo Pré-História e História não é difícil identificar o "esforço de multiplicação e expansão organizada" a que se refere o Autor, multiplicação numérica do Pensamento, expansão noosférica do Espírito.

5. Os *Pré-Hominianos* constituem o grupo de Primatas do começo do Quaternário, intermediários entre os Homens e os Antropóides (Pitecantropo, Sinantropo, Africantropo – que o Autor descreverá no decorrer deste item). A forma "hominianos", no francês *hominiens*, é, em português, sinônima de hominídeos (com que traduzimos *hominoïdes*), mas ressalta pelo sufixo nominal "ano", do latim *anu*, o sentido de "origem", "característica", "relatividade a". Por outro lado, o próprio Autor, em seguida, ao concluir rápida análise do Pitecantropo e do Sinantropo, fala na criação especial do termo "Pré-Hominianos" por antropólogos e o coloca entre aspas. Poder-se-ia também falar em "Pré-Hominíneos", tendo em vista a subfamília dos *Hominíneos*, na qual o Homem se classifica. (Cf. Capítulo anterior, nota 20.)

6. Mais exatamente no fim do Vilafranquiano. Muitos geólogos situam já este último andar fora do Plioceno e fazem dele o verdadeiro Quaternário inferior: mera questão de acoplagem. (N. do A.) De qualquer forma, o Autor está se referindo a mais de um milhão de anos atrás.

7. Os *Aluviões* são depósitos de cascalho, areia e argila que se formam junto às margens ou à foz dos rios, em consequência do trabalho de erosão das enchentes ou enxurradas.

8. *Calota*, do francês *callote*, cujo sentido próprio é "solidéu", é, geometricamente, a parte de uma superfície esférica limitada por um plano. A *Calota Craniana* designa a parte superior da caixa craniana. A calota craniana a que se refere o Autor é o resto humano fóssil, descoberto em 1890-1891 por Eugene Dubois, anatomista e arqueólogo holandês, em Trinil, Java (agora Indonésia), às margens do rio Solo. A calota estava enterrada em depósitos do Pleistoceno Médio. Não muito longe desse lugar, foi encontrado também um fêmur completo (que, aliás, apresenta um dos mais antigos vestígios resultantes de enfermidade no homem: uma excrescência, *myositis ossificans*, em conseqüência de lesão na perna). Esses achados suscitaram controvérsias pois o fêmur era moderno quanto à forma, enquanto a calota do crânio parecia ser primitiva (espessa, pesada, achatada na frente, arcadas superciliares proeminentes, semelhantes às dos macacos pongídeos). Testes de flúor atestaram a mesma idade para os fósseis, e ao conjunto foi dado o nome de *Pithecanthropus erectus* ("homem-macaco ereto"), mais tarde modificado para *Homo erectus* ("homem ereto").

9. Podemos considerar, no mínimo, as descobertas de Von Koenigswald, em 1930 e posteriormente, em 1939-1945, em Sangiran, na mesma ilha de Java (crânios mais completos, maxilares com todos os dentes), e de C. Arambourg, em 1947, em Ternifine, perto de Oran, Argélia (três mandíbulas e um fragmento de crânio), para lidar apenas com achados anteriores à conclusão definitiva da redação desta obra (1948). Daí em diante — e até os dias de hoje —, muitas outras escavações e descobertas vêm sendo feitas, destacando-se as do Dr. Louis Seymour Bazet Leakey, em 1959-1960, na Garganta do Olduvai, Tanzânia, África (Cf. nota 25) e as de Robinson, em Swartkrans, no Transvaal.

10. Graças às escavações e pesquisas do Dr. Davidson Black, nas quais Teilhard trabalhou pessoalmente. (Cf. Capítulo anterior, 2, nota 68, e as obras do Autor ali indicadas.)
Obs.: Atualmente, os diversos restos fósseis de Pitecantropo (Trinil, Java, 1890-1894; Sangiran, Java, 1937; Mauer, Alemanha, 1908; Ternifine, Argélia, 1954; Chou-kou-tien, China, 1927-1931; Sterkfontein, África do Sul; e Modjokerto, Java, 1936) são todos incluídos numa única espécie, *Homo erectus*, com a indicação exata da localização geográfica. Por exemplo: *Homo erectus* de Pequim.

11. Para maior simplicidade, nada direi aqui do homem de Mauer. Por mais antiga e digna de nota que seja sua mandíbula, não o conhecemos o suficiente para fixar, antropologicamente, seu verdadeiro lugar. (N. do A.) O Autor se refere a uma das mandíbulas fósseis mais perfeitas já encontradas. Essa mandíbula isolada foi achada por um operário numa cova de areia em Mauer, perto de Heidelberg, Alemanha, e mostrada a Otto Schoetensack, em 1908. Não há certeza quanto à camada exata em que o fóssil foi achado e, dadas certas diferenças estruturais fundamentais (osso robusto — característica antiga — e dentes evoluídos — característica moderna), não é certo que esse maxilar tenha pertencido ao *Homo erectus*, havendo quem sugira representar ele uma forma intermediária entre os Pitecantropos e os Neandertalenses, grupo que floresceu durante o último Período Glacial.

12. Ou seja, o próprio "Pitecantropo de Java". (Cf. nota 8.)

13. Ou seja, o próprio "Sinantropo da China". (Cf. Capítulo anterior, 2, nota 68.)

14. Nos grandes Antropóides atuais, a capacidade cerebral não vai além de 600 cm^3. (N. do A.)

15. *Sínfise*, do grego *symphisis*, "reunião", "coesão", "união natural", em anatomia, é a articulação que tem pouca mobilidade, formada por tecido conjuntivo elástico, como a dos ossos do púbis entre si.

16. *Antropiano*, como forma adotada correlatamente a "Hominiano". (Cf. nota 5.)

17. *Bossa* é a protuberância arredondada na superfície óssea do crânio, considerada outrora como indicadora de certa faculdade, tendência ou aptidão. Franz Josef Gall, médico alemão (1758-1828), chegou a propor a Frenologia, do grego *phrén, phrenós*, "pensamento", "inteligência", "espírito", e *logos*, "discurso", "tratado", "ciência", como o estudo do caráter e das funções intelectuais do homem com base na conformação do crânio.

18. *Teratológicos*, do grego *téras, teratos*, "prodígio", são caracteres excepcionais que denotam deformações ou monstruosidades orgânicas.

19. *Simiano*, como forma adotada correlatamente a "Hominiano". (Cf. nota 5.)

20. Trata-se de Marcellin Boule, eminente geólogo e professor de Paleontologia do Museum, Museu de História Natural de Paris. Teilhard o conheceu em 1912; a partir daí Boule se tornou seu grande mestre e amigo. Em 1937, por ocasião do jubileu do velho professor, Teilhard, em artigo publicado em *L'Anthropologie*, nº 47, ainda recordará a primeira entrevista, reconhecendo que Boule lhe abrira os caminhos da pesquisa e da aventura no campo da Paleontologia, identificando nesse encontro uma das atuações mais diretas da Providência em sua vida. Boule, por sua vez, de partida, identificou no discípulo, oficialmente, perante a Société Géologique de France, "todas as qualidades que se possam exigir de um perfeito naturalista: trabalho fácil, observação penetrante, associação tão preciosa quanto rara do gosto pela análise detalhada ao das grandes sínteses, grande independência de espírito". Prevendo-lhe uma carreira brilhante, confiou-lhe uma coleção de fosforitas provenientes de Quercy, cujo estudo é tema das duas primeiras publicações importantes de Teilhard: *Les carnassiers des phosphorites du Quercy* (1914) e *Sur quelques primates des phosphorites du Quercy* (1916). Conterrâneo de Teilhard (Auvergne), Boule, enquanto superior administrativo do Institut de Paléontologie Humaine, propiciou-lhe contatos e relações com eminentes cientistas da época, membros do Instituto, destacando-se entre esses Hugo Obermaier e o famoso Abbé Henri Breuil, o papa da Pré-História (Cf. Capítulo seguinte, nota 9). Marcellin Boule é o autor de *Les hommes fossiles*, do qual Teilhard fez resenha e comentários na revista *Études*, março de 1921. O respeito e o amor, verdadeiramente filiais, que dedicou ao velho mestre, falecido em 1942, nunca o impediram, porém, de uma confrontação madura e corajosa, nos momentos de discordância, da qual, aliás, dá exemplo, no próprio julgamento que faz da hipótese sugerida por Boule quanto à existência de um Homem predador do Sinantropo.

21. Os depósitos da caverna em que foram encontrados os fósseis do Sinantropo continham, além de muitos instrumentos cortantes, claras evidências do uso do fogo. Montes de cinzas foram encontrados através das camadas, até a profundidade de cerca de 5,5 m. Isso demonstra que o Sinantropo ocupou a caverna por longos períodos e que a lareira foi cuidadosamente tratada. Uma fogueira, à boca da caverna, não somente afasta animais selvagens, mas também aquece, ilumina e permite assar ou cozinhar alimentos. Tudo isso demonstrava, articulado com o Passo da Reflexão, um verdadeiro avanço cultural, importantíssimo para a humanidade.

22. Muitos cientistas chegaram a propor que se considerasse o Pitecantropo de Java como um provável representante de um desaparecido grupo de grandes símios, algo assim — segundo Marcellin Boule (Cf. nota 20) — como um Gibão gigantesco.

23. Cf. nota 6.

24. Cf. nota 11.

25. A melhor jazida de Australopitecos é a África do Sul (Manapan, Swartkrans, Sterkfontein, Kromdraai, Taung). Mas, na África oriental, Tanzânia, Quênia, Etiópia (Olduvai e Natron), foram feitas inúmeras descobertas, particularmente por Leakey (e muitas após a redação desta obra, e mesmo após a morte do Autor, em 1955), que levam no mínimo à conclusão de que viveram ali, há mais de um milhão e meio de anos, um grupo de primitivos hominídeos, bípedes e capazes de fazer instrumentos de pedra. Por esses aspectos, pelo menos, eles constituiriam algumas das primeiras criaturas, semelhantes aos seres humanos, que conhecemos. Há controvérsias quanto à denominação e à classificação desses importantes achados fósseis (o Africantropo — pretensioso nome com que Kohl Larsen batizou os restos de três crânios que descobriu, em 1925, em terreno quaternário inferior da África oriental e que, reconstruídos, levam a tipos muito próximos do Sinantropo — inclui tanto o Australopiteco como o chamado *Homo habilis*? Já pode ser classificado como gênero *Homo*?), mas eles evidenciam tanto uma fase "pré-humana" como uma fase "primitivamente humana" de evolução. (Cf. a respeito, no mínimo, a bela obra de Richard E. Leakey e Roger Lewin, *Origins*, Macdonald and Jane's Publishers Limited, London, 1977. Há tradução, em português, de Maria Luiza de Almeida, Edições Melhoramentos, São Paulo, e Editora Universidade de Brasília, Brasília, 1980, 264 pp.; 240 fotografias, desenhos e mapas. E também de J. Jelínek, *The Pictorial Enciclopaedia of the Evolution of Man*, Hamlyn, London, 1976, 552 pp.).

26. Talvez entre as populações (de tipo anatômico ainda desconhecido!) cuja indústria "bifacial" podemos seguir, no Plistoceno antigo, da cidade do Cabo ao Tâmisa, e da Espanha a Java. (N. do A.)

27. *Loesse* ou Loess, do alemão *Löss*, é o sedimento eólico (relacionado com o vento) amarelado, sem estratificação, constituído essencialmente de finas partículas de quartzo, sempre angulosas, disseminadas em cimento argiloso, colorido de amarelo pelo dióxido de ferro, e que, por vezes, encerra partículas calcárias (donde provém a sua fertilidade).

28. Cf. Capítulo anterior, 2, nota 69.

29. Descoberto em Spy sur l'Orneau, perto de Namur, Bélgica, em 1866. (Cf. nota seguinte.)

30. Cf. Capítulo anterior, 2, nota 69. Talvez a característica mais expressiva dos Neandertalenses seja a forma de seu crânio, de contorno geral, como que "inflado" em comparação com os crânios do *Homo erectus* ou do *Homo sapiens sapiens*. De fato, a capacidade craniana do Neandertalense típico (dito "clássico" ou "extremo") pode ser maior do que a do Homem moderno. A região frontal, contudo, é achatada, a saliência supraciliar bem proeminente e a região occipital expandindo-se numa curiosa protuberância em forma de "coque". A face é grande e a abertura nasal, larga, sugerindo nariz grande e achatado. A mandíbula é robusta e sem queixo, apresentando os dentes dispostos em forma de ferradura. Os molares têm, freqüentemente, as cavidades da polpa alargadas (taurodontismo). As peculiaridades da parte posterior do crânio parecem ter levado alguns dos primeiros antropologistas físicos a crer, erroneamente, que o homem de Neandertal fosse, habitualmente, um indivíduo curvo, de joelhos flectidos, de estação bípede, mas condenado a caminhar arrastando os pés. Esse "minuto de hesitação", como diz o Autor, decorreu da reconstrução de um esqueleto procedente de La Chapelleaux-Saints, França, que era, como se demonstrou, um indivíduo portador de artrite deformante.

31. A capacidade craniana do Homem de Neandertal clássico está entre 1.350 e 1.700 cm^3, sendo que a média fica em cerca de 1.400 e 1.450 cm^3. Ora, essa é a capacidade média do crânio do Homem moderno.

32. Morando em cavernas, usando o fogo, o Homem de Neandertal fabricava também grandes peças de sílex: instrumentos de lascar e raspar, furadores e machados de pedra.

33. Há evidências, obtidas em vários sítios neandertalenses, de sepultamento dos mortos em lugares a salvo das incursões dos animais comedores de carniça, provisão de "mortalhas" e enterro conjunto de pertences pessoais do morto, como colares de dentes perfurados. Vários jazigos descobertos denotam caráter funerário ritualístico: em La Ferrassie, Dordonha (1909-1912), e em La Chapelle-aux-Saints, Corrèze (1908), encontrou-se comida enterrada ao lado do morto. Em grutas palestinas, como em *Shanidar* (1925), alguns esqueletos aparecem enterrados com ramalhetes de flores e asas de mariposas. E, posteriormente, em Teschik-Tash, U.R.S.S., encontrou-se o esqueleto de um menino sobre um leito de ossos de animais e rodeado por uma auréola de crânios de cabras siberianas com seus chifres.

Obs.: Vale insistir que, em todas essas comprovações, exemplos ou esclarecimentos, procuramos permanecer o mais possível nos limites cronológicos de descobertas feitas ou teorias formuladas até a data de redação e conclusão definitiva desta obra (1938-1940; 1948), indicando expressamente fatos que lhe sejam posteriores. Evidentemente, de lá para cá há inúmeros avanços (de conhecimentos, métodos, interpretações etc.) em todos os campos da pesquisa e do saber. Cabe, contudo, respeitar o universo de discurso — inclusive histórico — do Autor e evitar incorrer em excesso de informações estranhas e/ou anacrônicas em relação a ele. Um ou outro detalhe, *de natureza técnico-científica*, desta obra (e inclusive de nossas Notas e Comentários) pode já ter sido ou vir a ser "ultrapassado" — no sentido de corrigido, precisado, melhor comprovado ou aprofundado — sem que se comprometa a integridade, harmonia, coerência e fecundidade — vale dizer, a Verdade — da visão hiperfísica aqui expressa.

34. Cf. nota 30.

35. Cf. Capítulo anterior, 2, nota 64.

36. Os *ainos* constituem um povo de raça asiática que habita o norte do Japão (Hokkaido) e que, atualmente já muito reduzido, tende a desaparecer.

37. Isto é, de Le Moustier, Dordonha, França, em 1908. (Cf. nota 46.)

38. O *Homem do Solo*, também chamado *Javanthropus soloensis*, foi descoberto por W. Oppennorth, em Ngandong, perto de Trinil, e às margens do rio Solo, em escavações realizadas entre 1931 e 1939, em terreno-limite entre o Terciário e o Quaternário. Foram encontrados fragmentos consideráveis de cinco crânios, restos menores de outros cinco, com duas tíbias. Com base nas características craniométricas (capacidade de 1.200 e 1.300 cm^3), Oppenoorth acreditou tratar-se de uma espécie do tipo Neandertalense e, no afã de síntese, considerou sua descoberta como um elo da cadeia *Pithecanthropus-Javanthropus-Homo wadjakensis* (paralela na Insulíndia à que outros admitem na Eurásia *Sinanthropus-Mauer-anthropus-Homo neanderthalensis*). Outros especialistas consideram sua conclusão mera idéia sugestiva. (Cf., na nota seguinte, do Autor, a opinião que ele próprio tem a respeito.)

39. Achado em grande número nos terraços horizontais que nivelam as camadas pregueadas de Trinil, o *Homo soloensis* parece não ser mais do que um grande Pitecantropo, de crânio mais abaulado. Caso quase único, em Paleontologia, de um mesmo filo, surpreendido, no mesmo sítio, através de uma discordância geológica, em dois estádios diferentes de seu desenvolvimento. (N. do A.) O *Homem de Trinil* a que se refere o Autor é o Pitecantropo descoberto em 1892, em Trinil, Java. (Cf. nota 8.)

40. Na África do Sul, perto de Broken Hill, na Zâmbia (antiga Rodésia do Norte), em 1921, foi retirado um esqueleto de uma colina explorada para lavra de minério de chumbo e de zinco. A colina, perfurada na base, revelara uma caverna repleta de ossos fossilizados e mineralizados, instrumentos de sílex e osso, ossadas de animais. Os ossos humanos, bem conservados, revelaram uma combinação de características do Homem de Neandertal e do Homem moderno. O crânio é grande, com saliência superciliar maciça e abóbada achatada. A face é enorme e o palato duro e largo. Os dentes desgastados implantam-se numa arcada em "U", muitos deles apresentando sinais de deterioração e de formação de abscessos. Os membros, longos e robustos, são modernos quanto à forma e indicam que o chamado *Homem de Rodésia* era alto, de compleição vigorosa e postura ereta. (Um crânio semelhante, encontrado em Saldanha, perto da Cidade do Cabo, revelou não ser anormal esse tipo de homem, embora a sua classificação tenha sido objeto de controvérsias.)

41. O crânio do *Homem de Steinheim* procede de uma cova de pedregulhos, perto de Stuttgart, Alemanha Ocidental. Descoberto por Berckhemer, em 1933, é mais ou menos da mesma idade do crânio de Swanscombe, na margem sul do rio Tâmisa, Inglaterra (1935, 1936 e 1955): ambos datam do Segundo Período Interglaciário, há cerca de 250.000-300.000 anos. Trata-se de um crânio longo e estreito, com capacidade de 1.150 cm^3 (Howells, 1937), com saliência superciliar moderadamente proeminente e occipital bem arredondado, muito diferente do occipital do *Homo erectus* e, contudo, não tão exagerado, em suas características, como o do Homem de Neandertal. Ao crânio falta a mandíbula; ele sofreu grave distorção, mas a abóbada e a face estão inteiras de um lado.

42. O Oriente Médio, a partir de 1925, proporcionou novas evidências do homem fóssil: formas intermediárias entre as neandertalenses "clássicas" e as "sapiens" plenamente desenvolvidas. Escavações no Monte Carmelo, em Israel, forneceram dez esqueletos, na Caverna de Skuhl, e um esqueleto e uma mandíbula, na Caverna de Tabun. Os esqueletos de Skuhl, embora apresentando algumas peculiaridades do Homem de Neandertal, são mais evoluídos. No sítio Skuhl V, o crânio exibe abóbada alta, região arredondada e saliência superciliar bem marcada, face prognática, raiz do nariz deprimida (como a dos aborígenes australianos); as mandíbulas têm queixo bem marcado, e os maxilares acusam evidências de grave doença periodontal, com formação de abscesso e modificações ósseas próprias da piorréia, embora os dentes não estejam cariados; os ossos dos membros apresentam características mistas, mas a maioria próxima das do Homem moderno. O esqueleto de Tabun é o de uma mulher adulta e tem características do Homem de Neandertal, mas o crânio é pequeno, de abóbada baixa, com crista frontal muito pronunciada, sem formação de crista occipital. Há uma proeminência occipital arredondada denotando músculos do pescoço poderosos. A mandíbula é curta, de volume robusto, sem queixo; dentes, quase todos presentes, indicando, pelo desgaste, consumo de alimento comum, rústico. Ossos dos membros curtos, espessos, tendendo a ser encurvados.

Espinha moderna, ombros rústicos, pelve baixa e estreita. O conjunto é inquestionavelmente neandertalóide nas suas afinidades, como, em seguida, reconhece o Autor.

43. Os fósseis descobertos em Steinheim, por exemplo (assim como os de Swanscombe, Inglaterra, e Montmaurin, França), não são idênticos aos de Neandertal. Entretanto, foram descritos como o "Neandertal-Steinheim" por muito tempo. Hoje são geralmente conhecidos como o Homem de Steinheim e sua descrição científica é *Homo sapiens steinheimensis* (Berckhemer, 1934).

44. As *Cicadáceas* constituem, em Botânica, a família de gimnospermas (do grego *gimnós*, "nu", "despido", e *spérma*, "semente"; "com óvulos e sementes a descoberto"), semelhantes a palmeiras, que englobam cerca de sessenta e cinco espécies conhecidas.

45. As *Angiospermas*, do grego *azgeíon*, "vaso", e *spérma*, "semente", constituem o grupo de vegetais superiores providos de sementes encerradas no pericarpo ou fruto.

46. Cf. nota 37. Desse *Homem de Moustier*, do Paleolítico médio, conhecemos vários exemplares (Europa, Ásia e norte da África), bem como uma evoluída indústria de utensílios (pedras-martelos, machadinhas manuais, descarnadores de pele etc.). Ele já é nitidamente "sapiens".

47. Em 1868, um grupo de operários, que trabalhava numa linha ferroviária através dos penhascos de Les Eyzies, no vale do Vézère, Dordonha, sudoeste da França, encontrou numa rocha-abrigo, conhecida como Cro-Magnon, os restos de cinco indivíduos adultos (com o inconfundível crânio de abóbada e mandíbulas pequenas dos modernos humanos), juntamente com alguns ossos de crianças.

O crânio mais bem conservado do *Homem de Cro-Magnon* é quase completo e grande, além de longo e estreito. A face é ampla e curta, a abertura nasal é alta e as órbitas achatadas e retangulares. Os ossos dos membros são longos e indicam estatura elevada, força muscular poderosa, porte e jeito de andar modernos. Muitos outros sítios (França, Alemanha, Itália, Grã-Bretanha e Tchecoslováquia) revelaram esqueletos semelhantes. Tendo vivido no Plistoceno superior, essa raça de homens possuía grande habilidade artística, patenteada em seu artesanato (arpões, pontas, ferramentas menores em sílex e osso etc.) e em sua arte (desenhos e pinturas nas paredes das cavernas – Lascaux, Altamira etc.). Evidências arqueológicas indicam também que os Cro-Magnon eram caçadores exímios, compreendendo os hábitos dos grandes rebanhos (épocas de migração, rotas etc.) e desenvolvendo métodos eficientes para caçá-los e matá-los.

48. É o Homem do alto Paleolítico, descoberto na Gruta de Aurignac, próxima de Saint-Gaudens, Garonne, França. O *Homem de Aurignac* nos deixou instrumentos de sílex muito bem feitos, abundantes estatuetas (em pedra, osso, chifre, marfim) e belíssimas pinturas murais.

49. A *Lei dos Revezamentos* é aquela em virtude da qual a Evolução vai se realizando graças à substituição de algumas formas por outras, de modo que a continuidade do progresso integra uma descontinuidade de sucessivas emergências. Essa lei paleontológica é ilustrada por Teilhard ao nível das sucessivas vagas de seres vivos:

"Indicamos (...) essa lei fundamental dos revezamentos, em virtude da qual todas as mudanças registráveis da Vida, em vez de se fazerem de uma maneira contínua, operam por séries de vagas sucessivas, que se suplantam e superam umas às outras. Répteis deslocando os Anfíbios, Mamíferos sucedendo aos Répteis, Homem eliminando todos os Mamíferos diferentes dele mesmo, isso para o muito grande; espécies suplantando as espécies, raças expulsando as raças, indivíduos se substituindo aos indivíduos, isso para o menor. É, muito provavelmente, na consideração do grande número de seres vivos que se deve procurar a razão mecânica desse ritmo especial de crescimento. É em conseqüência de um efeito de massas que, em nossas investigações sobre o Passado, jamais alcançamos os começos em si mesmos, mas somente os vestígios de ondas sucessivas que se espalham antes de morrer; uma série de cristas correndo sobre a camada da Biosfera." (Cf. *Les mouvements de la Vie*, 1928.)

50. E essas "técnicas" a que se refere o Autor irão além da medição anatômica tradicional

(diâmetro craniano, índices cefálicos, conformação da mandíbula, constituição dentária etc.) ou do apoio em critérios geológicos e mineralógicos (estatigrafia, idade de sedimentos, "documentos" arqueológicos etc.). Incluirão, sim, recurso à análise química (dosagem de flúor, calcificação etc.), à energia atômica (intensidade radioativa, datação radiométrica, presença de urânio, carbono etc.) e utilização de raios (infravermelhos, X, laser etc.). E tudo isso ainda apenas do ponto de vista material, do Fora... cabendo à Antropologia, como estrita ciência, estudar o Homem dentro da escala zoológica e seus tipos biológicos (raças) e culturais.

51. Isto é, já no Plistoceno, ao fim da Quarta Idade Glacial, nos primórdios do Quaternário.

52. *Etnografia*, do grego *éthnos*, "nação", "povo", e *graphein*, "escrever", é a própria expressão da cultura material de um povo: raça, língua, costumes etc.

53. Cf. nota 33.

54. Como bem observa J. Jelínek, em sua enciclopédia ilustrada *The Evolution of Man* (Hamlyn, Londres, 1976, 552 pp.), as primeiras descobertas de gravuras e pinturas de cavernas paleolíticas vieram abalar as idéias tradicionais do desenvolvimento da arte. (Por volta de 1800 só se conhecia a clássica arte celta e do antigo Egito, mas as pinturas das cavernas, os desenhos gravados, os relevos e as estatuetas, produzidos de 30.000 a 10.000 anos atrás, viriam a demonstrar que o homem pré-histórico atingira um alto nível de desenvolvimento cultural.) A primeira descoberta foi em 1843, na caverna de Chaffaud, França (osso com duas corças gravadas, a princípio julgado de origem céltica). As descobertas posteriores de E. Lambert, em La Madeleine e no vale do Vézère, comprovaram sua origem paleolítica. Marcelino de Sautuola e sua filha de nove anos, entre 1875 e 1878, exploraram as cavernas de Santander e Altamira, na Espanha (visitada em 1913 por Teilhard, com Breuil e Obermaier, assim como as cavernas do Hornos de la Peña, El Castillo, La Pasiega e Pindal), e revelaram ao mundo que, entre os caçadores de mamutes, havia grandes artistas (tão consumados que Sautuola chegou a ser acusado de fraudador... como, aliás, o foram alguns de seus sucessores nessas descobertas). Novas pinturas em cavernas da Europa ocidental foram reveladas por Chiron (Chabot, 1878), Rivière (La Mouth, Pair-non-Pair, 1895), Carthailac (Marsoulas, 1897-1902), Breuil (Font de Gome, 1901). Depois vieram os achados de El Castillo, La Pasiega, Las Covalanas, Hornos de la Peña (Espanha); Teyjat, Bernifal, La Grèze, Niaux, Gargas, Tuc-d'Audoubert, Les Trois Frères e Le Portel (França). Nos últimos quarenta anos, tornaram-se mais conhecidas as cavernas de Lascaux (1940), Roufignac (1956), Del Romito (1961), Kapova, sul dos Urais (1959), Ekain (1969) e Ait Tsenker, Mongólia ocidental, nos anos 70. Em todos esses casos, pode-se falar de uma verdadeira e autêntica *Arte Paleolítica*. A Enciclopédia supracitada apresenta belíssimas e impactantes reproduções impressas.

55. *Périgord* designa, modernamente, a maior parte da Dordonha, sudoeste da França, região de importantes sítios pré-históricos: La Ferrassie, Cro-Magnon, Chancelade etc.

56. Trata-se da famosa pintura da caverna Les Trois Frères, representando uma figura em postura ereta, com uma longa cauda e pernas humanas. Os membros anteriores parecem mais duas patas e o órgão sexual vagamente delineado não corresponde ao do homem ou ao de qualquer animal conhecido. Chifres de veado coroam a cabeça. Segundo Abbé Breuil, a cabeça olha de frente, de modo expressivo, e exibe uma longa barba, os olhos são redondos e as orelhas como as de bisão. Conhecida como o "Feiticeiro", com 75 cm de comprimento, essa figura é semelhante a outras da mesma caverna dos "Três Irmãos", semi-humanas, semi-animalescas (homem-urso, homem-bisão etc.), bem como a outras não-realistas ou fantásticas de outras cavernas (Tuc d'Audobert, Los Casares etc.), que sugerem magos ou feiticeiros usando máscaras...

57. Cf. nota 48.

58. *Magdaleniano* é o último e portanto mais recente Homem fóssil do Paleolítico superior pós-glacial (dividido em Aurignaciano, Solutrense e Magdaleniano), de formas semelhantes ao Homem moderno, cujos restos foram descobertos em Obercassel e Chancelade (Dordonha, França), mas também posteriormente, na África, na Austrália e no Brasil (Lagoa Santa). Com o Homem de Aurignac e o Homem de Cro-Magnon (solutrense), compõe o conjunto de formas do *Homo sapiens fossilis*, denominadas "fanerantrópicas" (do grego *phanerós*, "visível", "aparente", e *anthropos*, "humano", ou seja, formas que se podem ver, atualmente, de raças quer extintas quer existentes, e que os ingleses denominam *Neoanthropus*).

59. No Holoceno, as geleiras (depois das glaciações Gunz, Mindel, Riss e Wurm) restringem-se às regiões polares e ocorre o desenvolvimento e a expansão da civilização humana. Iniciado no final do Plistoceno, termina aí o Paleolítico caracterizado pelos artefatos de osso e/ou pedra fragmentada ou lascada, e, ao final, pelos notáveis desenhos e pinturas rupestres. Seguem-se o Mesolítico, com características mistas de período intermediário, e o Neolítico, caracterizado pela presença de artefatos de pedra polida (anterior, portanto, à Idade do Bronze) e pelo aparecimento da agricultura. O Neolítico é também chamado de Período ou Idade da Pedra Polida.

60. Do Mesolítico, conhecem-se os fósseis europeus de Ofnet, e, do Neolítico, os de Majella (bem como os de Shukbah e Athlit, na Palestina).

61. O termo *Socialização* surge aqui, com significação ampliada, já como constituição de uma comunidade orgânica humana. Mas, como a própria seqüência do texto explicita, trata-se ainda da primeira fase do processo: *Socialização de Expansão*, que consiste numa expansão geográfica por dispersão a partir de uma "frente" de surgimento humano que coincide com a origem fenomenal do Homem.

"Desde sua origem até os nossos dias, a Humanidade, reunindo-se e organizando-se já incoativamente sobre si mesma, passou com certeza por um período de expansão geográfica, no decurso do qual para ela tratava-se, antes de tudo, de multiplicar-se e de ocupar a Terra." (Cf. *La place de l'homme dans la nature*, 1949.)

A *Hominização*, contudo, prosseguirá e se consumará, como veremos através da *Socialização de Compressão*, de que se tem uma "prévia", por assim dizer, nestes primórdios de Civilização, em que se disputam terrenos cultiváveis e de pastagem.

62. No sentido de disciplinar as relações interpessoais dos homens que vivem em sociedade, poderíamos acrescentar.

63. A *Pictografia*, do latim *pictu*, "pintar", e do grego *grapho*, "escrever", "descrever", é o sistema de imagens (sinais e figuras pintados) que constitui uma escrita sintética. Os homens primitivos a criaram em rochedos e paredes de cavernas (pintura rupestre).

64. Ao final do Paleolítico superior, a cultura magdaleniana foi mestra no trabalho do osso e da galhada de cervos (arpões, pontas de lança com farpas, lanças com cabos, agulhas com fundo, atiradores de lança etc.). Mas a utilização de metais só foi feita a partir do Neolítico. Os primeiros metais usados para a confecção de instrumentos foram aqueles que costumam ocorrer, como metais, em estado natural. Assim o cobre. Metal mole, pode ser modelado, por martelamento, ou fundido, por aquecimento, e, a seguir, vertido em forma líquida dentro de moldes. O primeiro metal usado pelo homem primitivo foi, pois, o cobre, mas pouco se sabe da *Idade do Cobre* ou dos homens pioneiros desse avanço técnico. Como metal destinado à confecção de instrumentos, o cobre apresentava desvantagens em decorrência de sua moleza. Ora, descobrindo-se, mais tarde, que também pela fusão de minérios podia-se produzir metais, passaram a lhe acrescentar estanho (cerca de 10%), obtendo uma liga dura, o bronze. Os trabalhadores do bronze eram hábeis e dotados de senso artístico, e, da *Idade do Bronze*, foram descobertos muitos artefatos (espadas, escudos, broches, fivelas etc.). O mesmo se deu com o ferro, que, puro, é consideravelmente mole e não pode ser trabalhado a frio, mas que, malhado, ao rubro, pode ser facilmente moldado (forja), e, lentamente aquecido ao fogo de carvão, torna-se consideravelmente duro (um tipo primitivo de aço). Eis a *Idade do Ferro* se sucedendo à do Bronze. O esfriamento rápido do metal quente, em água (têmpera), endurece-o ainda mais e o seu reaquecimento, com esfriamento lento (outra forma de têmpera), amolece-o. Observando e experimentando cuidadosamente esses processos, o Homem se tornou capaz de controlar e utilizar as propriedades dos metais. Foram essas "as primeiras estréias da metalurgia".

65. Cf. Capítulo anterior, 1, C.

66. Cf. nota 4. O Autor frisa aqui a continuidade do processo histórico (também evolutivo) a partir do "limiar" do Neolítico: "as mesmas linhas no *mesmo* plano...".

67. Isto é, como definir e representar o desenvolvimento do próprio Fenômeno Humano que, tendo sido "Antropização", tende sempre mais à "Humanização"? (Cf. Capítulo anterior, nota 33.)

68. Eis o Dentro se manifestando inquestionavelmente e desafiando os métodos e técnicas da Antropologia como ciência estrita. (Cf. nota 50.)

69. Cf. Capítulo anterior, 1, B.

70. Cf. Capítulo anterior, 1, B, nota 39 e, adiante, Parte IV, Capítulo I, nota 11.

71. Em anatomia, *Anastomose* designa a comunicação, material ou artificial (por cirurgia), entre dois vasos sangüíneos ou outras formações tubulares; mas também a passagem de fibras nervosas de um nervo para outro. Eis a Humanidade como um grande corpo vivo (não esqueçamos as colocações da *Advertência*: valor "biológico" atribuído ao fato social e natureza orgânica da Humanidade...), constituindo a sede desses poderosos fenômenos de comunicação social, cultural, ideológica, religiosa etc.

72. O termo *Confluência* é rico de significados. Em medicina, designa erupções em que as eflorescências se confundem ao nível cutâneo; em anatomia, o desembocar de uma veia em outra; e, em geografia, a junção de rios que passam a correr num leito comum. Todas essas significações e imagens que elas evocam traduzem bem a rede de inter-relacionamento que se estabelece entre os ramos da Humanidade na "Árvore da Vida".

73. Através do qual continua a se processar a Dialética da Natureza em vias de unificação, como registrará o Autor ao final do parágrafo seguinte.

74. Ou de "revezamentos". (Cf. nota 49.)

75. Cf. Parte II, Capítulo I, 2, nota 93.

76. Cf. nota 9 ao *Prólogo*.

77. *Síntese* designa, em Teilhard, uma culminância do processo evolutivo do Real (ao qual corresponde um método de conhecimento). Consiste numa ordenação (ou arranjo) progressiva e unitiva dos elementos em conjuntos cada vez mais bem centrados. No plano do Real, a Síntese resulta em emergências sucessivas, cada vez mais vastas (e, no plano do conhecimento, numa visão totalizante, sendo que o progresso cognoscitivo corresponde a um "acréscimo" ontológico, um crescimento de ser, já que – Cf. o *Prólogo* – "ver é ser mais"...). Essa primazia da Síntese introduz verdadeiramente uma nova dimensão no Pensamento para o qual a primazia da Análise foi e ainda é uma tentação constante.

"Um primeiro múltiplo seguido de uma primeira unificação; em todos os estágios sucessivos da Consciência, uma pluralidade nova que se reconstitui para permitir uma síntese mais alta: assim pode se exprimir a lei de recorrência a que nos encontramos presos." (Cf. *Esquisse d'un univers personnel*, 1936.)

78. *Anticiclone*, em meteorologia, é a região da atmosfera onde a pressão é alta em relação à das regiões circunvizinhas, num mesmo nível. A Índia seria, pois, analogicamente, um anticiclone, um centro de "altas pressões filosóficas e religiosas" dentro da "atmosfera humana".

79. Teilhard desenvolveu toda uma teoria própria sobre as *Passividades* e a apresentou, explícita e aprofundadamente, em sua obra *O meio divino. Ensaio de vida interior* (1926-1927), obra por nós prefaciada, traduzida e anotada, Cultrix, São Paulo, 1981, 139 pp. (Cf. Segunda Parte da obra). Para ele, as Passividades designam, por oposição às Atividades, tudo aquilo que depende em nós de energias que nos ultrapassam e que padecemos para nelas sucumbir ou para as integrar. As *Passividades de Crescimento* designam nossa dependência em relação a energias que nos ultrapassam, que recebemos e que integramos ao nosso ser a fim de aumentá-lo. As *Passividades de Diminuição* designam nossa dependência em relação a forças que destroem as nossas energias, mas que podem ser, se o quisermos, a ocasião de uma maior disponibilidade à ação divina. As *Atividades* designam, por oposição às Passividades, tudo o que se alimenta de energias humanas. Fica expresso, no presente texto, que a Índia, em sua Mística, caiu num "excesso de passividade", no decorrer de um processo de "construir a Terra" que solicitava, requeria e enfim exigia um máximo de "Atividades". (Cf. *Observação* ao final da nota seguinte.)

80. Na mesma obra *O meio divino*, citada na nota anterior, Teilhard também apresenta suas idéias sobre *Apego* e *Desapego* (Cf. Conclusão da Primeira e da Segunda Partes da obra)

e propõe o Desapego como um exercício de ordem espiritual, portanto voluntário, em que, longe de rejeitar a Matéria e a Natureza, o Homem nelas se apóia para ir além; procurar em todas as coisas e em todos os seres aquilo que é maior do que eles e está para além deles; amar as coisas e os seres sem neles se comprazer; ultrapassá-los, mas arrebatando-os e transfigurando-os. Fica expresso, no presente texto, que a Índia, em sua Mística, caiu num "excesso de desapego", rejeitando a Matéria e a Natureza, no decorrer de um processo de "construir a Terra", que solicitava, requeria e enfim exigia conquista, domínio, posse, como suporte de travessia, ultrapassagem ou superação.

"(...) não se trata mais, para o cristão como para o Budista, de se evadir das coisas evitando-as; mas ele precisa ultrapassá-las, explorando-as, medindo-as, conquistando-as, até o fim. Para si mesmo, a fim de gozá-las? De modo algum. Para extrair delas e reportar a Deus toda a essência de beleza e de espiritualidade que elas contêm? Perfeitamente. Renúncia, ainda, mas renúncia de 'travessia' e de criação (...) — não em absoluto renúncia de ruptura, de menor contacto..." (Cf. *Le christianisme dans le monde*, 1933.) "O desapego, não por corte, mas por travessia e sublimação. A espiritualização não mais por negação ou evasão do Múltiplo, mas por *emergência*." (Cf. *L'atomisme de l'esprit*, 1941.)

Obs.: Tendo em vista a menção de *"Oeste"* no título deste item 5 do presente Capítulo, cabe aqui expor algumas idéias de Teilhard sobre o que ele próprio distinguiu sob o nome de *"Caminho do Leste"* e *"Caminho do Oeste"*. O primeiro é a via mística oriental que tende a apresentar o Espírito como antagonista da Matéria, e onde a unidade é obtida não por convergência personalizante, mas por supressão do múltiplo e dissolução das pessoas num todo impessoal (unidade de distensão e não tensão). O segundo é a via mística ocidental que tende a apresentar o Espírito como se expandindo sobre a Matéria complexificada, e onde a unidade é obtida não por supressão do múltiplo e dissolução das pessoas num todo impessoal, mas por convergência do múltiplo num foco pessoal e personalizante (unidade de tensão e não de distensão). A esses dois caminhos correspondem dois Panteísmos e duas Místicas: *Panteísmo de identificação* ou *"de Difusão"* e *Panteísmo de Amor* ou *"de União"*, *Mística Oriental* ou "do leste" e *Mística Ocidental*, "de Convergência" ou "do Oeste":

"Segundo a primeira via (eu a chamarei mais ou menos convencionalmente 'o caminho do Leste'), a unificação espiritual é concebida como se operando por retorno a um fundo comum 'divino' *sub-jacente* a todas as determinações sensíveis do Universo, e *mais real* do que elas. Desse primeiro ponto de vista, a Unidade mística aparece e é obtida por supressão direta do Múltiplo, isto é, por relaxamento do esforço cósmico de diferenciação em nós e à nossa volta. Panteísmo de identificação. Espírito 'de distensão'. Unificação por coextensão de dissolução com a Esfera. De acordo com a segunda via, pelo contrário ('o Caminho do Oeste'), impossível tornar-se um com o Todo sem impelir até o fim, na sua direção simultânea de Diferenciação e de Convergência, os elementos dispersos que nos formam e nos rodeiam. Desse segundo ponto de vista, o 'fundo comum' da via oriental não é senão uma ilusão: existe um único Foco central ao qual só podemos chegar conduzindo até o seu ponto de encontro as inumeráveis diretrizes do Universo. Panteísmo de união (e portanto de amor). Espírito 'de tensão'. Unificação por concentração e hipercentração no Centro da Esfera." (Cf. *Comment je vois*, 1948.) Mística ocidental. Ela parte da idéia de que o múltiplo é de natureza convergente, de modo que os elementos possíveis de uma unidade gradual levam a unidades de ordem superior. Obtém-se a unidade realizando as coisas o mais possível em si mesmas. Mística oriental. Só há mística quando o espírito procura resolver a oposição entre unidade e multiplicidade, quando há aspiração à unidade (não há mística do pluralismo). Para o místico oriental, a resolução do múltiplo ao um se opera suprimindo o múltiplo, não tendo a unidade nada em comum com esse múltiplo do qual é preciso se separar (*Mâyâ*). O estado do nirvana é uma embriaguez de vacuidade." (Cf. *Orient et occident ou La mystique de la personnalité*, 1933.)

Dessas concepções decorrem, é claro, duas atitudes práticas diante da Vida e do Mundo, totalmente opostas.

81. Segundo o Bramanismo, a realidade única é Braman, o ser supremo, indivisível, incriado e eterno. Tudo o que não é Braman não existe. Assim, o mundo fenomenal não passa

de mera aparência inconsistente. A multiplicidade, a imensa diversidade varia dos seres e o seu fluxo contínuo é uma criação ilusória dos sentidos. *Maia*, do sânscrito *mâyâ*, é ilusão.

82. Por meio do *carma*, do sânscrito *karman*, definem-se, nas filosofias da Índia, as noções de destino, de desejo como força geradora de destino e do encadeamento necessário entre os diversos momentos da existência. O carma abrange o conjunto das ações humanas e suas conseqüências, e, ligado às diversas teorias da metempsicose, transmigração das almas ou reencarnação, implica retorno e repetição cíclica.

83. Cf. Parte IV, Capítulo I, 1, b. Vale, contudo, definir, desde já, a *Planetização* como o processo pelo qual as diversas raças e civilizações do *Homo sapiens* tendem a se sintetizar e a constituir um todo organicamente ligado, no qual convergem as diferentes contribuições espirituais e onde se elabora o ultra-humano.

84. No sentido de uma complexificação e de uma consciência crescentes e em dimensões planetárias.

85. Vejam-se, no mínimo, as Viagens de Marco Polo e o movimento das Grandes Navegações...

86. Cristóvão Colombo (1451?-1506), o grande navegador genovês, fixou-se em Portugal em 1476. Não conseguindo obter o apoio real português para o seu projeto de navegação até o Japão e a China pelo Ocidente, propôs os seus serviços à rainha de Castela e obteve de Isabel três caravelas. Deixando o porto de Palos, em 3 de agosto de 1492, Colombo, depois de lutar contra o desânimo de sua tripulação, enfim avistou terras a 12 de outubro daquele ano. Tratava-se de Guanahani (São Salvador), uma das ilhas Lucaias. Chegou, em seguida, a Cuba e ao Haiti, que denominou Hispaniola, retornando à Espanha em março de 1493. Numa segunda viagem, de setembro de 1493 a junho de 1496, ele reconheceu Dominica, Guadalupe, Porto Rico, Jamaica e a costa sudoeste de Cuba. Numa terceira viagem, em 1498, depois de haver descoberto Trindade, alcançou o continente e costeou a América meridional a leste do Orenoco. Mas não conseguiu dominar uma rebelião dos colonos de Hispaniola. Numa quarta viagem, enfim, entre 1502 e 1504, ele explorou as costas da América Central. A sua descoberta do Novo Mundo — uma ampliação do Ocidente, resultando de uma busca do caminho para o Oriente — é profundamente significativa: representa o esforço "planetário" do Homem Ocidental no sentido de construir a Terra.

87. O prefixo "neo", do grego *néos*, "novo", na terminologia teilhardiana, indica em geral a transformação renovadora de uma noção por sua passagem da dimensão estática à dimensão evolutiva. A velha Humanidade fragmentada, dispersa e divergente, torna-se Neo-Humanidade ao entrar num mo(vi)mento de convergência, para a unificação material e a união espiritual, em direção ao Futuro.

CAPÍTULO III
A Terra Moderna[1]

Mudança de Idade

Em todas as épocas, o Homem julgou encontrar-se numa "virada da História". E, até certo ponto, situando-se numa espira[2] ascendente, não se enganava. Mas há momentos em que essa impressão de transformação se faz mais forte, — e se torna particularmente justificada. E, por certo, não exageramos a importância de nossas existências contemporâneas quando achamos que está se operando sobre elas, a ponto de esmagá-las, uma guinada profunda do Mundo.

Quando começou essa guinada? Impossível, bem entendido, definir com precisão. Como um grande navio, a massa humana só gradualmente modifica a sua rota: de tal modo que nos é permitido seguir muito para baixo, — até o Renascimento pelo menos,[3] — os primeiros frêmitos que indicam a mudança de rumo. Uma coisa, pelo menos, se patenteia. É que, no fim do século XVIII, a manobra já se havia francamente operado no Ocidente.[4] E, a partir de então, apesar de nossa obstinação, por vezes, em nos pretendermos os mesmos, entramos, realmente, num mundo novo.

Mudanças econômicas, em primeiro lugar. Por mais evoluída que fosse, nossa civilização, há apenas duzentos anos, era ainda, fundamentalmente, moldada sobre o solo e sobre a partilha do solo. O tipo do "bem", o núcleo da família, o protótipo do Estado (e até do Universo!) ainda era, como nos primeiros tempos da Sociedade, o campo cultivado, a base territorial.[5] Ora, pouco a pouco, nesses últimos tempos, em consequência da "dinamização" do dinheiro, a propriedade se diluiu em coisa fluida e impessoal, — tão movediça que a riqueza das próprias nações já não tem quase nada em comum com as suas fronteiras.

Mudanças industriais, em seguida. Até o século XVIII, e apesar de muitos aperfeiçoamentos introduzidos, ainda uma única energia química conhecida, o Fogo; — e ainda uma única energia mecânica utilizada: os músculos, multiplicados pela máquina, dos humanos e dos animais. Mas a partir de então![6]...

Mudanças sociais, enfim. O despertar das massas[7]...

Observando tão-somente esses sinais exteriores, como não suspeitar que a grande desordem em que, desde a tempestade da Revolução Francesa,[8] vivemos no Ocidente, tem uma causa mais profunda e mais nobre do que as dificuldades de um mundo em busca de algum antigo equilíbrio perdido? Um naufrágio?

239

Ah, não! Mas o vagalhão de um mar desconhecido em que mal entramos, ao dobrar o cabo que nos abrigava. Como me dizia um dia Henri Breuil,[9] com a brusca intuição que lhe é costumeira, o que nos agita neste momento, intelectualmente, politicamente, e até espiritualmente, é muito simples: "Acabamos de largar as últimas amarras que nos prendiam ainda ao Neolítico." Fórmula paradoxal, mas luminosa. Quanto mais pensei depois nessas palavras, mais me convenci de que Breuil tinha razão.

Passamos, neste exato momento, por *uma mudança de Idade*.

Idade da Indústria. Idade do Petróleo, da Eletricidade e do Átomo. Idade da Máquina. Idade das grandes coletividades e da Ciência[10]... O futuro decidirá qual o melhor nome para qualificar essa era em que entramos. O termo pouco importa. O que conta, em contrapartida, é o fato de podermos dizer a nós mesmos que, à custa do que padecemos, um passo mais, um passo decisivo da Vida, está se dando em nós e ao nosso redor. Depois da longa maturação efetuada sob a fixidez aparente dos séculos agrícolas, acabou chegando a hora, marcada pelas inevitáveis angústias mortais, de uma mudança de estado. Houve primeiros Homens para ver nossas origens. Haverá Homens para assistir às grandes cenas do Fim. A sorte, e a honra para nós, é de nossas breves existências coincidirem com uma muda da Noosfera[11]...

Nessas zonas confusas e tensas onde o Presente se mescla ao Futuro, num Mundo em ebulição, eis-nos face a face com toda a grandeza, uma grandeza jamais atingida, do Fenômeno humano. Aqui ou em parte alguma, agora ou nunca, neste máximo e nesta proximidade, nós podemos esperar, melhor do que nenhum dos espíritos que nos precederam, avaliar a importância e apreciar o sentido da Hominização. Olhemos bem, e procuremos compreender. E para tanto, deixando a superfície, tentemos decifrar a forma particular do Espírito que nasce no seio da Terra Moderna.

Terra fumegante de fábricas. Terra trepidante de negócios. Terra vibrante de mil radiações novas. Esse grande organismo não vive, afinal de contas, senão por e para uma alma nova. Sob a mudança de Idade, uma mudança de Pensamento. Ora, onde buscar, onde situar essa alteração renovadora e sutil que, sem modificar de maneira apreciável os nossos corpos, fez de nós seres novos? — Exclusivamente numa intuição nova, que modifica em sua totalidade, a fisionomia do Universo em que nos movíamos; — num despertar, em outras palavras.

O que, no espaço de quatro ou cinco gerações, nos fez, diga-se o que se disser, tão diferentes de nossos ancestrais, — tão ambiciosos — tão ansiosos também, não foi simplesmente, com toda a certeza, o fato de havermos descoberto e domado outras forças da Natureza. Foi, bem no fundo, se não erro, o fato de termos tomado consciência do movimento que nos arrasta, — e por isso mesmo, de termos nos apercebido dos medonhos problemas suscitados pelo exercício do Esforço humano.

1. A Descoberta da Evolução[12]

A) A PERCEPÇÃO DO ESPAÇO-TEMPO[13]

Nenhum de nós se lembra mais do momento em que, entreabrindo os olhos pela primeira vez, viu claridade e objetos precipitando-se confusamente sobre si, — tudo num mesmo plano. — Precisamos fazer um grande esforço para imaginar o tempo em que não sabíamos ler, — ou ainda para nos reportarmos à época em que o mundo não ultrapassava para nós as paredes da casa e o círculo familiar...

Paralelamente, parece-nos incrível que os homens tenham podido viver sem suspeitar que as estrelas oscilam por cima de nós a séculos de luz, — e que os contornos da Vida se delineiam a milhões de anos para trás, nos limites de nosso horizonte.[14]

E, no entanto, basta abrir qualquer dos livros, apenas mal-amarelecidos, em que os autores do século XVI e mesmo ainda do século XVIII se comprasiam em dissertar sobre a estrutura dos mundos, para constatar, com espanto, que nossos tataravós tinham a impressão de se achar perfeitamente à vontade num espaço cúbico em que os astros giravam ao redor da Terra havia menos de seis milênios.[15] Numa atmosfera cósmica que nos asfixiaria no primeiro instante, dentro de perspectivas em que nos é fisicamente impossível entrar outra vez,[16] eles respiravam sem a menor sufocação, — senão a plenos pulmões...

Entre eles e nós, o que é que se passou então?

Eu não conheço cena mais comovente, nem mais reveladora da realidade biológica de uma Noogênese[17] do que aquela da inteligência aplicada, desde as origens, a ultrapassar, passo a passo, a assediante ilusão da Proximidade.[18]

No decurso dessa luta pelo domínio das dimensões e do relevo do Universo, foi o Espaço o primeiro a ceder: o que era natural, posto ser ele mais tangível. De fato, o primeiro lance, nesse terreno, foi ganho quando, há já muito tempo, alguém (um Grego, sem dúvida, antes de Aristóteles), dobrando sobre si mesma a aparente planeza das coisas, teve a intuição de que havia Antípodas.[19] A partir de então, em torno da Terra redonda, o próprio firmamento se enrolou. Mas o foco das esferas estava mal colocado. Por sua situação ele neutralizava a elasticidade do sistema. Foi só realmente nos tempos de Galileu[20] que, por ruptura do antigo geocentrismo,[21] os céus se acharam livres para as expansões intermináveis que, desde então, lhes temos reconhecido.[22] A Terra, simples grão da poeira sideral.[23] O Imenso tornava-se possível, — e, por conseguinte, o Ínfimo jorrara simetricamente.

Muito mais lentamente percebida, por falta de referenciais aparentes, mostrou-se a profundeza dos séculos.[24] Movimento dos astros, forma das montanhas, natureza química dos corpos: toda a Matéria, enfim, não parecia exprimir em suas linhas um contínuo presente? A Física do século XVII era impotente para fazer sentir a Pascal o abismo do Passado.[25] Para descobrir a idade real da Terra, e em seguida a dos elementos, era preciso que o Homem se interessasse fortuitamente por um objeto de mobilidade média: a Vida, por exemplo, ou mesmo os vulcões.

241

Foi portanto por uma estreita fenda, a da apenas nascente "História natural", que a luz começou, a partir do século XVIII, a filtrar-se nas profundidades, sob os nossos pés. Bem modesta era ainda, nesses primórdios, a duração julgada necessária para a formação do Mundo. Mas pelo menos o impulso estava dado, – a saída aberta. Depois das muralhas do Espaço, abaladas pela Renascença, era o soalho (e, por conseguinte, o teto!) do Tempo que, a partir de Buffon,[26] tornava-se movediço. E desde então, sob a pressão incessante dos fatos, o processo não fez senão se acelerar. Há quase duzentos anos que a distensão se opera, e ela ainda não chegou a relaxar as espiras do Mundo. Cada vez maior a distância entre as voltas, – e sempre outras voltas surgindo mais profundas...

Ora, nesses primeiros estádios do despertar humano para as imensidades cósmicas, Espaço e Tempo permaneciam ainda, por maiores que fossem, homogêneos em si mesmos, e independentes um do outro. Dois receptáculos separados, cada vez mais vastos sem dúvida, mas onde as coisas se amontoavam e flutuavam sem ordem fisicamente definida.

Os dois compartimentos tinham-se alargado desmedidamente. Mas, no interior de cada um deles, os objetos pareciam tão livremente transponíveis quanto outrora. Não podiam eles, indiferentemente, ser colocados aqui ou ali? adiantados, recuados ou mesmo suprimidos à vontade?[27] – Se ninguém se aventurava formalmente nesse jogo de pensamento, pelo menos, é certo que não se concebia ainda claramente até que ponto nem por que razão ele era impossível. Um problema que não se colocava.

Foi somente em pleno século XIX, ainda sob a influência da Biologia, que a luz começou enfim a jorrar, revelando a *coerência irreversível* de tudo o que existe. Os encadeamentos da Vida – e, logo depois, os encadeamentos da Matéria. A menor molécula de carbono, função, por natureza e por posição, do processo sideral total; – e o menor Protozoário, tão estruturalmente implicado na trama da Vida que sua existência não poderia ser anulada, por hipótese, sem que se desfizesse *ipso facto* a rede inteira da Biosfera.[28] *A distribuição, a sucessão, e a solidariedade dos seres, nascendo de sua concrescência numa gênese comum.*[29] O Tempo e o Espaço unindo-se organicamente para tecerem, os dois juntos, o Estofo do Universo[30]... Eis aonde chegamos, eis do que nos apercebemos hoje.

Psicologicamente, o que é que se oculta sob essa iniciação?[31]

Se a História inteira não estivesse aí para nos garantir que uma verdade, desde que vista uma só vez, por um único espírito que seja, acaba sempre por se impor à totalidade da consciência humana, seria de desanimar ou de perder a paciência ao constatarmos quantas inteligências, mesmo não medíocres, continuam ainda hoje fechadas à idéia de evolução. A Evolução para muita gente, não é senão o Transformismo[32] ainda; e o próprio Transformismo não passa de uma velha hipótese darwiniana, tão local e caduca quanto a concepção laplaciana do sistema solar[33] ou a deriva wegeneriana dos continentes.[34] – Cegos, verdadeiramente, esses que não vêem a amplitude de um movimento cujo orbe, ultrapassando infinitamente as Ciências Naturais, alcançou e sucessivamente *invadiu*, ao seu redor, a Química, a Física, a Sociologia e até as Matemáticas e a história das Religiões. Um após outro, todos os domínios do conhecimento humano se põem em marcha, arrastados em conjunto por uma mesma corrente de fundo, para o estudo de algum *desenvolvimento*.[35] A Evolução, uma teoria, um sistema, uma hipótese?...

Absolutamente não: mas, muito mais que isso, uma condição geral à qual devem obedecer e satisfazer doravante, para serem concebíveis e verdadeiras, todas as teorias, todas as hipóteses, todos os sistemas.[36] Uma luz que esclarece todos os fatos, uma curvatura que todos os traços devem assumir: eis o que é a Evolução.

Em nossos espíritos, de um século e meio para cá, está se operando o mais prodigioso acontecimento talvez jamais registrado pela História desde o passo da Reflexão: o acesso definitivo da Consciência a um quadro de *dimensões novas*;[37] e, por conseguinte, o nascimento de um Universo inteiramente renovado, sem mudança de linhas nem de pregas, por simples transformação de seu estofo íntimo.

Até então o Mundo parecia repousar, estático e parcelável, sobre os três eixos de sua geometria. Agora só se sustenta num só jato.

O que faz um homem "moderno" e assim lhe permite ser classificado (e, nesse sentido, muitos de nossos contemporâneos ainda não são modernos) é ter-se tornado capaz de ver, não somente no Espaço, não somente no Tempo, mas na Duração, – ou, o que dá no mesmo, no Espaço-Tempo biológico;[38] – e é se achar, além disso, incapaz de nada ver de outra maneira, – nada, – *a começar por ele próprio*.

Último passo que nos faz entrar no âmago da metamorfose.

B) O ENVOLVIMENTO NA DURAÇÃO

O Homem não podia evidentemente se aperceber da Evolução ao seu redor, sem se sentir, em algum grau, soerguido por ela. E Darwin bem o mostrou.[39] Todavia, quando observamos os progressos das concepções transformistas[40] desde o século passado, ficamos surpresos ao constatar quão ingenuamente naturalistas e físicos puderam se imaginar, em princípio, escapando eles próprios à corrente universal que acabavam de surpreender. Quase irremediavelmente, sujeito e objeto tendem a se separar um do outro, no ato de conhecimento. Somos continuamente propensos a nos isolarmos das coisas e dos acontecimentos que nos rodeiam, como se os olhássemos de fora, bem-abrigados num observatório onde eles não pudessem nos alcançar: espectadores, e não elementos, do que se passa.[41] Assim se explica que, uma vez suscitada pelos encadeamentos da Vida, a questão das origens humanas se haja limitado, por tanto tempo, à sua face somática, corporal. Uma longa hereditariedade animal podia muito bem ter construído os nossos membros. O nosso espírito, esse, emergia sempre do jogo cujos lances ele próprio contava. Por mais materialistas que fossem os primeiros evolucionistas, não lhes ocorria a idéia de que sua inteligência de sábios tivesse algo a ver, em si mesma, com a Evolução.

Ora, nesse estádio, eles ficavam ainda a meio caminho de sua verdade.

Desde a primeira página deste livro, não tenho feito outra coisa senão tentar mostrá-lo: por inegáveis razões de homogeneidade e de coerência,[42] as fibras da Cosmogênese demandam prolongar-se em nós bem mais profundamente, além da carne e dos ossos. Não, na corrente vital não somos apenas jogados, arrastados, pela superfície material de nosso ser. Mas, como um fluido sutil, o Espaço-Tempo, depois de haver submergido nossos corpos, penetra até a nossa alma. Preenche-a. Impregna-a. Mistura-se às suas potências a ponto de ela já não saber mais como distingui-lo de seus próprios pensamentos. A esse fluxo, porque não é definível senão em acréscimos de consciência, já nada escapa, para quem sabe ver, nem mesmo no ápice de nosso ser. O próprio ato pelo qual o acume de nosso espírito penetra no absoluto não é um fenômeno de *emergência*?[43] Em suma, reconhecida inicialmente num único ponto das coisas, depois estendida forçosamente a todo o volume, inorgânico e orgânico, da Matéria, a Evolução vai ganhando, queiramos ou não, as zonas psíquicas do Mundo, e isso tem por conseqüência transferir para as construções espirituais da Vida não apenas o estofo, mas o "primado" cósmicos até aqui reservados pela Ciência aos emaranhamentos turbilhonares do antigo "éter".[44]

Com efeito, como incorporar o Pensamento ao fluxo orgânico do Espaço-Tempo sem sermos forçados a lhe conceder, no processo, o primeiro lugar? Como imaginar uma Cosmogênese extensiva ao Espírito sem nos encontrarmos, ao mesmo tempo, diante de uma Noogênese?

Não apenas o Pensamento fazendo parte da Evolução a título de anomalia ou de epifenômeno:[45] mas a própria Evolução tão redutível e identificável a uma marcha para o Pensamento que o movimento de nossa alma exprima e meça os próprios progressos da Evolução. O Homem descobrindo, segundo a vigorosa expressão de Julian Huxley,[46] que *ele não é senão a Evolução que se tornou consciente de si mesma*... Enquanto não se estabelecerem nessa perspectiva, jamais, a meu ver, nossos espíritos modernos (porque e enquanto modernos) encontrarão descanso. Porque nesse cume, e só nesse cume, os aguardam o repouso e a iluminação.[47]

C) A ILUMINAÇÃO

Em nossa consciência, na consciência de cada um de nós, é a Evolução que se apercebe de si mesma, refletindo-se[48]...

Desse modo de ver simplicíssimo, destinado, suponho eu, a se tornar tão instintivo e familiar para nossos descendentes quanto para um bebê a percepção da terceira dimensão do espaço, volta a jorrar sobre o mundo uma claridade nova, inesgotavelmente ordenada, – que irradia a partir de nós.

Passo a passo, desde a "Terra Juvenil",[49] temos seguido, *em sentido ascendente*, os progressos sucessivos da Consciência na Matéria em vias de organização. Chegados ao cimo, podemos agora voltar-nos e, olhando para trás, procurar abarcar, com um relance *descendente*, a ordenação total. Na verdade, a contraprova é decisiva e a harmonia perfeita. De qualquer outro ponto de vista, algo destoa, algo "claudica": porque o pensamento humano não encontra um lugar natural, – um lugar genético –, na paisagem. Aqui, de cima a baixo, a partir de nossa alma *inclusivamente*, as linhas se prolongam ou se afastam, sem torção nem ruptura.[50] De cima a baixo, uma tríplice unidade prossegue e se desenvolve: unidade de estrutura, unidade de mecanismo, unidade de movimento.

a) *Unidade de Estrutura*

O "Verticilo", o "leque"...
Esse desenho nos surgira, em todas as escalas, na Árvore da Vida.[51] Tornáramos a encontrá-lo, nas origens da Humanidade e das principais vagas humanas.[52] Prosseguira, à nossa vista, até nas ramificações, de natureza complexa, em que se mesclam hoje as nações e as raças.[53] Agora, o nosso olho, mais sensível e mais bem acomodado, chega a discernir o mesmo motivo, sempre o mesmo, sob formas cada vez mais imateriais e próximas.

Por hábito, dividimos nosso mundo humano em compartimentos de "realidades" diferentes: o natural e o artificial; o físico e o moral; o orgânico e o jurídico...

Num Espaço-Tempo legitimamente e obrigatoriamente estendido aos movimentos do espírito em nós, tendem a se esvanecer as fronteiras entre os termos opostos de cada um desses pares. Qual é a tão grande diferença que há, com efeito, do ponto de vista das expansões da Vida, entre o Vertebrado que estira ou empena seus membros e o aviador que desliza com as asas que engenhosamente se acrescentou? Em que o jogo temível e inelutável das energias do coração é fisicamente menos real do que a atração universal? E enfim, o que representam, na verdade, por mais convencionais e variáveis que sejam à superfície, os emaranhamentos de nossos quadros sociais, senão o esforço para evidenciar pouco a pouco o que se deve transformar um dia nas leis estruturais da Noosfera?... Em sua essência, e desde que mantenham suas conexões vitais com a corrente que sobe das profundezas do passado, artificial, moral e jurídico não seriam simplesmente o natural, o físico, o orgânico *hominizados*?[54]

Desse ponto de vista, que é o da futura História Natural do Mundo, distinções que mantemos ainda por hábito, com risco de compartimentar indevidamente o Mundo, perdem todo o valor. E, a partir de então, o leque evolutivo reaparece, prolonga-se, até nos tocar, em mil fenômenos sociais que jamais suporíamos tão intimamente ligados à Biologia: na formação e na disseminação das línguas; no desenvolvimento e na diferenciação das novas indústrias; no estabelecimento e na propagação de doutrinas filosóficas e religiosas... Em todos esses feixes de atividades humanas, um olhar superficial não verá senão uma réplica atenuada e acidental das diligências da Vida. Registrará sem discussões o estranho paralelismo, – ou o levará verbalmente em conta de alguma necessidade abstrata.

Para um espírito que despertou para o sentido completo da Evolução, a inexplicável similitude se resolve em identidade: identidade de uma estrutura que, sob formas diferentes, se prolonga de baixo para cima, de limiar em limiar, desde as raízes até a flor, – por continuidade orgânica de Movimento,[55] – ou, o que dá no mesmo, por unidade orgânica de Meio.[56]

O fenômeno Social: culminação,[57] e não atenuação do Fenômeno Biológico.[58]

b) *Unidade de Mecanismo*

"Tenteio" e "invenção"...
Foi a essas palavras que instintivamente recorremos quando, descrevendo

o aparecimento sucessivo dos grupos zoológicos, deparamos com os fatos das "mutações".

Mas que valiam exatamente essas expressões, tão carregadas talvez de antropomorfismo?

Na origem dos leques de instituições e de idéias que se entrecruzam para formar a sociedade humana, a mutação reaparece, inegavelmente. Por toda parte, ao nosso redor, constantemente ela surge, – e precisamente sob as duas formas que adivinha e entre as quais hesita a Biologia: aqui mutações estreitamente limitadas em torno de um foco único; ali "mutações de massas", arrastando de repente, como uma corrente, blocos inteiros de Humanidade. – Mas, no caso presente, porque o fenômeno se passa em nós mesmos, e porque o vemos em pleno funcionamento, a luz se faz decisiva. E podemos constatar então que não nos enganávamos, ao interpretar de uma maneira ativa e finalista os saltos progressivos da Vida.[59] Pois, afinal de contas, se verdadeiramente nossas construções "artificiais" outra coisa não são senão a seqüência legítima de nossa filogênese, legitimamente também a *invenção*,[60] esse ato revolucionário de que emergem uma após outra as criações de nosso pensamento, pode ser encarada como prolongando sob forma reflexiva o mecanismo obscuro pelo qual toda forma nova sempre germinou sobre o tronco da Vida.

Não se trata mais de metáfora, mas de analogia fundada em natureza. A mesma coisa aqui e ali, – mais definível, simplesmente, em estado hominizado.

E por isso mesmo, ainda aqui, é a luz que, refletida sobre si mesma, jorra outra vez e que, num só traço, torna a descer até os limites inferiores do Passado. Mas, desta feita, o que o seu feixe ilumina, de nós mesmos ao mais baixo, não é mais um jogo sem fim de verticilos emaranhados: é uma longa esteira de descobertas. Numa mesma trajetória de fogo, os tenteios instintivos da primeira célula encontram-se com os sábios tenteios de nossos laboratórios. – Inclinemo-nos pois com respeito sob o sopro que dilata os nossos corações para as ansiedades e alegrias de "tudo tentar e tudo descobrir".[61] A vaga que sentimos passar não se formou em nós mesmos. Ela nos chega de muito longe, – tendo partido ao mesmo tempo que a luz das primeiras estrelas. Alcança-nos depois de tudo haver criado pelo caminho. O espírito de pesquisa e de conquista é a alma permanente da Evolução.

c) e, por conseguinte, ao longo dos tempos,

UNIDADE DE MOVIMENTO

"Ascensão e expansão de consciência."

O Homem, não já centro do Universo, como ingenuamente o havíamos acreditado, – mas, o que é muito belo, o Homem flecha ascendente da grande síntese biológica.[62] O Homem constituindo, por si só, a mais nova, a mais fresca, a mais complicada, a mais matizada das Camadas sucessivas da Vida.

Isto não é senão a visão fundamental.[63] E não insistirei mais.

Mas, tenhamos cuidado, essa visão só adquire seu pleno valor, ou até só é defensável, por iluminação simultânea em nós mesmos das leis e condições da Hereditariedade.

A Hereditariedade...

Ignoramos ainda, já tive ocasião de dizê-lo, como é que, no segredo dos germes orgânicos, se formam, se acumulam e se transmitem os caracteres. Ou antes, enquanto se trata de Plantas e de Animais, a Biologia não consegue ainda combinar a atividade espontânea dos indivíduos com o determinismo cego dos gens, na gênese dos filos. Tanto assim que, na sua incapacidade de conciliar os dois termos, ela tenderia a fazer do ser vivo a testemunha passiva e impotente de transformações que sofre sem ser responsável por elas e sem as poder influenciar.

Mas então, e é aqui que cabe ordenar a questão de uma vez por todas, que vem a ser na filogênese humana, o papel, tão evidente contudo, das forças de invenção?[64]

O que a Evolução apreende de si mesma no Homem, ao se refletir nele, basta para dissipar, ou pelo menos para corrigir, essas aparências paradoxais.

No fundo de nosso ser, é certo, sentimos todo o peso ou a reserva de potências obscuras, boas ou más, espécie de "quantum", definido e imutável, recebido uma vez por todas do Passado. Mas o que vemos com não menor clareza é também que do uso mais ou menos habilidoso dessas energias depende a progressão ulterior da onda vital para adiante de nós mesmos. Como duvidaríamos disso quando, diretamente debaixo de nossos olhos, as vemos armazenarem-se irreversivelmente, por todos os canais da "tradição", na mais alta forma de Vida acessível à nossa experiência, quero dizer, na Memória e na Inteligência coletivas do Biota humano? — Tradição, Instrução, Educação. Sempre sob a influência de nosso menosprezo pelo "artificial", consideramos instintivamente essas funções sociais como imagens atenuadas, quase paródias, daquilo que se passa na formação natural das Espécies. Se a Noosfera não é uma ilusão, não é muito mais justo reconhecer nessas comunicações e trocas de idéias a forma superior sob que chegam a se fixar em nós certos modos mais rígidos de enriquecimentos biológicos por *aditividade*?[65]

Em suma, quanto mais, pela irradiação própria de sua consciência, o ser vivo emerge das massas anônimas, maior se faz, por vias de educação e de imitação, a parte transmissível, resgatável de sua atividade. Desse ponto de vista, o Homem representa apenas um caso extremo de transformação. Transportada pelo Homem para a camada pensante da Terra, a hereditariedade, sem deixar de ser germinal (ou cromossômica) no indivíduo, acha-se emigrada, pelo essencial de si mesma, para um organismo reflexivo, coletivo e permanente, em que a filogênese se confunde com a ontogênese.[66] Da cadeia das células, ela passa para as camadas circunterrestres da Noosfera. Não é de admirar que, a partir desse momento, e graças aos caracteres desse novo meio, ela se reduza, na sua flor, à transmissão pura e simples dos tesouros espirituais *adquiridos*.[67]

De passiva que era, talvez, antes da Reflexão, a Hereditariedade jorrou supremamente ativa, sob sua forma "noosférica", hominizando-se.

Não bastava portanto dizer, como o fizemos, que, tornando-se consciente de si própria no fundo de nós mesmos, a Evolução só precisava se olhar no espelho para se aperceber até em suas profundezas, e para se decifrar. Ela se torna, por acréscimo, livre para dispor de si mesma, – de se dar ou de se recusar. Não apenas lemos em nossos mínimos atos o segredo de suas diligências. Mas, por uma parte elementar, *temo-la em nossas mãos*: responsáveis pelo seu passado perante o seu futuro.

Grandeza ou servidão?

Todo o problema da Ação.[68]

2. O Problema da Ação

A) A INQUIETUDE MODERNA

Impossível aceder a um meio fundamentalmente novo sem passar pelos transes interiores de uma metamorfose. Não fica a criança aterrada quando abre os olhos pela primeira vez?...[69] Para se adaptar a linhas e a horizontes desmesuradamente ampliados, nosso espírito deve renunciar ao conforto das estreitezas de visão que lhe são familiares.[70] Ele deve recriar um equilíbrio para tudo o que havia sabiamente ordenado no fundo de seu pequeno dentro. Deslumbramento ao sair de um confinamento obscuro. Emoção ao emergir subitamente no topo de uma torre. Vertigem e desorientação... Toda a psicologia da inquietude moderna ligada à sua brusca confrontação com o Espaço-Tempo.

Que, sob uma forma primordial, a ansiedade humana seja ligada ao próprio aparecimento da Reflexão, e portanto tão antiga quanto o próprio Homem, é um fato evidente. Mas que, sob o efeito de uma Reflexão que se socializa, os homens de hoje sejam particularmente inquietos, – mais inquietos do que em momento algum da História –, disso também não creio que se possa seriamente duvidar. Consciente ou inconfessada, a angústia, uma angústia fundamental do ser,[71] transparece, apesar dos sorrisos, no fundo dos corações, ao cabo de todas as conversas. Longe estamos, contudo, de reconhecer distintamente em nós a raiz dessa ansiedade. Algo nos ameaça, algo nos falta mais do que nunca, – sem que saibamos exatamente o quê.

Procuremos, pois, pouco a pouco, localizar a origem do mal-estar, – afastando as causas ilegítimas de perturbação até descobrirmos o ponto doloroso em que se deve aplicar o remédio, se é que existe algum.

Num primeiro grau, o mais comum, o "mal do Espaço-Tempo" se manifesta por uma impressão de esmagamento e de inutilidade perante as enormidades cósmicas.[72] – Enormidade do espaço, mais tangível e portanto mais impressionante. Quem dentre nós já ousou, uma única vez na vida, olhar de frente e tentar "vivenciar" um Universo formado de galáxias que se espaceiam a uns cem mil anos de luz?[73] Quem é então que, depois de o haver tentado, não saiu abalado numa ou outra de suas crenças? E quem é então que, mesmo quando se esforçava por fechar os olhos quanto ao que nos descobrem implacavelmente os astrônomos, não sentiu confusamente uma sombra gigantesca passar sobre a serenidade de suas alegrias? — Enormidade da Duração também: ora atuando por efeito de abismo sobre aqueles, pouco numerosos, que chegam a vê-la; ora, mais comumente, trabalhando (sobre aqueles que a vêem mal) por efeito desesperante de estabilidade e de monotonia. Acontecimentos que se sucedem em círculo, caminhos indefinidos que se cruzam sem levar a parte alguma. — Enormidade, enfim, correlativa, do Número: número enlouquecedor de tudo o que foi, de tudo o que é, de tudo o que será necessário para preencher o Espaço e o Tempo. Oceano em que temos a impressão de nos dissolvermos tanto mais irresistivelmente quanto mais somos lucidamente vivos. O exercício de nos colocarmos conscientemente no meio de um bilhão de homens, — ou simplesmente no meio de uma multidão...

Mal do multitudinário e da imensidade.[74]

Para superar essa primeira forma de sua inquietude, penso que o mundo moderno só tem uma coisa a fazer: ir sem hesitar até o fim de sua intuição.

Imóveis ou cegos (quero dizer, enquanto julgamos vê-los imóveis ou cegos), Tempo e Espaço são, com razão, aterradores. O que, nessas condições, poderia tornar perigosa nossa iniciação nas verdadeiras dimensões do Mundo seria o fato de esta ficar inacabada, — privada de seu complemento e de seu corretivo necessário: a percepção de uma Evolução que as anima. Que importam, em contrapartida, a pluralidade vertiginosa e o espaçamento fantástico das estrelas se esse Imenso, simétrico do Ínfimo, não tem outra função senão a de equilibrar a camada intermediária, o Médio, onde e onde somente, se pode edificar quimicamente a Vida? Que importam os milhões de anos e os bilhões de seres que nos precedem, se essas gotas inumeráveis formam uma corrente que nos carrega para a frente? Nossa consciência se evaporaria, como que aniquilada, nas expansões sem limites de um Universo estático ou eternamente movediço. Ela se acha reforçada sobre si mesma num fluxo que, por mais inverossimilmente amplo que seja, não é apenas *devenir*, mas *gênese*, o que é muito diferente.[75] Na verdade, Tempo e Espaço se humanizam, tão logo aparece um movimento definido, que lhes dê uma fisionomia.

"Nada jamais mudou sob a luz do sol", dizem os desesperados. Mas então, Homem, Homem pensante, como é que achas, a menos que renegues teu pensamento, que emergiste um dia acima da animalidade? — "Nada, em todo caso, mudou, nada muda mais, desde a origem da História." Mas então, Homem do século XX, como é que despertas para horizontes, e portanto para temores, que teus pais jamais conheceram?

Na verdade, a metade do mal-estar presente se transformaria em júbilo se, dóceis aos fatos, nós apenas nos decidíssemos a situar numa Noogênese[76] a essência e a medida de nossas modernas cosmogonias. Ao longo desse eixo, nenhuma dúvida é possível. O Universo sempre se modificou, — e, neste mesmo momento, continua a se modificar.

Mas *amanhã* modificar-se-á ainda?...

Só aqui, neste ponto de reversão em que, substituindo-se o futuro ao presente, as verificações da Ciência devem ceder lugar às antecipações de uma fé,[77] — só aqui podem e devem começar legitimamente as nossas perplexidades. Amanhã?... Mas quem nos pode de fato garantir um amanhã? — e, sem a garantia de que esse amanhã existe, podemos nós continuar mesmo a viver, nós em quem, pela primeira vez quiçá no Universo, despertou o dom terrível de ver adiante?

Mal do impasse, — angústia de se sentir encurralado...

Desta vez, enfim, tocamos no ponto doloroso.

O que torna especificamente moderno o mundo em que vivemos, é, como já disse, o fato de havermos descoberto em volta dele e nele a Evolução. O que, fundamentalmente, inquieta o mundo moderno, posso acrescentar agora, é o fato de ele mesmo não estar seguro, e de não ver como poderá jamais estar seguro de que existe uma saída, — *a saída conveniente* — para essa Evolução.

Ora, que deverá ser o porvir, para que tenhamos a força, ou até a alegria, de aceitar as suas perspectivas e de carregar o seu peso?[78]

Para cingir de mais perto o problema, e ver se há um remédio, examinemos a situação em seu conjunto.

B) AS EXIGÊNCIAS DO PORVIR[79]

Houve um tempo em que a Vida não governava senão escravos ou crianças. Para progredir, bastava-lhe alimentar instintos obscuros. O engodo da alimentação. Os cuidados da reprodução. Uma luta semiconfusa para manter-se à luz, uns subindo por cima de outros, com o risco de abafá-los.[80] O conjunto erguia-se, então, automaticamente e dócil, como a resultante de uma imensa soma de egoísmos utilizados. — Houve um tempo também, que quase chegamos a conhecer, em que os trabalhadores e deserdados aceitavam sem refletir a sorte que os submetia ao resto da sociedade.

Ora, com a primeira centelha de Pensamento surgida na Terra, a Vida se deu conta de haver posto no mundo um poder capaz de criticá-la, e de julgá-la. Risco formidável, há muito adormecido, mas cujos perigos explodem com nosso primeiro despertar para a idéia de evolução. Como filhos que cresceram, — como operários que se tornaram "conscientes", começamos a descobrir que Algo se desenvolve no Mundo, por meio de nós, — às nossas custas talvez. E, o que é ainda mais grave, apercebemo-nos de que, na grande partida que se joga, nós somos os jogadores ao mesmo tempo que as cartas e o cacife.[81] O jogo não poderá prosseguir se deixarmos a mesa. E também nada pode nos forçar a ficar sentados ao redor dela. O jogo vale a pena ou estamos sendo logrados?... Pergunta que mal se formula ainda no coração do Homem, habituado há centenas de séculos a "engolir tudo". Mas pergunta cujo simples murmúrio, já perceptível, anuncia infalivelmente os próximos fragores. O século passado conheceu as primeiras greves sistemáticas nas fábricas. O próximo século não terminará certamente sem ameaças de greve na Noosfera.[82]

Os elementos do Mundo recusando-se a servir o Mundo porque pensam. Mais precisamente ainda, o Mundo se recusando a si mesmo, apercebendo-se de si por Reflexão. Eis o perigo. O que, sob a inquietação moderna, toma forma e vulto, não é nada menos que uma crise orgânica da Evolução.[83]

E agora, a que preço, sobre que bases contratuais, será a ordem restaurada? — De toda a evidência, aí está o cerne do problema.

Nas disposições críticas de espírito em que doravante nos encontramos, surge bem claro um ponto. Nós só nos submeteremos à tarefa que nos é confiada, de levar adiante a Noogênese, com a seguinte condição: que o esforço que nos é demandado tenha probabilidades de êxito e de nos levar, a nós também, o mais longe possível. O animal pode se lançar cegamente num beco sem saída ou num precipício. O Homem não dará jamais um passo numa direção que sabe ser obstruída. E eis precisamente o mal que nos perturba.

Isto posto, o que é necessário, no mínimo, para que, à nossa frente, a via se possa dizer *aberta*? — Uma única coisa, — mas que é tudo. É que nos sejam garantidos o espaço e as probabilidades de nos realizarmos, ou seja, de chegarmos, progredindo (diretamente ou indiretamente, individualmente ou coletivamente), *até o termo de nós mesmos*. Requisito elementar, salário mínimo: e que encerram, no entanto, uma exigência enorme. O termo do Pensamento, seja de que modo for: mas não é esse o limite superior, ainda inimaginável, de uma seqüência convergente que se propaga interminavelmente para cima? O termo do Pensamento, mas não é precisamente não ter termo nenhum? Única nesse aspecto entre todas as energias do Universo, a Consciência é uma grandeza acerca da qual é inconcebível, contraditório até, supor que possa culminar ou recurvar-se sobre si própria. Pontos críticos pelo caminho, tantos quantos se quiserem. Mas a parada ou a reversão, impossível:[84] e isto pela simples razão de que todo acréscimo de visão interna é essencialmente o germe de uma nova visão que inclui todas as outras e que leva ainda mais longe.

Donde esta notável situação que nosso espírito, pelo próprio fato de poder descobrir adiante de si horizontes infinitos, não conseguiria mais se mover senão pela esperança de alcançar por algo de si mesmo uma consumação suprema, sem a qual se sentiria, e legitimamente, truncado, falhado, — ludibriado. Por natureza da obra, e correlativamente por exigência do obreiro, uma Morte total, um Muro intransponível, em que se embatesse e desaparecesse definitivamente a Consciência, são portanto "incompossíveis" com o mecanismo (cuja mola quebraria imediatamente) da atividade reflexiva.[85]

Quanto mais o Homem se tornar Homem, menos aceitará movimentar-se a não ser na direção do interminavelmente e do indestrutivelmente novo. Algum "absoluto"[86] se encontra implicado no próprio jogo de sua operação.

Depois disso, espíritos "positivos e críticos"[87] podem repetir à vontade que a nova geração, menos ingênua que a antiga, não acredita mais num porvir e num aperfeiçoamento do Mundo. Acaso já pensaram, esses que escrevem ou repetem tais coisas, que, se tivessem razão, todo e qualquer movimento espiritual, na Terra, se acharia virtualmente detido? Eles parecem crer que a Vida, privada da luz, da esperança, do atrativo de um futuro inesgotável, continuaria sossegadamente o seu ciclo. Puro engano. Flores e frutos, talvez, por hábito, alguns anos ainda. Mas, de suas raízes, o tronco se encontraria totalmente cortado.[88] Mesmo sobre montões de energia material, mesmo sob o aguilhão do medo ou de um desejo imediatos, a Humanidade, *sem o gosto de viver*,[89] deixaria depressa de inventar e de criar para uma obra que soubesse de antemão condenada. E, atingida na própria fonte do impulso que a sustenta, de náusea ou por revolta, desagregar-se-ia e desfar-se-ia em pó.[90]

Assim como nossa inteligência não poderia escapar às perspectivas entrevistas do Espaço-Tempo, — nossos lábios também não poderiam esquecer, por havê-lo provado uma vez, o sabor de um Progresso[91] universal e duradouro.

Se o Progresso é um mito, quer dizer, se diante do trabalho podemos dizer: "Para quê?", nosso esforço recai, arrastando em sua queda toda a Evolução, *pois que somos a própria Evolução.*[92] *

C) O DILEMA E A OPÇÃO

E eis-nos, por isso mesmo, por termos avaliado a gravidade verdadeiramente cósmica do mal que nos perturba, em posse do remédio que pode curar nossa ansiedade. "Depois de se haver movimentado até o Homem, não terá o Mundo parado? Ou, se nós nos movimentamos ainda, não será em círculo vicioso?"...

A resposta a essa inquietude do Mundo moderno jorra espontaneamente, por simples formulação do dilema em que a análise de nossa Ação acaba de nos encerrar.

"Ou bem a Natureza está fechada a nossas exigências de porvir: e então o Pensamento, fruto de milhões de anos de esforço, asfixia natimorto, num Universo absurdo, que se aborta a si mesmo.[93]

Ou bem existe uma abertura, — sobre-alma[94] acima de nossas almas: mas então essa saída, para que aceitemos nos meter por ela, deve se abrir sem restrições para espaços psíquicos que nada limitam; num Universo em que possamos nos fiar perdidamente."

Otimismo[95] ou pessimismo[96] absolutos. E entre os dois, nenhuma solução média, porque por natureza o Progresso é tudo ou nada.[97] Duas direções, e apenas duas direções, uma para cima, outra para baixo, sem possibilidade de ficar agarrado a meio caminho.[98]

Nem num sentido, nem no outro, aliás, qualquer evidência tangível. Mas, em nome da esperança, os convites racionais a um ato de fé.[99]

Nessa bifurcação em que, impelidos pela Vida, não podemos deter-nos à espera, — forçados a tomar posição se queremos continuar a fazer o que quer que seja, — que vamos nós livremente decidir?...

Na sua famosa aposta, para fixar a opção do Homem, Pascal marcava os dados com o engodo de um ganho total.[100] Aqui, quando um dos dois termos da alternativa é lastrado pela lógica, e de certa maneira pelas promessas de um Mundo inteiro, poder-se-á falar de um simples jogo de probabilidades, e teremos acaso o direito de hesitar?

Na verdade, o Mundo é algo de muito sério. Desde as origens, para nos engendrar, ele jogou miraculosamente com inúmeros improváveis,[101] o suficiente para que arrisquemos seja o que for no empenho de ir adiante, até o fim, na sua esteira. Se ele empreendeu a obra, é porque pode concluí-la, segundo os mesmos métodos, e com a mesma infalibilidade, com que a começou.[102]

No fundo, a melhor garantia de que uma coisa há de acontecer, é que ela nos surja vitalmente necessária.

Acabamos de constatar que a Vida, levada até o seu grau pensante, não pode continuar sem que, por estrutura, exija subir cada vez mais alto.

Isso é o bastante para garantir dois pontos de que necessita imediatamente a nossa ação:

O primeiro é que há para nós, no porvir, sob alguma forma, ao menos coletiva, não apenas sobrevivência, mas *sobrevida*.[103]

E o segundo é que, para imaginar, descobrir e alcançar essa forma superior de existência, não temos senão que pensar e caminhar, cada vez mais além, nas direções em que as linhas passadas da Evolução adquirem o seu máximo de coerência.

NOTAS

1. A *Terra é Moderna*, como veremos neste Capítulo, porque mudou de idade; e isso só se deu em conseqüência de um amadurecimento do Pensamento que apreendeu o Tempo-Espaço, descobriu-se envolvido na Duração e, num *insight* ou iluminação, divisou a unidade estrutural, funcional e evolutiva do Mundo: *Homem Reflexivo = Real Hominizado*. Do ponto de vista da Consciência, porém, em que implica essa Visão? Ora, sabemos que o Real é um processo que avança. Seremos, como escravos, passivamente arrastados por ele ou, como senhores, o levaremos ativamente adiante? Em nós, conosco e por nós, o Mundo se fez consciente: *Evolução = Auto-Evolução*. Do ponto de vista da Vontade, porém, em que implica essa *Ação*? O presente Capítulo consiste na exposição e análise dessa dupla e correlata problemática "Visão-Ação". (Cf. nossos comentários a respeito do tema em "Ver para agir", Introdução a *Teilhard de Chardin, mundo, homem e Deus*, Cultrix, São Paulo, 1978, pp. 13-32; Artigo publicado na revista *Leopoldianum*, volume V, número 13, Santos, 1978, pp. 15-28; Introdução a "A Energia Humana" em *Meu universo e a energia humana*, Loyola, São Paulo, 1980, pp. 69-83; Artigo "A crise da energia" publicado nas revistas *Leopoldianum*, volume VII, número 18, Santos, 1980, pp. 19-29; *Reflexão*, número 17, Campinas, pp. 105-118; *Thot*, número 20, São Paulo, 1980, pp. 17-23; e "O sentido humano em Teilhard de Chardin", revista *Thot*, número 32, São Paulo, 1983, pp. 32-42.)

2. A *Espira* é o trecho da espiral (Cf. Parte II, Capítulo III, 2, a, nota 36) que corresponde a uma volta completa. Na grande espiral cósmica da Espiritualização progressiva da Matéria, a Hominização é uma "espira ascendente". Usando, por outro lado, uma imagem do próprio Teilhard que fala em "Cone do Tempo" e/ou "Cone da Evolução", melhor e mais correto ainda seria dizer da grande "hélice" (Cf. mesma nota indicada) cósmica... (Cf. nota 37.)

3. Isto é, até os séculos XV-XVI, quando, com fundamentos na Antigüidade Clássica, desencadeou-se um movimento humanista de renovação científica, artística e literária.

4. O século XVIII, que o Autor toma como baliza final da "guinada" do Mundo, foi, com efeito, marcado por renovações profundas. Opondo ao clima de ordem, equilíbrio e razão do século XVII um desejo de liberdade e de novidade, o século XVIII desenvolveu um autêntico, arrogante, provocante e irônico espírito de crítica, um "esprit frondeur". A expansão do comércio internacional e as perseguições religiosas que ocorreram nos fins do século anterior levaram a um alargamento de horizontes, à descoberta de novos modos de pensar, à relativização de valores até então considerados absolutos, a uma nova e mais rigorosa concepção de História, a um progresso metodológico nas Ciências. John Locke (1632-1704), colocando a fonte dos nossos conhecimentos na experiência, ou seja, na sensação ajudada pela reflexão, e Isaac Newton (1642-1727), descobrindo as leis da atração universal e "vulgarizando" o conhecimento até então restrito a especialistas, são típicos representantes desse "espírito novo", que culmina no ideal de Progresso postulado sobremaneira por Pierre Bayle (1647-1706), autor do famoso *Dicionário histórico e crítico* que anuncia o pensamento filosófico do século XVIII. Ao "Grande Século" de Luís XIV, na França, sucede-se, então, o "Século das Luzes", na Alemanha. A chamada *Aufklärung* explode caracterizada por: 1) autoconfiança orgulhosa do espírito

humano que rejeita qualquer forma de sujeição; 2) aspiração invencível para a conquista da liberdade, da dignidade e da felicidade do Homem; 3) consciência da responsabilidade implícita no ato de assumir o próprio destino e o próprio futuro; 4) desejo de tudo submeter ao exame crítico da razão; 5) crença na solidariedade de todos os interesses humanos e na fraternidade humana, fundada na cultura intelectual ilimitadamente progressiva. O *Iluminismo* desperta um clima de efervescência intelectual e humanista que, assumindo diferentes expressões nos diferentes países da Europa, expande-se na Enciclopédia (D'Alembert e Diderot), nos salões (o mais célebre foi o de Julie de Lespinasse, 1732-1776), nos salões de leitura, nos jornais, bares e lojas maçônicas. Entre os filósofos é possível acompanhar a intensificação e multiplicação dessas "luzes" na Inglaterra – de Shaftesbury (1671-1713) a Hume (1711-1776); na França – em Fontenelle (1657-1757), Montesquieu (1689-1755), Voltaire (1694-1778), Rousseau (1712-1778), Condillac (1715-1780) e Condorcet (1743-1794); na Alemanha – de Leibniz (1646-1716) e Wolff (1679-1754) a Baumgarten (1714-1762); tudo culminando em Kant (1724-1804) e seu Criticismo.

5. La Bruyère (1645-1696), por exemplo, tinha uma concepção patriarcal do poder. Concebia a realeza de uma maneira "pastoral": o reino é uma única família reunida sob o mesmo chefe; e Bossuet (1627-1704) defendia a monarquia absoluta, hereditária e de direito divino...

6. Precipita-se, a partir do século XIX, a *Revolução Industrial*, concentrando-se os meios de produção (até então dispersos e baseados na cooperação individual) nas grandes fábricas.

7. E, com ele, a eclosão da *Questão Social*, com a ruptura de padrões tradicionais de vida e de organização social, suscitando desde as críticas de Marx (1818-1883), que lança o *Manifesto do partido comunista* em 1848, até as admoestações de Leão XIII (1810-1903), que divulga a encíclica *Rerum Novarum* em 1891.

8. Que ocorreu em 1789, no final do século XVIII, portanto.

9. Abbé Henri Breuil (1877-1961), pré-historiador, especialista em arte paleolítica, tipologista (biologia diferencial) de primeira linha, foi homem de incomparável experiência científica. Espírito combativo e intelecto iluminado por intuições geniais e premonições admiráveis, sempre dedicou seu tempo aos jovens interessados no estudo do Passado, orientando-os com firmeza e desvelo. Com colegas e profissionais da Ciência, demonstrava em seu comportamento todas as qualidades ou detalhes de elegância, próprios de um cavalheiro do espírito. No Instituto Superior de Paleontologia de Paris foi apresentado a Teilhard, em 1912, por Marcellin Boule, que era, ali, seu superior administrativo (Cf. Capítulo anterior, nota 20), e desde então uma sólida e definitiva amizade uniu os dois sacerdotes cientistas para sempre. Teilhard sempre o considerou um mestre, consultou-o nas áreas de sua especialidade, solicitou ou sugeriu sua intervenção e pareceres técnico-científicos em seus próprios trabalhos (Chou-kou-tien, África do Sul) ou de outrem (Índia), sempre com a autonomia e independência intelectual que o caracterizaram (e que lhe permitiram, em mais de uma oportunidade, discordar do amigo); e, a partir de 1946, nos últimos anos de sua vida, fez dele seu confidente íntimo e diretor espiritual. Breuil, por seu lado, dedicou-lhe estima, respeito e admiração, atendeu a todas as suas solicitações, apoiando-o e promovendo-o como homem de ciência. Em 1921, por exemplo, aproximou-o de Edouard Le Roy, grande professor do Colégio de França, e, tendo realizado três expedições à África, a última durante a Segunda Guerra Mundial, Breuil tornou-se amigo do Marechal Smuts que, por insistência sua, sugeriu a presença de Teilhard e de George Barbour para que ambos, como peritos, opinassem sobre as coleções de fósseis (Australopitecos) descobertos no país até 1947. Em 1948, ao entrar em vacância sua cátedra no Colégio de França, Teilhard foi indicado para preenchê-la. Foi por volta de 1931 que, graças à sua colaboração preciosa, Teilhard pôde estabelecer que o Sinantropo de Chou-kou-tien (visitada por Breuil em 1931 e 1935) era *faber*, isto é, talhava pedras e utilizava o fogo. Em 1936, com A. C. Blanc, Breuil descobriu *in situ*, o segundo crânio de Sacco-pastore, na Itália. Abbé Breuil é o autor, entre muitos outros escritos (inclusive em parceria com Teilhard) da obra *As subdivisões do paleolítico superior e a sua significação* (1911), e, com razão e mérito, considerado "o Papa da Pré-História".

10. Teilhard quer sugerir que as Descobertas e Invenções do Homem moderno e contemporâneo escandem a História e os Tempos Modernos em novos e sucessivos períodos tão marcantes e definidos quanto no Passado mais remoto (Idade da Pedra, Idade do Bronze etc.) ou mais próximo (Idade Média, Idade Moderna etc.).

11. Como se a película pensante da Terra se renovasse totalmente. Assim como, na *Muda*, certos animais trocam de pêlo, penas ou pele, a Terra agora se faz uma nova película noosférica, por maturação, amadurecimento. "Sob a mudança de Idade, uma mudança de Pensamento", como resume o Autor, logo a seguir.

12. Cf. Parte I, Capítulo I, 3, nota 28.

13. Cf. Parte I, Capítulo I, 2, C, nota 25.

14. Toda a estreiteza da nossa visão, quando éramos crianças (pessoalmente) ou imaturos, isto é, não despertos para as imensidades do Espaço e do Tempo (coletivamente)...

15. Acreditava-se que a Terra começara a existir 4.000 anos antes de Cristo, conforme o relato bíblico da Criação.

16. Segundo o modelo astronômico de Ptolomeu (Cf. nota 21), astros, planetas ou estrelas eram fixos a esferas perfeitas e transparentes. Tais esferas foram imaginadas, nos tempos medievais, como sendo feitas de cristal... Até Kepler (1574-1630) só se conheciam cinco planetas além da Terra, girando todos em órbitas circulares... Até Newton (1642-1727), desconhecia-se a gravitação universal...

17. Cf. nesta Parte III, Capítulo I, C, nota 52.

18. É a conquista do primeiro dos sentidos fenomenológicos, o "Sentido da Imensidade Espacial" (Cf. *Prólogo*, nota 14), vencendo a ilusão da *"pequenez"* (Cf. *Prólogo*, nota 21).

19. *Antípodas* (do grego *antípous, anti*, "contra", e *pous, podos*, "pé", significando os habitantes da Terra que, em relação a outros, se encontram em lugar oposto) designa qualquer lugar do globo diametralmente oposto a um outro lugar.

20. Galileo Galilei (1564-1642), físico e astrônomo italiano, foi um dos fundadores do método experimental. Descobriu a lei do isocronismo (tempo igual) das pequenas oscilações de um pêndulo, as leis da queda dos corpos (1602), e enunciou o princípio de inércia (tendência de um objeto em movimento continuar a se mover em linha reta até encontrar obstáculo que o desvie) e a lei de composição das velocidades. Construiu um dos primeiros microscópios e, em 1609, a luneta que tem o seu nome, com ela descobrindo as librações lunares (movimentos oscilatórios, deslocamentos, reais ou aparentes, dos eixos da Lua em relação à sua posição média). Adotando o sistema de mundo proposto por Copérnico (1473-1543) — os planetas se movem sobre si mesmos e em torno do Sol —, que Roma condenava como herético, Galileo, pressionado a repudiá-lo, obedeceu; mas publicou, em 1632, todas as provas da veracidade do sistema. Teve então que abjurá-lo, em 1633, perante a Inquisição.

21. Trabalhando na Biblioteca de Alexandria, no século II, Claudius Ptolomaeus codificou a tradição astrológica babilônica, relacionou estrelas, registrou seus brilhos, argumentou sobre a esfericidade da Terra, estabeleceu normas para a previsão de eclipses e, sobretudo, tentou compreender o porquê dos planetas exibirem um movimento, vagando contra o fundo das constelações distantes. Acreditou, entretanto, que a Terra fosse o centro do Universo, girando o Sol, a Lua, os planetas e as estrelas ao seu redor. Esse *Geocentrismo* (já postulado na Antiguidade Clássica por Arquimedes, além de vários filósofos) perdurou até 1543, quando Nicolau Copérnico propôs o Heliocentrismo (Cf. nota anterior), cuja hipótese Ptolomeu considerara e rejeitara imediatamente, baseado na Física de Aristóteles. Em 1616, contudo, a Igreja Católica colocou o trabalho de Copérnico, *De revolutionibus orbium coelestium libri VI*, na lista de livros proibidos, onde permaneceu até 1835. Martinho Lutero (1483-1546) descreveu Copérnico como um astrólogo acima das estrelas, um tolo que queria inverter toda a ciência da Astronomia. A confrontação entre Geocentrismo e Heliocentrismo culminou nos séculos XVI e XVII, com as observações de Tycho Brahe (1546-1601) sobre os movimentos planetários; com Johannes Kepler (1571-1630) adotando o Heliocentrismo, em 1589, e sendo por isso vítima de perseguições religiosas; com as pesquisas de Galileu (Cf. nota 20) e as leis de Isaac Newton (1642-1727) sobre a gravitação universal.

22. Pouco antes de sua morte, Newton (1642-1727) escreveu que se sentia apenas como um menino brincando na praia, divertindo-se com um seixo mais liso ou uma conchinha mais bonita, achados aqui ou ali, enquanto o grande oceano da Verdade se estendia diante dele, permanecendo totalmente desconhecido...

23. Cf. Parte II, Capítulo II, 3, B, notas 161 e 162.

24. Tratava-se de aquirir o segundo sentido fenomenológico, o "Sentido da Profundidade". (Cf. *Prólogo*, nota 15.)

25. Blaise Pascal (1623-1662), matemático, físico, filósofo e escritor, nascido em Auvergne, sul da França, como Teilhard, desde a infância se interessou pelas Ciências. Aos dezesseis anos, escreveu *Ensaio sobre os cônicos* e, aos dezoito, inventou uma máquina de calcular. Até os vinte e nove dedicou-se a vários trabalhos científicos (leis da pressão atmosférica e do equilíbrio dos líquidos, o triângulo aritmético, o cálculo das probabilidades, a prensa hidráulica, a teoria da ciclóide etc.). Na noite de 23 de novembro de 1654, converteu-se ao Jansenismo, doutrina da graça e da predestinação, com tendência ao rigorismo moral. Desde então retirou-se para Port-Royal-des-Champs, onde viveu no ascetismo, tomou a defesa dos jansenistas e, por meio das *Cartas provinciais* (1656-1657), atacou seus adversários, os jesuítas. Morreu antes de concluir uma *Apologia da religião cristã*, cujos fragmentos foram publicados, em 1670, sob o título de *Pensamentos*. Sua obra, literariamente magistral, contribuiu amplamente para orientar o pensamento de seu século no sentido do estudo das imperfeições e dos vícios que a Natureza acumulou na alma e na razão humanas. São célebres as reflexões de Pascal sobre os dois abismos do Infinitamente Grande e do Infinitamente Pequeno, o Ínfimo e o Imenso, entre os quais se coloca o Homem, frágil e mero "caniço", mas "caniço pensante", de que Teilhard fará a expressão de um Terceiro Infinito, o Infinitamente Complexo, observando agora, implicitamente, que os abismos pascalianos ainda se reduziam às dimensões espaciais. (Cf. nota 72.)

26. Georges Louis Leclerc, de Buffon (1707-1788), naturalista e escritor, foi o autor da *História natural* (desde 1939) e, depois de *Épocas da natureza*, publicadas de 1749 a 1789. Sua teoria de que a Natureza se transforma lentamente – tanto no que diz respeito às condições da Vida na Terra (lenta evolução dos climas e dos continentes) como no que tange às espécies vivas (e inclusive ao tipo do homem) – constitui uma visão que anuncia o Evolucionismo.

27. Em outro texto, Teilhard registra:
"À primeira vista, os seres e seu destino correm o risco de nos aparecerem como que distribuídos ao acaso, ou pelo menos arbitrariamente, por sobre a face da Terra. Por pouco não achamos que cada um de nós teria podido nascer indiferentemente mais cedo ou mais tarde, aqui ou ali, mais feliz ou menos afortunado: como se o Universo, do começo ao fim de sua história, formasse, no Tempo e no Espaço, uma espécie de vasto canteiro, cujas flores fossem permutáveis entre si, ao gosto do jardineiro. Essa idéia não parece justa." (Cf. *La signification et la valeur constructrice de la souffrance*, 1933.)

28. No mesmo texto citado na nota anterior, o Autor prossegue e conclui:
"(...) o Mundo deve ser comparado não a um feixe de elementos artificialmente justapostos, mas antes a um certo sistema organizado, animado de um largo movimento de crescimento que lhe é próprio. Ao longo dos séculos, um plano de conjunto parece verdadeiramente em vias de se realizar ao nosso redor. Há uma tarefa em questão no Universo, um resultado em jogo, que não poderíamos comparar melhor senão a uma gestação e a um nascimento: o nascimento da realidade espiritual formada pelas almas e pelo que de matéria arrastam consigo. Laboriosamente, através e a favor da atividade humana, constitui-se, libera-se e depura-se a nova Terra. Não, não somos comparáveis aos elementos de um buquê, mas às folhas e às flores de uma árvore imensa, na qual tudo aparece a seu tempo e em seu lugar exato, à medida e por solicitação do Todo."

29. Vale lembrar o sentido exato de *Concrescência*, que, em Botânica, é a aderência íntima e congênita de órgãos ou partes vegetais (as pétalas de uma corola gamopétala, por exemplo): os seres são "concrescentes" na Árvore da Vida... É também o sentido de *Gênese*,

que não é apenas evolução, mas evolução dirigida para um ponto de consumação, processo que se vai orientando, de natureza geral convergente: os seres são "congênitos" e "congêneres" ao Real, ao tecido do Estofo do Universo, à trama da Vida...

30. Cf. Parte I, Capítulo I. "O Tempo e o Espaço unindo-se organicamente" resultam no "Tempo Orgânico" indissoluvelmente ligado ao "Espaço", no "Espaço-Tempo" (hipereinsteiniano), na *Duração*. (Cf. Parte I, Capítulo I, 2, C, nota 25.)

31. *Iniciação* enquanto admissão e acesso ao conhecimento de verdades até então misteriosas e desconhecidas, no caso, a unidade estrutural do Real, a comum união de todos na constituição do Todo, o Múltiplo se fazendo Um...

32. Mesmo em termos biológicos, o *Transformismo* (Cf. Parte II, Capítulo I, 1, A, nota 23) tem para Teilhard significações mais amplas. Registremo-las: no sentido geral, designa a aplicação, no caso da Vida, da lei que condiciona todo o nosso conhecimento do sensível: nada poder compreender no domínio da Matéria senão sob a forma de séries e de conjuntos.

"Assim entendido, o Transformismo não é mais uma simples hipótese. É um método geral de investigação, aceito praticamente por todos os sábios. Mais amplamente ainda, é apenas a extensão à Zoologia e à Botânica, de uma forma de conhecimento (o conhecimento histórico) que rege cada vez mais a totalidade dos conhecimentos humanos (Físico-Química, Religiões, Instituições etc.)." (Cf. *Que faut-il penser du transformisme?*, 1930.)

No sentido especificamente biológico, designa o reconhecimento de uma lei de sucessão natural que rege o aparecimento das espécies vivas.

"(...) um agrupamento *natural* dos animais no tempo e no espaço é a confirmação de que os seres vivos penetraram no Universo por uma porta *natural*; e uma origem *natural* dos vivos é a garantia de que há uma razão natural (isto é, científica) para o fenômeno de seu aparecimento sucessivo. Mas o Transformismo, bem no fundo, não é senão a crença num liame *natural* entre espécies animais?" (Cf. *Le paradoxe transformiste*, 1925.)

No sentido epistemológico, enfim, designa bem mais que uma hipótese particular; é a condição de todas as hipóteses biológicas.

"Compreendido largamente, como deve ser, o Transformismo já não é mais uma hipótese. Tornou-se a forma de pensar fora da qual não há explicação científica possível." (*Idem*.)

Todos esses sentidos estão implícitos na crítica do Autor à redução do Transformismo a "uma velha hipótese darwiniana (...) local e caduca", assim como na conceituação de Evolução que se segue.

33. Pierre Simon De Laplace (1749-1827), astrônomo, matemático e físico, é célebre sobretudo por sua hipótese cosmogônica (1796), segundo a qual o sistema solar proviria de uma nebulosa primitiva envolvendo um núcleo fortemente condensado e girando em torno de um eixo central.

34. Alfred Wegener (1880-1930), geofísico e meteorologista alemão, precisou a teoria da deriva dos continentes, segundo a qual os continentes se deslocam sobre a superfície do globo terrestre como que flutuando sobre a magma ou "sima" (camada hipotética do globo terrestre entre o nife e o sial, constituída de silício e magnésio), após a cisão de um primitivo continente único.

35. Isto é, de algum processo que inclui tanto um aumento ou crescimento quantitativo quanto um adiantamento ou progresso qualitativo, resultando em evolução transformadora.

36. Pois se o Real é evolutivo, nossos saberes, para apreendê-lo, devem ser adequados a ele e, portanto, dinâmicos.

37. Não se trata de, einsteinianamente, acrescentar o Tempo como "quarta dimensão" às três dimensões do Espaço, mas de conceber um *Cone do Tempo*:

"(...) o que nos faz tão diferentes e tão exigentes, em comparação com as gerações passadas, é o despertar de nossa consciência para um quadro novo de dimensões cósmicas: o *cone do Tempo*.") (Cf. *Super-humanité, super-Christ, super-charité*, 1943.)

Para tras e para baixo, em direção à base e ao Passado, a multiplicidade material divergente sempre maior; para a frente e para o alto, em direção ao ápice e ao Futuro, a unidade espiritual convergente sempre maior. Eis as "novas dimensões" do Real que se oferecem como campo ou "quadro" de exercício da Consciência. Trata-se de nos transportarmos de um *Cosmo* fixo e estático para uma *Cosmogênese* dinâmica e evolutiva. O Mundo não muda, transforma-se intimamente, pelo Dentro. A seqüência do texto é incisiva a esse respeito.

38. Cf. nota 30, e texto e nota a que remete.
39. Cf. Parte II, Capítulo I, 1, A, nota 21.
40. Cf. nota 32.
41. Vale a pena acompanhar a explicitação do Autor a respeito dessa questão, na Introdução de outro texto seu, de 1937, *A energia humana* (texto por nós introduzido, traduzido e anotado em *Meu universo e a energia humana*, Edições Loyola, São Paulo, 1980):

Objeto e Sujeito

"Em conseqüência de uma ilusão psicológica muito natural, a grande ciência moderna nasceu e se desenvolveu sob o signo exclusivo do Objeto. Debruçados sobre a Matéria e a Vida, físicos e biologistas até aqui sempre operaram como se fossem emersos e independentes do Mundo cujas leis e elementos eles procuravam fixar. Havia muito, Kant (e, de fato, antes dele, a Escolástica) destacara bastante os liames que, no interior de todo o Universo, tornam indissoluvelmente solidários o percebedor e o percebido. Mas essa condição fundamental do conhecimento só inquietava os raros e pouco acessíveis adeptos da metafísica. Para os curiosos da Natureza, parecia estabelecido, sem discussão, que as coisas se projetam para nós 'tais como são' sobre uma tela onde podemos observá-las sem nos misturarmos com elas. Os sábios contemplavam o Cosmo sem desconfiar que pudessem influenciá-lo, em qualquer medida que fosse, pelo contato de seus pensamentos ou de seus sentidos; sem sequer ter consciência de pertencer intrinsecamente ao sistema que se maravilhavam em analisar.

"De um lado, o Homem e, de outro, o Mundo.

"Parece que, por razões decisivas e internas, começamos hoje a sair desse ingênuo extrinsecismo.

"Por um lado, impelido aos seus limites em extensão e profundidade, o objetivismo dos físicos tende a uma reviravolta. No domínio dos fenômenos materiais, manifesta-se a ação perturbadora do observador sobre a coisa observada e não apenas na fronteira inferior do experimentável. Mais que isso, tomando em sua totalidade o edifício de ondas e partículas montado pela nossa ciência, torna-se manifesto que essa bela arquitetura contém tanto de 'nós mesmos' quanto do 'outro'. Atingindo um certo grau de amplitude e sutileza, as construções da física moderna deixam transparecer distintamente a trama intelectual do espírito do pesquisador por sob a mobilidade dos fenômenos. Donde a suspeita de que fótons, prótons, eléctrons e outros elementos da matéria não têm mais (nem menos) realidade fora do nosso pensamento que as cores fora de nossos olhos. O velho realismo dos laboratórios se volta, a partir de então, pela própria lógica de seu desenvolvimento, para um idealismo científico: a matéria é plástica sob a inteligência que a informa.

"Ora, por outro lado, isto é, no seio da Biologia, já se esboça um desvio paralelo. Fato curioso: enquanto, no decurso do século passado, descobriam os liames evolutivos que religam os elementos da Biosfera uns aos outros, os naturalistas não pareciam desconfiar de que eles próprios se achavam presos na rede que acabavam de estender sobre a Vida. Reconheciam, é certo, que a evolução se estendia ao Homem. Mas, a seu ver, o Homem (o Homem verdadeiro, considerado no desenvolvimento de seu pensamento e de seus organismos sociais) permanecia isolado e à parte, espectador, e não ator, da evolução. Ora, eis que, pelo caminho profundo dos crescimentos econômicos e dos levantes populares, o elemento negligenciado começou a invadir o domínio das experiências maiores e a conquistar um lugar diante da Ciência. Que são os mais grandiosos sucessos da vida passada perto da maré das civilizações modernas? Que erupção é comparável à explosão humana?... Quer queiramos ou não é indispensável abrir na Teoria do Mundo um capítulo novo: o do 'fenômeno humano'.

"E é assim que neste Universo, em que nos vangloriamos de olhar para fora, 'como Deuses', descobrimo-nos imergidos, ou mais exatamente, tão incorporados, que nada poderíamos fazer ou compreender sem tocar em nós mesmos. Nos dois domínios da Matéria e da Vida, o que era até então o centro (que olhava mas não era olhado) da experiência total, o Homem, tende a se impor como o foco de nossas pesquisas e conquistas. Por desdobramento e reflexão, o sujeito de ontem se prepara para vir a ser o principal objeto de amanhã. Ainda um pouco, e uma *ciência do Homem* terá substituído o que era apenas a ciência humana."

Essa consciência, absolutamente lúcida, do "envolvimento do sujeito no ato do conhecimento" foi desde muito cedo alcançada por Teilhard. (Cf. *De l'arbitraire dans les lois, théories et principes de la physique* (1905), o primeiro de seus escritos conhecidos, produzido quando ele era ainda estudante de Filosofia, em Jersey, Inglaterra.)

42. Sempre critérios de Verdade para Teilhard...

43. Ou seja, um fenômeno simultaneamente preparado por estádios precedentes e contingente, não dedutível, imprevisível, especificamente novo? O Autor quer sublinhar: tudo, até mesmo uma passagem ao transcendente, até mesmo um êxtase — ou seja, o inédito, o inaugural, o novo — inscreve-se num processo evolutivo contínuo, ainda que seja para constituir salto, passo, ruptura, descontinuidade em relação ao anterior que, assim, de alguma forma, o preparou ou lhe forneceu a base "física" de "hiperfisicização".

44. O *Éter*, segundo os Antigos, seria um fluido sutil que preencheria os espaços situados para além da atmosfera. Hipotético, imponderável, elástico, o éter foi considerado, em Física, o meio em que se propagariam as ondas luminosas e eletromagnéticas. Sua existência, contradizendo os resultados de inúmeras experiências, já não é mais admitida. O Autor o invoca como exemplo de realidade superior e universal, pano de fundo cósmico — características que atribui, entretanto, à Evolução.

45. Cf. nesta Parte III, Capítulo I, 1, A, b, nota 16.

46. Sir Julian Sorell Huxley (1887-1975), biólogo e político, conhecido por suas pesquisas sobre genética e evolução, foi o primeiro diretor da Unesco (1946-1948). O Autor o conheceu pessoalmente em 1946 e, desde então, estabeleceu com ele uma sólida amizade afetiva e intelectual, fundada em interesses comuns. Não obstante a formação anglo-saxônica de Huxley, seu cientificismo impregnado de darwinismo e sua crença de que a Ciência pode substituir as velhas místicas (enquanto Teilhard acreditava que ela lhes deveria injetar uma nova seiva), o entendimento entre os dois cientistas foi sempre excelente e consolidou-se num intercâmbio epistolar, bem como em vários encontros pessoais, até 1955. O fato é que Teilhard encontrou em Huxley um interlocutor à altura, um homem de ciência de seu próprio porte e largueza de visão. Huxley é autor de *Essays of a Biologist* (1923), *Religion without Revelation* (1927), *What I Dare Think* (1931), *Evolution, the Modern Synthesis* (1942), *Soviet Genetics and World Science* (1949), *Evolutionary Humanism* (1950). Este último trabalho foi enviado dos Estados Unidos para Teilhard, que sobre ele assim se pronunciou:

"Li apaixonadamente este Ensaio, no qual expressa lucidamente (e com sua experiência, única, da Unesco) a essência exata de tudo quanto sonho há tanto tempo. Tal semelhança de pensamento perante os fatos não constitui a melhor prova de que existe algo que está ascendendo e se formulando na consciência humana?" (Cf. Carta de 17 de outubro de 1950.)

Em 1951, Huxley convida Teilhard a colaborar na obra coletiva *Evolution as a Process*, como parte de um projeto que visava a formação de um "*braintrust*" (um truste ou associação de cérebros) dedicado à pesquisa de uma "Ideologia Humana". E é a propósito que Teilhard redige um *Memorandum* (1951) dirigido a Huxley, assim como o ensaio *The Transformation and Prolongation in Man of the Process of Evolution* (1952).

"Creio que Julian Huxley tomou de mim muitas coisas (e vice-versa). Mas a convergência é notável." (Cf. Carta de 24 de dezembro de 1950.)

Eis o que, por seu lado, pensava Huxley de Teilhard:

"Desde o meu primeiro encontro com o Pe. Teilhard em 1946, pouco tempo depois de chegar a Paris como diretor da Unesco, compreendi que havia encontrado não apenas um amigo, mas também um companheiro da aventura intelectual e espiritual. Apesar de ele abordar o problema do destino humano do ponto de vista de um cristão e jesuíta, e eu da perspectiva de um agnóstico e zoólogo, ambos os pensamentos se desenvolveram ao longo de eixos idênticos e chegaram a conclusões surpreendentemente parecidas. O fato decorria de havermos os dois decidido considerar o destino humano (isto é, o homem, sua problemática e seu habitat cósmico, assim como as relações entre esses elementos) como um fenômeno visto a partir de todos os ângulos possíveis, mas somente e permanentemente como um fenômeno e não como problema metafísico, ético ou teológico. Acercando-nos do homem dessa forma, este se nos apresenta como parte (e parte evidentemente essencial) do fenômeno evolutivo, ao invés de aparecer como criação alheia ou separada da natureza. Por conseguinte, entendimento e espírito não surgem como um epifenômeno desvinculado, à maneira de uma irrupção de origem sobrenatural, mas antes como fenômenos naturais da máxima importância." (Cf. *Encounter*, abril de 1956, p. 84.)

(Cf. também o Prefácio de Huxley para a tradução inglesa da presente obra, *The Phenomenon of Man*, Collins, Londres e Harper, Nova York. M. Gex estabelece interessante paralelismo entre Huxley e Teilhard, em *Vers un humanisme cosmologique*, Revista de Teologia e de Filosofia, Lausanne, 1957, n° 3, pp. 197-198.)

47. *Iluminação* como ápice e arremate de um processo de "Iniciação" (Cf. nota 31), luz súbita no espírito que lhe permite "ver", alcançando a paz na Unidade da Verdade. (Cf. final do *Prólogo*: "Na verdade, duvido que haja para o ser pensante instante mais decisivo"...)

48. Eis aí o conceito de *Auto-evolução*: fluxo do Pensamento (ele próprio produto fenomenal da Evolução) sobre essa mesma Evolução, em que ele provoca um ressalto ao adquirir o domínio de seus recursos profundos.

"... o gosto, o impulso de agir renascerão e ressaltarão em nossos corações à medida do esforço evolutivo sempre maior que devemos fazer para garantir os progressos de uma complexidade sempre mais pesada de se levar adiante. O que, não esqueçamos, constitui a condição essencial de sobrevida para uma Biogênese que passou definitivamente em nós do estado de Evolução experimentada para o estado de auto- ou self-Evolução." (Cf. *Transformation et prolongements en l'homme du mécanisme de l'évolution*, 1952 — texto dedicado a Sir Huxley.) (Cf. nota 46).

49. Cf. Parte I, Capítulo III.

50. Cf. ainda o *Prólogo*: quando o ponto de vista subjetivo coincide com uma distribuição objetiva das coisas, a percepção é plena, a paisagem se decifra e se ilumina, vemos... Cabe à verdadeira Física, à Hiperfísica, integrar o Homem total numa representação coerente do Mundo...

51. Cf. Parte II, Capítulo II, 3. O Autor retomará a partir daqui todas as "categorias" (ou referenciais) utilizadas na análise do *Fenômeno Biológico* (Vida), aplicando-as agora ao *Fenômeno Humano* (Pensamento): na estrutura, "verticilo e leque"; no mecanismo, "tenteio e invenção"; no movimento, "ascensão e expansão de Consciência".

52. Cf. nesta Parte III, Capítulos I e II.

53. Cf. Capítulo anterior, 4 e 5.

54. Assim, o *Artificial* resulta para o Autor no "Natural Refletido", quer dizer, no conjunto de órgãos e utensílios mais ou menos complexos criados pela inteligência humana e tirados do organismo biológico. Todo artificial, portanto, prolonga, num certo sentido, a Natureza e, no outro sentido, opõe-se a ela.

"Na verdade (...) nosso olhar sobre a Vida está obscurecido, inibido, pelo hiato absoluto que introduzimos continuamente entre o natural e o artificial.

"É (...) por haver colocado em princípio que o artificial não tem nada de natural (ou seja, por não ter visto que o artificial é o *natural humanizado*) que quase ignoramos analogias vitais tão claras quanto a do pássaro e do avião, do peixe e do sub-marinho. É sob a influência do mesmo e nefasto pressuposto que assistimos há anos, sem compreender, formar-se sob os nossos olhos o espantoso sistema de rotas terrestres, marítimas e aéreas, vias postais, fios, cabos, pulsações etéreas que envolvem cada dia mais a face da Terra. 'Tudo isso não passa de comunicações de negócios ou de lazer', repetimos, 'estabelecimento de rotas práticas e comerciais'... Em absoluto, diremos; antes, muito mais profundamente, criação de um verdadeiro sistema nervoso da Humanidade;

elaboração de uma consciência comum, tomada em massa (no domínio psicológico e sem supressão dos indivíduos, evidentemente), da multidão humana. Desenvolvendo as rodovias, as estradas de ferro, a imprensa, o Telégrafo, acreditamos estar a nos divertirmos *apenas*, ou a tratarmos de nossos negócios *apenas*, ou a difundirmos idéias *apenas*... Na realidade, para um olhar que quer mesmo abranger conjuntamente o traçado geral dos movimentos humanos e o dos movimentos de todo organismo físico, continuamos simplesmente, num plano superior e com outros meios, o trabalho ininterrupto da evolução biológica." (Cf. *L'hominisation. Introduction a une étude scientifique du phénomène humain*, 1925.)

O mesmo vale, correlatamente, para o "físico-moral" e para o "orgânico-jurídico". Teilhard quer sublinhar a continuidade do processo evolutivo e a sua unidade (mais ainda, *unicidade* até) estrutural, não obstante a identificação de limiares de descontinuidade.

55. A Evolução se faz no *Espaço-Tempo*, que é um "contínuo" e, em nível biológico, um "todo orgânico", dinâmico e convergente.

56. O *Meio*, em sentido físico, é o corpo ou ambiente onde ocorrem fenômenos especiais; em sentido biológico, é a substância líquida, sólida ou gasosa dentro da qual a Vida pode surgir e se desenvolver; e, em sentido sociológico, é a totalidade dos fatores externos suscetíveis de influírem na vida biológica, social ou cultural de um indivíduo ou grupo. Todas essas idéias podem nos inspirar para compreendermos o Mundo como *meio* da Evolução, quer dizer, o ambiente, o campo-duração (Espaço-Tempo) energético e dinâmico, adequado e propício à manifestação de fenômenos como a Vida, o Pensamento e suas criações e construções. Esse *meio* tem uma unidade, crescentemente complexa, porém estruturalmente a mesma, para todos os fenômenos que nele se passam.

57. Essa *Culminação* é "culminância" no sentido de auge e apogeu; a forma adotada, "culminação", abrange também o sentido astronômico estrito de "posição de um astro quando, no seu movimento diurno, atinge o mínimo de sua distância zenital, ou seja, a maior elevação possível acima do horizonte".

58. O *Fenômeno Social*, no contínuo Espaço-Tempo, é um ápice, um apogeu, um auge evolutivo do próprio *Fenômeno Biológico*.

59. Tendo procurado discernir na Vida um processo evolutivo que se ia orientando, encaminhando, dirigindo dinamicamente para a maior Consciência, Teilhard – ao constatar agora a continuidade daquele processo, quer dizer, os avanços progressivos dessa Consciência em direção a uma Consciência Maior – tem a confirmação da adequação e acerto da metodologia fenomenológico-científica que adotou: o fenômeno da Evolução continua harmoniosa e coerentemente, fecundamente, a se desenvolver sob os seus olhos; ora, harmonia e coerência, fecundidade, são critérios de Verdade... E, mais uma vez, a verdade da visão hiperfísica jorra por "puro e irresistível efeito de homogeneidade". (Cf. Parte II, Capítulo II, 3º parágrafo.)

60. A *Invenção* é a função atribuída por Teilhard à Vida enquanto ela dá origem ao aparelho orgânico. No limiar humano, Invenção é a criação humana de um aparato artificial e, mais genericamente, de todas as obras pela qual o Homem se exprime.

61. *Tenteios* biológicos, em nós, são *Experiências* humanas, assim como as *Invenções*, ao nível da Vida, são *Criações*, ao nível do Pensamento. Tudo tentar, tudo experimentar, até o fim – eis o sagrado dever a que nos impele a própria continuidade do processo evolutivo que em nós culmina.

62. Cf. *Prólogo*, último parágrafo e notas 32 e 39.

63. Ainda e sempre uma perspectiva para se ver e aceitar – ou não ver... (Cf. Parte II, Capítulo II, 3º parágrafo.)

64. Sim, porque se, enquanto submisso às leis da Hereditariedade, o Homem não passasse de um "transmissor de caracteres", mero elo passivo e/ou impotente de uma cadeia evolutiva, nas mesmas condições que as Plantas e os Animais, como se poderia conciliar, dentro da filogênese humana, esse papel servil com as suas capacidades, patenteadas, de descobrir, inventar, transformar, criar? Seria um paradoxo. Aparentemente, pois, ao verificarmos que, no

nível humano, Evolução se torna *Auto-evolução* (Cf. nota 48), a dificuldade se desfaz. Acompanhemos a argumentação do Autor.

65. Essa *Aditividade* não é apenas "adição", "aditamento", "acréscimo", mas expressa, no nível humano, um enriquecimento. Em construção, fala-se em "aditivo" para se designar a substância adicionada em pequenas quantidades aos aglomerantes para lhes modificar certas características. Em Química, chama-se também "aditivo" a substância adicionada a uma solução para aumentar, diminuir ou eliminar determinadas propriedades desta. O aditivo juntado ao combustível, eliminando suas impurezas, permite melhor funcionamento do motor... Aquilo que era por *Hereditariedade*, ao nível biológico, torna-se também *Tradição*, ao nível humano, e, por tudo quanto esta vem juntar ao nosso ser, cresce o nosso rendimento: Instrução, Educação etc. – o nosso ser "adquirido" e "transmissível", mas também "inventivo" e "criador".

66. E assim a Humanidade vai se constituindo por meio do Homem, de cada Homem.

67. Como "caracteres", em nível biológico e genético.

68. A *Ação*, para Teilhard, consiste na liberação da energia para criar "mais-ser" (ou seja, uma realidade que, em cada etapa evolutiva, constitui um aumento de consciência e, portanto, um enriquecimento ontológico). Tendo a Evolução se tornado Auto-Evolução (Cf. nota 48), e estando a Ação, no nível humano, subordinada à Liberdade, cabe ao Homem optar por essa criação de "mais-ser" e, correlatamente, por essa continuidade evolutiva. Agir ou não agir, eis a questão, já que o dilema hameletiano entre ser e não ser encontrou uma saída superadora em ser mais no "mais-ser". (Cf. Parte IV, Capítulo I, nota 2.)

69. E vale ainda lembrar a reação do prisioneiro que se liberta do mundo das sombras e, ofuscado, emerge ao sol da verdade, no "Mito da Caverna", de Platão. (Cf. *República*, Livro VII.) Ele também, a princípio, distingue com dificuldade os objetos do mundo real... "Deslumbramento ao sair de um confinamento obscuro", lembra o Autor, logo a seguir.

70. E, novamente, cabe o recurso aos Sentidos Fenomenológicos. (Cf. o *Prólogo*.)

71. A *Angústia*, do latim *angustia*, "estreiteza", "limitação", é uma provação que constitui uma das etapas do otimismo teilhardiano e lhe confere o seu mérito. Ela nasce da tomada de consciência da desproporção entre a pessoa e o que pode aniquilá-la: o Cosmo em evolução acelerada e a pressão de uma totalização coletiva. Enquanto ligada à condição humana e provocada por tudo quanto nos ultrapassa quantitativamente em nós e fora de nós (os abismos psíquicos tanto quanto os cósmicos...), a Angústia é sinônimo de *Medo* existencial e surge como um verdadeiro fenômeno de contra-evolução na Biologia Humana.

"Por essa expressão 'medo existencial', entendo não o simples temor acidentalmente experimentado por este ou aquele indivíduo humano, particularmente tímido, diante de riscos materiais ou sociais que se anunciam a ele na existência. Mas, tomando essas palavras num sentido muito mais geral e muito mais profundo, emprego-as aqui para designar a angústia, não tanto a "metafísica", como se diz, quanto a "cósmica" e biológica, suscetível de tomar todo homem suficientemente sábio – ou suficientemente imprudente... – para tentar fixar e medir os abismos do Mundo ao seu redor." (Cf. *Un phénomène de contre-évolution en biologie humaine ou la peur de l'existence*, 1949.)

Obs.: A angústia "metafísica" a que se refere o Autor seria muito mais o conceito proposto por Sören Kierkegaard (1813-1855) como determinação que revela a condição espiritual do homem, caso se manifeste psicologicamente de maneira ambígua e o desperte para a possibilidade de liberdade. Ou então corresponderia à "Náusea" sartriana diante do Absurdo fundamental do Ser e da Existência, ou ainda ao "Cuidado" heideggeriano como disposição afetiva pela qual se revela ao homem o nada absoluto sobre o qual se configura a sua existência.

72. O *Mal do Espaço-Tempo* é a angústia inspirada pelo infinitamente grande e pelo infinitamente pequeno – mas também pelo terceiro infinito, "o Infinito de Complexidade" – enquanto não se descobre o seu aspecto positivo. O *Infinito de Complexidade* é o "terceiro infinito" acrescentado por Teilhard aos dois infinitos pascalianos (Cf. nota 25). Consiste no processo de complexificação e, portanto, de unificação material (pelo Fora) e união espiritual (pelo Dentro), que parte de um Múltiplo indefinido para alcançar o Um personalizado, Universal

Pessoal ou Centro divino. Esse "terceiro infinito" é, ao mesmo tempo, uma terceira dimensão e a síntese dos dois princípios, pois confere uma função *temporal* complexificante a um *espaço* até então estático.

"Existe, propagando-se na contra-corrente, através da Entropia, uma deriva cósmica da Matéria em direção a estados de ordenação cada vez mais centro-complicados (isso em direção – ou no interior – de um 'Terceiro Infinito', o *Infinito de Complexidade*, tão real quanto o Ínfimo e o Imenso)." (Cf. *Un sommaire de ma perspective phénoménologique du monde*, 1954.)

73. Cf. Parte II, Capítulo II, 3, B, notas 161 e 162.

74. Cf. *Prólogo*: "Sentidos Fenomenológicos" da Imensidade Espacial, da Profundidade e do Número, e a conclusão "o Homem (...) objeto errático num mundo desconjuntado", enquanto não se esvanece "em nossa ótica, a tríplice ilusão da pequenez, do plural e do imóvel".

75. Cf. nota 29.

76. Cf., nesta Parte III, Capítulo I, 1, C, nota 52.

77. Da *Fé* (enquanto virtude teologal, ao lado da Esperança e da Caridade) Teilhard desenvolveu o sentido tradicionalmente cristão, pondo, porém, em relevo, sua dimensão energética, unitiva e criadora. (Cf., no mínimo, *La foi qui opère*, 1918, e *Comment je crois*, 1934.) Mas a Fé a que se refere aqui é antes o ato do espírito através do qual este se antecipa acerca da realização de sínteses cada vez mais elevadas e sempre novas, graças a opções que se fundam umas sobre as outras e constituem todas juntas uma grande opção fundamental:
"A fé nasce somente da fé; não há de um lado a razão e de outro a fé. Atos de fé sempre mais elevados: o mundo tem um sentido – esse sentido é o espírito – esse sentido se faz pela unificação (...)." (Cf. *Orient et occident ou la mystique de la personnalité*, 1933.)
No presente caso, trata-se para o Homem – colocado pela Evolução perante o Amanhã – de antecipar – representando-se fenomenologicamente, simetricamente, com harmonia, coerência e fecundidade, isto é, extrapolando – a continuidade do processo evolutivo que não pode ser previsto, determinado ou estabelecido pela Ciência, já que, tornando-se consciente (isto é, passando de Evolução a Auto-Evolução), esse processo tornou-se também livre. Nas mãos do Homem, o Amanhã, que ele não pode conhecer, mas no qual pode ter fé, acreditar, investir... Valerá a pena? Eis o "mal do impasse" (pois só se saberá quando se tiver fé e investir, mas, por isso mesmo, esse Amanhã já terá então irreversivelmente ocorrido...) a que se refere o Autor, logo a seguir. (Cf. também *Epílogo*, nota 45.)

78. Cf. penúltimo parágrafo do *Prólogo*: "a conservação, em nós, da coragem e da alegria de agir".

79. Em toda sua obra – e, ao que saibamos, ninguém o notou de modo específico –, Teilhard utilizou cuidadosamente e distintamente os termos "Futuro" (*Futur*) e "Porvir" (*Avenir*). Embora geralmente e praticamente sinônimos, esses termos não têm o mesmo significado. O *Futuro* é mais uma expressão da situação de um processo (ação, estado, mudança de estado ou fenômeno) num mo(vi)mento adiante, mas situação essa que há de vir, que há de ser, que está por acontecer depois do aqui e agora. O *Porvir* não se reduz a essa necessária posterioridade. Do latim *advenire*, "acontecer", o Porvir é mais amplo e abrangente: encerra – particularmente em francês – o sentido de um bem-estar futuro, de uma bela situação em perspectiva, um tempo-espaço vindouro, uma aspiração e também uma promessa... O Futuro, em princípio, ocorrerá; o Porvir deverá ocorrer, mas, para tanto, depende de algum modo, desde já, de nossa iniciativa.

80. Todo o *mecanismo* da sobrevivência, funcionando segundo a "Lei dos Revezamentos". (Cf. Capítulo anterior, 3, nota 49.) Note-se também que, sempre fiel à sua premissa de atribuir um valor biológico ao Fato Social e uma natureza orgânica à Humanidade (Cf. final da *Advertência*), Teilhard associa, em seguida, os movimentos da Vida e os movimentos do Homem; assim como a Vida governou "escravos ou crianças", a Sociedade dirigia "trabalhadores e deserdados". Com a Evolução se alçando à Auto-Evolução com o surgimento da "Centelha de Pensamento" e seu poder de crítica e julgamento, as crianças cresceram, e os operários se tornaram conscientes...

81. O Homem, *centro estrutural* e *centro estruturante* do Real ao seu redor. (Cf. *Prólogo*, nota 8.) Que, na "grande partida" que é o processo de Evolução (com todos os riscos que comporta o Porvir — Cf. nota 79), sejamos os jogadores e as cartas é fácil entender: do Futuro da Evolução depende o nosso Porvir. Mas que sejamos também o cacife, o próprio valor de entrada, aquilo que está em jogo (*enjeu*, em francês) é algo de que só nos apercebemos ao tomar consciência de que Auto-Evolução é Evolução hominizada, a Evolução que se faz Homem, nós próprios, enfim. (Cf. *Transformation et prolongement en l'homme du mécanisme de l'évolution*, 1951.)

82. Assim como operários, estudantes, funcionários etc. podem, em comum acordo, chegar à recusa ao trabalho ou ao dever que os chama enquanto não são atendidos em certas reivindicações, também os homens poderiam chegar a uma recusa à Vida e aos labores da Ação que ela comporta e exige enquanto não tivessem as garantias de um "Porvir" no seu "Futuro". (Cf. nota 79.)

83. Cf. *Un phénomène de contre-évolution ou la peur de l'existence*, 1949.

84. O Autor aqui apenas sugere o seu conceito de *Irreversibilidade*, cuja significação é ampla e abrange, no mínimo, três sentidos. *No sentido biológico*, a Irreversibilidade é a propriedade de um processo orientado temporalmente e, enquanto tal, fundamentalmente refratário ao retorno puro e simples a um estado passado; esta noção é mais geral do que a de ortogênese. (Cf. Parte II, Capítulo II, 1, F, notas 33 — do Autor — e 35.)

"Parece-me que muito das dificuldades encontradas na aplicação paleontológica da lei de irreversibilidade estão ligadas à confusão que se faz entre irreversibilidade e ortogênese. As duas noções são, evidentemente, muito diferentes uma da outra. A irreversibilidade está longe de se manifestar sempre por um desenvolvimento no mesmo sentido (ortogênese). Ela admite, pelo contrário, na história das formas que obedecem a ela, todas as espécies de reviravoltas e de circuitos (...)" (Cf. *Sur la loi d'irreversibilité en évolution*, 1923.)

No sentido fenomenológico, a Irreversibilidade é a propriedade positiva que tem o Real de continuar levando adiante a elaboração de sínteses cada vez mais espirituais e cada vez mais estáveis, que escapam cada vez mais ao perigo de retrocesso, de desmoronamento e finalmente de morte:

"A irreversibilidade da corrente viva é provada, até certo ponto, por seu próprio sucesso; por que retrocederia, uma vez que, no seu conjunto, não fez senão crescer desde as suas origens? Pode-se acrescentar (e essa prova é muito forte se a soubermos compreender) que ao nível do Homem, onde se torna reflexiva, a Vida se descobre como exigindo, por seu próprio funcionamento, ser irreversível. Se, com efeito, viéssemos a nos aperceber de que o Universo animado vai em direção a uma morte total, o gosto de agir seria destruído *ipso facto* no fundo de nós mesmos; quer dizer, a Vida se destruiria automaticamente tomando consciência de si mesma. E isso parece absurdo." (Cf. *Le phénomène humain*, 1930.)

E, finalmente, *no sentido metafísico*, a Irreversibilidade é sinônimo de imortalidade, porque o que é feito, a partir de um certo limiar de centro-complexidade (a "centreidade" como Dentro, interioridade, psiquismo, consciência e função da "complexidade" material, Fora), não pode mais ser desfeito:

"A imortalidade, ou seja, no sentido bem geral em que tomo aqui o termo, *a irreversibilidade*, eis o que me parece acompanhar, a título de propriedade ou de complemento necessário, toda idéia de progresso universal." (Cf. *Comment je crois*, 1934.)

85. Eis aqui já uma resposta parcial à segunda pergunta que o Autor suscitava no início desta obra (Cf. Parte I, Capítulo II, 3, b): haverá um limite e um termo definidos para o valor elementar, e para a soma total das energias radiais desenvolvidas ao longo da Evolução? (Cf. Parte IV, Capítulo I, 2, B, nota 48.)

86. Classicamente, o *Absoluto* — não-relativo, incondicionado, em si — é o que sob qualquer aspecto está isento de relação com outra coisa. Do ponto de vista lógico, o Absoluto pode ser definido sem relação a outro ser. No plano ontológico, Absoluto é aquilo a que corresponde um ser em si (como substância ou acidente dito absoluto) e que, portanto, não existe

apenas com relação a outra coisa; é o que não é apenas determinação de ser em outro ente (substância); e, finalmente, aquele ser que exclui toda relação real com outro. Como tudo o que é finito é causado e, por conseguinte, implica relação a uma causa, o Absoluto só pode ser incausado e infinito. Tudo isso não exclui que o Absoluto seja termo final de relações. No plano axiológico, dos valores, o Absoluto vale independentemente de qualquer condição que se possa considerar; daí significar também o Ilimitado, o Incondicionado. Em Teilhard, o Absoluto toma também a significação de *Transfenomenal*:

"A necessidade de possuir, em tudo, 'algum Absoluto' era, desde a minha infância, o eixo de minha vida interior (...) Eu tinha desde então a necessidade invencível (e no entanto vivificante, calmante...) de repousar *sem cessar*, em alguma coisa de tangível e de *definitivo*; e eu procurava em toda parte esse objeto beatificante." (Cf. *Mon univers*, 1918. E também *Le coeur de la matière*, 1950.)

Enquanto Transfenomenal, trata-se de uma realidade ontológica que se opõe ao fenomenológico (porque o *supera*, o *ultra*passa) e, ao mesmo tempo, constitui o seu fundamento. É então atingível por dois caminhos: 1) o conhecimento, que atinge o ser, por um lado, se dilatando ao conjunto dos fenômenos e, por outro lado, aprofundando o Dentro das Coisas; 2) a dialética existencial da ação que reclama a garantia do Absoluto e da Imortalidade:

"Pois bem, é justamente esse invólucro pretendido sem fissura do puro 'fenômeno' que perfura, pelo menos num ponto – pois ela é de natureza irreversível –, a trajetória ressaltante da Evolução humana. O que existe para além e por trás, sem dúvida, nesse transfenomenal doravante balizado não o vemos (...) Mas ao menos sabemos que alguma coisa existe para além do círculo que limita nossa vista: algo em que emergimos. E isso é suficiente para que não nos sintamos mais encerrados." (Cf. *Le rebondissement humain de l'évolution et ses conséquences*, 1947.)

87. Isto é, pessoas que adotam uma postura baseada no (ou influenciada pelo) Positivismo e no Criticismo, tendendo, portanto, a se apegar exclusivamente aos fatos e à experiência de forma cientificista, empirista e pragmática (Cf. *Prólogo*, nota 33) e a defender uma posição relativista quanto ao conhecimento humano, seu valor e infalibilidade dentro dos limites da experiência, concluindo por sua inadequação para transcender esses limites. Os espíritos "positivos" e "críticos" acabam por ser descrentes e céticos em relação a tudo quanto não possa ser diretamente apreendido e, por conseguinte, em relação a realidades como Dentro, Futuro, Porvir etc.

88. Ainda e sempre a "Árvore da Vida", cuja seiva, pelo menos no nível da fronde humana, é à base de Esperança. (Cf. nota 92, do Autor.)

89. Deixemos o próprio Autor explicitar:
"Por 'gosto de viver' ou 'gosto da Vida' entendo aqui, em primeira aproximação, essa disposição psíquica, simultaneamente intelectual e afetiva, em virtude da qual a Vida, o Mundo, a Ação nos aparecem, no conjunto, luminosos, – interessantes, – saborosos. Disposição de natureza prazerosa e agradável (por oposição à náusea, ao desgosto), mas que seria preciso evitar cuidadosamente confundir com um simples fenômeno de euforia:
– primeiro porque (considerada em suas formas mais consumadas) ela se apresenta como essencialmente dinâmica, construtiva, aventurosa;
– e em seguida porque, por apta que ela seja para se envolver de uma atmosfera de exultação e semi-embriaguez, guarda no seu fundo (...) uma fria e primordial determinação de sobreviver e de super-viver: aquilo que Edouard Le Roy, assumindo de Blondel, chamou tão bem de 'o querer profundo'. Tão diverso e tão diferente de um mero sentimento." (Cf. *Le goût de vivre*, 1950.)

90. O próprio Sartre, que pelo seu Existencialismo chegou a essa "Náusea" ao constatar a absurdidade fundamental, radical e absoluta do Real, somente na maturidade e, incisivamente, no final da Vida é que chegou a resgatar um valor e uma razão para a ação humana no compromisso da Solidariedade...

91. O *Progresso*, constituindo genericamente um movimento ou marcha para adiante, um avanço em que se vão acumulando aquisições materiais e conhecimentos objetivos

capazes de transformar a vida social, conferindo-lhe maior significação e alcance no contexto da experiência humana, toma em Teilhard a significação mais ampla e profunda de um processo não-linear e, contudo, irreversível, que move o conjunto do Universo através da totalidade do Espaço-Tempo e reside num aumento de consciência que constitui, ao mesmo tempo, um crescimento do ser.

"Retomemos (...) a duas igualdades ou equivalências fundamentais estabelecidas acima:
Progresso = ascensão de consciência
Ascensão de Consciência = efeito de organização."
(Cf. *Réflexions sur le progrès*, 1941.)

92. Não existe, digam o que disserem, "energia do desespero". O que essas palavras significam, na verdade, é um paroxismo de esperança num desespero de causa. Toda energia consciente é como o amor (e porque amor), fundada na esperança. N. do A. (Cf. nota 99.)

93. Há um fato: o Mundo não parou. Há uma questão: como queremos prever nosso próprio futuro? O Autor já apresentou razões para uma resposta, mas agora formula um dilema (silogismo baseado numa proposição disjuntiva, tipo ou... ou, tal que posto qualquer um dos seus membros é necessário pôr exclusivamente a mesma conclusão), para permitir a opção pessoal. E, nesta primeira parte do dilema, ele procura expressar a visão e as atitudes daqueles que não encontram nenhuma ordem no Mundo. O "absurdo" é *abs-ordine*, sem qualquer ordem... A "ordem evolutiva" permite divisar horizontes ilimitados, mas os pessimistas (Cf. nota 96) negam-na e não os vêem...

94. A *Sobre-Alma* é o campo de expansão espiritual que conhecerá o psiquismo humano quando, animado pela fé na racionalidade do Mundo, ele ultrapassar seus limites atuais. Ali o Amor e a União abraçam tudo e todos e "fiar-se perdidamente", aqui, é entregar-se de maneira inteligente mas absolutamente confiante.

95. Há um sentido psicológico mais imediato de *Otimismo* enquanto disposição de ânimo que tende a ver tudo pelo lado bom. Em sentido metafísico, o Otimismo constitui a doutrina segundo a qual o Mundo — como expressão necessária da sabedoria e da bondade de Deus — é o melhor de todos os mundos conhecidamente possíveis (Cf. Leibniz, 1646-1716), ou também a doutrina de que tudo quanto há no Mundo é fundamentalmente bom e o mal consiste apenas na finitude do ente. (Cf. Estóicos e Spinoza, 1632-1677). Na *Escolástica* (Cf. Parte III, Capítulo I, 1, A, b, nota 14), o Otimismo é moderado: o ente tem em si valor e o mal, que não é mera diminuição de um bem, mas o não-ser do que deve-ser, é, contudo, guiado pela Sabedoria e bondade de Deus, embora nem sempre nos seja dado penetrar seus desígnios em casos particulares. O "Otimismo Cultural" (Cf. Lessing, Herder, Fichte, Hegel e Marxismo) conta com uma evolução contínua da Humanidade e de sua cultura para estágios sempre mais elevados: o mal físico e até o mal moral são apenas transições necessárias que serão absorvidas num bem superior. O Otimismo radical, "absoluto" que o Autor propõe é superação existencial do Pessimismo (Cf. nota seguinte) e um ato de fé (Cf. nota 77) ou opção primordial: 1) no primado da consciência, o ser é bom, vale mais ser do que não ser, vale mais ser mais do que ser menos, vale mais ser consciente do que menos consciente; 2) na Vida, a certeza inabalável de que o Universo, considerado em seu conjunto, tem um fim a alcançar e não pode errar o caminho nem se deter no percurso; 3) no Absoluto (Cf. nota 86), o Mundo amadurece em si o fruto da mais alta consciência, maneira de ser superior, estado adquirido para sempre, perfeição absoluta; 4) na prioridade do Todo, o Absoluto em direção a quem nos elevamos é um Todo depurado, sublimado, "conscientizado", universal e pessoal. (Cf. *Mon univers*, 1924, obra por nós traduzida e comentada: *Meu universo e a energia humana*, Edições Loyola, São Paulo, 1980, 141 pp. Quanto ao Mal, Cf. o *Apêndice*, no final desta obra.)

96. Do ponto de vista psicológico, o *Pessimismo* é a disposição geral do ânimo para considerar as coisas pelo lado mais desfavorável. Do ponto de vista metafísico, o Pessimismo consiste na doutrina segundo a qual a essência das coisas é fundamentalmente má, ou de que, no mundo, o mal físico e o mal moral prevalecem sobre o bem (Eduard von Hartmann, 1842-1906). Por "Pessimismo Cultural" entende-se a concepção de que toda cultura floresce apenas para perecer, nada havendo que possa evitar sua ruína (Troeltsch, Spengler, 1880-1936). Para Arthur Schopenhauer (1788-1860), o clássico representante do Pessimismo, a essência da

realidade é a "vontade", quer dizer, o impulso sem finalidade, que estimula a formar configurações sempre novas. O homem escapa ao seu tormento somente pela anulação da vontade de viver, pela negação e fuga do mundo. O gozo estético é simples meio para uma aquietação transitória (Cf. sua obra *O mundo como vontade e como representação*, 1818). O "Pessimismo Trágico" empenha-se em afirmar o mundo e a vida, a despeito do absurdo preponderante (Nietzsche, 1844-1900) ou do ser-para-a-morte com seus fundamentos ontológicos no nada (Heidegger, *O ser e o tempo*, 1927); mas para interpretá-lo é preciso prudência. Esse pessimismo influenciou todo o Existencialismo. Sua superação, em geral, é essencialmente realizada pela doutrina do caráter axiológico do ser — vale mais ser do que não ser, etc. (Cf. nota anterior) — e pela atribuição de uma significação e de um lugar ao mal, em sentido positivo, dentro do Real globalmente considerado (Cf. o *Apêndice* desta obra e também, do Autor, "A significação e o valor construtivo do sofrimento", 1933, texto por nós traduzido e comentado em *Teilhard de Chardin: mundo, homem e Deus*, Editora Cultrix, São Paulo, 1978, pp. 69-73.)

97. Cf. nota 91.

98. "Ficar agarrado" seria postura estática e, portanto, retroativa, uma vez que o Progresso evolutivo é avanço contínuo... Parar, deter-se já é ficar para trás...

99. Cf. nota 77. Em muitas oportunidades, Teilhard afirmou que a *Esperança*, uma espera ativa e expectante (fundada em direitos, probabilidades e até promessas) é aquilo de que necessitamos para que nossa alegria seja completa...

100. Em sua célebre obra *Pensamentos*, Blaise Pascal (Cf. Parte I, Capítulo I, 1, A, nota 7 e, aqui, nota 25) elabora uma espécie de "prova da existência de Deus", destinada aos "libertinos", isto é, aos ateus pragmatistas de seu tempo. Em seu livro *Deus ou nada* (Edições Paulinas, São Paulo, 1975, 319 pp.), Romano Rezek, O. S. B., às pp. 225-227, faz um resumo da "Aposta de Pascal" que apresentamos a seguir, lembrando antes que o próprio Romano Rezek suspeita que Teilhard não conhecia bem a "famosa aposta", pois marcar os dados significaria falsificar, trapacear, e Pascal nada falsificou quando colocou o problema da eternidade e da felicidade no terreno existencial e em forma de raciocínio matemático. Com todo o respeito e admiração pelo grande mestre Rezek, permitimo-nos discordar. Ao nosso ver, o que o Autor está a dizer é que a questão de qualquer Porvir (Cf. nota 79), seja qual for, além de ultrapassar o nível do estritamente pessoal (como propõe Pascal) e envolver necessariamente toda a Humanidade (engajar todos os Homens, diria Sartre...) e todo o Real, não pode ser formulada em termos de um "jogo de probabilidades" sobre o Futuro, uma vez que um dos termos do "dilema" implica Liberdade, Vontade, Opção, fundamentadas na Razão (que vê Coerência, Harmonia, Fecundidade na Verdade) e na Esperança (Cf. nota anterior).
"Historicamente, a Vida (isto é, o próprio Universo tomado em sua porção mais ativa) é uma ascensão de Consciência. Percebem, então, a conseqüência direta dessa proposição em nossa atitude e conduta interiores? (...) Desde sempre, no Universo, a imensa massa de seres de que fazemos parte eleva-se tenazmente, infatigavelmente, rumo à maior liberdade, à maior sensibilidade, à maior visão anterior: e perguntamo-nos ainda aonde é preciso ir?... (...) Científica e objetivamente, a única resposta que se pode dar aos apelos da Vida é a marcha do progresso. E, por conseguinte, científica e objetivamente também, a única verdadeira felicidade consiste naquilo que chamamos de felicidade de crescimento ou de movimento. Como e com o Mundo queremos então ser felizes? (...) Adiante! (Cf. *Refléxions sur le bonheur*, 1943, obra por nós traduzida e comentada em *Teilhard de Chardin: mundo, homem e Deus*, Editora Cultrix, São Paulo, 1978, pp.74-92.)
Vamos, porém, aos termos da "Aposta", segundo Rezek:
Colocando-se na mentalidade do libertino que não quer aceitar nenhuma prova filosófica, mas pragmaticamente está sempre visando ao maior lucro, Pascal prepara a inteligência desse ateu para abrir seu coração:
— Examinemos este ponto: Deus existe *ou* não existe?
— Não quero escolher, isso não me interessa — responde o libertino.
— Mas "não escolher" é uma espécie de escolha que não é possível, uma vez que já estamos no "barco da vida", no qual cada gesto, implicitamente, já é uma escolha a favor ou contra Deus...

— Então... o que você quer fazer?
— Proponho um jogo no qual a coroa representa "sim, Deus existe" e a cara "não, Deus não existe".
Pesemos o ganho e a perda. É claro que as possibilidades tanto de cara como de coroa são 50% e 50%. Mas... se você ganhar, ganhará tudo; se perder, nada perderá...
— Como?
— De maneira bem simples. Se Deus existe, você só "perde" seus anos de vida organizada ao seu bel-prazer, mas ganha o *infinito* que Deus promete (quantitativamente, vida infinita, e qualitativamente, vida infinitamente feliz). E, se Deus não existe, então não existe nenhum infinito. O que *vale mais*, o infinito ou os anos de sua vida? Lógico que o infinito vale mais... E, aliás, se Deus existe, você ganha não só o infinito, mas também os seus anos de vida, então organizados conforme as leis divinas, e a sua vida de virtudes o torna muito mais feliz. E, matematicamente falando, quando houver *uma única* possibilidade de ganhar o *infinito*, contra alguns finitos casos de possibilidade de ganhar apenas o finito, então mais vale escolher aquela única possibilidade de ganhar o infinito... Ora, em nosso caso, há 50% de probabilidade de se ganhar o infinito... E então?
— É maravilhoso, mas não tenho fé...
— Pratique as virtudes, acostume-se com a idéia, prepare-se para acreditar...
Rezek indica ainda, "entre mil outras obras", a de George Brunet, *Le pari de Pascal* (Éditions Desclée De Brower, Paris, 1956, 140 pp.), ressaltando o texto estabelecido conforme a análise minuciosa de quatro páginas, quase ilegíveis, manuscritas de Pascal.

101. Isto é, os inúmeros "acasos". (Cf. Parte II, Capítulo II, 1, a, nota 39.)

102. Num de seus textos mais belos e profundos, Teilhard analisa, *de um ponto de vista psicológico*, a Evolução da *Fé* (Cf. nota 77) e as Etapas Individuais de *sua* Fé, e explicitando uma intuição primeira, adesão fundamental, que chama de *Fé no Mundo*, redige esta corajosa confissão que chegou a escandalizar muitos espíritos estreitos ou de vistas curtas:
"Se em decorrência de alguma reviravolta interior eu viesse a perder sucessivamente minha fé no Cristo, minha fé num Deus pessoal, minha fé no Espírito, parece-me que continuaria invencivelmente a *crer no Mundo*. O Mundo (o valor, a infalibilidade e a bondade do Mundo) tal é, em última análise, a primeira, a última e a única coisa em que creio. É por essa fé que eu vivo. E é a essa fé, eu o sinto, que, no momento de morrer, acima de todas as dúvidas, eu me abandonarei." (Cf. *Comment je crois*, 1934.)
Essa obra — apenas para melhor informação do leitor — é assim epigrafada:
"Creio que o Universo é uma Evolução
Creio que a Evolução se encaminha em direção ao Espírito
Creio que o Espírito se consuma no Pessoal
Creio que o Pessoal supremo é o Cristo-Universal."
Em 1950, ao redigir *Le couer de la matière*, o Autor precisaria a terceira afirmação: "Creio que o Espírito, *no Homem* se consuma no Pessoal". Esse texto foi por nós traduzido e comentado em *Para aquele que vem*, Instituto Social Morumbi, 1985, pp. 111-171.

103. De fato, a mera "sobrevivência" implicaria sempre velhice, decadência, senilidade, decrepitude... A *Sobrevida* a que se refere o Autor — anunciando, de certa forma, a Parte IV de sua obra — é noção, como veremos, muito mais ampla e rica de conteúdo. Distingamos, primeiramente, um *sentido biológico*. Sobrevida é o triunfo da vida sobre a morte no plano elementar da concorrência vital.
"Desde Darwin, falou-se muito (e com razão) de 'sobrevivência do mais apto'. Ora, quem não vê que, para funcionar, essa luta darwiniana pela existência *pressupõe* exatamente, nos elementos de competição, um *sentido obstinado da Conservação, de Sobrevida*, onde reaparece e se concentra a própria essência de todo o mistério?... (Cf. *Le goût de vivre*, 1950.)
Num *sentido religioso*, em seguida, Sobrevida é o triunfo da Vida sobre a Morte, por acesso da pessoa à imortalidade; passagem, para a Vida, de um estado de irreversibilidade relativa (impossibilidade física de se deter o enrolamento cósmico uma vez acionado) ao estado de irreversibilidade absoluta (incompatibilidade dinâmica radical de uma perspectiva garantida de Morte Total com a continuação de uma Evolução que se tornou refletida). (Cf. adiante,

Resumo ou *Posfácio*, 2, c, onde o Autor fala de "sobrevida ilimitada".)

Num *sentido particularmente teilhardiano*, a Sobrevida é o acesso da pessoa à vida consciente coletiva que ultrapassa a vida consciente individual e prepara a "Supervida".

"Como, uma vez reconhecidos e admitidos o seu caráter e as suas dimensões de 'síntese planetária', como (em harmonia com as leis internas do fenômeno) conceber que acabará a Vida sobre a Terra? por extinção ou explosão, na Morte? ou antes por ultra-síntese, em alguma Sobre-Vida?..." (Cf. *L'atomisme de l'esprit*, 1941.)

Super-Vida, por sua vez, pode ser conceituada, em Teilhard, como o tipo de vida superior engendrado pela união dos centros pessoais entre si e pela união de todas as pessoas num foco hiperpessoal de amor e de irreversibilidade. Essa Supervida começa já, antes da morte, mas só se consuma para além da morte.

"Para criar o fluxo que deve, com uma intensidade crescente e provavelmente durante centenas de séculos ainda, nos arrebatar simultaneamente para o alto e para a frente, o pólo repulsivo (ou negativo) da morte a ser evitado deve, por sua vez, de necessidade energética, se duplicar num segundo pólo, esse atrativo (ou positivo), de Super-Vida a ser alcançado: um pólo capaz de despertar e de satisfazer exigências características de uma atividade reflexiva: necessidade de irreversibilidade, e necessidade de total unidade." (Cf. *En regardant un cyclotron*, 1953.)

Mas já avançamos demais. Todas essas questões serão bem discutidas na Parte IV, a seguir. Por ora observemos que, com esses "dois pontos de que necessita imediatamente a nossa ação" estabelecidos pelo Autor, não apenas se resolve o "Dilema" proposto neste item C, mas também se responde, um pouco mais fundamente às três perguntas propostas ao final do Capítulo II, Parte I.

IV
A Sobrevida

CAPÍTULO I
A Saída Coletiva

Observação Preliminar
Um Impasse[1] a Evitar: o Isolamento[2]

Quando o Homem, tendo reconhecido que carrega em si mesmo a sorte do Mundo, se convence de que existe à sua frente um porvir sem limites no qual não pode soçobrar, um primeiro reflexo ameaça muitas vezes induzi-lo a buscar sua realização plena num esforço de isolamento.

Num primeiro caso, perigosamente favorável ao nosso egoísmo privado, algum instinto inato, justificado pela reflexão, nos inclina a julgar que, para dar ao nosso ser toda a sua plenitude, temos que nos desprender o mais possível da multidão *dos outros*. Esse "extremo de nós mesmos" que temos de alcançar, não estará ele na separação, ou pelo menos na sujeição de todo o resto a nós mesmos? O estudo do Passado nos ensina que, ao se tornar reflexivo, o elemento, parcialmente liberado das servidões filéticas, começou a viver *para si mesmo*. Não será então na linha cada vez mais progressiva dessa emancipação que devemos doravante avançar? Fazermo-nos mais *sós* para sermos mais *nós*. – Semelhante, nesse caso, a qualquer substância radiante, a Humanidade culminaria numa poeira de partículas ativas, dissociadas.[3] Não, sem dúvida, a girândola de centelhas a se extinguir na noite: isso seria aquela Morte total cuja hipótese nossa opção fundamental acaba de eliminar definitivamente.[4] Mas antes a esperança de que, com o tempo, certos raios, mais penetrantes ou mais felizes, acabarão certamente por encontrar o caminho que, desde sempre, a Consciência tem procurado para a sua própria consumação. Concentração por descentração em relação ao resto.[5] Solitários e à força de solidão, os elementos salváveis da Noosfera encontrariam sua salvação no limite superior, e por excesso, de sua individualização.

É raro que, à nossa volta, o individualismo excessivo ultrapasse a filosofia de um gozo imediato e sinta a necessidade de se conciliar com as exigências profundas da Ação.[6]

Menos teórica e menos extremada, pelo contrário, e muito mais insidiosa também, uma outra doutrina de "progresso por isolamento" fascina, neste mesmo momento, vastos contingentes de Humanidade: a da seleção e da eleição das Raças. Lisonjeiro para um egoísmo coletivo, mais vivo, mais nobre e mais insuflável ainda que qualquer amor-próprio particular, o Racismo[7] tem a seu favor o fato de aceitar e de prolongar nas suas perspectivas, rigorosamente tais quais, as linhas da

Árvore da Vida. O que nos mostra, efetivamente, a História do Mundo animado, senão uma sucessão de leques surgindo, um após o outro, um sobre o outro, como resultado do êxito e do predomínio de um grupo privilegiado? E por que escaparíamos nós dessa lei geral? Ainda agora, portanto, e mesmo entre nós, a luta pela Vida, a sobrevivência do mais apto. Prova de força. O Super-Homem[8] tem que germinar, como qualquer outra haste, a partir de um único broto de Humanidade.

Isolamento do indivíduo, — ou isolamento de um grupo. Duas formas diferentes de uma mesma tática, — cada uma das quais podendo se legitimar à primeira vista por uma extrapolação verossímil dos processos seguidos até nós pela Vida em seus desenvolvimentos.

A seqüência nos mostrará onde reside o atrativo — ou a perversidade — dessas teorias cínicas e brutais, mas em que, muitas vezes, pode vibrar uma nobre paixão; e porque é que, sob um ou outro desses apelos à violência, não nos podemos impedir de vibrar, às vezes, até o fundo de nós mesmos. Sutil deformação de uma grande verdade...

O que importa, por ora, é ver claramente que tanto uma como outra se enganam e nos enganam, na medida em que, negligenciando um fenômeno essencial, "a confluência natural dos grãos de Pensamento"[9] escondem ou desfiguram aos nossos olhos os verdadeiros contornos da Noosfera, e tornem impossível, biologicamente, a formação de um verdadeiro Espírito da Terra.[10]

1. A Confluência de Pensamento

A) COALESCÊNCIA[11] FORÇADA

a) Coalescência de Elementos

Por natureza, e em todos os seus graus de complicação, os elementos do Mundo têm o poder de se influenciarem e de se invadirem mutuamente por seu Dentro, de maneira a combinar em feixes suas "energias radiais". Apenas conjecturável nas moléculas e nos átomos, essa interpenetrabilidade psíquica aumenta e torna-se diretamente perceptível entre seres orgânicos. No Homem, finalmente, em quem os efeitos de consciência atingem na Natureza o seu atual máximo, ela é por toda a parte extrema, por toda a parte observável no Fenômeno Social,[12] e por nós, de resto, diretamente experimentada. Mas ao mesmo tempo, também neste caso, ela só opera em virtude das "energias tangenciais" de ordenação[13] e, por conseguinte, sob certas condições de aproximação espacial.

E aqui intervém um fato de aparência banal, mas onde transparece, na realidade, um dos traços mais fundamentais da estrutura cósmica: a redondeza da Terra. — A limitação geométrica de um astro fechado sobre si mesmo, como uma gigantesca molécula... Esse caráter já nos surgira como necessário na origem das primeiras sínteses e polimerizações sobre a Terra Juvenil.[14] Implicitamente, sem que tivéssemos sido obrigados a dizê-lo, foi ele que se estendeu constantemente por baixo de todas as diferenciações e todos os progressos da Biosfera. Mas que dizer de sua função na Noosfera!

Livre, suponhamos o impossível, para se espacejar e para se expandir indefinidamente sobre uma superfície sem limites, quer dizer, abandonada apenas ao jogo de suas afinidades internas, que teria sido da Humanidade? Algo de inimaginável, algo de diferente, com certeza, do Mundo moderno, — e talvez mesmo absolutamente nada, a julgarmos pela extrema importância que tomaram, nos seus desenvolvimentos, as forças de compressão.[15]

Na origem, e durante séculos, nada prejudicou sensivelmente a expansão das vagas humanas sobre a superfície do Globo; e provavelmente até esteja aí uma das razões explicativas da lentidão de sua evolução social. E depois, a partir do Neolítico, como vimos, essas vagas começaram a refluir sobre si mesmas. Estando ocupado todo o espaço livre, os ocupantes tiveram que se apertar mais. E foi assim que, de etapa em etapa, sob o simples efeito multiplicador das gerações, chegamos à situação presente, que consiste em constituirmos juntos uma massa quase sólida de substância hominizada.[16]

Ora, à medida que, sob o efeito dessa pressão, e graças à sua permeabilidade psíquica, os elementos humanos se interpenetravam cada vez mais, seu espírito (misteriosa coincidência...) aquecia-se por aproximação. E como que dilatados sobre si mesmos, alargavam, cada qual pouco a pouco, o raio de sua zona de influência sobre uma Terra que, por isso mesmo, se achava cada vez mais apequenada. Que vemos nós, efetivamente, acontecer no paroxismo moderno? Já foi de sobejo registrado. Pela invenção, ainda ontem, da estrada de ferro, do automóvel, do avião, a influência física de cada homem, reduzida outrora a alguns quilômetros, estende-se agora a centenas de léguas. Melhor ainda: graças ao prodigioso acontecimento biológico que representa a descoberta das ondas eletromagnéticas, cada indivíduo se encontra doravante (ativa e passivamente) simultaneamente presente à totalidade do mar e dos continentes, — coextensivo à Terra.[17]

Assim, não apenas por aumento incessante do número de seus membros, mas também por aumento contínuo de sua área de atividade individual, a Humanidade, sujeita que está a se desenvolver em superfície fechada, encontra-se irremediavelmente submetida a uma pressão formidável, — pressão constantemente acrescida por seu próprio jogo: pois que cada novo grau na compressão não tem outro efeito senão o de exaltar um pouco mais a expansão de cada elemento.

E eis aí um primeiro fato que deveremos levar em conta se não quisermos viciar nossas representações antecipadas[18] de um Futuro do Mundo.

Inegavelmente, e fora de qualquer hipótese, o jogo externo das forças cósmicas, combinado com a natureza eminentemente coalescível de nossas almas pensantes, trabalha no sentido de uma concentração enérgica das consciências: esforço tão poderoso que chega a fazer vergar sob sua atuação, como em seguida veremos, as próprias construções da Filogênese.

b) Coalescência de Ramos

Já por duas vezes, primeiro ao articular a teoria, e depois ao descrever as fases históricas da Antropogênese, assinalei a curiosa propriedade, peculiar às linhagens humanas, de estas entrarem em contato e de se misturar, mormente por meio de seu invólucro de psiquismo e de instituições sociais. Chegou o momento de observar o fenômeno em toda a sua generalidade e de descobrir sua significação última.

O que, ao primeiro relance, intriga o naturalista, quando ele tenta *ver* os Hominianos, não somente em si mesmos (como fazem habitualmente os antropólogos), mas por comparação com as outras formas animais, é a extraordinária elasticidade de seu grupo zoológico. Visivelmente, no Homem, como por toda parte na Evolução, a diferenciação anatômica de um tipo primitivo segue o seu curso. Por efeitos genéticos, produzem-se mutações. Por influências climáticas e geográficas, esboçam-se variedades, raças. Somaticamente falando, aí está o "leque", continuamente em formação, perfeitamente reconhecível. E, no entanto, fato notável, seus ramos divergentes já não conseguem separar-se. Em condições de desdobramento em que qualquer outro filo inicial estaria há muito dissociado em espécies distintas, o verticilo humano desabrocha, "inteiro", como uma folha gigantesca cujas nervuras, por mais distintas que sejam, permanecem sempre ligadas num tecido comum. Interfecundação indefinida, em todos os graus. Soldagem de gens. Anastomoses[19] das raças em civilizações e corpos políticos... Considerada zoologicamente, a Humanidade nos apresenta o espetáculo único de uma "espécie" capaz de realizar aquilo em que tinha fracassado qualquer outra espécie antes dela: não simplesmente ser cosmopolita, – mas cobrir a Terra, sem se romper, de uma única membrana organizada.[20]

A que atribuir essa estranha condição, senão à reversão ou, mais exatamente, ao aperfeiçoamento radical das vias da Vida, pela entrada em jogo, finalmente e só agora possível, de um poderoso instrumento de evolução: a coalescência de um filo inteiro sobre si mesmo?

Na base do acontecimento, aqui ainda, os estreitos limites da Terra, sobre a qual os ramos vivos se recurvam e se aproximam mutuamente, por seu próprio ímpeto de crescimento, como as hastes intricadas de uma hera. Mas esse contacto exterior tinha sido e teria continuado a ser sempre insuficiente para chegar até uma conjunção, sem o novo poder de ligação conferido ao Biota humano pelo nascimento da Reflexão. Até o Homem, o mais que pudera realizar a Vida, em matéria de associação, fora juntar socialmente sobre si próprias, uma por uma, as extremidades mais finas de um mesmo filo. Agrupamentos essencialmente mecânicos e familiais realizados de acordo com um gesto puramente "funcional" de construção, de defesa ou de propagação. A colônia. A colméia. O formigueiro. Organismos todos eles com poder de aproximação limitado aos produtos de uma única mãe. – A partir do Homem, graças ao quadro ou suporte *universais* fornecidos pelo Pensamento, é dado livre curso às forças de confluência. No seio desse novo meio, os próprios ramos de um mesmo grupo chegam a se juntar. Ou, melhor, soldam-se entre si antes mesmo de terem acabado de se separar.

Desse modo, no decurso da filogênese humana, a diferenciação dos grupos acha-se conservada até um certo ponto, – isto é, na medida em que, criando por tenteios tipos novos, ela constitui uma condição biológica de descoberta e de enriquecimento. Mas em seguida (ou ao mesmo tempo), como acontece numa esfera em que os meridianos, jorrando de um pólo, não se afastam senão para se juntarem no pólo oposto, essa divergência dá lugar e subordina-se a um movimento de convergência em que raças, povos e nações se consolidam e se consumam por mútua fecundação.[21]

Antropologicamente, etnicamente, socialmente, moralmente, nada se compreende do Homem, e não se consegue fazer nenhuma previsão válida, aqui outra vez, no que tange aos seus estados futuros, enquanto não se tiver visto que, no seu caso, a "ramificação" (na medida em que subsiste) já não opera senão com um fim, e sob formas superiores, de aglomeração e de convergência. Formação dos verticilos, seleção, luta pela vida: simples funções secundárias, doravante, nele subordinadas a uma obra de coesão. O enrolamento sobre si mesmo de um feixe de espécies virtuais em volta da superfície da Terra. Todo um novo modo de Filogênese.[22]*

B) MEGASSÍNTESE[23]

Coalescência dos elementos e coalescência dos ramos. Esfericidade geométrica da Terra e curvatura psíquica do Espírito, que se harmonizam para contrabalançar no Mundo as forças individuais e coletivas de Dispersão e substituir-lhes a Unificação: toda a mola e o segredo, enfim, da Hominização.[24]

Mas por que, e para que, a Unificação no Mundo?

Para ver aparecer a resposta a essa questão última, basta aproximar as duas equações que se estabeleceram gradualmente diante de nós a partir do primeiro instante em que tentamos situar no Mundo o Fenômeno Humano.

Evolução = Ascensão de consciência.
Ascensão de consciência = Efeito de união.[25]

O agrupamento geral em que, por ações conjugadas do Fora e do Dentro da Terra, encontra-se empenhada, neste momento, a totalidade das potências e das unidades pensantes, — a reunião em bloco de uma Humanidade cujos fragmentos se soldam e se penetram aos nossos olhos, a despeito e mesmo à proporção dos esforços que fazem para se separarem, — tudo isso toma até o fundo uma forma inteligível desde que aí divisamos a culminação natural de um processo cósmico de organização que nunca variou desde as eras longínquas em que nosso planeta era juvenil.

Primeiro, as moléculas carbonadas, com seus milhares de átomos simetricamente agrupados. Em seguida, a célula, onde, sob um volume mínimo, milhares de moléculas se montam num sistema como que de engrenagens. Em seguida, o Metazoário, no qual a célula já não é mais do que um elemento quase infinitesimal. Depois ainda, como por ilhotas, as multiformes tentativas feitas pelos Metazoários para entrarem em simbiose e se elevarem a um estado biológico superior.

E agora, como um germe de dimensões planetárias, a camada pensante que, em toda a sua extensão, desenvolve e entrecruza suas fibras, não para as confundir e neutralizar, mas para as reforçar, na unidade viva de um único tecido...

Positivamente, não vejo outra maneira coerente, e portanto científica, de agrupar essa imensa sucessão de fatos, senão interpretando no sentido de uma gigantesca operação psico-biológica, — como uma espécie de *megassíntese*, — a "super-ordenação" à qual todos os elementos pensantes da Terra se acham hoje individualmente e coletivamente submetidos.

Megassíntese no Tangencial. E, então, por isso mesmo, um salto para diante das energias Radiais, segundo o eixo principal da Evolução. Sempre mais Complexidade: e, portanto, cada vez mais Consciência.[26]

Mas, se aí está na verdade o que se passa, que mais nos é preciso para reconhecer o erro vital que se esconde no fundo de qualquer doutrina de isolamento?

Falso e antinatural, o ideal egocêntrico de um porvir reservado àqueles que souberem chegar egoisticamente ao extremo do "cada um por si". Nenhum elemento consegue se mover nem crescer senão com e por todos os outros, ao mesmo tempo.

Falso e antinatural, o ideal racista de um ramo que capta só para si toda a seiva da Árvore, e que se ergue sobre a morte dos outros galhos. Para transpassar até o sol, é preciso nada menos que o crescimento combinado da ramada inteira.

A Saída do Mundo, as portas do Porvir, a entrada no Super-Humano, não se abrem para diante nem apenas para alguns privilegiados, nem para um único povo eleito entre todos os povos! Elas não cederão senão a um empurrão de *todos juntos*, numa direção em que todos juntos[27]* podem se reunir e se completar numa renovação espiritual da Terra, — renovação cujos aspectos cabe-nos precisar e sobre cujo grau físico de realidade cumpre-nos meditar.

2. O Espírito da Terra[28]

A) HUMANIDADE

Humanidade. Tal é a primeira figura sob a qual o Homem moderno, no próprio instante em que despertava para a idéia de Progresso,[29] teve que procurar conciliar, com as perspectivas de sua inevitável morte individual, as esperanças de porvir ilimitado de que já não podia prescindir. Humanidade: entidade a princípio vaga, mais experimentada do que raciocinada, em que um obscuro sentido de crescimento permanente se aliava a uma necessidade de fraternidade universal. Humanidade: objeto de uma fé muitas vezes ingênua, mas cuja magia, mais forte do que todas as vicissitudes e todas as críticas, continua a atuar com a mesma força de sedução tanto sobre a alma das massas atuais como sobre os cérebros da "intelligenzia".[30] Quer se participe de seu culto, quer se ridicularize esse mesmo culto, quem pode, ainda hoje, escapar à obsessão, ou mesmo à ascendência da idéia de Humanidade?

Aos olhos dos "profetas" do século XVIII,[31] o mundo não apresentava, na realidade, senão um conjunto de ligações confusas e frouxas. E era necessária, em verdade, a adivinhação de um crente para sentir pulsar o coração dessa espécie de embrião. Ora, após menos de duzentos anos, eis-nos, quase sem nos darmos conta disso, engajados na realidade, pelo menos material, daquilo por que esperavam nossos pais. À nossa volta, no espaço de algumas gerações, laços econômicos e culturais de toda espécie se estabeleceram e se vão multiplicando em progressão geométrica. Agora, além do pão que simbolizava, na sua simplicidade, o alimento de um Neolítico, todo homem exige, a cada dia, sua ração de ferro, de cobre e de algodão, — sua ração de eletricidade, de petróleo e de rádio, — sua ração de descobertas, de cinema e de notícias internacionais. Já não é um simples campo, por mais vasto que seja, — é a Terra inteira que é requerida para alimentar cada um dentre nós. Se as palavras têm um sentido, não é como que um grande corpo que está nascendo, – com seus membros, seu sistema nervoso, seus centros perceptivos, sua memória –, o próprio corpo da grande Coisa que devia vir para satisfazer às aspirações suscitadas no ser reflexivo pela consciência, recém-adquirida, de que ele é solidário e responsável de um Todo em evolução?

De fato, pela própria lógica de nosso esforço para coordenar e organizar as linhas do Mundo, nosso pensamento se acha reconduzido, por eliminação das heresias individualista e racista, exatamente a perspectivas que lembram a intuição inicial dos primeiros filantropos.[32] Nenhum porvir evolutivo a se esperar para o homem fora de sua associação com todos os outros homens. Os sonhadores de ontem já o haviam entrevisto. E, num certo sentido, vemos exatamente o mesmo que eles. Mas – melhor do que eles, porque "montados em seus ombros",[33] o que hoje estamos em condições de descobrir são as raízes cósmicas; é também o estofo físico particular; é a natureza específica, enfim, dessa Humanidade que eles, lá e então, só podiam pressentir, – e que nós, aqui e agora, não podemos deixar de ver, a não ser que fechemos os olhos.

Raízes cósmicas. Para os humanitários do primeiro momento, o homem, reunindo-se aos seus semelhantes, obedecia a um preceito natural de que eles mal se preocupavam em analisar as origens e, conseqüentemente, em avaliar a gravidade. Naqueles tempos, não se tratava ainda a Natureza como uma Personagem ou como uma Metáfora poética? O que a Natureza exigia de nós num dado momento havia-o talvez decidido apenas na véspera, ou talvez não o quisesse mais no dia seguinte. Para nós, mais a par das dimensões e das exigências do Mundo, as forças que, acorrendo de fora ou surgindo de dentro, nos comprimem cada vez mais uns contra os outros, perdem toda aparência de arbitrariedade e todo perigo de instabilidade.

Construção frágil senão fictícia, enquanto não encontrava, para se enquadrar, senão um Cosmo limitado, plural e desconjuntado, a Humanidade adquire consistência, e torna-se simultaneamente verossímil a partir do momento em que, reintroduzida num Espaço-Tempo biológico,[34] aparece como que prolongando em sua figura as próprias linhas do Universo, – entre outras realidades exatamente tão vastas quanto elas.

Estofo físico. Para um bom número de nossos contemporâneos, a Humanidade continua a ser ainda coisa irreal, quando não é por eles absurdamente materializada. Segundo alguns, ela não seria mais do que uma entidade abstrata, ou então um vocábulo convencional. E para outros ela se torna agrupamento espessamente orgânico, em que o social se transcreve literalmente em termos de fisiologia e de anatomia. Idéia geral, entidade jurídica, – ou então animal gigantesco... A mesma impotência, num caso e noutro, por falta ou por excesso, para conceber corretamente os conjuntos. Para sair desse dilema, o único meio não seria introduzir decididamente em nossos esquemas intelectuais, para uso do superindividual, mais uma categoria? Afinal de contas, por que não? – A Geometria não teria progredido se, construída inicialmente sobre as grandezas racionais, não houvesse acabado por aceitar, como tão completos e inteligíveis quanto um número inteiro, e, π, ou qualquer outro incomensurável.[35] O Cálculo nunca teria resolvido os problemas postos pela Física moderna se não houvesse se erguido constantemente à concepção de novas funções.[36] Por idênticas razões, a Biologia não conseguiria se generalizar às dimensões da Vida total sem introduzir, na escala das grandezas que tem agora de tratar, certos graus de ser que a experiência vulgar pudera até então ignorar, –

e precisamente o grau do *Coletivo*.³⁷ Sim, daqui por diante, ao lado e além das realidades individuais, as realidades coletivas, irredutíveis ao elemento, e, no entanto, à sua maneira, tão objetivas quanto ele. Não foi assim que tive irresistivelmente de falar para traduzir em conceitos os movimentos da Vida?

Filos, camadas, ramos, etc....

Para o olho afeito às perspectivas da Evolução, esses agrupamentos dirigidos tornam-se forçosamente objetos tão claros, tão fisicamente reais como qualquer coisa isolada. E, nessa classe de grandeza particular, a Humanidade ocupa naturalmente seu lugar. Para que ela se torne representável, basta que cheguemos, por retificação ou reajustamento mental, a concebê-la diretamente como ela é, – sem tentar reduzi-la ao que quer que seja de mais simples e que já conheçamos.

Natureza específica, enfim. E aqui reencontramos o problema no próprio ponto a que anteriormente nos tinha levado o fato, devidamente verificado, da confluência dos pensamentos humanos. Realidade coletiva, e portanto *sui generis*, a Humanidade só pode ser compreendida na medida em que nós, ultrapassando seu corpo de construções tangíveis, procurarmos determinar o tipo particular de síntese consciente que emerge de sua laboriosa e engenhosa concentração. Ela não é finalmente definível senão como um Espírito.

Ora, sob esse aspecto, e no atual estado das coisas, podemos tentar imaginar de duas maneiras, em dois graus, a forma que ela pode ser levada a tomar amanhã. Ou bem, e isso é mais simples, como um poder ou ato comuns de conhecer e de agir. Ou bem, e isso vai bem mais fundo, como uma super-agregação orgânica das almas. Ciência, – ou Unanimidade.

B) CIÊNCIA

Tomada no pleno sentido moderno da palavra, a Ciência é irmã gêmea da Humanidade. Nascidas juntamente, as duas idéias (ou os dois sonhos...) cresceram juntas, até atingirem valor quase religioso no decorrer do último século. Ambas conheceram em seguida os mesmos infortúnios. O que não as impede de representarem ainda, e mais do que nunca, apoiadas uma na outra, as forças ideais sobre as quais recai nossa imaginação toda vez que ela procura materializar sob forma terrestre suas razões de crer e de esperar.

O futuro da Ciência... Em primeira aproximação, ele se desenha em nosso horizonte como o estabelecimento de uma perspectiva total e totalmente coerente do Universo. Houve um tempo em que o único papel atribuído ao conhecimento era o de iluminar, para nossa alegria especulativa, objetos totalmente prontos e totalmente dados à nossa volta. Hoje, graças a uma filosofia que vem conferir um sentido e uma consagração à nossa sede de tudo pensar, entrevemos que a inconsciência é uma espécie de inferioridade ou mal ontológico, – uma vez que o Mundo não fica completo senão na medida em que se exprime numa percepção sistemática e reflexiva.³⁸ Até (senão principalmente) nas Matemáticas, "achar" não faz surgir algo de novo ser? Desse ponto de vista, Descoberta e Síntese intelectuais já não são apenas especulação, mas criação.³⁹ A partir daí, qualquer consumação física das coisas fica ligada à percepção explícita que delas tomamos. E a partir daí têm razão, pelo menos parcialmente, aqueles que colocam,⁴⁰* num ato supremo de visão coletiva, obtido por esforço pan-humano de investigação e de construção, o coroamento da Evolução.[41]*

Saber para saber. Mas também, e talvez ainda mais, *saber para poder.*

Desde que nasceu, a Ciência tem crescido sobretudo sob o incentivo de algum problema da Vida a resolver; e suas mais sublimes teorias teriam flutuado sempre sem raízes sobre o Pensamento humano se não se tivessem imediatamente transformado, ou incorporado, em algum meio de domar o Mundo. Por isso mesmo, a marcha da Humanidade, prolongando a de todas as outras formas animadas, se desenvolve, incontestavelmente, no sentido de uma conquista da Matéria posta ao serviço do Espírito. *Poder mais para agir mais.* Mas, finalmente, e sobretudo, *agir mais a fim de ser mais...*[42]

Outrora, os precursores de nossos químicos se obstinavam em descobrir a pedra filosofal.[43] Hoje, nossa ambição aumentou. Não mais fazer ouro, – mas Vida! E quem então ousaria dizer, ao ver o que se passa há cinquenta anos para cá, que se trata de uma simples miragem?... Pelo conhecimento dos hormônios, não estamos nós às vésperas de poder interferir no desenvolvimento de nosso corpo, – e do próprio cérebro? Pela descoberta dos gens, não vamos em breve controlar o mecanismo das hereditariedades orgânicas? E, pela síntese iminente dos albuminóides, não iremos ser capazes, um dia, de provocar o que a Terra, abandonada a si própria, parece já não poder operar: uma nova vaga de organismos, – uma Neo-vida,[44] artificialmente suscitada?[45]* Na verdade, por imenso e prolongado que tenha sido, desde as origens, o tenteio universal, muitas combinações possíveis podem ter escapado ao jogo das probabilidades, reservada que era sua revelação às diligências calculadas do Homem. O Pensamento aperfeiçoando artificiosamente o próprio órgão de seu pensamento. A Vida saltando de novo à frente sob o efeito coletivo de sua Reflexão... Sim; o sonho de que se alimenta obscuramente a Pesquisa humana consiste, no fundo, em chegar a dominar, para além de todas as afinidades atômicas ou moleculares, a Energia fundamental de que todas as outras energias não são senão as servas: agarrar, reunidos todos juntos, a barra de direção do Mundo, deitando a mão sobre a própria Mola da Evolução.

Àqueles que têm a coragem de confessar a si próprios que suas esperanças chegam a tanto, eu direi que eles são os mais homens dos homens – e que há menos diferença do que se pensa entre Pesquisa e Adoração.[46] Mas que notem bem o seguinte ponto, cujo exame vai nos encaminhar gradualmente para uma forma mais completa de conquista e de adoração. Por mais longe que a Ciência leve sua descoberta do Fogo Essencial, por mais capaz que ela se torne um dia de remodelar e de perfazer o elemento humano, encontrar-se-á sempre, em fim de contas, diante do mesmo problema colocado: como dar a todos e a cada um desses elementos seu valor final agrupando-os na unidade de um Todo Organizado?[47]

C) UNANIMIDADE

Megassíntese, dissemos ainda há pouco. Apoiados numa melhor inteligência do Coletivo, é sem atenuação nem metáfora, parece-me, que essa palavra deve ser entendida, quando a aplicamos ao conjunto de todos os humanos. O Universo é necessariamente uma grandeza homogênea em sua natureza e em suas dimensões.

Ora, sê-lo-ia ainda, se as voltas de sua espiral perdessem o que quer que fosse de seu grau de realidade, de sua consistência, ao subirem cada vez mais para cima? *Supra, não infra-física*: tal somente pode ser, para continuar coerente com o resto, a Coisa ainda inominada que a combinação gradual dos indivíduos, dos povos e das raças deve fazer surgir no Mundo. Mais profunda que o Ato comum de visão em que se exprime, mais importante que a Potência comum de ação de que emerge por uma espécie de autonascimento, existe, e temos que encará-la, a própria Realidade constituída pela reunião viva das partículas reflexivas.

O que quer dizer isso senão que (coisa totalmente verossímil) o Estofo do Universo, ao se tornar pensante, não concluiu ainda seu ciclo evolutivo, e que, por conseguinte, caminhamos em direção a algum novo ponto crítico adiante? Apesar de suas ligações orgânicas, cuja existência se nos mostrou por toda parte, a Biosfera não formava ainda mais que uma composição de linhas divergentes, livres nas extremidades. Sob o efeito da Reflexão, e das inflexões que esta acarreta, as cadeias se fecham; e a Noosfera tende a se constituir num único sistema fechado, — onde cada elemento por sua vez vê, sente, deseja, sofre as mesmas coisas que todos os outros ao mesmo tempo.[48]

Uma coletividade harmonizada de consciências equivalente a uma espécie de super-consciência.[49] A Terra não apenas a se cobrir de grãos de Pensamento às miríades, mas a se envolver num só invólucro pensante, até formar, funcionalmente, nada menos que um único imenso Grão de pensamento, à escala sideral. A pluralidade das reflexões individuais agrupando-se e reforçando-se no ato de uma só Reflexão unânime.

Tal é a figura geral sob a qual, por analogia e por simetria com o passado, somos levados cientificamente a imaginar no futuro esta Humanidade, fora da qual nenhuma saída terrestre se abre às exigências terrestres de nossa Ação.

Para o "bom senso" vulgar, e para uma certa filosofia do Mundo, segundo a qual nada é possível além do que sempre foi, semelhantes perspectivas parecem inverossímeis. Para o espírito familiarizado com as fantásticas dimensões do Universo, elas parecem, pelo contrário, absolutamente naturais, porque simplesmente proporcionadas com as imensidades astrais.

Na direção do Pensamento, como na direção do Tempo e do Espaço, poderia o Universo terminar de outra forma senão sobre o Desmesurado?[50]

Uma coisa, em todo caso, é certa: é que, tão logo se adota uma perspectiva plenamente realista da Noosfera e da natureza hiper-orgânica[51] dos laços sociais, a situação presente do Mundo torna-se mais clara: pois revela-se um sentido muito simples nas profundas perturbações que agitam a camada humana neste momento.

A dupla crise, já seriamente iniciada no Neolítico e que se aproxima de seu auge na Terra moderna, está ligada primeiramente, já o dissemos, a uma *Tomada em massa* (a uma "planetização", poder-se-ia dizer) da Humanidade: Povos e civilizações chegados a um tal grau, quer de contacto periférico, quer de interdependência econômica, quer de comunhão psíquica, que já não podem crescer senão se interpenetrando. Mas prende-se também ao fato de que, sob a influência combinada da Máquina e de um superaquecimento de Pensamento, nós assistimos a um formidável *jorro de potências ociosas*. O Homem moderno já não sabe o que fazer do tempo e das potências que desencadeou entre suas mãos. Gememos sob esse excesso de riquezas. Clamamos contra o "desemprego". E pouco nos falta para tentarmos recalcar essa super-abundância na Matéria de que ela saiu, — sem reparar no que esse gesto antinatural teria de impossível e de monstruoso.

Compressão crescente de elementos no seio de uma energia livre que aumenta também sem cessar.

Como não ver nesse duplo fenômeno os dois sintomas ligados, sempre os mesmos, de um salto para o "Radial",[52] isto é, de um novo passo na gênese do Espírito?

É em vão que procuramos, para não termos de mudar nossos hábitos, resolver os conflitos internacionais com acertos de fronteiras, — ou tratar como "ócios" a distrair, as atividades disponíveis da Humanidade. No passo em que vão as coisas, esmagar-nos-emos em breve uns contra os outros, e algo explodirá, se teimarmos em querer absorver no desvelo dedicado aos nossos velhos casebres, forças materiais e espirituais doravante talhadas à medida de um Mundo.

Um novo domínio de expansão psíquica: eis o que nos falta, e eis o que está precisamente diante de nós, se apenas erguemos os olhos.

A paz na conquista, o trabalho na alegria: ambos nos esperam, para além de qualquer império oposto a outros impérios, numa totalização interior do Mundo sobre si mesmo, — na edificação unânime de um *Espírito da Terra*.

Mas então, como é que nossos primeiros esforços em direção a esse grande objetivo parecem não ter outro resultado que não o de afastar-nos dele?...

NOTAS

1. Do francês *impasse* (*in*, privativo, e *passer*, passar) — que designa, em sentido próprio, a rua com uma única entrada, o beco; e, em sentido figurado, a situação difícil que parece não oferecer saída favorável, o empecilho —, o termo *Impasse* surge no vocabulário teilhardiano a designar uma situação-limite, um extremo ardiloso que deve ser evitado, no mínimo porque, enquanto "fechado", não permite o prosseguimento ou a continuidade do processo evolutivo, quer por prolongamento no mesmo plano (físico) quer por ultrapassagem para outro plano superior (hiperfísico). É como se, no impasse, se esgotasse a possibilidade de permanência-imanência, sem a possibilidade de ocorrência-transcendência, esgotando o ser e impedindo qualquer emersão do novo. Nesse aspecto, o "impasse" se opõe ao "limiar" ou "ponto crítico". (Cf. Parte II, Capítulo I, notas 6 e 8.) *Obs.*: Na tradução, preferimos o galicismo à expressão "beco sem saída", tanto por nos parecer mais conciso, como por seu emprego, mesmo entre acadêmicos, ser já usual.

2. O *Isolamento* é um insulamento, um confinamento, uma autolimitação que fecha, encerra, enclausura e, simultaneamente, põe-se à parte, aparta, distancia, separa de tudo, do Todo. Em ambos os sentidos, impede o avanço do fluxo ou corrente da Evolução por "condução" (do latim *conducere*), que é, no fundo, a capacidade que tem cada elemento de, em *conjunto* com todos os outros, guiar, orientar, levar adiante um mesmo impulso de ser cada vez mais. Esse *Mais-Ser*, que o isolamento obstaculiza, é o aparecimento, em cada etapa evolutiva, de uma realidade nova que constitui um superávit de consciência e, portanto, um enriquecimento ontológico. (Cf. nota anterior.) Tanto a noção de impasse como a de isolamento, de resto, são explicitadas de sobejo nessa *Observação Preliminar* que o Autor passa a desenvolver. (Cf. também final deste item 1.)

3. A *Radiação* consiste num processo físico de emissão e propagação de energia, quer por

intermédio de fenômenos ondulatórios ("fluxo radiante" ou "radiação eletromagnética"), quer por meio de partículas dotadas de energia cinética — partículas subatômicas como elétrons, alfas, nêutrons etc. ("radiação corpuscular"). A analogia é clara: a Humanidade, como uma substância radiante, emitindo e propagando (e, no caso, dispersando...) toda a energia da Vida e do Pensamento através da multiplicidade dos *homens* (quando, de fato, a meta é a concentração dessa energia na constituição da unidade do *Humano*).

4. Cf. Parte III, Capítulo III, 2, C. Essa *Morte Total*, a que o Autor ali se refere, no parágrafo comentado pela nota 85, e a que volta a se referir agora, não se reduz à perspectiva de um Universo que se desfaz por esgotamento energético material (Entropia), pois, então, ainda haveria a "saída" pelo Dentro... Mas expressa a idéia de uma possível auto-destruição da Humanidade a partir desse mesmo Dentro, um esvanecimento da própria Noosfera à falta de um foco de concentração:

"Aplicada a um só grão de pensamento, a idéia de aniquilação não nos choca imediatamente; ou então, se nos choca, é por uma introspecção tão delicada que podemos hesitar sobre o valor de nossa evidência. Ampliada, pelo contrário, às dimensões planetárias da 'Noosfera', a mesma idéia se descobre tão dissolvente de todo o Passado e de todo o Presente do Mundo que não podemos senão rejeitá-la." (Cf. *L'atomisme de l'esprit. Un essai pour comprendre la structure de l'etoffe de l'univers*, 1941.)

Com efeito, constituímos um Universo em que, por estrutura e funcionamento, todo o interesse dos elementos vai progressivamente se depurando, sublimando e concentrando num termo coletivo (e coletor) a ser alcançado. Ora, o que acontece com a desistência desse movimento *conjunto*? O que acontece se optamos pelo isolamento, quer por supor que aquele termo será melhor alcançado individualmente, quer por desistir de alcançá-lo, julgando-o precário ou inexistente? Nada menos que o desmoronamento de todo o Real, um malogro do Universo: esfera sem centro, cone sem ápice, convergência sem pólo de encontro, movimento absurdo ao longo do Espaço-Tempo em direção ao Nada! (Cf. *Barrière de la mort et co-réflexion; ou de l'éveil imminent de la conscience humaine au sens de son irréversion*, 1955.)

5. Aquele movimento geral do ser — *Centração* — pelo qual ele se dobra sobre si mesmo, interiorizando-se e unificando-se, prolongar-se-ia então, num paroxismo, por um ensimesmar-se que afasta ou ignora a consideração de outros centros análogos, e solidários. Tendo conquistado sua autonomia pessoal naquela *Centração*, caberia ao ser arrancar-se dolorosa e laboriosamente de si mesmo — *Excentração* — e partir em busca do conjunto (Co-ser, consistência, coexistência, convivência...), abrindo-se ao Outro — *Descentração* —, e descobrir que o fundamento da sua própria autonomia pessoal e de todo o conjunto em que ele próprio se insere reside na participação e pertinência à vida de um centro superior — *Sobre-centração*. Nesse tríplice processo (Centração, Descentração, Super-Centração) consiste, inclusive, toda a "Dialética Existencial da Felicidade", segundo Teilhard. (Cf. "Reflexões sobre a Felicidade", 1943, texto por nós traduzido e comentado em *Teilhard de Chardin: mundo, homem e Deus*, Cultrix, São Paulo, 1978, pp. 74-92.) No Isolamento, por inversão, a Descentração, ao invés de se operar em relação ao si mesmo resultando em Concentração com os outros, opera-se em relação ao Outro, resultando em Concentração sobre si mesmo (que é, no fundo, *Dicentração, Bicentração*, centração redobrada e separatista).

6. Cf. Parte III, Capítulo III, 2, lembrando sempre que a *Ação* é liberação de energia para criar "mais-ser" (Cf. nota 2), noção oposta ao "bem-estar", que consiste na ordenação do Real em vista do conforto humano natural e social e não comporta qualquer crescimento ontológico. É nesse bem-estar que tende a desembocar o individualismo excessivo, culminando em passividade e desfrute, enquanto, na Ação, o ser adere à própria potência criadora divina, coincide com ela; torna-se não apenas o seu instrumento, mas seu prolongamento vivo.

7. O *Racismo* se fundamenta na convicção de que existem raças humanas estritamente definíveis como superiores a outras e, por conseguinte, com o direito de dirigi-las. Preconizando a separação dos indivíduos pertencentes às raças inferiores, no interior de um país, região ou área ("segregação racial") ou até mesmo a sua supressão ("extermínio depurador"), o Racismo é, do ponto de vista moral, universalmente condenável. A rápida — e, nem

por isso, pouco profunda – análise que o Autor passa a fazer do Racismo como possível "saída", grupal mas ainda isolacionista, deve ser lida e refletida com muita atenção para a exata compreensão de seu realismo e de sua atualidade. Esta obra foi redigida entre 1938 e 1940, no auge, portanto, da manifestação do racismo anti-semita dos fascistas e dos nazistas... (Cf. final deste item 1.)

8. O *Super-Homem* teilhardiano, melhor dito *Sobre-Homem*, nada tem a ver com o ideal racista. Ele é o próprio Homem levado ao ápice de suas possibilidades numa Noosfera plenamente constituída, a Pessoa integrante de uma *Sobre-Humanidade*:

"Uma Humanidade que se tornou capaz de se situar conscientemente na evolução cósmica e de vibrar em bloco (com seu próprio comprimento de onda, ousaria dizer) sob uma emoção comum, uma tal Humanidade, quaisquer que sejam suas imperfeições residuais e as crises ligadas à sua metamorfose, não constitui já, organicamente, em relação à Terra neolítica, uma verdadeira sobre-humanidade? (Cf. "L'énergie humaine", 1937, texto por nós traduzido e comentado em *Meu universo e a energia humana*, Ed. Loyola, São Paulo, 1980.)

Essa Sobre-Humanidade pode se tornar *Super-Humanidade*, atingindo um estado superior ao conseguir se totalizar plenamente e ao experimentar a ação vivificadora da graça:

"Por 'Super-Humanidade' entendo o estado biológico superior que a Humanidade parece destinada a alcançar se, levando até o fim o movimento de que saiu historicamente, chegar, de corpo e alma, a se totalizar completamente sobre si mesma." (Cf. *Super-humanité, super-christ, super-charité. De nouvelles dimensions pour l'avenir*, 1943, cujo título é comentado pelo próprio Autor: "o prefixo 'super' é empregado para sublinhar não uma diferença de *natureza*, mas um *grau* de realização ou de percepção mais avançada". Cf. adiante, nota 49.)

9. "Segundo o eixo da Complexidade, tudo se passa ao nosso redor como se o Estofo do Universo se debulhasse numa seqüência ascendente de centros cada vez mais perfeitos: correspondendo essa sobre-centração, para a Física, à acumulação em cada núcleo de um número sempre maior de parcelas mais variadas e melhor ordenadas; e traduzindo-se essa mesma sobre-centração para a Psicologia, num acréscimo de espontaneidade e de consciência." (Cf. *L'atomisme de l'esprit. Un essai pour comprendre la structure de l'univers*, 1941.)

10. O *Espírito da Terra* consiste na unanimidade humana no seio da qual cada pessoa, diferenciada ao extremo, será contudo a expressão – parcial mas insubstituível – de uma totalidade espiritual específica da Terra:

"(...) como determinar, por uma aproximação inicial, o termo superior vindouro para o qual nos encaminha a transformação em que, com o Mundo, estamos engajados? (...) como um *estado de unanimidade* no qual cada grão de pensamento levado ao extremo de sua consciência particular, não será, entretanto, mais que a expressão incomunicável, parcial, elementar, de uma Consciência total comum à Terra inteira, e específica da Terra: *um Espírito da Terra*." (Cf. *L'atomisme de l'esprit. Un essai pour comprendre la structure de l'etoffe de l'univers*, 1941.)

Cf. também *L'esprit de la terre*, 1931; e, é claro, o item 2, do presente Capítulo, adiante.

11. A *Coalescência*, do latim *coalescere*, "unir-se", "juntar-se", "crescer juntamente", designa de forma geral a junção de partes que se encontravam separadas. Em Física, lembremos, denomina o fenômeno de crescimento de uma gotícula de líquido pela incorporação à sua massa de outras gotículas com as quais entra em contato. Ambos os sentidos convêm adequadamente às descrições fenomenológico-científicas que o Autor passa a fazer.

12. Isto é, na própria Sociedade enquanto reunião, estável e ativa, de homens tendo em vista a realização de um fim ou valor comum, patenteando a interpenetrabilidade psíquica como fenômeno hiperfisicamente observável.

13. Essas "energias tangenciais" de ordenação, relativas ao Fora das Coisas, se expressam em condições materiais de ordenação, base física da realidade hiperfísica que é a coalescência. (Cf. nota 11.)

14. Cf. Parte I, Capítulo III, 1, B.

15. Porque a esfericidade do globo terrestre oferece à *Convergência* (Cf. Parte III, Capítulo I, 1, B, particularmente nota 40) uma superfície fechada como base física de sua realização, esta se faz então em dois mo(vi)mentos sucessivos: um primeiro de *Expansão* – invasão progressiva e extensiva do espaço vital – e um segundo, rigoroso prolongamento do primeiro, de *Compressão*. Esquematicamente, poderíamos representar a base material da convergência como uma esfera em que a propagação de um movimento que devesse recobri-la toda inteira, partindo de um pólo, avançasse em expansão até a linha do equador, e daí em diante, prosseguindo, entrasse necessariamente em Compressão, exatamente como ocorre com um feixe de meridianos (imagem que o Autor, aliás, invoca logo adiante, no penúltimo parágrafo deste item A):

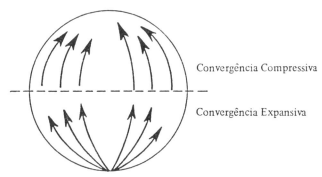

Evidentemente, a redondeza da Terra não é o único fator material de Compressão. Há outros como a habitabilidade geográfica e climática das zonas e regiões, a fertilidade do solo, as características da flora e da fauna local, o crescimento demográfico etc.; mas, sem dúvida, aquele é um fator básico.

16. *Substância hominizada* – eis a base, física, matéria-prima, da realidade hiperfísica de uma verdadeira Humanidade ou Sobre-Humanidade. (Cf. nota 8.)

17. É só lembrar a ubiqüidade de que nos dotam os meios e processos de comunicação (telégrafo, telefone, radiodifusão, televisão, radares, satélites etc.), as técnicas da Informática (cálculo, computação, holografia etc.) ou os meios de transporte terrestre, marítimo, aéreo ou espacial...

18. Essas "representações antecipadas" são justamente as extrapolações (Cf. final da nota 5 à *Advertência*) a que deve recorrer o sábio hiperfísico quando adentra no Futuro para observar a totalidade do Fenômeno.

19. Cf. Parte III, Capítulo II, 5, nota 71.

20. *Cosmopolita*, do grego *kósmos*, "universo", e *politês*, "cidadão", é o ser ou espécie que se espalha e vive pelo mundo inteiro, espontaneamente. O Autor quer frisar, entretanto, que a Humanidade não apenas se espalhou por toda a extensão da Terra, mas se expandiu de uma forma tão coesa, una e plena que se tornou co-extensiva a ela: planetarizou-se ou, o que dá no mesmo, hominizou o planeta. (Cf. nota 22.)

21. Cf. nota 15.

22. É o que eu chamei "A Planetização humana". (N. do A. Cf. também Parte III, Capítulo II, 5, nota 83.)

23. *Megassíntese*, do grego *mégas*, "grande", e *synthesis*, "composição", designa a Grande Síntese, expressão paroxística da Lei da União, segundo a qual ser é unir: na unificação (material) e na unanimização (espiritual) de todos os homens culmina o processo de Hominização (Cf. nota seguinte). Por outro lado, sendo o próprio processo evolutivo do Real um processo de síntese que consiste num arranjo progressivo e unitivo de elementos em conjuntos cada vez mais bem centrados, dele resultam emergências sucessivas cada vez mais vastas: Biogênese, Antropogênese... Trata-se pois, agora, de uma "Síntese de sínteses", uma megassíntese.

24. · Convém não deixar escapar a significação profunda das afirmações contidas nesse parágrafo. Elas culminam na explicitação da mola e do segredo da Hominização, é certo; mas, estando a própria Hominização submetida às leis gerais da Evolução, tal explicitação se refere, em última instância, à mola e ao segredo da Evolução em si mesma. Quais são suas leis gerais? As Leis da *União*. Essa União – magno processo pelo qual o Real se constitui – faz-se em duas etapas, fases ou faces: *Unificação* e *Unanimização*, patentes, explícitas e, portanto, bem observáveis ao nível humano. A *Unificação* é o resultado imediato e inexorável das propriedades da substância humana submetida ao jogo combinado de duas forças antagônicas, ambas essencialmente irresistíveis: de um lado, a explosão demográfica, o crescimento da população humana, a expansão-compressão dos indivíduos humanos (cerca de quatrocentos milhões até o século XVIII, oitocentos milhões em 1750, um bilhão e seiscentos milhões em 1900, três bilhões em 1970...) e de outro, a superfície fechada da Terra (Cf. nota 15). Eis a nossa condição planetária: expansão em "recipiente" fechado. Vivendo em compressão crescente, temos que nos organizar sempre mais, constituindo um Todo. Não basta, porém, um arranjo, uma ordenação ou encaixe, uma acomodação em termos materiais e por Fora. É preciso uma síntese, em termos pessoais e sociais, por Dentro. Essa síntese se opera por *Unanimização*, que é despertar e desenvolvimento de uma consciência noosférica atuando em dois planos. Num primeiro plano, pessoal, dá-se o encontro das pessoas humanas, centro a centro, e, enquanto cada uma delas constitui um foco de amor e de reflexão, cada qual se diferencia e se personaliza sempre mais nesse encontro, que é *Conspiração* e *Co-Reflexão*. Conspiração é o fator psíquico de simpatia pelo qual cada elemento, intensificando sua densidade pessoal, constitui com todos os outros uma unanimidade de amor, um "coração a coração" (Cf. Capítulo seguinte, nota 51). Co-Reflexão é a reflexão humana socializada, emergindo sempre mais coerente e coesa nos tempos modernos, a partir das ordenações materiais (Técnica), visando o aprofundamento mental (Pensamento Coletivo). Num segundo plano, social, dá-se a síntese das diferentes contribuições culturais e correntes espirituais da Humanidade (Saber Universal, Amor Universal), já unificada e polarizada para o Trabalho, a Pesquisa e a Adoração. Unificação e Unanimização são, pois, expressões ao nível humano do processo cósmico de *União* que cria, diferencia, personaliza, enriquece entitativamente e, finalmente, consuma o Ser. Postas essas noções é bem mais fácil divisar as amplas dimensões da Megassíntese em tela.

25. *União* que, vale insistir, é síntese em direção a um mais-ser e que, vale adiantar, é modalidade fenomenal da ação criadora divina atuando em todos os níveis do Real: do Nada (Multiplicidade primordial, Múltiplo Puro, Exterioridade total, "Nada Criável" ou "Nada Positivo", que não é nada e, contudo, por virtualidade passiva de ordenação é uma possibilidade, uma imploração de ser) ao Tudo, ao Todo Um. No nível humano, a União, longe de dissolver as pessoas no Todo, as diferencia por exaltação e enriquecimentos recíprocos.

26. Eis aí a *Lei de Complexidade-Consciência*, especificamente teilhardiana, parâmetro do conjunto da Evolução que permite avaliar cada etapa do processo evolutivo de acordo com dois fatores estreita e mutuamente correlatos: o grau de *Complexidade*, quer dizer, de interligação "orgânica" entre elementos cada vez mais numerosos, e o grau de *Consciência*, isto é, de interioridade, de psique, de centreidade emersas:

"(...) a Vida não é aparentemente senão o exagero privilegiado de uma deriva cósmica fundamental (...) que podemos denominar 'Lei de complexidade-consciência' e que se pode exprimir assim: 'Deixada longamente a si mesma, sob o jogo prolongado e universal dos acasos, a Matéria manifesta a propriedade de se arranjar em agrupamentos cada vez mais complexos, e ao mesmo tempo cada vez mais forrados de consciência; e, uma vez acionado, esse duplo movimento conjugado de enrolamento psíquico e de interiorização (ou centração) psíquica acelera-se e lança-se o mais longe possível'." (Cf. *La structure phylétique du groupe humain*, 1951.)

27. Ainda que seja sob a influência e a condução de alguns (de uma "elite") apenas. (N. do A.) Uma nova forma de "Aristogênese"?... (Cf. Parte II, Capítulo III, 3, c, nota 99.)

28. Cf. nota 10. Cumpre observar que essa noção, no Universo de discurso teilhardiano, foi formulada inicialmente como "Alma do Mundo" e encontrou, finalmente, sua plena significação no conceito de "Noosfera".

29. Cf. Parte III, Capítulo III, 2, B, nota 91.

30. Termo russo para designar a classe ou elite dos intelectuais.

31. A tendência empirista de Francis Bacon (1561-1626) desenvolveu-se sobretudo na Inglaterra e na França. Na Inglaterra, destacaram-se Thomas Hobbes (1588-1679) com o seu Materialismo, John Locke (1632-1704) com o seu Sensualismo, George Berkeley (1685-1753) com o seu Idealismo e David Hume (1711-1776) com seu Fenomenismo e Ceticismo. A Escola Escocesa, com Thomas Reid (1710-1796) à frente, reage contra os exageros dos filósofos anteriores. Na França, destacaram-se Etienne Bonnot de Condillac (1715-1780) com o seu Sensualismo Radical, os Enciclopedistas na trilha de Diderot (1713-1784) e d'Alembert (1717-1783) — Helvetius, D'Holbach, Jean de la Mattrie, Cabanis, Broussais, Voltaire e Jean Jacques Rousseau. E o século XVIII, antes de terminar, é marcado ainda por Emmanuel Kant (1724-1804) e seu Criticismo, que inspira tanto Idealistas (Fichte, Schelling e Hegel) como Realistas (Herbart, Schopenhauer e Hartmann). Todos esses filósofos, de algum modo, ao apresentar sua visão do Mundo, formularam também suas antecipações do Futuro. Mas não viam ainda o Mundo como um Todo orgânico e em evolução e, portanto, suas projeções se reduziam a "pré-visões". Daí o Autor chamá-los de "profetas", entre aspas.

32. *Filantropos*, do grego *philos*, "amigo", e *anthropos*, "homem", são em suma os Humanistas. Na Renascença, pensadores como Erasmo (1469-1536), Budé (1467-1540) ou Montaigne (1533-1592) revalorizaram a literatura da Antiguidade greco-latina e a reflexão pessoal. Reconhecendo o Homem como valor supremo, condenando o fanatismo religioso e o estatismo político, os Humanistas afirmavam o princípio moral da tolerância e defendiam a idéia de um progresso da civilização para uma forma ideal de humanidade, onde o homem seria livre, tanto em relação às contingências da natureza (fome, frio, doenças etc.), graças à Técnica, como em relação aos outros homens (numa sociedade sem lutas, sem classes, mas bem-organizada), graças à promulgação de uma Constituição ideal e universal.

33. Porque acima deles, no Tempo-Espaço, por efeito de Evolução e, contudo, sobre eles apoiados...

34. Isto é, na Duração.

35. *Incomensurável*, aqui, é o imensurável, que não tem medida comum com outra grandeza.
   Segundo o Autor, a Ciência, para progredir e continuar aprendendo o Real que evolui, tem que admitir muitos incomensuráveis. É o caso, no exemplo em tela, da Geometria, que trabalha não só com números reais racionais mas também com números reais irracionais transcendentes, tais como "η", "π" etc. *Eta*, do fenício, é a sétima letra do alfabeto grego, correspondente ao nosso *e*, em Matemática, simboliza um número real irracional transcendente, igual ao limite, quando n tende para o infinito, de $(1 + 1/n)^n$, ou à soma da série infinita cujo termo é $1/n!$ Seu valor aproximado é 2,7 1828 45 90 45... *Pi*, do fenício, é a décima sexta letra do alfabeto grego, que se escreve π, correspondente fonético *p* do nosso alfabeto; simboliza um número real irracional transcendente igual à razão entre o comprimento de uma circunferência de círculo e o seu diâmetro; ou o número que é o limite do produto infinito 2 (2. 2/1. 3) (4. 4/3. 5) (6. 6/5. 7) (8. 8/7. 9)... Seu valor aproximado é de 3, 14 15 92 35... e, na prática, tomado como 3, 1416.

36. Cálculo Diferencial e Integral, Cálculo Infinitesimal ou simplesmente *Cálculo*, é a parte fundamental da Análise Matemática, sobre a qual se apóiam outros domínios dessa ciência, e em que se investigam as propriedades das derivadas e diferenciais, os processos de obtê-las e a operação de integração, suas propriedades e métodos de obtenção de primitivas. De ampla aplicação na Física moderna, o Cálculo, na busca de solução de novos problemas suscitados, teve que conceber muitas funções novas. Matematicamente, função é qualquer correspondência entre dois ou mais conjuntos e, em Análise Matemática, fala-se em Função Analítica Regular ou Holomórfica, Função Anti-Simétrica, Função Meromórfica, Função Automórfica, Função Biunívoca, Função Ciclossimétrica, Função Exponencial, Função Infinitívora, Função Plurívoca, Função Transcendente etc.

37. O *Coletivo*, do latim *collectivu*, de *colligere*, "recolher", é a noção hiperfísica que apreende aquilo que concerne a um grupo e apresenta caracteres especificamente pertinentes ao grupo tomado como um conjunto e não aos indivíduos que o constituem como

elementos. A Humanidade, no caso, deve ser compreendida como uma realidade coletiva e não apenas como uma somatória de todos os homens, assim como uma floresta, por exemplo, não se reduz às árvores que a compõem. A seqüência do texto é cristalina.

38. Pensar o Real, vê-lo – e assim unificá-lo – é também estruturá-lo. (Cf. adiante, nota 41, do Autor. Cf. também o *Prologo*:
"Ser mais e unir-se cada vez mais (...) Mas (...) a unidade só aumenta sustentada por um crescimento de consciência, isto é, de visão. (...) Procurar ver mais é melhor, não é (...) uma fantasia, uma curiosidade, um luxo. Ver ou perecer. (...) Centro de perspectiva, o Homem é simultaneamente *centro de construção* do Universo. (...) ver é ser mais (...)."
Retomando tais premissas, fica fácil compreender que a inconsciência seja "uma espécie de inferioridade ou mal ontológico".)

39. O Real é o produto do ato criador divino, no qual é suscitado tanto o Múltiplo mais diluído (o Nada unível que se oferece à união) como o próprio Poder unitivo (que irá pouco a pouco reduzir a multiplicidade, integrando-a em sínteses cada vez mais complexas). Nesse sentido, criar é unir e, para o Homem, a Criação se refrata no Espaço-Tempo sob a figura da Evolução. Ora, na medida em que faz essa Evolução avançar, descobrindo e operando novas sínteses, inclusive intelectuais, o Homem também cria, isto é, co-cria, unificando, unanimizando, unindo.

40. Não é essa a idéia de um Brunschvicg?... (N. do A.) Léon Brunschvicg (1869-1944) dedicou-se sobremaneira ao estudo da Filosofia das Ciências. Em sua obra *La modalité du jugement* (1894) expõe uma filosofia do juízo que valoriza a atividade infinitamente criadora do espírito nas matemáticas. Em *Les étapes de la philosophie mathématique* (1913) reafirma e amplia essas idéias. Escreveu várias outras obras, entre as quais: *L'expérience humaine et la causalité physique* (1921); *Les progrés de la conscience dans la philosophie occidentale* (1927) e *De la connaissance de soi* (1931).

41. Poder-se-ia dizer que, pelo próprio fato da Reflexão (simultaneamente individual e coletiva) humana, a Evolução, tendo ultrapassado a organização físico-química dos corpos, adquire, ao ressaltar sobre si mesma (Cf. nota 45), um novo poder de ordenação, vastamente concêntrico ao primeiro: a ordenação cognoscitiva do Universo. Pensar o Mundo, com efeito – a Física começa a se aperceber disso –, não é apenas registrá-lo, mas conferir a ele uma forma de unidade que, se não fosse pensado, ficaria privado. (N. do A. Cf. também nota 38.)

42. Cf. notas 38 e anterior, do Autor.

43. A *Espagíria* (do grego *spáo*, "arrancar", e *ageiro*, "reunir", ou *Alquimia*, do árabe *al-kimiya'*, filosofia, ciência e arte da transmutação dos metais e da auto-metamorfose profunda) constituiu, esotericamente, a Química da Idade Média e do Renascimento. Os Alquimistas ou Filósofos, seus cultores, empenhavam-se sobretudo na *Grande Obra*: a descoberta da *Pedra Filosofal*, Adamo ou Elixir, fórmula secreta capaz de transformar metais grosseiros em ouro e curar, fortalecer ou rejuvenescer o corpo humano.

44. Eis o prefixo *neo* sempre utilizado, no vocabulário teilhardiano, para indicar a transformação e a renovação de uma noção por passagem ou transferência da dimensão estática (no Cosmo) para a dimensão evolutiva (na Cosmogênese).

45. É aquilo a que chamei "o Salto à Frente humano" da Evolução (correlativo da Planetização e a ela conjugado). (N. do A.) Cf. Parte III, Capítulo II, 5, nota 83. Esse "salto à frente" seria verdadeiro ricochete evolutivo no limiar de uma Humanidade totalmente sintetizada. Consiste num "ponto crítico" em que se produz, ao mesmo tempo, uma renovação do movimento evolutivo que se poderia acreditar detido e uma espécie de choque a ré por achar-se a consciência – "nascida" da complexidade – em condições de reagir sobre essa mesma complexidade, para assim obter mais um passo adiante do Homem e da Humanidade:
"o que se apressa a se produzir no seio da Humanidade planetizada é, essencialmente, se não me engano, um *salto à frente da Evolução* sobre si mesma. Todos nós já ouvimos falar desses projéteis, reais ou imaginários, cujo movimento renasceria periodicamente graças a uma cadeia de foguetes disparando um após outro. Não é a um procedimento similar que parece ter recorrido a Vida, para dar o salto supremo, neste momento?

(...) Verdadeiramente a Vida retomando o seu curso para uma segunda aventura, a partir da plataforma que ela estabeleceu para si ao construir a Humanidade!" (Cf. *Une interprétation biologique plausible de l'histoire humaine. La formation de la "noosphère"*, 1947.)

46. Cf. *Recherche, travail et adoration* (1955), um dos últimos escritos do Autor.

47. Sempre o aparente conflito entre Pessoal e Universal e a preocupação, ao nível do Humano, de não massificar a Pessoa no processo de Totalização...

48. Atenção: esses dois últimos parágrafos constituem significativo avanço na direção de uma resposta à segunda pergunta que o Autor formulava no início desta obra (Cf. Parte I, Capítulo II, 3, b): "Existe um limite e um termo definidos (...) para a soma total das energias radiais desenvolvidas no decurso da transformação?"

49. Em *Super-Consciência*, o prefixo "super" indica um valor maior, quer dizer, mais-ser. Diferente de "ultra" — que designa um passar à frente no Tempo, a transformação de uma totalidade pela emergência, num limiar determinado, de um elemento que estava em via de maturação na etapa precedente —, "super" inclui a noção de um crescimento ontológico. É claro, contudo, que a "superioridade" supõe e tem por condição primeira, em dimensão evolutiva, a "ultrapassagem", a "ulterioridade". A *Super-Consciência* é o estado superior de consciência coletiva que atingirá a Humanidade ao alcançar o estádio ultra-humano. O texto que se segue a descreve. Mas há ainda um outro sentido, que veremos adiante, segundo o qual *Super-Consciência* designa a emergência de um centro pessoal-universal visto não sob o aspecto sobrenatural da Parusia, mas como termo natural da pesquisa.

50. De fato, não esqueçamos, a direção do Pensamento é a direção da complexificação-conscientização, da unificação, da interiorização, e essa constitui o Terceiro Infinito que ultrapassa e supera o Íntimo e o Imenso.

51. *Hiper* integra o grupo de prefixos tipicamente teilhardianos (ao lado de Sobre, Supra, Super, Ultra, Trans) todos indicando um avanço evolutivo, com matizes específicos. Em "hiper" pode-se identificar, de um lado, a noção de integração e de maior amplitude e, de outro, uma superioridade tão eminente que inclui a passagem de um limiar decisivo.

52. É preciso ainda lembrar o significado de *Radial*? Energia interiorizante, cêntrica e evolutiva, cuja progressão é correlata à da energia tangencial, com a qual constitui um arranjo, uma ordenação cada vez mais centrada e cada vez mais consciente, o Radial é também o Dentro das Coisas.

CAPÍTULO II
Para Além do Coletivo: O Hiper-Pessoal[1]

Nova Observação Preliminar.
Uma Impressão a Superar: o Desânimo

Na origem do ceticismo em relação à Humanidade que hoje em dia, entre as pessoas "esclarecidas", virou moda alardear, não estão apenas razões de ordem representativa. Mesmo superadas as dificuldades intelectuais do espírito em conceber o Coletivo e em ver no Espaço-Tempo, subsiste uma outra forma de hesitação, talvez mais grave, ligada ao aspecto incoerente que apresenta atualmente o Mundo humano. O século XIX vivera em vista da Terra prometida.[2] Aproximamo-nos, pensava ele, de uma nova Idade de Ouro, iluminada e organizada pela Ciência, cálida de fraternidade. Em lugar disso, eis-nos recaídos em dissensões cada vez mais extensas e cada vez mais trágicas. Ainda que possível, talvez mesmo verossímil em teoria, a idéia de um Espírito da Terra não resiste à experiência. Não, o Homem não chegará jamais a ultrapassar o Homem, unindo-se a si mesmo. Uma utopia a abandonar, o mais rápido possível. E ponto final.

Para explicar ou afastar as aparências de um fracasso, cuja realidade não só implicaria o fim de um belo sonho, mas também nos levaria a considerar uma absurdidade radical do Universo, podemos antes de tudo observar que é certamente prematuro falar já de experiência, – de resultados de experiências – em semelhante matéria. O quê! Meio milhão, um milhão de anos, talvez, foram necessários à Vida para passar dos Pré-Hominianos ao Homem moderno; – e porque, menos de dois séculos após ter entrevisto acima dele um estado ainda mais alto, esse Homem moderno continua a lutar para se desprender de si mesmo, começaríamos já a desesperar! Erro de perspectiva, mais uma vez. Compreender a imensidade ao redor, para trás e para diante de nós, é já ter dado um primeiro passo. Mas se a essa percepção da Profundidade não se acrescenta a da Lentidão,[3] compreendamos então perfeitamente que a transposição dos valores fica incompleta, e que ela só pode engendrar para o nosso olhar um Mundo impossível. Para cada dimensão o seu ritmo. E, portanto, para um movimento planetário, uma majestade planetária. Não nos pareceria a Humanidade imóvel se, por trás de sua História, não se projetasse toda a duração da Pré-História? Paralelamente, e não obstante uma aceleração quase explosiva da Noogênese ao nosso nível, não poderíamos esperar ver a Terra transformar-se sob os nossos olhos no espaço de uma geração. Refreemos nossa impaciência e sosseguemos.

Apesar de todas as aparências contrárias, a Humanidade pode muito bem avançar (e numerosos indícios nos permitem mesmo razoavelmente conjecturar que ela avança) à nossa volta, neste momento: mas se, de fato, avança não poderia ser senão à maneira das coisas muito grandes, ou seja, quase insensivelmente.

Este ponto é de primordial importância: e nunca devemos perdê-lo de vista. Tê-lo estabelecido não responde, porém, ao mais vivo de nossos temores. Porque, enfim, seria ainda pouco que a luz, no horizonte, parecesse estacionária. O grave é que os clarões entrevistos dêem sinais de se extinguir. Se ao menos pudéssemos nos acreditar simplesmente imóveis... Mas não parece, às vezes, que nos achamos positivamente emperrados para diante, ou mesmo aspirados para trás — como joguetes de forças incoercíveis de repulsão mútua e de materialização?

Repulsão.[4] Já falei das formidáveis pressões que estreitam entre si, na Terra atual, as parcelas humanas. Indivíduos e povos premidos ao extremo, geograficamente e psicologicamente, uns contra os outros. Ora, coisa estranha, apesar da intensidade dessas energias aproximadoras, as unidades pensantes não parecem capazes de cair dentro de seu raio de atração interna. Afora os casos particulares em que atuam quer as forças sexuais, quer transitoriamente alguma comum paixão extraordinária, os homens permanecem hostis, ou pelo menos fechados uns em relação aos outros. Como um pó cujos grãos, por mais comprimidos que sejam, recusam-se a entrar em contato molecular, eles se excluem e se repelem, pelo mais fundo de si mesmos, com todas as suas forças. — A menos que, coisa pior, sua massa se coalhe de tal modo que, em lugar do Espírito esperado, surja uma nova vaga de determinismo, isto é, de materialidade.

Materialização.[5] Aqui não penso apenas nas leis dos grandes números que dominam estruturalmente todas as multidões recém-formadas, sejam quais forem suas finalidades secretas. Como qualquer outra forma de Vida, o Homem, para se tornar plenamente Homem, teve de se fazer legião. E, antes de se organizar, uma legião está forçosamente à mercê do jogo, por mais orientado que seja, dos acasos e da probabilidade. Correntes imponderáveis que, desde a moda e a flutuação do câmbio até as revoluções políticas e sociais, fazem de cada um de nós o escravo das efervescências obscuras da massa humana. Por mais espiritualizada que a suponhamos em seus elementos, qualquer agregação de consciências, enquanto não é harmonizada, envolve-se automaticamente, ao seu nível, de um véu de "neo-matéria"[6] superposta a todas as outras formas de Matéria, — a Matéria, face "tangencial"[7] de qualquer massa viva em vias de unificação. Certamente, temos que reagir a essas condições. Mas com a satisfação de saber que elas não são senão o sinal e o preço de um progresso. — Que dizer, pelo contrário, da outra escravidão, — aquela que aumenta no Mundo à proporção exata dos esforços que envidamos para nos organizarmos?

Em nenhuma outra era da História a Humanidade esteve tão bem equipada, ou fez tantos esforços para ordenar suas multidões. "Movimentos de massas". Não mais as hordas descendo, como rios, das florestas do Norte e das estepes da Ásia. Mas "o Milhão de homens", como tão bem já foi dito, cientificamente reunido. O Milhão de homens em quincôncios, nas pistas das paradas. O Milhão de homens estandardizado na fábrica. O Milhão de homens motorizado... E tudo isso para desembocar apenas, com o Comunismo[8] e o Nacional-Socialismo,[9] no mais espantoso dos acorrentamentos! O cristal em vez da célula. O cupinzeiro em vez da Fraternidade. Em vez do esperado surto de consciência, a mecanização que emerge inevitavelmente, ao que parece, da totalização...

"*Eppur si muove!*"[10]

Perante tão profunda perversão das regras da Noogênese, eu sustento que nossa reação não deve ser de desespero, — mas de reexame de nós mesmos. Quando uma energia enlouquece, o engenheiro, longe de pôr em dúvida a sua potência, não retoma simplesmente os seus cálculos a fim de achar como dirigi-la melhor? Para ser tão monstruoso, não deve o totalitarismo[11] moderno deformar uma coisa bem magnífica, e estar assim bem próximo da verdade? Impossível duvidar disto: a grande máquina humana foi feita para funcionar, — e ela *tem de* funcionar, — produzindo uma sobre-abundância de Espírito. Se ela não funciona, ou antes, se gera apenas Matéria, é porque então trabalha às avessas...

Não será por acaso que, em nossas teorias e em nossos atos, descuidamos de atribuir o devido lugar à Pessoa e às forças de Personalização?...[12]

1. A Convergência do Pessoal e o Ponto Ômega

A) O UNIVERSO-PESSOAL[13]

Ao contrário dos "primitivos" que dão figura a tudo o que mexe, — ou mesmo dos primeiros Gregos, que divinizam todos os aspectos e todas as forças da Natureza, o Homem moderno tem a obsessão de despersonalizar (ou de impersonalizar) o que mais admira. Duas razões para essa tendência. A primeira é a Análise, — esse maravilhoso instrumento de pesquisa científica, ao qual devemos todos os nossos progressos, mas que, de sínteses em sínteses desfeitas, deixa escapar uma após outra todas as almas, e acaba por nos deixar perante uma pilha de engrenagens desmontadas e de partículas evanescentes. — E a segunda é a descoberta do mundo sideral, objeto tão vasto que se afigura abolida toda proporção entre nosso ser e as dimensões do Cosmo à nossa volta. — Parece subsistir uma única realidade capaz de ter êxito e de cobrir ao mesmo tempo esse Íntimo e esse Imenso: a Energia, flutuante entidade universal, de onde tudo emerge, e aonde tudo retorna, como num Oceano. A Energia, o novo Espírito. A Energia, o novo Deus. No Ômega do Mundo, como em seu Alfa,[14] o Impessoal.

Sob a influência dessas impressões, dir-se-ia que perdemos, com a estima pela Pessoa, o próprio sentido de sua verdadeira natureza. Estar centrado sobre si mesmo, poder dizer: "eu", é, como acabamos por admitir, o privilégio (ou antes a tara) do elemento, na medida em que este, fechando-se para tudo o mais, chega a se constituir nos antípodas do Todo. Seguindo a direção inversa, tendendo para o Coletivo e o Universal, isto é, no sentido do que é mais real e mais durável no Mundo, o "ego", pensamos nós, decresce e se anula. Personalidade, propriedade especificamente corpuscular e efêmera, — prisão de que é mister tentar nos evadir...

Eis, mais ou menos, onde estamos hoje intelectualmente.

Ora, se procurarmos levar até o fim, como eu o tento neste Ensaio, a lógica e a coerência dos fatos, não será à perspectiva exatamente contrária que nos conduzem legitimamente as noções de Espaço-Tempo e de Evolução?...

A Evolução, como já reconhecemos e admitimos, é uma ascensão para a Consciência. Isto já não é contestado pelos mais materialistas, ou sequer pelos mais agnósticos[15] dos humanitários. Ela deve, portanto, culminar adiante em alguma Consciência suprema. Mas essa Consciência, precisamente por ser suprema, não deve levar em si mesma, ao máximo grau, aquilo que constitui a perfeição da nossa: a inflexão iluminante do ser sobre si próprio? Prolongar na direção de um estado difuso a curva da Hominização,[16] erro manifesto! É unicamente na direção de uma hiper-reflexão, isto é, na direção de uma hiper-personalização[17] que o Pensamento pode se extrapolar. De outro modo, como poderia ele armazenar nossas conquistas, que se fazem todas no Reflexivo? Recuamos, ao primeiro choque, diante da associação de um Ego com o que é tudo. A desproporção entre os dois termos parece-nos estrondosa, — quase risível. É que não temos meditado suficientemente sobre a tríplice propriedade que cada consciência possui: 1) de *tudo* centrar parcialmente à sua volta; 2) de poder centrar-se *cada vez mais* sobre si mesma; e 3) de ser levada, por essa própria super-Centração, a *se reunir a todos os outros centros* que a rodeiam.

Não vivemos nós a cada instante a experiência de um Universo cuja imensidade, pelo jogo de nossos sentidos e de nossa razão, se concentra cada vez mais simplesmente em cada um de nós? E, no estabelecimento em curso, pela Ciência e pelas Filosofias, de uma "Weltanschauung"[18] humana coletiva, na qual cada um de nós coopera e da qual participa, não experimentamos os primeiros sintomas de um ajuntamento de ordem ainda mais elevada, nascimento de algum foco único sob as luzes convergentes de milhões de focos elementares dispersos à superfície da Terra pensante?

Todas as nossas dificuldades e repulsas, quanto às oposições do Todo e da Pessoa, se dissipariam se apenas compreendêssemos que, por estrutura, a Noosfera, e mais geralmente o Mundo, representam um conjunto, não apenas fechado, mas *centrado*. Porque contém e engendra a Consciência, o Espaço-Tempo é necessariamente *de natureza convergente*.[19] Por conseguinte, suas camadas desmesuradas, seguidas no sentido conveniente, devem se inflectir algures para diante num Ponto, — chamemo-lo *Ômega* —, que as funda e consome integralmente em si mesmo. — Por imensa que seja a esfera do Mundo, ela não existe e não é apreensível finalmente senão na direção em que (seja embora para além do Tempo e do Espaço) se juntam os seus raios. Melhor ainda: quanto mais imensa é essa esfera, mais rico também, mais profundo e, portanto, mais consciente se anuncia o ponto em que se concentra o "volume de ser" que ela abarca: — pois que o Espírito, visto de nosso lado, é essencialmente poder de síntese e de organização.

Encarado sob esse aspecto, o Universo, sem nada perder de sua enormidade, e portanto sem se antropomorfizar,[20] toma decididamente figura: desde o momento em que, para pensá-lo, senti-lo e agir sobre ele, não é em sentido inverso, mas é *para além* de nossas almas que temos de olhar. Nas perspectivas de uma Noogênese, Tempo e Espaço verdadeiramente se humanizam, – ou melhor se super-humanizam. Longe de se excluírem, Universal e Pessoal (isto é, "Centrado") crescem no mesmo sentido e culminam um no outro ao mesmo tempo.

Errado, pois, procurar do lado do Impessoal os prolongamentos de nosso ser e da Noosfera. O Universal-Futuro não poderia ser senão hiper-pessoal, – no ponto Ômega.[21]

B) O UNIVERSO PERSONALIZANTE

Personalização: com esse aprofundamento interno da consciência sobre si mesma havíamos caracterizado, lembremo-nos (Parte III, Capítulo I, 1., A., d), o destino particular do elemento que se tornara plenamente ele próprio pelo passo da Reflexão; – e ali se detivera provisoriamente nosso inquérito, no que concerne ao destino dos indivíduos humanos. – *Personalização*: o mesmo tipo de progresso reaparece aqui, mas definindo desta vez o porvir coletivo dos grãos de pensamento totalizados. Uma mesma função para o elemento e para a soma dos elementos sintetizados. Como conceber e prever que os dois movimentos se harmonizem? Como é que, sem serem estorvadas nem deformadas, poderão as inúmeras curvas particulares inscrever-se ou mesmo prolongar-se em seu invólucro comum?

Chegou o momento de tratar do problema; e, para isso, de analisar mais profundamente a natureza do Centro pessoal de convergência a cuja existência está suspenso, como acabamos de ver, o equilíbrio evolutivo da Noosfera. Que deve ser, para estar à altura de seu papel, esse Pólo superior da Evolução?

Em Ômega, por definição, se adiciona e se concentra, em sua flor e em sua integridade, a quantidade de consciência pouco a pouco liberada sobre a Terra pela Noogênese. Esse ponto está estabelecido. Mas que significam exatamente, e que implicam essas palavras, aparentemente tão simples, "adição de consciência"?

A dar ouvidos aos discípulos de Marx,[22] parece que bastaria à Humanidade, para crescer e para justificar as renúncias que nos impõe, recolher as sucessivas aquisições que, ao morrer, cada um de nós lhe abandona: nossas idéias, nossas descobertas, nossas criações de arte, nosso exemplo. Todo esse imperecível não é o melhor de nosso ser?

Reflitamos um pouco. E veremos que, para um Universo admitido, por hipótese, como "coletor e conservador de Consciência", tal operação, se se limitasse a recolher esses despojos, não seria mais que um medonho esbanjamento. O que, por meio de invenções, educação, difusão de todo tipo, emana de cada um de nós e passa para a massa humana tem uma importância vital: procurei suficientemente pôr em evidência seu valor filético para que não se suspeite que a minimizo. Mas, uma vez bem assente esse ponto, forçoso me é também reconhecer que, nesse contributo à coletividade, longe de comunicar o mais precioso, não chegamos a transmitir aos outros, nos casos mais favoráveis, mais que a sombra de nós mesmos. – Nossas obras? Mas qual é, no próprio interesse da Vida geral, a obra das obras humanas, senão o estabelecimento, por cada um de nós em si próprio, de um centro absolutamente original, onde o Universo se reflete de uma maneira única, inimitável: precisamente o nosso eu, a nossa personalidade? Mais profundo de que todos os seus raios, o próprio foco de nossa consciência: eis o essencial que toca a Ômega recuperar para ser verdadeiramente Ômega. Ora, desse essencial não podemos evidentemente desfazer-nos em favor dos outros tal como daríamos uma capa ou passaríamos um archote: pois que somos nós a própria chama. Para se comunicar, meu eu deve subsistir na dádiva que faz de si próprio: de outro modo, o dom se esvai. — Donde esta conclusão inevitável que a concentração de um Universo consciente seria impensável se, ao mesmo tempo que todo o Consciente, ela não reunisse em si mesma todas *as* consciências: permanecendo cada qual destas consciente de si mesma no termo da operação, — e até, o que é preciso compreender bem, tornando-se cada qual tanto mais ela própria e, portanto, mais distinta das outras, quanto mais delas se aproxima em Ômega.

Não apenas conservação, mas exaltação dos elementos por convergência!

O que de mais simples na verdade e o que de mais conforme a tudo quanto sabemos?

Seja em que domínio for, — quer se trate das células de um corpo, ou dos membros de uma sociedade, ou dos elementos de uma síntese espiritual, — a *União diferencia*. As partes se aperfeiçoam e se consumam em todo conjunto organizado. Foi por termos negligenciado essa regra universal que tantos Panteísmos nos transviaram no culto de um Grande Todo em que os indivíduos se perderiam como uma gota de água, se dissolveriam como um grão de sal, no mar.[23] Aplicada ao caso do somatório das consciências, a Lei da União nos livra dessa perigosa e sempre renascente ilusão. Não, ao confluírem segundo a linha de seus centros, os grãos de consciência não tendem a perder seus contornos e a se misturar. Acentuam, pelo contrário, a profundidade e a incomunicabilidade de seu *ego*.[24] Quanto mais se tornam, todos juntos, o Outro, mais se acham "eles mesmos". Como poderia ser diferente, uma vez que se entranham em Ômega? — Poderia um Centro dissolver?[25] Ou melhor, sua maneira própria de dissolver não seria precisamente supercentrar?[26]

Assim, sob a influência combinada de dois fatores: a imiscibilidade essencial das consciências e o mecanismo natural de qualquer unificação, a única figura pela qual podemos corretamente exprimir o estado final de um Mundo em vias de concentração psíquica é um sistema cuja unidade coincide com um paroxismo de complexidade harmonizada. Seria um erro, pois, imaginar simplesmente Ômega como um Centro nascendo da fusão dos elementos que reúne ou anulando tais elementos em si próprio. Por estrutura, Ômega, considerado em seu último princípio, não pode ser senão um *Centro distinto a irradiar no âmago de um sistema de centros*.[27] Um agrupamento em que personalização do Todo e personalizações elementares atingem seu máximo, sem mescla e simultaneamente, sob a influência de um foco de união supremamente autônomo,[28*] — tal é a única imagem que se desenha se tentamos aplicar logicamente, até o fim, a noção de Coletividade a um conjunto granular de pensamentos.

E aqui aparecem os motivos tanto do fervor como da importância que acompanham toda solução egoísta da Vida. O egoísmo, seja ele particular ou racial, tem razão de se exaltar ante a idéia do elemento que se alça, por fidelidade à Vida, até os extremos daquilo que ele encerra de único e de incomunicável em si próprio. Ele *sente*, pois, com justeza. Seu único erro, mas que o faz perder, de ponta a ponta, o caminho certo, é confundir *individualidade e personalidade*.[29] Procurando se separar o mais possível dos outros, o elemento se individualiza; mas, ao fazê-lo, recai e procura arrastar o Mundo para trás, em direção à pluralidade, na Matéria. Na realidade, ele se diminui e se perde. Para sermos plenamente nós mesmos, é em direção inversa, é no sentido de uma convergência com todo o resto, é em direção ao Outro, que temos de avançar. O termo de nós mesmos, o cúmulo de nossa originalidade, não é nossa individualidade – é nossa pessoa; e esta, pela estrutura evolutiva do Mundo, não a podemos encontrar senão unindo-nos. Nenhum espírito sem síntese.[30] Sempre a mesma lei, de alto a baixo. O verdadeiro *Ego* cresce em razão inversa do "Egotismo".[31] À imagem de Ômega que o atrai, o elemento só se torna pessoal universalizando-se.[32]*

... Isto, todavia, com uma condição evidente e essencial. Para que, sob a influência criadora da União, as partículas humanas se personalizem verdadeiramente, decorre da análise precedente que elas não devem se juntar de qualquer jeito. Posto tratar-se, com efeito, de operar uma síntese dos centros, é de centro para centro que elas têm que entrar em contacto mútuo,[33] e não *de outra maneira*. Entre as diversas formas de inter-atividades psíquicas que animam a Noosfera, são pois as energias "intercêntricas" por natureza que precisamos reconhecer, captar e desenvolver antes de qualquer outra, se queremos concorrer eficazmente para os progressos da Evolução em nós.

E eis-nos por isso mesmo de volta ao problema de amar.

2. O Amor-Energia[34]

Do amor nós só consideramos habitualmente (e com que requintes de análise!) o aspecto sentimental: as alegrias e os sofrimentos que ele nos causa. É no seu dinamismo natural e na sua significação evolutiva que me acho levado a estudá-lo aqui, a fim de determinar as fases últimas do Fenômeno humano.

Considerado em sua plena realidade biológica, o amor (quer dizer, a afinidade do ser com o ser) não é exclusivo do Homem. Representa uma propriedade geral de toda Vida, e, como tal, molda-se, em variedades e em graus, a todas as formas que toma sucessivamente a matéria organizada. Nos mamíferos, bem próximos de nós, reconhecemo-lo facilmente com suas diversas modalidades: paixão sexual, instinto paternal ou maternal, solidariedade social, etc. Mais longe ou mais abaixo na Árvore da Vida, as analogias são menos claras. Atenuam-se até se tornarem imperceptíveis. Mas cabe aqui repetir o que eu dizia do "Dentro das Coisas". Se, num estado prodigiosamente rudimentar sem dúvida, mas já nascente, não existisse, até na molécula, alguma propensão a se unir, seria fisicamente impossível ao amor surgir mais acima, em nós, no estado hominizado.[35] De direito, para constatar com certeza sua presença em nós, devemos supor sua presença, pelo menos incoativa,[36] em tudo o que existe. E de fato, se observarmos ao nosso redor a ascensão confluente das consciências, veremos que ele não falta em parte alguma. Platão já o havia sentido e o exprimira de forma imortal em seus Diálogos.[37] Mais tarde, com pensadores como Nicolau de Cusa,[38] a filosofia da Idade Média retornou tecnicamente à mesma idéia. Sob as forças do amor, são os fragmentos do Mundo que se buscam para que o Mundo sobrevenha. Nisto, nenhuma metáfora, — e muito mais que poesia. Seja ela força ou curvatura, a universal gravidade dos corpos, que tanto nos impressiona, não é senão o avesso ou a sombra daquilo que move realmente a Natureza. Para perceber a energia cósmica "fontal",[39] é preciso, se as Coisas têm um dentro, descer à zona interna ou radial das atrações espirituais.

O amor, sob todos so seus matizes, não é nada mais, nem nada menos, que o sinal mais ou menos direto marcado no âmago do elemento pela Convergência psíquica do Universo sobre si mesmo.

E não está aí exatamente, se não me engano, o raio de luz que pode nos ajudar a ver mais claro à nossa volta?

Sofremos e nos inquietamos ao verificar que as tentativas modernas de coletivização humana não resultam, contrariamente às previsões da teoria e à nossa expectativa, senão num rebaixamento e numa escravidão das consciências. — Mas que caminho temos tomado até aqui para nos unificarmos? Uma situação material a defender. Um novo domínio industrial a abrir. Melhores condições para uma classe social ou para nações desfavorecidas... Eis os únicos e medíocres terrenos em que temos tentado nos aproximar. Não é de admirar que, a exemplo das sociedades animais, nós nos mecanizemos pelo próprio jogo de nossa associação! Até no ato supremamente intelectual de edificação da Ciência (pelo menos durante todo o tempo que ele permanecer puramente especulativo e abstrato) o impacto de nossas almas só se opera obliquamente e como que de soslaio. Contacto ainda superficial, — e portanto perigo de mais uma servidão... Só o amor, pela simples razão de que só ele prende e junta os seres pelo mais fundo deles mesmos, é capaz, — e esse é um fato da experiência quotidiana — de completar os seres, enquanto seres, reunindo-os. Em que minuto, com efeito, dois amantes atingem a mais completa posse de si mesmos, senão naquele em que se dizem perdidos um no outro? Na verdade, o gesto mágico, o gesto reputado contraditório de "personalizar" totalizando, não o realiza o amor a cada instante, no casal, na equipe, à nossa volta? E isso que ele opera assim quotidianamente numa escala reduzida, por que não o repetirá um dia às dimensões da Terra?

A Humanidade; o Espírito da Terra;[40] a Síntese dos indivíduos e dos povos; a Conciliação paradoxal do Elemento e do Todo, da Unidade e da Multidão: para que essas coisas, ditas utópicas, e no entanto biologicamente necessárias, tomem corpo no mundo, não basta imaginar que nosso poder de amar se desenvolve até abarcar a totalidade dos homens e da Terra?

Ora, dirão, mas isso é precisamente indicar o impossível!

Tudo o que um homem pode fazer — não é verdade? — é dedicar sua afeição a um ou a alguns raros seres humanos. Para além, num raio maior, o coração já não alcança, e não sobra lugar senão para a fria justiça e a fria razão. Amar tudo e todos: gesto contraditório e falso que só leva finalmente a não amar nada.

Mas então, responderei eu se, como pretendem, um amor universal é impossível, que significa então, em nossos corações, esse instinto irresistível que nos impele para a Unidade cada vez que, numa direção qualquer, nossa paixão se exalta? Sentido do Universo, sentido do Todo:[41] diante da Natureza, perante a Beleza, na Música, a nostalgia que se apossa de nós, — a expectação e o sentimento de uma grande Presença.[42] Afora os "místicos"[43] e os seus analistas, como é que a psicologia pôde negligenciar tanto essa vibração fundamental, cujo timbre, para um ouvido experto, se distingue na base, ou antes, no ápice de toda grande emoção? Ressonância ao Todo: nota essencial da Poesia pura e da pura Religião. Ainda uma vez, o que deixa transparecer esse fenômeno, nascendo com o Pensamento, e com ele crescente, senão um acordo profundo entre duas realidades que se buscam: a parcela isolada que freme à aproximação do Resto?

Com o amor do homem pela mulher, por seus filhos, por seus amigos, e até certo ponto por seu país, imaginávamos muitas vezes ter esgotado as diversas formas naturais de amar. Ora, dessa lista está precisamente ausente a mais fundamental forma de paixão: aquela que, sob a pressão de um Universo que se cerra, precipita, um sobre o outro, os elementos no Todo. A afinidade, e por conseguinte o sentido cósmico.[44]

Um amor universal: não somente é algo psicologicamente possível; mas é também a única maneira completa e final de podermos amar.

E agora, estabelecido esse ponto, como explicar que, sempre e cada vez mais, aparentemente, vejamos crescer ao nosso redor a repulsa e o ódio? Se uma virtualidade tão poderosa nos assedia de dentro para a união, que espera ela para passar ao ato?

Espera sem dúvida, muito simplesmente, que, superando o complexo "antipersonalista" que nos paralisa, nós nos decidamos a aceitar a possibilidade, a realidade, de algum Amante e Amável no ápice do Mundo acima de nossas cabeças. Enquanto absorver ou parecer absorver a pessoa, o Coletivo mata o amor que quereria nascer. Enquanto tal, o Coletivo é essencialmente in-amável. E eis onde fracassam as filantropias.[45] O bom senso tem razão. É impossível dar-se ao Número Anônimo. Que o Universo pelo contrário, tome adiante, para nós, um semblante e um coração, que ele se personifique, por assim dizer.[46]* E imediatamente, na atmosfera criada por esse foco, as alterações elementares poderão florescer. E então, sem dúvida, sob a pressão forçada de uma Terra que se cerra sobre si mesma, explodirão formidáveis energias de atração ainda dormentes entre moléculas humanas.

Ao nosso sentido do Mundo, ao nosso sentido da Terra,[47] ao nosso sentido humano,[48] as descobertas feitas desde há um século têm trazido, por suas perspectivas unitárias, um novo e decisivo impulso. Daí o surto dos panteísmos modernos.[49] Mas esse impulso não acabará senão por nos mergulhar novamente na super-matéria[50] se não nos levar a alguém.

Para que o fracasso que nos ameaça se transforme em sucesso, — para que se opere a conspiração[51] das mônadas humanas, — é necessário e suficiente que, prolongando nossa ciência até os seus últimos limites, reconheçamos e aceitemos, como imprescindível para fechar e equilibrar o Espaço-Tempo, não apenas alguma vaga existência que há de vir, mas também (e sobre isso cabe-me insistir) a realidade e a irradiação *já atuais*, desse misterioso Centro de nossos centros que denominei Ômega.

3. Os Atributos do Ponto Ômega

Depois de se haver deixado prender excessivamente, até cair na ilusão, pelos encantos da Análise, o pensamento moderno habitua-se de novo a encarar enfim a função evolutivamente criadora da Síntese. Na molécula, começa ele a ver, há decididamente *mais* que no átomo; na célula, *mais* que nas moléculas; no social, *mais* que no individual; na construção matemática, *mais* que nos cálculos e nos teoremas... A cada degrau ulterior de combinação, *algo* de irredutível aos elementos isolados *emerge*, tendemos agora a admiti-lo, numa ordem nova; e, por isso mesmo, consciência, vida, pensamento estão bem perto de adquirir direito de existência científica. A esse "algo", todavia, a Ciência está ainda longe de reconhecer valor particular de independência e de solidez: nascidos por um incrível concurso de acasos sobre um edifício precariamente montado, e sem criarem com seu aparecimento nenhum acréscimo de energia mensurável, os "seres de síntese"[52] não constituem experimentalmente a mais bela, mas também a mais frágil das coisas? e como poderiam antecipar-se ou sobreviver à reunião efêmera das parcelas sobre as quais sua alma vem pulsar? Afinal de contas, e apesar de uma semi-conversão ao espiritual, é ainda pelo lado do elementar – é sempre na direção da Matéria infinitamente diluída, que Física e Biologia olham para encontrar o Eterno e o Grande Estável.

Em conformidade a esse estado de espírito, a idéia de que se prepararia, no ápice do Mundo, alguma Alma das almas, não é tão alheia quanto se poderia crer às concepções atuais da razão humana. Ademais, existe para o nosso pensamento outra maneira de generalizar o Princípio de Emergência?...[53]* Mas, ao mesmo tempo, essa Alma que coincide com um encontro supremamente improvável da totalidade dos elementos e das causas, não poderia se formar, fique isso entendido ou subentendido, senão num porvir extremamente longínquo, e em dependência total das leis reversíveis da Energia.[54]

Pois bem, é precisamente dessas duas restrições (lonjura e fragilidade), incompatíveis a meu ver com a natureza e a função de Ômega, que, por duas razões positivas, uma de Amor, a outra de Sobrevida, devemos sucessivamente nos desvencilhar, conforme mostrarei.

Razão de Amor, em primeiro lugar. – Expressa em termos de energia interna, a função cósmica de Ômega consiste em suscitar e manter sob a sua irradiação a unanimidade das partículas reflexivas do Mundo. Isso é o que acabamos de ver. Mas como poderia ele exercer essa ação se não fosse de algum modo amante e amável *já desde agora*? O amor, dizia eu, morre ao contacto do Impessoal e do Anônimo. E assim também infalivelmente, degrada-se com o afastamento no Espaço, – e muito mais ainda com a diferença no Tempo. Para nos amarmos, é essencial co-existirmos.[55] Nunca, por conseguinte, por maravilhosa que seja sua figura prevista, nunca Ômega poderia sequer simplesmente equilibrar o jogo das atrações e das repulsas humanas se não agisse com igualdade de potência, isto é, com o mesmo estofo de Proximidade. – Em amor, como em qualquer outra espécie de energia, é no dado existente que as linhas de força devem se fechar, a todo instante. Centro ideal, Centro virtual: nada de tudo isso pode bastar. Para uma

Noosfera atual e real, um Centro real e atual. Para ser supremamente atraente, Ômega deve estar já supremamente presente.

E Razão de Sobrevida, por acréscimo. — Para escapar às ameaças de desaparecimento, inconciliáveis, como já disse, com o mecanismo de uma atividade reflexiva, o Homem procura reportar a um sujeito cada vez mais vasto e permanente o princípio coletor dos resultados obtidos por sua operação: a Civilização, a Humanidade, o Espírito da Terra. Agregado a essas enormes entidades, de ritmo evolutivo incrivelmente lento, ele tem a impressão de haver escapado à ação destruidora do Tempo.[56]*

Mas assim fazendo consegue apenas adiar o problema. Pois enfim, por mais largo que seja o raio traçado no interior do Tempo e do Espaço, abarcará jamais o círculo mais que o caduco? Enquanto nossas construções assentarem com todo o seu peso sobre a Terra, com a Terra desaparecerão. O vício radical de todas as formas de Fé no Progresso, tais como se exprimem nos símbolos positivistas,[57] consiste em não eliminarem a Morte definitivamente. De que serve poder divisar, no vértice da Evolução, um foco qualquer, se esse foco pode e deve um dia se desagregar?... — Para satisfazer às exigências supremas de nossa ação, Ômega deve ser independente da queda das potências de que se tece a Evolução.

Atualidade, irreversibilidade.

Para integrar no desenho coerente de uma Noogênese essas duas propriedades essenciais do Centro autônomo de todos os centros, não há outro meio para o nosso espírito senão retomar e completar o Princípio de Emergência.[58] É perfeitamente claro para nossa experiência que a emergência *em vias de Evolução* não se faz senão sucessivamente e em dependência mecânica daquilo que a precede. Primeiro os elementos que se agrupam; depois a "alma" que se manifesta, e cuja operação não deixa transparecer, do ponto de vista energético, senão um enrolamento cada vez mais complexo e sublimado das potências transmitidas pelas cadeias de elementos. O Radial função do Tangencial. A pirâmide cujo vértice se sustenta pela parte de baixo... Eis o que aparece pelo caminho. E eis até a maneira pela qual, no termo do processo, o próprio Ômega se nos descobre, na medida em que nele o movimento de síntese culmina. Mas, estejamos bem atentos, sob essa face evolutiva ele não mostra ainda senão a *metade* de si mesmo. Último termo da série, ele é ao mesmo tempo *fora de série*. Não apenas coroa, mas fecha. De outro modo, a soma desabaria sobre si mesma, — em contradição orgânica com toda a operação. — Quando, ultrapassando os elementos, passamos a falar do Pólo consciente do Mundo, não basta dizer que este *emerge* da ascensão das consciências: é preciso acrescentar que ele já se encontra ao mesmo tempo *emerso* dessa gênese. Sem o que, não poderia nem subjugar no amor, nem fixar na incorruptibilidade. Se, por natureza, não escapasse ao Tempo e ao Espaço que reúne, ele não seria Ômega.

Autonomia, atualidade, irreversibilidade e, portanto, finalmente, transcendência:[59] os quatro atributos de Ômega.

Deste modo se fecha sem esforço o esquema, que ficara incompleto e no qual tentávamos, no início desta obra (pp. 64-65), encerrar o complexo energético de nosso Universo.[60]

Antes de tudo, o princípio que precisávamos encontrar para explicar tanto a marcha persistente das coisas para o mais consciente, como a solidez paradoxal do mais frágil, possuímo-lo agora: é Ômega. Contrariamente às aparências ainda admitidas pela Física, o Grande Estável não está embaixo — no infra-elementar — mas em cima, — no ultra-sintético. É portanto unicamente por seu invólucro tangencial que o Mundo vai se dissipando ao acaso em Matéria. Por seu núcleo de radial, ele encontra sua figura e sua consistência natural gravitando ao revés do provável, em direção a um foco divino de Espírito que o atrai para diante.

À Entropia algo escapa, pois, no Cosmo — e escapa cada vez mais.

Durante imensos períodos, no decurso da Evolução, o radial, obscuramente agitado pela ação do *Primeiro Motor para adiante*,[61] não pôde chegar a se exprimir senão em agrupamentos difusos — a consciência animal. E, nesse estádio, à falta de poderem se agarrar acima deles a um suporte cuja ordem de simplicidade ultrapassava a sua própria, os núcleos se desfaziam mal se acabavam de formar. Logo que, pelo contrário, por Reflexão, surgiu um tipo de unidade, não mais fechada ou mesmo centrada, mas punctiforme, começou então a operar a sublime Física dos centros. Tornados centros e portanto pessoas, os elementos puderam enfim começar a reagir, diretamente enquanto tais, à ação personalizante do Centro dos centros. Transpor a superfície crítica de hominização é, de fato, para a consciência, passar do divergente ao convergente, — isto é, de certa maneira, mudar de hemisfério e de pólo. Aquém dessa linha crítica, "equatorial", a recaída no múltiplo. Além, a queda na unificação crescente, irreversível. Uma vez formado, um centro reflexivo já não pode mudar senão adentrando-se em si mesmo. Aparentemente, é claro, o Homem se corrompe exatamente como o animal. Mas, num caso e noutro, uma função inversa do fenômeno. Pela morte, no animal, o radial se reabsorve no tangencial. No Homem, escapa-lhe e liberta-se dele. A evasão para fora da Entropia por reversão sobre Ômega. A própria morte hominizada![62]

Assim, a partir dos grãos de Pensamento que formam os verdadeiros e indestrutíveis átomos de seu Estofo, o Universo, — um Universo bem definido em sua resultante — vai se construindo sobre as nossas cabeças, em sentido inverso ao de uma Matéria que se esvanece: Universo coletor e conservador, não da Energia mecânica, como o pensávamos, mas das Pessoas. Uma a uma, à nossa volta, como um contínuo eflúvio, "as almas" se liberam, levando para o alto sua carga incomunicável de consciência. — Uma a uma: e, no entanto, não isoladamente. Pois para cada uma delas não poderia haver, devido à própria natureza de Ômega, senão um único ponto possível de emersão definitiva: aquele em que a Noosfera, sob a ação sintetizante da união que personaliza, enrolando sobre si mesmos seus elementos ao mesmo tempo que ela se enrola sobre si própria, atingirá coletivamente seu ponto de convergência, — no "Fim do Mundo".[63]

NOTAS

1. O *Hiper-Pessoal* designa a super-centração das pessoas ao termo da cosmogênese, em Ômega, que preenche todas as exigências do pessoal, conservando sua própria universalidade e transcendência, para além de qualquer representação antropomórfica. A noção se aplica tanto a uma Humanidade coletivizada se transcendendo em Ômega, como ao próprio Ômega, divino – Deus-Ômega –, que constitui o Hiper-Pessoal essencial e transcendente. Em suma, o Hiper-Pessoal já se encontra realizado em Deus, mas deve ainda ser realizado pela Humanidade.
    "(...) nada me parece mais realizável e fecundo (e, portanto, mais iminente) que uma síntese entre o No Alto e o À Frente num Devenir do tipo 'crístico', em que o acesso ao Hiper-pessoal transcendente se descobriria condicionado pelo prévio acesso da consciência humana a um ponto crítico de Reflexão coletiva: não excluindo o Sobrenatural, a partir de então, mas, pelo contrário, requerendo, a título de preparação necessária, a maturação completa de um Ultra-humano." (Cf. *Réflexions sur la probabilité scientifique et les conséquences religieuses d'un ultra-humain*, 1951.)
    Comparem-se essas perspectivas com as de Santo Ireneu (130-208), para quem Deus eleva o Homem por graus ao longo da História:
    "Era necessário que primeiro o homem fosse criado, depois que ele crescesse, depois que se tornasse maduro, depois que se multiplicasse, depois que se fortalecesse, depois que chegasse à glória e que, tendo chegado à glória, visse o seu Senhor." (Cf. *Démonstration*, livro IV, capítulo 38.)

2. Desde Auguste Comte (1798-1857) com seu Positivismo instaurador e promotor da Sociologia ou Física Social até Herbert Spencer (1820-1903) com seu Evolucionismo Filosófico e Alfred Fouillée (1838-1912) com sua Moral da Esperança. Teilhard também aspira a essa "Terra Prometida", mas totalmente outra é sua visão. (Cf., no mínimo, *Terre promise*, 1919.)

3. Ou seja, o *Sentido do Movimento* deve corrigir o *Sentido da Profundidade*. (Cf. *Prólogo*, notas 15 e 19, e os textos a que se referem.)

4. *Repulsão*, em Física, é a força com que dois corpos ou partículas se repelem mutuamente.
    Em termos de Coletivização, ela se traduz na hostilidade ou resistência inata ao alheio, ao Outro em geral, à sua invasão, à sua simples presença, pelo quanto ela encerra de "alteridade". Teilhard, em espírito de oração, assim expressa a sua repulsão:
    "Meu Deus, eu vo-lo confesso, fui por muito tempo, e ainda sou, ai de mim, refratário ao amor do próximo. Na proporção em que saboreei ardentemente a alegria sobre-humana de me abrir e de me perder nas almas às quais me destinava a afinidade bem misteriosa do afeto humano, sinto-me nativamente hostil e fechado, perante o comum desses que me dizeis que eu ame. O que, no Universo, está acima ou abaixo de mim (numa mesma linha, poder-se-ia dizer) eu o integro facilmente na minha vida interior: a matéria, as plantas, os animais, e depois as Potestades, as Dominações, os Anjos, aceito-os sem dificuldade, e alegro-me por me sentir apoiado na sua hierarquia. Mas 'o outro', meu Deus, não somente 'o pobre, o coxo, o torto, o idiota', mas o *outro* simplesmente, o *outro* apenas, aquele que, por seu Universo aparentemente fechado ao meu, parece viver independentemente de mim, e quebrar para mim a unidade e o silêncio do Mundo, seria sincero se vos dissesse que minha reação instintiva não é a de repeli-lo? E que a simples idéia de entrar em comunicação espiritual com ele não é um desgosto? (Cf. *O meio divino*, 1926-1927, por nós traduzido e comentado, Editora Cultrix, São Paulo, 1957, 139 pp. Cf. também *L'assencion de l'autre*, 1942. Sartrianamente, "L'enfer sont les autres"...)

5. *Materialização* é sinônimo de Matéria, mas no quadro de uma perspectiva dinâmica e genética, em que Matéria e Espírito se apresentam como variantes conjugadas (Espírito-Matéria):
    "Não existe nem espírito, nem matéria, existe uma espiritualização-materialização." (Cf. *Notes et esquisses*, 24/12/1920.)

Assim, na materialização, em vez de se manifestar a face Espírito, como convém ao processo evolutivo, parece manifestar-se a face Matéria.

6. *Neo-Matéria* é a "Matéria nova" ou "Matéria secundária", que já tivemos a oportunidade de conceituar como a Matéria que consolida, mas também mecaniza os resultados obtidos evolutivamente, tornando possível e, ao mesmo tempo, requerendo um novo processo de purificação; nova base física a ser hiperfisicizada.

"Eis, por sua vez, a longa série das decadências vitais: o esgotamento e o envelhecimento das raças, seu entorpecimento por lassidão, seu embotamento sob invólucros sociais transformados em quadros dourados e estéreis, sua esclerose sob a rotina coletiva e individual; e, enfim, por sob essa neo-matéria em constante via de formação e de rejeição, eis a imensa e antiga Matéria que reaparece." (Cf. *L'hominisation. Introduction a un étude scientifique du phénomène humain*, 1925.)

7. Isto é, puro Fora estabelecendo entre os elementos materiais relações de pura exterioridade, "transiência" (da forma hipotética latina *transiente*, de *transire* "passar"), efemeridade, transitoriedade.

8. *Comunismo* é, em geral, a doutrina social que preconiza a comunidade de todos os bens e a abolição da propriedade privada. A idéia de um tal regime de vida comunitária surge já em *A república* de Platão (428-348 a.C.), e reaparece como ideal, durante o Renascimento, em *Utopia* de Thomas Morus (1478-1535), e em *A cidade do sol* de Tommaso Campanella (1568-1639). Foi contudo François Noël, dito Gracchus Babeuf (1760-1797) que, pela primeira vez, propôs o Comunismo não como idéia filosófica, mas como programa político (Sociedade dos iguais). Vieram a seguir as experiências de "Associacionismo" (Cooperativas) de Robert Owen (1771-1858) na Inglaterra e de Etienne Cabet (1788-1856), autor de *Viagem a Icária*, na França. Depois de Claude Henri Saint-Simon (1760-1825) e de Charles Fourier (1772-1837), a doutrina de Karl Marx (1818-1883) e Friedrich Engels (1820-1895) exposta em *Manifesto do partido comunista* (1848) e em *O capital* (1867) teve enorme repercussão. Marx e Engels foram os primeiros a preconizar a comunidade ou coletivização não só dos bens de consumo mas também dos próprios bens de produção, propondo a repartição de ambos segundo as necessidades de cada um, e a supressão das classes sociais. O Comunismo como sistema político foi adotado primeiramente na Rússia e estendido, posteriormente, à U. R. S. S., com a estatização absoluta dos meios de produção e a supressão de liberdades individuais. Mas, mesmo nesses países, ou noutros como China e Cuba, o Comunismo enquanto forma de vida social em que o indivíduo vive totalmente para o grupo permanece um ideal. Mesmo o Socialismo nascido da ditadura do proletariado não seria senão uma etapa transitória que prepara o advento do Comunismo no porvir. Este coincidiria com o desaparecimento do Estado em favor das Assembléias do Povo. Assim, já se vê, o Comunismo em si pertence ainda ao domínio dos ideais filosóficos e a sua aplicação prática é ainda totalitarista (Cf. nota 11) e escravizante, enquanto limitadora ou supressora das liberdades individuais e das iniciativas pessoais. (Cf. nota 22.)

9. O *Nacional-Socialismo* é a doutrina fundada por Adolf Hitler (1889-1945), unindo as tendências racistas (superioridade "ariana", exterminação dos judeus) e militaristas (política ditatorial e de anexações sucessivas: Áustria, Boêmia, Morávia, Polônia...) às realizações sociais (instauração de um império, o *Reich*). Opondo-se ao Comunismo e essencialmente nacionalista, esta doutrina tinha por divisa: "Um Povo, um Império, um Chefe", pretendendo expandir o território alemão em nome da teoria do espaço vital. A abreviatura de *Na*tional *So*zialist, *Nazi*, deu o sinônimo *Nazismo*, chauvinismo de direita, imperialismo insano.

10. Citação da célebre frase atribuída a Galileo Galilei (1564-1642), físico e astrônomo italiano, um dos fundadores do método experimental, descobridor de várias leis fundamentais da Física, construtor dos primeiros microscópios e inventor da luneta. Postulando o modelo de sistema planetário proposto por Copérnico (1473-1543), que a corte de Roma considerava herético, Galileu, instado a não mais professá-lo, submeteu-se; mas, em 1632, publicou todas as provas da verdade do sistema. Teve então que abjurá-lo diante da Inquisição, em 1633. Ao final do processo, teria, porém, murmurado: "E contudo se move", reafirmando sua convicção de que a Terra se move em torno do Sol e não vice-versa. A título de curiosidade,

lembremos que o Papa João Paulo II propôs, em 1979, a inversão da condenação de Galileu. Teilhard, ao citar a famosa frase, raciocina: "Apesar das aparências ou do que se diga, a Evolução prossegue, o surto de consciência cresce, a Espiritualização avança"... (Cf. Parte III, Capítulo III, nota 20.)

11. *Totalitarismo* é o regime político ou sistema de governo não-democrático, em que um grupo centraliza todos os poderes políticos e administrativos, não permitindo a existência de outros grupos ou partidos políticos. Os dirigentes, nesse caso, concentrando entre as mãos os poderes executivo, legislativo e judiciário, negligenciam os direitos da pessoa humana em prol da razão do Estado.

12. A *Personalização* é o processo de consumação ou aperfeiçoamento da Pessoa por uma dupla operação: 1) reunião com todos os outros centros pessoais (unanimização); 2) completação da Pessoa humana, sob o influxo da Pessoa divina, no seio do Corpo Místico: "(...) o movimento de que fazemos parte pode ser considerado como indefinido, continuando muito à frente até algum termo. Pelo fato de sermos pessoais até um certo ponto, não se prova que essa personalidade esteja consumada; ela deve se prolongar duplamente, no esforço que fazemos para nos ultrapassarmos a nós mesmos, e para nos reunirmos a outros seres com quem devemos constituir um grau superior de personalidade, em direção à personalização (...) Os dois perigos com que nos defrontamos consistem em deter essa personalização em nós mesmos, por inércia, e, à nossa volta, por egoísmo." (Cf. *Essai d'intégration de l'homme dans la nature*, 1930.) Cf. Parte II, Capítulo II, 1, nota 43.

13. O *Universo-Pessoal* é a figura do Cosmo em via de unificação laboriosa e personalizante, através da qual uma multiplicidade de Pessoas se sintetiza por incorporação progressiva a um pólo extremo de convergência ("Ponto Ômega") pela edificação da unidade coletiva humana capaz de transcendência:

"O UNIVERSO-PESSOAL (...) Ao nível do 'Ser Vivo simples', ensina-nos a Ciência, a União diferencia os elementos que aproxima. Ao nível do Reflexivo, nós o constatamos em nós mesmos, ela os personaliza. Por força de co-reflexão, devemos logicamente concluir, ela os totaliza num 'não sei que' em que toda diferença entre Universo e Pessoa praticamente desaparece." (Cf. *Les singularités de l'espèce humaine*, 1954.)

Convém observar que o termo "Universo-Pessoal" não se confunde com o termo "Universal-Pessoal". Este designa a síntese do centro último (dotado de um poder unitivo sem limites) e da totalidade complexa que nele encontra seu foco radial. O Universo-Pessoal supera a antinomia (contradição) da singularidade pessoal e do universal abstrato. Mas seu ponto de partida específico é a imensidade do todo remetendo ao centro pessoal.

"O ser 'personalizado', que nos constitui *humanos*, é o estado mais elevado sob o qual nos é dado apreender o estofo do Mundo. Levada à sua consumação, essa substância deve possuir ainda, num grau supremo, nossa mais preciosa perfeição. Não pode ser, então, senão o 'super-consciente', quer dizer, 'super-pessoal'. Ficam indignados perante a idéia de um Universal-Pessoal. A associação desses dois conceitos parece-lhes monstruosa. Ilusão espacial, insistirei. Em vez de olhar o Cosmo do lado de sua esfera exterior, material, voltem-se para o ponto em que todos os raios se juntam." (Cf. *Comment je crois*, 1934.)

E vale evocar também o termo "Pessoal-Universal". Como o Universal-Pessoal, ele designa aquela mesma síntese do centro último e da totalidade complexa, superando também a antinomia da singularidade pessoal e do universal abstrato. Mas seu ponto de partida específico é a irradiação da pessoa em direção ao todo – irradiação limitada e em parte virtual quando se trata do homem; irradiação infinita e plenamente realizada quando se trata do Centro supremo.

"Analisando (...) a *formação da Personalidade* fomos levados a reconhecer as propriedades de um Espírito-Matéria no Estofo do Universo. Eis que um outro aspecto não menos paradoxal desse mesmo Estofo se revela a nós, decorrendo como necessário para qualquer 'prolongamento da Pessoa' para além de si mesma: quero dizer, o *Pessoal-Universal*. O que há de mais incomunicável, e portanto de mais precioso, em cada ser, é aquilo que o faz um mesmo com todos os outros. É, por conseguinte, coincidindo com todos os outros que encontraremos o centro de nós mesmos." (Cf. *Esquisse d'un univers personnel*, 1936.)

Note-se bem que, ainda que as respectivas significações dos dois compostos — Universal-Pessoal e Pessoal-Universal — sejam muito próximas, pode-se considerar que o segundo termo de cada um deles desempenha o papel de qualificativo em relação ao primeiro. E ambos, insistimos, não se confundem com Universo-Pessoal.

14. *Alfa* e *Ômega*, respectivamente, primeira e última letra do alfabeto grego, designando aqui pontos extremos: o início primeiro do Mundo e seu termo derradeiro...

15. O *Agnosticismo*, do grego *ágnostos*, "desconhecido", "ignorado", termo usado pela primeira vez por Thomas Huxley (1825-1895), significa, etimologicamente, doutrina da incognoscibilidade. Essa incognoscibilidade se refere ao supra-sensível e resulta na negação da metafísica como ciência, particularmente no que tange ao conhecimento do transcendente, de Deus. Assim, fica-se circunscrito ao intramundano, àquilo que é compreensível mediante conceitos próprios e unívocos. O transcendente, na melhor das hipóteses, permanece à mercê de um pressentimento, sentimento ou "fé" irracionais. Essencial a todo positivismo, presente no criticismo kantiano, na filosofia da religião do modernismo, na filosofia religiosa do moderno protestantismo e também na teologia dialética, o Agnosticismo é assumido como doutrina por muitos humanistas. Os humanistas ditos *Agnósticos*, adotando uma posição metodológica pela qual só aceitam como objetivamente verdadeira uma proposição que tenha evidência lógica satisfatória, consideram fútil qualquer metafísica, declaram o absoluto inacessível ao espírito humano e postulam a existência de uma realidade incognoscível: o transcendente. Em matéria de experiência expressam espírito positivo, em matéria religiosa são céticos. Opõem-se tanto aos "gnósticos" — que exaltam a crença irracional — quanto aos "dogmáticos" — que afirmam a verdade absoluta de suas demonstrações racionais. Isso não impede, segundo o Autor, que, assim como os materialistas, aceitem a Evolução enquanto ascensão para a Consciência, como um fato.

16. Cf. Parte III, Capítulo I, 1, A, d, nota 33, onde se distinguem Antropização, Hominização, Humanização.

17. Cf. nota 1, e, no Capítulo anterior, nota 51.

18. A palavra alemã *Weltanschauung*, "ato de olhar para o mundo", foi lançada por Wilhelm von Humboldt (1767-1835), grande representante do Neo-Humanismo, com o sentido de "visão que tem um povo acerca do mundo". Wilhelm Dilthey (1833-1911) deu ao termo o sentido mais amplo de concepção da vida e do mundo, não popular, mas antes determinada pela subjetividade étnica e psicológica do indivíduo, podendo ser filosófica, estética ou religiosa. Em português, fala-se em "Mundividência" como compreensão global da essência, origem, valor, sentido e finalidade do Mundo e da Vida humana. Não se trata, pois, de uma mera "imagem do universo" que reúna e elabore mentalmente os resultados das ciências naturais numa visão científica e filosófico-natural de conjunto, mantendo-se num plano puramente teorético, alheia às questões últimas acerca do Ser e do Mundo como um todo. Bem pelo contrário, a *Mundividência* — e nesse sentido o Autor emprega *Weltanschauung* entre aspas — ultrapassa essencialmente os limites das ciências particulares, é uma tomada valorativa de posição diante da totalidade do Real e inclui, por conseguinte, uma resposta às questões acerca da origem, do sentido, da orientação desse Real. A própria Mundividência do Autor, expressa nesta obra, enquanto cientificamente instaurada, quer dizer, estruturada e cimentada, resulta na sua Ultrafísica ou Hiperfísica. No texto, contudo, ele está se referindo a uma Mundividência "*humana coletiva*", em cujo estabelecimento ele próprio "coopera e participa", propondo a sua como modelo: uma visão cuja verdade jorra por puro efeito de coerência, de todo Fenômeno e do Fenômeno inteiro...

19. No sentido mais geral, *Convergência* é a própria figura do Real evolutivo que tem por base e ponto de partida o Múltiplo, infinitamente diluído, e por ápice e termo o Ponto Ômega, infinitamente concentrado. Ora, se o Real avança no Espaço-Tempo, este é "necessariamente *de natureza convergente*".

20. Isto é, sem se reduzir à medida do humano, tomando forma (em grego, *morphé*) própria ao homem (em grego, *anthropos*).

21. Cf. Parte I, Capítulo II, últimos parágrafos e nota 47. Sob o aspecto emergente, o *Ponto Ômega* é, pois, o centro definido pela concentração última da Noosfera sobre si mesma; foco de convergência natural da Humanidade e, por isso mesmo, de todo o Cosmo; termo da maturação social e espiritual da Terra. Há contudo outro aspecto a considerar, o transcendente e pré-existente, como veremos adiante.

22. Karl Marx (1818-1883), filósofo e economista socialista alemão, redigiu com Friedrich Engels (1820-1895) *A santa família* (1845) e o *Manifesto do partido comunista* (1848). Fundador da I Internacional, Marx definiu sua doutrina em *O capital* (1867), de cuja publicação póstuma Engels se encarregou. O Marxismo, fundamentando-se numa explicação materialista dos fatos econômicos e históricos, considera que o capitalismo, concentrando as riquezas nas mãos de alguns, não poderá resistir ao avanço dos trabalhadores unidos e organizados, que se tornarão senhores, numa sociedade coletivista, dos meios de produção e troca. O aspecto filosófico do *Marxismo* ou *Materialismo Dialético* é uma vigorosa reação contra as filosofias idealistas e dualistas, que ele considera como meras ideologias a serviço da classe dominante (burguesia) em detrimento do proletariado em luta. As principais teses do Materialismo Dialético são: a existência de uma Matéria independente do Pensamento e anterior a ele (reduzindo-se o Pensamento à Matéria consciente de si mesma), e o desenvolvimento dessa Matéria por oposições ou negações sucessivas (Dialética). Essa análise filosófica tornou-se para os adeptos do Marxismo um método de pensamento e de ação que se estende a todos os domínios do conhecimento. O Materialismo Histórico, por exemplo, aplica o Materialismo Dialético à ordem da vida social: a História é determinada pelas contradições entre os modos de produção e as relações de produção (formas de propriedade), contradições que se traduzem pela luta de classes, reduzindo-se o Estado a instrumento de que se serve, em cada caso, a classe dominante para oprimir a classe contrária. O aspecto econômico do Marxismo tem por base a Teoria do Valor: o valor é a expressão da quantidade de trabalho social contida num bem de consumo ou mercadoria, sendo esse trabalho social o tempo necessário à produção do bem ou mercadoria. A "mais-valia" é constituída pela diferença entre o valor criado pelo operário durante a sua hora de trabalho e o salário pago; sua taxa no regime capitalista é, portanto, função do grau de exploração do operário. Essa análise serve de base a uma política, o Comunismo, cujo fim é assegurar, pela ditadura do proletariado, a apropriação dos meios de produção e de troca aos que trabalham. Em oposição às formas antigas de Socialismo, consideradas "utópicas", o Marxismo pretende se firmar como "socialismo científico". No Marxismo antigo, "filho natural do liberalismo burguês e do individualismo", o sacrifício da liberdade à atividade produtora de bens (social e racionalmente organizada) concorre para colocar o homem em condições de configurar livremente sua vida, equipando-se com o maior número possível de bens de uso e de consumo. O Marxismo moderno (Leninismo, Stalinismo etc.) transformou-se em rigoroso coletivismo: a produção social de bens não tem por escopo embelezar as existências das pessoas, mas desenvolver a força da coletividade. À Humanidade caberia recolher o fruto dos esforços individuais. O Autor, sem criticar esse regime de "sacrifício" e "coleta", quer apenas demonstrar que tais frutos – os resultados do nosso esforço e do nosso trabalho – ainda que valiosos e importantes, não são o melhor de nós... A seqüência do texto é claríssima.

23. Assim os Panteísmos de Difusão, de Distensão, de Dissolução, de Efusão e de Dissolução, de Identificação, Pseudo-Panteísmo, Pateísmo, Antigo, Falso Panteísmo, Panteísmo Idealista, Panteísmo Moralista, Panteísmo Naturalista, Panteísmo Pagão, Velho Panteísmo e Panteísmo Vulgar – sinônimos e postulantes de uma perspectiva não-evolutiva, rejeitada pelo Autor, segundo a qual Deus é o Todo Impessoal, de modo que a união do eu com Ele consiste numa perda de consciência e numa dissolução da pessoa no elementar. (Cf. nota 49.)

"Nossa geração (...) parece não compreender o panteísmo senão sob a forma de uma dissolução dos indivíduos numa imensidade difusa. Isso é uma ilusão, devida ao fato de a unidade do Mundo, por influência da Física, ser procurada erradamente na direção das energias cada vez mais simples em que ele se decompõe (...)" (Cf. *Esquisse d'un univers personnel*, 1936.)

24. Por *Ego* o Autor designa o psiquismo na medida em que esse tende a se centrar e, portanto, a se individualizar, ou seja, tornar-se pessoal e incomunicável (no sentido de uma imanência inédita, original, insubstituível, intransmissível). Esse Ego é também chamado

Ego Nuclear, distinguindo-se do *Ego Periférico*, que designa o psiquismo enquanto ligado ao germe, quer dizer, transmissível e suscetível de se repartir numa série de células-mães que provocarão o aparecimento de novos egos nucleares.

"(...) imaginar *duas espécies de ego* em cada centro filético: de um lado um *ego nuclear* (mais ou menos concluso ou rudimentar, conforme o caso), de outro *um ego periférico* incompletamente individualizado e por conseguinte secável, capaz, após a separação, de se desenvolver, dando brotos, e de isolar em si um novo núcleo de ego incomunicável..." (Cf. *La centrologie. Essai d'une dialectique de l'union*, 1944.)

25. Na mesma obra citada ao final da nota anterior, o Autor afirma:
"(...) o caráter mais essencial, mais significativo de qualquer das unidades, cujo agrupamento constitui o Universo, acha-se assinalado nelas por um certo grau de interioridade, quer dizer, de centreidade (*alma*), sendo ele mesmo função de um certo grau de complexidade (*corpo*, e, mais especialmente, *cérebro*). Esse *coeficiente de centro-complexidade* (ou, o que dá no mesmo, de consciência) é a verdadeira medida absoluta do ser nos seres que nos rodeiam."

Que um centro não se possa dissolver (pois dissolução cêntrica equivale a aniquilação ontológica) é questão de irreversibilidade (impossibilidade de retorno na evolução sintetizante, do ponto de vista fenomenológico; e imortalidade, do ponto de vista meta- ou hiper-físico); mas a essa afirmação, do ponto de vista da analogia geométrica que implica, é também verdadeira: Apagar a linha de uma circunferência não determina a dissolução do ponto que constitui seu centro... Todo esse enfoque, que integra uma visão sintética do processo de centração, pode constituir uma verdadeira ciência, a *Centrologia*, que — como vai indicado no próprio subtítulo da obra acima citada — é uma *Dialética da União*. Essa Dialética pode ser conceituada como o processo imanente ao conjunto do Real e, contudo, originário de um foco transcendente (o Ômega já "existente e irradiante", como veremos a seguir), pelo qual os elementos do Múltiplo se aproximam uns dos outros para se organizar em torno de centros cada vez mais poderosos e sintéticos. Esse movimento do Real, que é, simultaneamente, o movimento do Pensamento (também estruturante do Real), enfatiza o mo(vi)mento da Síntese de preferência ao mo(vi)-mento da Análise.

26. Sendo que nessa "super-centração" em torno de um Centro dos Centros, ele efetivamente não se "dissolve" enquanto tal, mas antes se exalta num mais-ser...

27. Cf. o texto indicado nas notas 23 e 24.

28. É a esse foco central, necessariamente autônomo, que reservaremos doravante, no que se segue, o nome de "Ponto Ômega". (N. do A.) É a esse aspecto, transcendente, de Ômega que nos referíamos na nota 21. Não se trata mais, apenas, de uma culminância *cósmica* no Espaço-Tempo, mas já de uma anunciação *divina* vinda a nós da eternidade. Sobre "Ômega" é definitivo o artigo de Romano Rezek "O Ponto Ômega em Teilhard de Chardin", em *Perspectiva Teológica*, Belo Horizonte, ano XVI, 1984, pp. 83-94, e em *Ser Mais...*, Instituto Social Morumbi, São Paulo, 1986, pp. 243-256.

29. Cf. Parte II, Capítulo II, 1, nota 43. E ainda:
"(...) a necessidade e a importância de não confundir as duas noções, parcialmente independentes, de *pessoal* e de *individual*. O que torna um centro 'individual' é ser distinto dos outros centros que o rodeiam. O que o faz 'pessoal' é ser profundamente ele mesmo. Instintivamente procuraríamos aumentar nosso *ego* por um separatismo e um isolamento crescentes, o que nos empobrece. As leis da União nos mostram que o verdadeiro e legítimo 'egoísmo' consiste, pelo contrário, em unir-se aos outros (desde que seja centro a centro, quer dizer, por amor, — ...) pois só então chegamos a nos realizar plenamente, sem nada perder (e, pelo contrário, atingindo o verdadeiro máximo) daquilo que nos faz incomunicáveis. Compreendida num sentido estrito, como definindo não a *distinção* mas a separação dos seres, a individualidade decresce com a Centrogênese, e anula-se (em Ômega) quando a personalidade atinge o seu máximo." (Cf. *La centrologie. Essai d'une dialectique de l'union*, 1944.)

30. Já porque, para Teilhard, *Espírito* é, por definição, princípio de união, poder de *síntese* e de sublimação do Múltiplo, o único que liga em si mesmo e religa entre si os elementos

constitutivos do Mundo. O Espírito é o próprio sentido da Evolução universal, que constitui, afinal, uma transformação no decurso da qual a matéria se interioriza. O Espírito é o estado superior que o Estofo do Universo – Espírito-Matéria – toma em nós e à nossa volta.

"Por espírito eu entendo 'O Espírito de Síntese e de Sublimação' em que, laboriosamente, por entre tentativas e fracassos sem fim, concentra-se o poder de unidade difuso no Múltiplo universal: o Espírito nascendo no seio e em função da Matéria." (Cf. *Comment je crois*, 1934.) "(...) o Espírito não é mais o antípoda, mas o pólo superior da matéria em via de sobre-centração." (Cf. *L'atomisme de l'esprit. Un essai pour comprendre la structure de l'etoffe de l'univers*, 1941.)

No mundo dos fenômenos, o Espírito não se manifesta em estado puro, por assim dizer, mas por um processo de *Espiritualização*. Assim Espírito e Espiritualização são sinônimos no quadro de uma perspectiva dinâmica e genética, onde Matéria e Espírito se apresentam, para nós, como variáveis conjugadas.

"O Espiritual não é um acidente recente, sobreposto brutalmente ou fortuitamente ao edifício do Mundo à nossa volta; é um fenômeno profundo e arraigado, cujos traços podemos seguir com certeza, a perder de vista, na esteira de um movimento que nos arrebata. (...) Donde esta evidência que, de um ponto de vista puramente científico e experimental, o verdadeiro nome de 'espírito' é 'espiritualização'." (Cf. *Le phénomène spirituel*, 1937.)

31. O *Egotismo*, do inglês *egotism*, consiste no sentimento excessivo da própria personalidade, derivando em egolatria. Teilhard parece empregar o termo, aqui como alhures, para diferenciar essa tendência do "egoísmo legítimo" enquanto afirmação e desenvolvimento do Ego Nuclear (Cf. nota 24) que deve culminar numa super-centração, como fica claro na nota seguinte, do Autor.

32. E, de maneira inversa, ele não se universaliza verdadeiramente senão se super-personalizando. Eis aí toda a diferença (e o equívoco) entre a verdadeira e as falsas místicas políticas ou religiosas: estas destroem, aquela consuma o Homem mediante "o perder-se no maior que si próprio". (N. do A.)

33. Eis a *Centrogênese* como processo de centração, pelo qual a convergência do universo se faz segundo o seu eixo de centro-complexidade.

34. A composição do termo *Amor-Energia*, no universo de discurso teilhardiano, chega a ser um truísmo ou, no mínimo, tautológica, pois que o Amor é o verdadeiro nome da Energia, a Energia Fundamental, a Energia unitiva e diferenciante (depois, no Homem, personalizante e supra-personalizante, universalizante), que irradiada, originariamente, do foco divino (e tendo emergido, por excelência, como se verá, na Caridade do Cristo), ativa a ligação de centro a centro, de pessoa a pessoa, sem se confundir com suas repercussões afetivas. O Amor é a própria seiva da União Criadora e a marca, na pessoa humana, da convergência universal. No quadro evolutivo, sua ativação se traduz por um processo: a *Amorização*, abrasamento geral do Mundo, excitação do Universo, iluminado por seu "Dentro" e extremado na realização de suas possibilidades. Teilhard, ao descrever as etapas de seu percurso pessoal, em sua autobiografia intelectual *O coração da matéria* (1950) texto por nós traduzido e comentado em *Para aquele que vem*, Instituto Social Morumbi, São Paulo, 1985, pp. 111-171 – refere-se, poeticamente, a clarões púrpuros da Matéria que se transformam em ouro do Espírito para se transmutarem na branca incandescência de um Universal-Pessoal, que é o ardor do puro Amor. (Cf. *Epílogo*, nota 35.)

35. No processo evolutivo universal, sempre a mesma exigência de uma ordem de sucessão: cada fenômeno, cada fato é precedido por uma série de outros, que são seus antecedentes ("físicos", anteriores e inferiores), e dos quais ele é o conseqüente ("hiperfísico", posterior e superior). Nada se faz de nada...

36. *Incoativa*, do verbo latino *inchoare*, "começar", "principiar", é a presença de um princípio de união em tudo o que existe, porque exprime o começo de uma ação ou de um estado: ser já é unir ou ser unido. Quando Teilhard chama esse princípio de Amor, está simplesmente generalizando a sua expressão hominizada, como o faz, por exemplo, com o termo Consciência, que designa toda forma de psiquismo, desde a mais diluída e elementar

(mero Dentro, interioridade) até a mais concentrada e complexa (Reflexão, espiritualidade). Tendência à ordenação e ao agrupamento ao nível de átomos e moléculas (força de coesão na matéria dita "bruta"), propensão a se unir ao nível de células (força vegetativa nas plantas, instinto sexual nos animais) e amor ao nível de seres humanos (atrações pessoais), é ainda e sempre a mesma força – aquela que, segundo Dante, "move o Sol e as outras estrelas" –, atuando universalmente.

37. *Platão* (428-348 a.C.), sob a influência de Sócrates (470-399 a.C.), propôs-se ser o educador da Juventude ateniense. Para tanto fundou a Academia e, através dos Diálogos que escreveu, expressou suas idéias filosóficas e sua concepção do universo. A reforma política que propunha fundava-se nessa sólida concepção, segundo a qual há valores eternos e imutavelmente válidos, constituindo um mundo superior, o único verdadeiro. É o Mundo das Idéias. Enquanto os sentidos nos mostram apenas o Mundo Sensível, do devir e do perecer, intermediário entre o Ser e o Nada, a razão se alça até as Idéias, formas exemplares, unidades objetivas eternas, não-sensíveis, que existem fora e acima das coisas sensíveis e conferem a tudo o seu verdadeiro sentido. As coisas perecíveis participam das Idéias, de que são simples cópia ou grosseira imitação, sombras. A ascensão à bondade, à beleza, à verdade, enfim, à perfeição das Idéias se faz mediante a paixão de Eros, o Amor, que aspira ao melhor. Ele é um movimento do coração, que nos dirige a um ser, um objeto ou um valor universal. Assim é que Platão, no Diálogo *O Banquete*, distingue diferentes graus de Amor, conforme se refira a um indivíduo concreto, a uma idéia geral (valores nacionais ou profissionais, ciência) ou à luz da Verdade (que requer toda uma iniciação filosófica e religiosa). Cabe citar também os Diálogos *Fédon*, *Fedro* e *A República*.

38. Nicolau Krebs, dito de Cusa (1401-1464), cardeal e primeiro grande filósofo alemão da época moderna, tem uma visão cristã-escolástica do Universo, mas com problemas e programas que acenam aos tempos modernos. Recebe a influência do *Neo-platonismo* e da *Mística Alemã* (Mestre Eckhart, 1260-1327; João Taulero, 1300-1361; Henrique de Suso, 1295?-1366; João van Ruysbroeck, 1293-1381). Segundo Nicolau de Cusa, o entendimento se dirige apenas a objetos finitos, mas a razão, capaz de ver os contrários reduzidos à unidade, obtém por essa forma um certo conhecimento do Infinito (que é uma *coincidentia oppositorum*, unidade superior dos contrários). Nisso consiste a *docta gnorantia*. Nicolau de Cusa é um escalão intermédio entre Eckhart e Leibniz (1646-1716) – este com sua "Monadologia", a teoria da harmonia pré-estabelecida etc.

39. Isto é, geradora, orginária de tudo, fonte do ser.

40. Cf. nota 10, Capítulo anterior.

41. *Sentido*, ou Senso, aqui, indica uma função intuitiva do espírito que visa a um conteúdo ao mesmo tempo muito amplo e muito concreto, testemunha sua realidade e, sem lhe esgotar a riqueza, põe-nos em comunicação com ele.

"Ora, nestes últimos tempos, decorrendo da emergência, em nossa visão interna, de um Universo enfim amarrado sobre si mesmo e sobre nós através da imensidão do tempo e do espaço, parece que o sentimento apaixonado de uma quase-presença universal tende a despertar, a se retificar e a se generalizar no âmago da consciência humana. Sentido da evolução, sentido da Espécie, sentido da Terra, sentido Humano... Expressões preliminares e diversas de uma mesma nova necessidade de unificação..." (Cf. *Comment je vois*, 1948.)

Esse *Sentido do Todo* ou *Sentido Cósmico*, em particular, é bem a intuição que nos põe em contato com todo o Universo, permitindo-nos apreender a Unidade por sob a Multiplicidade.

"O homem foi sempre esporadicamente solicitado e inebriado pelo sentimento de união ao Todo de que participa. Mas, nestes últimos tempos, sob a influência da melhor compreensão da imensidade e da organicidade do Universo circundante, esse sentido elementar do todo não tende a generalizar-se nas consciências? E com a particularidade essencial de que a Totalidade pressentida e desejada já não se manifesta tanto como um Oceano amorfo em que nos dissolvemos, mas muito mais como um Foco poderoso em que nos reunimos, nos perfazemos e nos concentramos?" (Cf. *Les conditions psychologiques de l'unification humaine*, 1948.)

A linha de pensamento do Autor é clara: se no Universo percebemos o Um e ele é um Foco Pessoal, presente e sumamente atraente, então é possível amá-lo, então é possível um *amor universal.*

42. Algo está aí e em toda parte, Algo que logo se revela pessoal; portanto, *Alguém* – com um semblante e um coração... "Uma Presença jamais é muda." (Cf. *Comment je crois,* 1934, Cf. também *Epílogo*, nota 3.)

43. *Místicos,* do grego *mystikós,* são em geral aqueles que, mediante a contemplação espiritual, procuram atingir o estado de união pessoal com o Divino. A *Mística,* do verbo grego *myein,* "fechar os olhos", designa pois, no sentido etimológico, uma vivência profundamente interior, misteriosa, de "mistura", principalmente no domínio religioso. Daí a acepção ampla de Mística como toda a espécie de *união* interior *com o Absoluto,* nascida de uma necessidade espiritual e podendo se converter numa ciência e numa arte específica. É nessa acepção geral que o Autor emprega o termo – entre aspas, para designar a Mística como *vivência de união universal,* e não apenas extraordinária, extática, ou especificamente cristã (sentido estrito).

"Por 'Mística' entendo (...) a necessidade, a ciência e a arte de atingir, simultaneamente e um pelo outro, o Universal e o Espiritual. Tornar-se ao mesmo tempo e pelo mesmo gesto, um com Tudo, por liberação de toda multiplicidade ou peso material: eis, mais profundo que qualquer ambição de prazer, de riquezas e de poder, o sonho essencial da alma humana." (Cf. *Comment je vois,* 1948.)

Teilhard se refere, portanto, à chamada *Mística Natural* (que não consiste numa visão imediata de Deus, mas de um modo de conhecer espiritual, pelo qual a alma percebe um peculiar influxo de Deus ou se conhece intuitivamente a si mesma na sua imediata relação com Ele, abertura para o Infinito), que pode ser base e ponto de partida da *Mística Sobrenatural* (definida pela Teologia como vivência experimental da vida divina da graça no homem e que inclui o "êxtase", com cessação da atividade natural dos sentidos). Mesmo que não constituísse uma experiência geral – e ele demonstra que é –, essa Mística Natural foi vivenciada e atestada uniformemente por tantos homens exímios no decorrer dos séculos que se torna absolutamente impossível duvidar de sua realidade, enquanto "vibração fundamental", apreensível "na base, ou antes, no ápice de toda grande emoção".

44. Cf. nota 41.

45. Ou seja, os Humanismos. (Cf. Capítulo anterior, 2, A, nota 32.)

46. Não, bem entendido, tornando-se uma Pessoa, mas carregando-se, no próprio âmago de seu desenvolvimento, da influência dominadora e unitiva de um Foco de energias e de atrações pessoais. (N. do A.)

47. Cf. nota 41. O *Sentido da Terra,* em particular, é a intuição pela qual nos descobrimos solidários da estrutura planetária que leva a Humanidade, numa destinação comum, a constituir, em torno da Terra, a esfera do Pensamento, a Noosfera.

48. Cf. nota 41. O *Sentido Humano,* em particular, é a tomada de consciência da Humanidade como totalidade tangível e concreta, capaz de tomar nas mãos sua evolução e de construir o seu porvir.

"(...) nós outros recém-chegados do século XX encontramo-nos a coincidir com um fato que, tão formidável quanto a constituição, a vitalização ou a hominização iniciais da terra, desenvolve-se num ritmo não desproporcionado às nossas experiências: refiro-me ao despertar do *Sentido Humano,* isto é, a essa consciência tomada pelo pensamento terrestre de que ele constitui um Todo organizado, dotado de crescimento, capaz e responsável de algum porvir." (Cf. *Le sens humain,* 1929.)

49. Entre esses "panteísmos modernos", podemos distinguir pelo menos:
    a) quanto à identidade entre Deus e as coisas empíricas:
    – O *Panteísmo Imanentista* (Monismo), que dilui completamente Deus nas coisas e assim se equipara ao crasso ateísmo materialista (Hyppolite Taine, 1828-1893; Ernst Haeckel, 1834-1919; Wilhelm Ostwald, 1853-1932).

– O *Panteísmo Transcendente* (Místico), que vê o Divino só no mais íntimo das coisas, sobretudo na alma, de modo que a criatura só se diviniza suprimindo o invólucro sensível (Panteísmo Hindu da Filosofia do Vedanta, Ioga etc. – antiqüíssimo mas em verdadeiro surto, sob diversas formas, no Ocidente, moderna e contemporaneamente).

– O *Panteísmo Imanente-Transcendente*, segundo o qual Deus se realiza e se manifesta nas coisas (remontando a Baruch Spinoza, 1632-1677, ressurge no *Idealismo Alemão*, com Johann Wolfgang von Goethe, 1749-1832; Friedrich Schleiermacher, 1768-1834; Rudolf Eycken, 1846-1926).

– *Panpsiquismo*, *Panteísmo Biológico* etc.

b) quanto à origem das coisas:

– *Panteísmo Evolucionista*, segundo o qual Deus se realiza a si mesmo mediante o devir do Universo e chega à autoconsciência (Friedrich Hegel, 1770-1831; Johann Gottlieb Fichte, 1762-1814; Friedrich Wilhelm Schelling, 1775-1854; Eduard von Hartmann, 1842-1906; Benedetto Croce, 1866-1952; Giovanni Gentille, 1875-1944).

c) quanto ao fim último das coisas:

– *Panteísmo de Unificação* (Cf. logo abaixo):

A noção de Panteísmo constitui um dos temas essenciais da reflexão de Teilhard e a sua posição é expressa adiante (Cf. *Resumo* ou *Posfácio*, 3, último parágrafo). Por ora, não é difícil perceber que ele está opondo a tais "panteísmos modernos" um *Panteísmo de Convergência*. A convergência evolutiva do universo consuma o Todo num centro último, e personaliza cada vez mais o eu que se une ao Todo.

"Panteímo de convergência de diferenciação	essencialmente efeito de Amor	Deus é Tudo em todos (S. Paulo)

O único panteísmo capaz de animar experimentalmente nossa cosmogênese (de convergência)". (Cf. *Conversation avec F. Lafargue*, 1954.)

É possível, ademais, identificar nesse Panteísmo dois mo(vi)mentos:

– *Panteísmo de Unificação* (Panteísmo Humanitário, Neopanteísmo Humanitário, Panteísmo Socialista, Panteísmo Espiritualista), que é aquele em que o centro último emerge da evolução chegada ao estádio da co-reflexão e permanece, por conseguinte, como o fecho, o sustentáculo virtual das forças naturais. Teilhard aceita essa concepção como etapa destinada a ser ultrapassada.

"Ômega nasce da Co-Reflexão, é ainda *virtual* e finalmente apenas *coletivo*, *Panteísmo de Unificação*." (Cf. *Conversation avec F. Lafargue*, 1954.)

– *Panteísmo de União* (Panteísmo de Amor, Panteísmo de Diferenciação, Eu-Panteísmo, Panteísmo Cristão, Verdadeiro Panteísmo), que é aquele em que o centro último é reconhecido como pré-existente à evolução e se revela como foco unitivo transcendente e sobrenatural. Essa concepção é ortodoxa e aceita por Teilhard.

"Ômega nasce do encontro do co-reflexivo e de um foco de atração pré-existente (transcendente) (...) *Panteísmo de União* sob influência da terceira reflexão. Ômega é atual." (Cf. *Conversation avec F. Lafargue*, 1954.)

Sem pretender esgotar este levantamento, propomos a seguir algumas conceituações e/ou textos teilhardianos, visando explicitar algumas denominações de Panteísmo, acima citadas como meros sinônimos, mas que constituem, em alguns casos, verdadeiras "formulações" de Panteísmo. Assim:

– *Panteísmo Humanitário* ou *Neo-Panteísmo* – atitude identificável a uma religião enquanto fé num absoluto (divino ou humano). Aqui é o progresso da História, que tende a assumir os atributos do Absoluto:

"... *os panteísmos humanitários* representam à nossa volta uma forma bem nova de religião. Religião pouco ou não codificada (afora o Marxismo). Religião sem Deus aparente, e sem revelação. Mas religião no sentido verdadeiro, se por esse termo se designa a fé contagiosa num Ideal a que se dar a vida. Não obstante extremas diversidades de detalhe, um número rapidamente crescente de nossos contemporâneos concorda desde já em reconhecer que o interesse supremo da existência consiste em se devotar de corpo e alma ao Progresso universal – exprimindo-se este pelos desenvolvimentos tangíveis da Humanidade." (Cf. *Comment je crois*, 1934.)

– *Panteísmo Socialista* – sinônimo do anterior:
"Por que existem panteísmos socialistas, bolchevistas, tornamo-nos suspeitos quando falamos de unificação dos seres e dos homens!" (Cf. *Notes et esquisses. Cahier 7*, 1920.)
– *Panteísmo Espiritualista* – concepção segundo a qual um Deus, puramente imanente ao Mundo, nasce da agregação das mônadas, que, por isso mesmo, se divinizam. (Cf. adiante, "Panteísmo Materialista".)
"(...) ao lado dos *panteísmos materialistas* (que buscam 'o elemento universal' num *Princípio plástico do Mundo*) existe toda uma classe de panteísmos *espiritualistas* (que pensam encontrar esse Elemento num *Princípio plasmático* (vital ou intelectual) do Universo). Pode-se arquitetar, por exemplo, uma teoria na qual o Ser universal seria concebido sob a forma de uma *Alma do Mundo*, em vias de se formar a partir da soma de todas as almas individuais, suas parcelas. Essa teoria só difere daquela que adoto pelo seguinte: o Centro universal do Mundo é aí considerado como *inteiramente* imanente, e as mônadas que ali se agregam são (ou antes tornam-se) inteiramente divinas anexando-se a ele." (Cf. *Note sur 'l'élement universel' du monde*, 1918.)
– *Panteísmo de Amor* – sinônimo de Panteísmo de União:
"Segundo o (...) Caminho do Oeste, impossível tornar-se um com Tudo sem levar até o fim, na sua direção simultânea de Diferenciação e de Convergência, os elementos dispersos que nos formam e nos rodeiam. Desse (...) ponto de vista, o 'fundo comum' da Vida oriental não é senão uma ilusão: existe um único Foco central, ao qual só podemos chegar levando até seu ponto de encontro as inúmeras diretrizes do Universo. Panteísmo de União (e portanto de amor). Espírito de 'tensão'. Unificação por concentração e hiper-centração no Centro da Esfera." (Cf. *Comment je vois*, 1948.)
– *Panteísmo de Diferenciação* – também sinônimo de Panteísmo de União e, às vezes, de Panteísmo de Convergência.
"Deus, tornando-se finalmente *tudo em todos*, no seio de uma atmosfera de caridade pura ('*sola caritas*'); nessa magnífica definição do panteísmo de diferenciação se exprime sem equívoco a própria substância da mensagem de Jesus." (Cf. *Pour y voir clair. Réflexions sur deux formes inverses d'esprit*, 1950.)
– *Eu-Panteísmo* – também sinônimo de Panteísmo de União:
"Distinguir $\left.\begin{array}{l}\text{omni}\\\text{multi}\end{array}\right\}$ presença $\left\{\begin{array}{l}\text{de Deus}\\\text{do Cristo}\end{array}\right.$
$\left\{\begin{array}{l}\text{omni = homogêneo, fundo comum}\\\text{multi = multiforme: cada contato especificado, modalizado}\end{array}\right.$ = *eu-panteísmo*..." (Cf. *Cahier de retraite*, 1949.)
– *Panteísmo Cristão* – também sinônimo de Panteísmo de União:
"De fato, somente o 'panteísmo' de amor ou 'panteísmo' cristão (aquele em que cada ser se encontra super-personalizado, super-centrado, por união ao Cristo, o super-Centro divino), somente um panteísmo assim interpreta exatamente e satisfaz plenamente as aspirações religiosas humanas, cujo sonho é finalmente perder-se conscientemente na unidade." (Cf. *Introduction à la vie chrétienne*, 1944.)
– *Panteísmo Verdadeiro* – também sinônimo de Panteísmo de União:
"A única maneira que temos de responder aos obscuros chamados do Sentido Cósmico em nós é levar aos seus últimos limites uma laboriosa explicação do Mundo e de nós mesmos. A união por diferenciação, e a diferenciação por união. Essa lei estrutural que reconhecíamos (...) no Estofo do Universo reaparece aqui como a lei da perfeição moral – e a única definição do verdadeiro panteísmo." (Cf. *Esquisse d'un univers personnel*, 1936.)
– *Panteísmo de Extensão* – atitude estética visando encontrar Deus no instante e numa multiplicidade indefinida de experiências.
– *Parapanteísmo* – forma teórica de panteísmo "pluralista" em que a mônada se despersonalizaria, identificando-se sucessivamente com as outras mônadas, como um ator desempenhando uma série de papéis diferentes:
"Sob uma forma um pouco diferente, poder-se-ia dizer que o sentido panteísta (ou cósmico) tende a se exprimir sob uma ou outra das três fórmulas seguintes:

1º) *Tornar-se todos* (gesto impossível e falso): para-panteísmo.
2º) *Tornar-se tudo* (monismo 'oriental'): pseudo-panteísmo.
3º) *Tornar-se um com todos* (monismo 'ocidental'): eu-panteísmo."
(Cf. *Pour y voir clair. Réflexions sur deux formes inverses d'esprit*, 1950.)

– *Panteísmo Materialista* – concepção segundo a qual o fundo comum de todos os seres reside no elementar, quer matéria, quer energia, variável em suas manifestações, mas imutável em sua natureza. Panteísmo Idealista e Panteísmo Materialista se opõem dentro de uma mesma categoria, o Panteísmo de Difusão.

– *Panteísmo de Difusão* e todos os seus sinônimos (Cf. nota 23):

"Há panteísmos idealistas de forma muito espiritualizada. Mesmo entre esses, a Substância Única não é senão um refinamento da Matéria astral dos teósofos, ou do Éter dos físicos. O Ser universal é compreendido, pelos panteístas, *como uma base*, suscetível de se revelar num jogo de formas móveis, mas estritamente independente da subsistência dessas formas. O absoluto é um *Amorfo*, donde tudo sai, e onde tudo vem se submergir. As determinações individuais não têm qualquer valor absoluto." (Cf. *Note sur "l'élement universel" du monde*, 1918.)

Enfim, o próprio Teilhard se resume:

"... eu diria que, na minha opinião, um primeiro exame basta para reduzir a três os tipos de crenças *possíveis*. O grupo das religiões orientais, os neo-panteísmos humanitários, e o Cristianismo: eis as direções entre as quais eu poderia hesitar, se me encontrasse (como suponho aqui ficticiamente) no caso de realmente ter ainda que escolher minha religião." (Cf. *Comment je crois*, 1934.)

50. *Super-Matéria* é, pois, uma espécie de Neo-Matéria (Cf. nota 6) desempenhando o papel de negativo do Ponto Ômega, quer dizer, revestindo-se indevidamente dos atributos do Absoluto.

51. *Conspiração* é termo emprestado expressamente a Edouard Le Roy (1870-1954), filósofo e matemático francês. Designa, como já tivemos oportunidade de indicar, um fator psíquico de simpatia, pelo qual cada elemento, intensificando sua densidade pessoal, constitui com todos os outros uma unanimidade de amor, um "coração a coração" – inseparável de uma unidade de pensamento (Co-Reflexão) e de ação. A Conspiração é Co-aspiração.

"Algo (...), muito naturalmente, para além dos efeitos intelectuais (...) nos leva a considerar a importância crescente reservada aparentemente no porvir aos fenômenos noosféricos de *simpatia*, ou, segundo uma expressão cara a Edouard Le Roy, de 'conspiração'."
(Cf. *Les singularités de l'espèce humaine*, 1954.)

52. *Seres de Síntese*, entre aspas no texto, pois que em realidade todo ser é síntese, já que ser é unir; mas o Autor quer ressaltar esses seres que, além de resultarem de uma síntese, têm que, por natureza, operar uma síntese (Vida, Pensamento, Humanidade...). São seres *hiperfísicos* por excelência, pois representam um ultra, não ideal, mais vasto e mais unificado do que o(s) (seres) *físico*(s), em que se ordenam elementos imediatamente anteriores. Esses seres constituem o objeto próprio da pesquisa fenomenológico-científica.

53. Cf. o texto de J. B. S. Haldane citado em nota. (N. do A.) – Trata-se da nota 19, Parte I, Capítulo II, 1.

54. Sempre o fantasma da Entropia, que o Autor, a seguir, exorcizará, lógica e definitivamente.

55. *Amar* é co-ser (ser com) e co-existir.

56. Ver, por exemplo, sobre esse assunto, o curioso livro de Wells, *Anatomy of Frustration*: um notável testemunho da fé e das inquietações do homem moderno. (N. do A.) Herbert George Wells (1866-1946), escritor inglês, foi autor de vários romances de costumes, relatos de aventuras e ficção científica. Destacam-se, de sua autoria, *O homem invisível* (1897) e *A guerra dos mundos* (1898). A *Anatomia da frustração* é comentada por Teilhard, numa conferência, em Pequim:

"Li ultimamente um curioso livro em que o romancista e filósofo inglês Wells expõe as originais concepções deixadas por um Americano, biólogo e homem de negócios, William Burrough Steele, exatamente sobre o assunto que discutimos esta noite, a felicidade humana. Com muito de razão e de força, Steele procura estabelecer (precisamente como o fiz aqui) que, não sendo a felicidade separável de alguma idéia de imortalidade, o homem só poderá ser plenamente feliz se mergulhar os seus interesses e as suas esperanças nos interesses e nas esperanças do Mundo e, mais particularmente, nos da Humanidade. E contudo, acrescenta ele, essa solução, enquanto tal, fica ainda incompleta. Porque enfim, para chegar a se dar a fundo, é preciso poder amar. Ora, como amar uma realidade coletiva, impessoal, monstruosa sob certos aspectos, como o Mundo e até a Humanidade?!... A objeção que Steele encontra no fundo de seu coração, e à qual ele não responde, é terrivelmente, cruelmente correta. Eu não estaria sendo, portanto, nem completo nem sincero se não lhes dissesse que o movimento incontestável que, sob os nossos olhos, leva a massa humana a se colocar a serviço do Progresso não é 'auto-suficiente', mas que esse impulso terrestre, para o qual os convoco, exige, para se sustentar, o sintonizar-se e o sintetizar-se com o impulso cristão." (Cf. "Reflexões sobre a Felicidade", 1943, texto por nós traduzido e anotado em *Teilhard de Chardin: mundo, homem e Deus*, Editora Cultrix, São Paulo, 1978, pp. 74-92.)

57. E, para ficar apenas no Positivismo de Auguste Comte (1798-1857), tais símbolos, essenciais a toda sociedade, ligam-se às instituições e funções sociais. Instituições: propriedade (capital, altruísmo), família (solidariedade, submissão, provisão, patrimônio) e linguagem (comunicação, cultura, capital intelectual). Funções: forças sociais (material, intelectual, moral), autoridade (poder temporal, poder espiritual), religião (fé, culto, regime). Tanto instituições como funções estariam submetidas às Leis do Progresso (lei geral de evolução, lei de progresso intelectual, lei do progresso na atividade, lei do progresso afetivo), sendo esse Progresso concebido como um desenvolvimento contínuo necessário e irreversível (como toda lei física), mas indefinido: sendo tudo "relativo" na vida, o Homem jamais poderá atingir a plenitude da perfeição, que seria um absoluto. Essa limitação, de uma forma ou de outra, impregna os chamados "Positivismos Derivados": Corrente Científica (Charles Darwin, 1809-1882 e Herbert Spencer, 1820-1903), Corrente Psicológica (Stuart Mill, 1806-1873; Hyppolyte Taine, 1828-1893); Escola Matemática: Herbert, 1776-1841; Fechner, 1801-1887 e Wundt, 1832-1920; Escola Dinamista: Théodule Ribot, 1839-1916, Alfred Binet, 1857-1911; Alfred Fouillée, 1838-1912) e Corrente Sociológica (Émile Durkheim, 1858-1917). Lembremos ainda R. Congreve (1818-1899), fundador do movimento positivista na Inglaterra, e G. H. Lewes (1817-1878). Em 1867, surge em Londres a Sociedade Positivista, com culto religioso.

58. Lembremos que esse *Princípio de Emergência* é lei evolutiva a religar cada aparecimento de uma nova forma do Real a antecedentes dos quais depende. Ômega, contudo, como se verá explicitamente a seguir, embora "nova forma" no ápice da série é, ao mesmo tempo, fora de série.

59. A *Transcendência* na ordem do ser significa "supramundanidade" e, em Teilhard, designa uma ordem incomensurável à ordem fenomenal, e todavia substancialmente ligada a ela através da Criação, da Encarnação e da Redenção, num dom de amor e de graça que supera a oposição do Ser absoluto e do Ser participado.

"(...) o Centro vindouro do Cosmo, ainda que se apresente a nós com as características de um 'limite', deve ser considerado como tendo *desde sempre*, por algo de si mesmo, emergido no Absoluto (...) N'Ele tudo ascende como para um foco de imanência. Mas d'Ele também tudo descende, como de um ápice de transcendência." (Cf. *Esquisse d'un univers personnel*, 1936.)

60. E responde-se assim à terceira questão formulada naquela altura: a "(...) forma última e resultante das energias radiais, se existe, estará ela sujeita e destinada a se desagregar reversivelmente de acordo com as exigências da Entropia (...)?" (Cf. Parte I, Capítulo II, 3, B, os dois últimos parágrafos.)

61. Platão (429-348 a.C.) já demonstrara a necessidade de *um* Primeiro Motor, concebendo-o como Alma do Mundo. Para Aristóteles (384-322 a.C.), a Causa Primeira é definida como sendo, antes de tudo, *o Primeiro Motor*, fonte e origem de todo o movimento. Aristotelicamente, a prova científica da existência de Deus consiste na célebre "via do movimento"

demonstrando a necessidade da existência de um primeiro motor imóvel. O argumento, longamente desenvolvido no Livro VIII da *Física*, comporta três etapas: a) necessidade geral de um motor (o movimento no Universo e especialmente as revoluções celestes exigem um motor que as acione, pois tudo o que é movido é movido por um outro); b) necessidade de um primeiro motor (se o motor que explica o movimento do mundo é ele próprio movido, deve sê-lo por um outro e assim por diante... Na série, é preciso parar num primeiro, que possui em ato a perfeição a comunicar, pois remontar ao infinito é suprimir a fonte, declarando todos os movimentos em potência; há, pois, um primeiro motor que não recebe o movimento de um outro: o Motor imóvel); c) necessidade do Ato puro (sendo demonstrada a eternidade das revoluções celestes e, com ela, a eternidade do Mundo, chega-se à idéia de uma Energia infinita que o Primeiro Motor deve possuir para produzir um movimento eterno e infinito; ele é, pois, um ato depurado de qualquer potência, Ato Puro, a própria Perfeição subsistente). Teilhard fala de um *Primeiro Motor para adiante*, em ação, não por negar a primordialidade dessa Energia (Alfa), mas por situá-la *também* e *sobretudo*, com força atrativa, no Alto e à Frente do processo evolutivo (Ômega).

62. A *irreversibilidade*, não esqueçamos, em sentido metafísico, é sinônimo de *imortalidade*, pois o que se faz a partir de um certo limiar de centro-complexidade não pode mais ser desfeito.

63. A Revelação nos ensina que o Mundo teve um início no tempo ou com o tempo e que o Mundo terá um fim que consistirá, não numa aniquilação, mas numa transformação — "novo céu" e "nova terra"... Teilhard, como se verá, não encara essa transformação sob o aspecto de uma catástrofe. A lei física da Entropia, é verdade, torna improvável uma duração indefinida. Do ponto de vista astronômico, não só é possível como também provável que as condições de vida venham um dia a se esgotar ou desaparecer, por acidente cósmico. Mas não é por aí, pelo Fora, pelo Tangencial, como acabamos de constatar, que se deve considerar a consumação do processo evolutivo. É por um prolongamento extremo da observação fenomenológico-científica, extrapolando a partir do Dentro, do Radial, que o Autor passa então a examinar as questões de "Fim do Mundo", descartando prognósticos, esboçando linhas de aproximação e indicando o Termo último da "Terra Final" — tema do próximo capítulo.

CAPÍTULO III
A Terra Final

Sem a inflexão da Matéria sobre si mesma, isto é, sem o quimismo fechado das moléculas, das células e das ramagens filéticas, como já reconhecemos, nunca teria havido nem Biosfera, nem Noosfera. Em seu aparecimento e desenvolvimento, Vida e Pensamento estão, não somente por acidente, mas estruturalmente, ligados aos contornos e à sorte da massa terrestre.[1]

E, em contrapartida, eis que agora, para manter e equilibrar o impulso ascensional das consciências, acaba de nos aparecer adiante um Centro psíquico de deriva universal que transcende o Tempo e o Espaço e, portanto, essencialmente extraplanetário.

Noogênese subindo irreversivelmente em direção a Ômega através do ciclo estreitamente limitado de uma Geogênese...

Num dado momento do futuro, sob alguma influência decorrente de uma ou outra curva, ou das duas ao mesmo tempo, é fatal que os dois ramos se separem. Por mais convergente que seja, a Evolução não se pode completar sobre a Terra senão através de um ponto de dissociação.[2]

Assim introduz-se naturalmente, e tende a se configurar em nossas perspectivas, o fantástico e inevitável acontecimento de que, a cada dia que passa, mais nos aproximamos: o fim de toda a Vida sobre o nosso globo, – a morte do Planeta, – a fase última do Fenômeno humano.

O que será a Noosfera, em suas aparências finais, ninguém ousaria imaginá-lo, por pouco que haja entrevisto o inacreditável potencial de inesperado acumulado no Espírito da Terra. O fim do Mundo é inimaginável. Mas nós podemos, até um certo ponto, utilizando as linhas de aproximação anteriormente construídas, prever a significação e circunscrever as formas daquilo que seria insensato tentar descrever.[3]

O que, num Universo de estofo consciente, não poderia ser a Terra final; – como é que ela se desenhará; – o que é provável que ela venha a ser. Eis o que, friamente e logicamente, sem Apocalipse,[4] eu queria sugerir, – muito menos para afirmar o que quer que seja do que para fazer pensar.

1. Prognósticos[5] a Descartar

Quando se fala do fim do Mundo, é sempre a idéia de desgraça que nos acorre imediatamente ao espírito.

317

Cataclismo sideral, o mais das vezes. Tantos astros que circulam e nos roçam. Esses mundos que rebentam no horizonte... Não chegará também, pelo jogo implacável das probabilidades, a nossa vez de sermos atingidos e mortos?

Morte lenta, no mínimo, em nossa prisão. Essa parece inevitável. Desde que a Física descobriu que toda energia se degrada, parece que sentimos, no Mundo, o calor baixar à nossa volta. Uma outra descoberta, a da radioatividade, veio felizmente compensar o efeito e retardar a iminência desse resfriamento a que estamos condenados. Os astrônomos prometem-nos agora, se tudo correr bem, umas boas centenas de milhões de anos. Respiramos fundo. Mas enquanto esperamos, por mais que o prazo tenha sido prolongado, a sombra continua a crescer.

E, de resto, acaso estaremos ainda presentes para ver chegar a noite?... Até lá, sem falar dos infortúnios cósmicos que nos espreitam, o que se passará na camada viva da Terra? Com a complicação e com a idade, multiplicam-se as ameaças intestinas no seio da Biosfera e da Noosfera. Invasões microbianas. Contra-evoluções orgânicas. Esterilidade. Guerras. Revoluções. Quantas maneiras possíveis de acabar! — e que, em fim de contas, seriam talvez preferíveis a uma longa decrepitude.

Essas diversas eventualidades, conhecemo-las bem. Temos pensado nelas. Lemos suas descrições antecipadas nos romances de Goncourt,[6] de Benson,[7] de Wells,[8] ou em obras científicas assinadas por nomes ilustres. Cada uma delas é perfeitamente verossímil. Podemos ser esmagados, a cada instante, por um enorme bólido.[9] É verdade. Amanhã a Terra pode tremer e fugir sob os nossos pés.[10] É verdade também. Tomada isoladamente, cada vontade humana pode se recusar à tarefa de subir mais acima na união. Admito-o também. E, contudo, *na medida* em que eles implicam uma idéia de acidente prematuro ou de decadência, creio poder dizer, apoiando-me em tudo quanto nos ensina o passado da Evolução, que não devemos recear nenhum desses múltiplos desastres. Por mais possíveis que sejam em teoria, podemos estar seguros, por uma razão superior, de que *eles não ocorrerão.*

E eis aqui o porquê.

Catástrofes cósmicas, desagregações biológicas,[11] ou simplesmente parada de crescimento ou envelhecimento, as representações pessimistas dos últimos dias da Terra têm em comum o estenderem *sem correção* à Vida inteira as características e as condições de nossos fins individuais e elementares. Fraturas, doenças ou decrepitude. Tal é a morte do Homem, tal a morte da Humanidade.

Ora, temos acaso o direito de generalizar de modo tão simplista?

Quando um indivíduo desaparece, seja embora antes do tempo, um outro indivíduo se encontra sempre pronto a revezá-lo. Sua perda, para a continuação da Vida, não é irreparável. Mas que dizer no caso da Humanidade?... Em algum lugar num de seus livros, o grande paleontólogo Matthew[12] sugeriu que, se o ramo humano viesse a desaparecer, um outro ramo pensante não tardaria a suceder-lhe. Mas abstém-se de dizer, e isso ser-lhe-ia sem dúvida impossível, onde poderia aparecer esse misterioso rebento na Árvore da Vida tal como a conhecemos.[13]

Bem outra, se considerarmos o conjunto da história, parece-me ser biologicamente a situação.

Uma vez, e uma vez somente, no decurso de sua existência planetária, pôde a Terra se envolver de Vida. Igualmente, uma vez e uma vez somente, achou-se a Vida capaz de franquear o passo da Reflexão. Uma única estação para o Pensamento, como uma única estação para a Vida. A partir desse momento, não o esqueçamos, o Homem se encontra a constituir a flecha da Árvore.[14] Nele, enquanto tal, com exclusão de tudo o mais, acham-se doravante concentradas as esperanças de porvir da Noosfera, quer dizer, da Biogênese, quer dizer enfim, da Cosmogênese. Como é então que ele poderia acabar antes do tempo, ou se deter, ou decair, a menos que, simultaneamente, o que já consideramos absurdo, o Universo se aborte a si mesmo?

Em seu estado atual, não se compreenderia o Mundo, a presença nele do Reflexivo seria inexplicável, se não supuséssemos uma secreta cumplicidade do Imenso e do Ínfimo para aquecer, alimentar, sustentar até o fim, à força de acasos, de contingências e de liberdades[15] utilizadas, a Consciência que surgiu entre os dois. É sobre essa cumplicidade que temos de nos basear. *O Homem é insubstituível*. Portanto, por mais inverossímil que seja a perspectiva, ele *tem de se realizar*, não necessariamente sem dúvida, mas infalivelmente.

Não uma parada, qualquer que seja a sua forma, mas um último progresso, chegando na sua hora biológica. Uma maturação e um paroxismo. Cada vez mais acima no improvável de que saímos. Se queremos prever o Fim do Mundo, é nessa direção que devemos extrapolar o Homem e a Hominização.

2. As Linhas de Abordagem

Sem ultrapassar os limites das probabilidades científicas, podemos dizer que a Vida dispõe ainda, para se desenvolver, de longos períodos geológicos.[16] Ademais, observada sob sua forma pensante, ela dá ainda todos os sinais de uma energia em plena expansão. Por um lado, com efeito, comparada às camadas zoológicas que a precedem, e cuja vida média é pelo menos da ordem de oitenta milhões de anos, a Humanidade é tão jovem que se pode dizer apenas recém-nascida. Por outro lado, observando os rápidos desenvolvimentos do Pensamento no exíguo intervalo de algumas dezenas de séculos, verificamos que essa juventude carrega em si mesma os índices e as promessas de um ciclo biológico inteiramente novo. Entre a Terra final e a nossa Terra moderna estende-se pois, verossimilmente, uma duração imensa, assinalada, não em absoluto por um refreamento, mas por uma aceleração e pelo definitivo desabrochamento, no sentido da flecha humana, das forças da Evolução.

Sob que forma, e ao longo de que linhas, — na hipótese, única aceitável, de um êxito, — podemos nós imaginar que se vai, nesse espaço, desenvolver o Progresso?

Sob uma forma coletiva e espiritual, primeiro. — Desde o aparecimento do Homem, pudemos notar um certo refreamento das transformações passivas e somáticas do organismo em proveito das metamorfoses conscientes e ativas do indivíduo tomado em sociedade. O artificial revezando o natural.[17] A transmissão oral ou escrita se sobrepondo às formas genéticas (ou cromossômicas) da hereditariedade. Sem negar a possibilidade, ou mesmo a probabilidade, de um certo prolongamento em nossos membros, e mais especialmente em nosso sistema nervoso, dos processos passados da ortogênese,[18]* eu tenderia a pensar que sua influência, praticamente insensível desde a emersão do *Homo sapiens*, está destinada a se amortecer cada vez mais. Como se uma especie de lei quântica[19] regesse sua distribuição, dir-se-ia que as energias da Vida não podem se estender a uma nova região ou tomar uma forma nova sem se afrouxarem nas imediações das demais. Desde que o Homem surgiu, a pressão evolutiva parece ter baixado em todos os ramos não humanos da Árvore da Vida. E agora que para o Homem tornado adulto abriu-se o campo das transformações mentais e sociais, os corpos já não mudam de modo apreciável, – já não têm que mudar, no ramo humano; ou, se ainda mudam, será já apenas sob o nosso hábil controle. Pode ser que, em suas capacidades e sua penetração individuais, nosso cérebro tenha atingido seus limites orgânicos. Mas nem por isso o movimento se detém. Do Ocidente ao Oriente, a Evolução se acha doravante ocupada alhures, num domínio mais rico e mais complexo, a construir, com todos os espíritos reunidos, *o Espírito*. – Para além das nações e das raças, a tomada em bloco, inevitável e já em curso, da Humanidade.

Isto posto, a partir do escalão planetário de totalização psíquica e de ressalto evolutivo a que vamos acedendo, *segundo que linhas* de ataque, entre outras, a julgarmos pelo estado presente da Noosfera, parece que estamos destinados a marchar?

Eu distingo três principais, em que reaparecem os prognósticos aos quais já nos havia conduzido a análise das idéias de Ciência e de Humanidade: – a organização da Pesquisa;[20] – a concentração desta sobre o objeto humano;[21] – a conjunção da Ciência e da Religião.[22]

Três termos naturais de uma mesma progressão.

A) A ORGANIZAÇÃO DA PESQUISA

Ousamos muito nos vangloriar de sermos uma idade da Ciência. E, até certo ponto, se pretendemos apenas falar de aurora, por comparação com a noite que a precede, temos razão. Algo de enorme nasceu no Universo, com as nossas descobertas, e com nossos métodos de pesquisar. Algo, disso estou convencido, que não se deterá mais. Mas, se exaltamos a Pesquisa, e se dela tiramos proveito, com que mesquinhez de espírito e de meios, e com que desordem, não pesquisamos ainda hoje!

Já pensamos seriamente nessa situação de miséria?

Tal como a Arte, e poder-se-ia dizer tal como o Pensamento, a Ciência nasceu sob as aparências de uma superfluidade, de uma fantasia. Exuberância de atividade interna acima das necessidades materiais da Vida. Curiosidade de sonhadores e de ociosos. Pouco a pouco, sua importância e sua eficiência deram-lhe direito de cidadania. Vivendo num Mundo que, podemos dizer com razão, ela revolucionou, nós aceitamos o seu papel social, – e até mesmo o seu culto. E, no entanto, continuamos ainda a deixá-la crescer ao acaso, quase sem cuidados, como essas plantas silvestres de que os povos primitivos colhem os frutos na floresta. Tudo para a produção. Tudo para os armamentos. Mas, para o sábio e o laboratório que decuplicam nossas forças, nada ainda, ou quase nada. Parece até, realmente, que as descobertas deveriam cair periodicamente do céu já prontas, como o sol ou a chuva, – e que o Homem nunca teria nada de melhor a fazer na Terra do que matar-se mutuamente ou comer! Tentemos tão-somente estabelecer a proporção das energias humanas empregadas, *hic et nunc*, na busca da verdade. Mais materialmente ainda, calculemos a porcentagem de dinheiro reservada, nos orçamentos de Estado, à investigação de problemas claramente formulados e cuja solução seria vital para o mundo. E ficaremos aterrados. Menos para o consumo anual da pesquisa mundial que para um encouraçado![23] Não terão razão os nossos bisnetos ao pensarem que éramos uns bárbaros?

A verdade é que, situados numa época de transição, nós não temos ainda a plena consciência, nem o pleno domínio das novas potências que se desencadearam. Fiéis a antigas rotinas, não vemos ainda na Ciência senão um meio novo de obter mais facilmente as mesmas velhas coisas: solo e pão. Atrelamos Pégaso ao arado.[24] E Pégaso definha, – a menos que, tomando o freio nos dentes, dispare arrastando consigo o arado. Dia virá, há de necessariamente vir, em que o Homem, forçado pela desproporção evidente da atrelagem, reconhecerá que a Ciência não é para ele uma ocupação acessória, mas uma forma essencial da ação, derivativo natural, de fato, aberto ao excesso das energias constantemente liberadas pela Máquina.[25]

Uma Terra cujos "ócios" sempre maiores e o interesse sempre mais alerta encontrarão sua saída vital no ato de tudo aprofundar, de tudo tentar, de tudo prolongar. Uma Terra em que os telescópios gigantes e os trituradores de átomos absorverão mais ouro e suscitarão mais admiração espontânea do que todas as bombas e todos os canhões. Uma Terra em que, não apenas para o exército organizado e subvencionado dos pesquisadores, mas também para o homem comum, o problema quotidiano será a conquista de mais um segredo e de mais um poder arrancados aos corpúsculos, aos astros ou à matéria organizada. Uma Terra em que, como já ocorre agora, será para saber e ser, mais do que para ter, que se dará a própria vida.

Eis o que, à nossa volta, se avaliarmos as forças ora atuantes,[26]* inevitavelmente se prepara.

Tal como acontece com esses organismos inferiores em que a retina está como que espalhada sobre toda a superfície do corpo, a visão humana se exerce ainda de maneira difusa, mesclada aos trabalhos da indústria e da guerra. Biologicamente, ela exige sua própria individualização em função independente, com seus órgãos peculiares.

Mais um pouco, e a Noosfera terá encontrado seus próprios olhos.

B) A DESCOBERTA DO OBJETO HUMANO

Quando, por fim, a Humanidade tiver reconhecido que sua primeira função é penetrar, unificar intelectualmente e captar as energias que a rodeiam, para compreendê-las e dominá-las ainda mais, já não correrá, em suas expansões, nenhum perigo de se chocar com um limite exterior. Um mercado comercial pode se saturar. Acabaremos qualquer dia, ainda que forçados a substituí-los por outra coisa, por esgotar nossas minas e nossos poços de petróleo. Nada sobre a Terra poderia aparentemente saciar nossa necessidade de saber, nem exaurir nosso poder de inventar. Pois tanto de um como de outro pode-se dizer: *crescit eundo*.[27]

Isso não significa todavia que a Ciência, como uma onda em meio isótropo,[28] deva se propagar indiferentemente em todas as direções ao mesmo tempo. Quanto mais se olha, mais se vê. Mas também mais se vê onde é preciso olhar. Se a Vida pôde avançar foi porque, à força de tentear, ela encontrou sucessivamente os pontos de menor resistência onde o Real cedia sob o seu esforço. Paralelamente, se a Pesquisa há de progredir amanhã, será em larga medida graças à localização de zonas centrais, zonas sensíveis, zonas vivas, cuja conquista assegurará sem esforço o domínio de todo o resto.

Desse ponto de vista, pode-se predizer que se nos encaminhamos para uma era humana da Ciência, essa era será eminentemente uma era da Ciência humana: o Homem, sujeito do conhecimento, apercebendo-se enfim de que o Homem "objeto de conhecimento" é a chave de toda a Ciência da Natureza.

O Homem, esse desconhecido, disse Carrel.[29] E o Homem, é preciso acrescentar, essa solução de tudo o que podemos conhecer...

Até aqui, por preconceito ou por temor, a Ciência tem gravitado em torno do Objeto humano sem ousar abordá-lo de frente. Materialmente, nosso corpo parece tão insignificante, tão acidental, tão transitório, tão frágil... Por que ocupar-se dele? – Psicologicamente, nossa alma é tão incrivelmente sutil e complexa. Como conectá-la com um mundo de leis e de fórmulas?...

Ora, quanto mais esforços fazemos para evitar o Homem em nossas teorias, mais os círculos que descrevemos ao seu redor se estreitam, como se fôssemos tragados em seu turbilhão. No extremo limite de suas análises, como eu lembrava no Prefácio, a Física já não sabe bem se o que ela detém é a Energia pura, ou se, pelo contrário, é Pensamento o que lhe fica entre as mãos.[30] No termo de suas construções, a Biologia, se obedece à lógica de suas descobertas, vê-se levada a reconhecer no conjunto dos seres pensantes a forma atualmente terminal das construções da Evolução. O Homem embaixo; o Homem em cima; e o Homem ao centro, sobretudo: aquele que vive, se expande e luta tão terrivelmente em nós e ao nosso redor. Acaba sendo impositivo ocuparmo-nos dele.

O que constitui, para a Ciência, o valor único do objeto humano é, se não errei nestas páginas, o duplo fato: 1) de ele representar, individualmente e socialmente, o estado mais sintético em que nos é acessível o Estofo do Universo; 2) correlativamente, de ser ele o ponto atualmente mais móvel desse Estofo em vias de transformação.

Por essa dupla razão, decifrar o Homem é essencialmente procurar saber como é que o Mundo se fez e como deve continuar a se fazer. Ciência do Homem: Ciência teórica e prática da Hominização. Aprofundamento do Passado e das Origens. Mas, muito mais ainda, experimentação construtiva prosseguindo sobre um objeto continuamente renovado.

O programa é imenso, e sem outro limite que aquele do porvir.

Cuidados e aperfeiçoamento do corpo humano, antes do mais. Vigor e saúde do organismo. Enquanto durar sua fase de imersão no "tangencial", o Pensamento só poderá se elevar sobre essas bases materiais. Ora, no tumulto das idéias que acompanha o despertar do espírito, não estaremos nós a degenerar fisicamente? Deveríamos corar, como já se disse, ao comparar nossa Humanidade, tão cheia de elementos mal-parados, com essas sociedades animais em que, entre centenas de milhares de indivíduos, não falta um só artículo[31] a uma única antena... Em si, essa perfeição geométrica não se acha na linha de nossa evolução, totalmente orientada em direção à flexibilidade e à liberdade. Entretanto, convenientemente subordinada a outros valores, não será ela uma indicação e uma lição? Até aqui, temos certamente deixado nossa raça crescer ao acaso, e insuficientemente refletido sobre o problema de saber por que fatores médicos e morais *é necessário substituir*, se as suprimimos, *as forças brutais da seleção natural*. No decurso dos séculos vindouros é indispensável que se descubra e que se desenvolva, à medida de nossas pessoas, uma forma nobremente humana de eugenia.[32]

Eugenia dos indivíduos, – e, por conseguinte, também da sociedade. Desse grande corpo, feito de todos os nossos corpos, acharíamos mais cômodo, e tenderíamos até a considerar mais seguro, deixar os respectivos contornos se determinarem por si sós, pelo jogo automático das fantasias e dos impulsos individuais. Não interferir nas forças do Mundo!... Sempre a miragem do instinto e da pretensa infalibilidade da Natureza. Mas não é o Mundo precisamente que, ao atingir o Pensamento, espera que repensemos, para aperfeiçoá-las, as diligências instintivas da Natureza? Para substância reflexiva, arranjos reflexivos. Se há um porvir para a Humanidade, esse porvir só pode ser imaginado na direção de alguma conciliação harmoniosa do Livre com o Planejado e o Totalizado. Distribuição dos recursos do globo. Regulagem do Impulso para os espaços livres. Utilização ótima das potências liberadas pela Máquina. Fisiologia das nações e das raças. Geoeconomia, geopolítica, geodemografia. A organização da Pesquisa alargando-se numa organização racional da Terra. Queiramos ou não, todos os indícios e todas as nossas necessidades convergem no mesmo sentido: é-nos preciso, e estamos irresistivelmente a edificá-la, por meio e para além de toda Física, de toda Biologia, e de toda Psicologia, *uma Energética humana*.[33]

E é no decurso dessa construção já obscuramente começada, que nossa Ciência, por ter sido levada a concentrar-se sobre o Homem, vai se achar cada vez mais face a face com a Religião.[34]

C) A CONJUNÇÃO CIÊNCIA-RELIGIÃO

Aparentemente, a Terra Moderna nasceu de um movimento anti-religioso. O Homem bastando-se a si mesmo. A Razão substituindo-se à Crença. Nossa geração e as duas precedentes quase só ouviram falar de conflito entre Fé e Ciência. A tal ponto que pôde parecer, a certa altura, que esta era decididamente chamada a tomar o lugar daquela.[35]

Ora, à medida que a tensão se prolonga, é visivelmente sob uma forma muito diferente de equilíbrio – não eliminação, nem dualidade, mas síntese – que parece haver de se resolver o conflito. Após quase dois séculos de lutas apaixonadas, nem a Ciência nem a Fé conseguiram diminuir-se uma à outra: mas, muito pelo contrário, torna-se patente que não se poderiam desenvolver normalmente uma sem a outra: e isto pela simples razão de que uma mesma vida as anima a ambas.[36] Nem no seu elan, com efeito, nem em suas construções, pode a Ciência atingir os seus próprios limites sem se matizar de mística e sem se carregar de Fé.

No seu impulso, primeiramente. Esse ponto, já o abordamos, ao tratar do problema da Ação.[37] O Homem só continuará a trabalhar e a pesquisar se conservar o gosto apaixonado de fazê-lo. Ora, esse gosto está inteiramente pendente da convicção, estritamente indemonstrável para a Ciência, de que o Universo tem um sentido e de que pode, ou até de que deve desembocar, se formos fiéis, em alguma irreversível perfeição. Fé no progresso.

Nas suas construções, em seguida. Podemos conceber cientificamente um melhoramento quase indefinido do organismo humano e da sociedade humana. Mas logo que se trata de materializar praticamente os nossos sonhos, constatamos que o problema continua indeterminado, ou mesmo insolúvel, a menos que admitamos, por uma intuição parcialmente supra-racional, as propriedades convergentes do Mundo a que pertencemos. Fé na Unidade.

Mais ainda. Se nos decidimos, sob a pressão dos fatos, por um otimismo de unificação, deparamos tecnicamente com a necessidade de descobrir, além do impulso que é preciso para nos impelir para a frente, além do objetivo particular que deve orientar nossa marcha, o liame ou cimento especial que associará vitalmente nossas vidas sem as falsear nem as diminuir. Fé num centro soberanamente atraente de personalidade.

Em suma, logo que, ultrapassando o estádio inferior e preliminar das investigações analíticas, a Ciência passa à síntese, – uma síntese que culmina naturalmente na realização de algum estado superior de Humanidade, – imediatamente ela se acha levada a antecipar o Futuro e o Todo e a jogar num e noutro: e, ao mesmo tempo, ultrapassando-se a si própria, emerge em Opção e em Adoração.[38]

Renan[39] e o século XIX[40] não se enganavam, pois, ao falarem de uma Religião da Ciência. Seu erro foi não verem que o seu culto da Humanidade implicava a reintegração, sob uma forma renovada, das próprias forças espirituais de que pretendiam se desembaraçar.

Quando, no Universo movediço para o qual acabamos de despertar, olhamos as séries temporais e espaciais divergir e soltar-se à nossa volta e para trás, como as camadas de um cone, fazemos talvez Ciência pura. Mas quando nos voltamos para o lado do Ápice, em direção à Totalidade e ao Porvir, forçoso nos é fazer também Religião.

Religião e Ciência: as duas faces ou fases conjugadas de um mesmo ato completo de conhecimento, – o único que pode abarcar, para contemplá-los, medi-los e consumá-los, o Passado e o Futuro da Evolução.[41]

No reforço mútuo dessas duas potências ainda antagônicas, na conjunção da Razão e da Mística, o Espírito humano, pela própria natureza de seu desenvolvimento, está destinado a encontrar o extremo de sua penetração, com o máximo de sua força viva.

3. O Termo

Progredindo sempre nas três direções que acabamos de indicar,[42] e dispondo da enorme duração que lhe resta para viver, a Humanidade tem diante de si imensas possibilidades.

Até o Homem, rapidamente detida e compartimentada pelas especializações a que era forçada a se moldar para agir, a Vida se fixava e se dispersava a cada salto para a frente. Desde o passo da Reflexão, graças às espantosas propriedades do "artificial", que, separando o instrumento do órgão, permite ao mesmo ser intensificar e variar indefinidamente as modalidades de sua ação sem nada perder de sua liberdade, — graças também ao prodigioso poder que possui o Pensamento de aproximar e de combinar num mesmo esforço consciente todas as partículas humanas, entramos num domínio de Evolução completamente novo. Na realidade, se o estudo do Passado nos permite uma certa apreciação dos recursos que possui a Matéria organizada no estado de dispersão, *nós não temos ainda a menor idéia sobre a grandeza possível* dos efeitos "noosféricos". A ressonância de vibrações humanas aos milhões! Toda uma camada de consciência exercendo ao mesmo tempo sua pressão sobre o Porvir! O produto coletivo e aditivo de um milhão de anos de Pensamento!... Tentamos já alguma vez imaginar o que representam essas grandezas?[43]*

Nessa linha, o mais inesperado é talvez o que mais se deve esperar.

Sob a tensão crescente do Espírito à superfície do Globo, podemos antes de tudo perguntar-nos seriamente se a Vida não chegará um dia a forçar habilmente as barreiras de sua prisão terrestre, — quer encontrando o meio de invadir outros astros inabitados, — quer, acontecimento mais vertiginoso ainda, estabelecendo uma ligação psíquica com outros focos de consciência através do espaço.

O encontro e a mútua fecundação de duas Noosferas... Suposição que, à primeira vista, pode parecer insensata, mas que, afinal de contas, não faz senão estender ao Psíquico uma escala de grandeza cuja validade em relação à Matéria ninguém pensa mais em contestar. A Consciência a se construir finalmente por síntese de unidades planetárias. Por que não, num Universo em que a unidade astral é a galáxia?

Sem querer de modo algum desencorajar tais hipóteses, cuja eventualidade, notemos bem, alargaria incrivelmente as dimensões, mas em nada mudaria a forma convergente, nem por conseguinte, a duração finita da Noogênese, julgo contudo sua probabilidade fraca demais para que valha a pena considerá-las.

Extraordinária complicação e sensibilidade do organismo humano, tão adaptado às condições terrestres que não se entrevê muito bem como, mesmo sendo capaz de franquear os espaços interplanetários, poderá ele se aclimatar num outro astro.

Imensidade das durações siderais, tão vastas que não se vê bem como, em duas regiões diversas do céu, poderiam coexistir e coincidir dois Pensamentos em fases comparáveis de seu desenvolvimento.

Por essas duas razões, entre outras, suponho que nossa Noosfera esteja destinada a fechar-se, isolada, sobre si mesma, — e que seja numa direção não espacial, mas psíquica, que ela há de encontrar, sem ter de deixar ou de transbordar a Terra, a linha de sua evasão.

E aqui reaparece muito naturalmente a noção de mudança de estado.

Em nós e através de nós vai continuamente subindo a Noogênese. Desse movimento já reconhecemos as características principais: aproximação dos grãos de Pensamento; sínteses de indivíduos e sínteses de nações ou de raças; necessidade de um Foco pessoal autônomo e supremo para ligar, sem as deformar, numa atmosfera de ativa simpatia, as personalidades elementares. Tudo isso, mais uma vez, sob o efeito combinado de duas curvaturas: a esfericidade da Terra e a convergência cósmica do Espírito, – em conformidade com a lei de Complexidade e Consciência.

Pois bem, quando, por aglomeração suficiente de um número suficiente de elementos, esse movimento, por natureza essencialmente convergente, tiver atingido uma tal intensidade e uma tal qualidade que, para se unificar ainda mais, a Humanidade, *tomada em conjunto*, deverá, como acontecera com as forças individuais do instinto, refletir-se por sua vez "pontualmente" sobre si própria[44]* (quer dizer, neste caso, abandonar seu suporte organoplanetário para se excentrar sobre o Centro transcendente de sua crescente concentração), será, então, para o Espírito da Terra, o fim e o coroamento.

O fim do Mundo: reviramento interno[45] em bloco da Noosfera sobre si mesma, tendo chegado simultaneamente ao extremo de sua complexidade e de sua Centração.

O fim do Mundo: inversão de equilíbrio, que destaca o Espírito, enfim consumado, de sua matriz material para o fazer repousar daí por diante, com todo o seu peso, sobre Deus-Ômega.[46]

O fim do Mundo: ponto crítico, ao mesmo tempo, de emergência e de emersão, de maturação e de evasão.

Sobre o estado físico e psíquico em que se encontrará nosso planeta nas proximidades de sua maturação,[47]* podemos fazer dois tipos de suposições, quase contrárias.

Numa primeira hipótese, que exprime esperanças na direção das quais convém, em todo caso, orientar nossos esforços como que para um ideal, o Mal,[48] sobre a Terra próxima do fim, atingirá um mínimo. Vencidas pela Ciência, não teremos mais que recear, em suas formas agudas, nem a doença nem a fome. E, vencidos pelo sentido da Terra[49] e pelo Sentido humano,[50] o Ódio e as Lutas intestinas terão desaparecido aos raios cada vez mais quentes de Ômega. Alguma unanimidade reinando sobre a massa inteira da Noosfera. A convergência final se operando *na paz.*[51]* Semelhante saída, sem dúvida, seria a mais harmoniosamente conforme à teoria.

Mas pode ser também que, segundo uma lei à qual nada escapou ainda no Passado, o Mal, crescendo ao mesmo tempo que o Bem, atinja ao fim o seu paroxismo, também sob forma especificamente nova.

Nada de cimos sem abismos.

Imensas serão as potências liberadas na Humanidade pelo jogo interno de sua coesão. Pode no entanto acontecer que amanhã, como ontem e hoje, essa energia opere de maneira discordante. Sinergia mecanizante, sob a força brutal? ou sinergia na simpatia?[52] O Homem procurando se completar coletivamente sobre si mesmo? ou pessoalmente sobre um maior que ele próprio? Recusa ou aceitação de Ômega?... Um conflito pode nascer. Nesse caso, no decurso e até em virtude do processo que a reúne, a Noosfera, tendo chegado ao seu ponto de unificação, clivar-se-ia em duas zonas, respectivamente atraídas por dois pólos antagônicos de adoração. O Pensamento jamais completamente unido sobre si mesmo neste mundo. O Amor universal a vivificar e a desprender finalmente, para a consumar, uma fração apenas da Noosfera, – aquela que se decidir a "dar o passo" fora de si para o Outro. *Ainda uma última vez, a ramificação*.

Nessa segunda hipótese, mais conforme aos tradicionais Apocalipses,[53] três curvas, talvez, à nossa volta, iriam subindo ao mesmo tempo no porvir: redução inevitável das possibilidades orgânicas da Terra; cisma interno da Consciência, cada vez mais dividida entre dois ideais opostos de evolução; atração positiva do Centro dos centros sobre o coração daqueles que se voltarem para ele. E a Terra acabaria no tríplice ponto em que, por uma coincidência bem conforme às maneiras da Vida, essas três curvas se encontrassem e atingissem, precisamente ao mesmo tempo, o seu máximo.

Morte do planeta, materialmente esgotado; dilaceramento da Noosfera dividida sobre a forma a dar à sua unidade; e, simultaneamente, conferindo toda a sua significação e todo o seu valor ao acontecimento, liberação da porcentagem de Universo que tiver conseguido, através do Tempo, do Espaço e do Mal, sintetizar-se laboriosamente até o fim.

Não um progresso indefinido, – hipótese contestada pela natureza convergente da Noosfera, mas um êxtase,[54] fora das dimensões e dos quadros do Universo visível.

O êxtase na Concórdia ou na discórdia; mas, tanto num caso como no outro, por excesso interno de tensão.[55]

A única saída biológica conveniente e concebível para o Fenômeno humano.

... Entre os que tiverem tentado ler até o fim estas páginas, muitos fecharão o livro insatisfeitos e perplexos, perguntando-se se os levei a passear pelos fatos, pela metafísica, ou pelo sonho.

Mas terão compreendido bem, os que hesitarem assim, as condições salutarmente rigorosas que a coerência do Universo, por todos agora admitida, impõe à nossa razão? Uma mancha que aparece sobre uma película.[56] Um eletroscópio que se descarrega indevidamente.[57] É o bastante para que a Física se veja forçada a aceitar no átomo poderes fantásticos. Igualmente o Homem, se tentamos enquadrá-lo totalmente, corpo e alma, no experimental, obriga-nos a reajustar inteiramente, à sua medida, as camadas do Tempo e do Espaço.

Para dar um lugar ao Pensamento no Mundo, precisei interiorizar a Matéria; imaginar uma energética do Espírito; conceber, na direção oposta à da Entropia, uma Noogênese ascendente; dar um sentido, uma flecha e pontos críticos à Evolução; fazer que todas as coisas se infiltem finalmente em *Alguém*.[58]

Nessa reordenação dos valores, posso ter me enganado em muitos pontos. Que outros procurem fazer melhor. Tudo o que eu queria era fazer sentir, ao mesmo tempo que a realidade, também a dificuldade e a urgência do problema, a ordem de grandeza e a forma às quais não pode escapar a solução.

Capaz de conter a pessoa humana, não poderia haver senão um Universo irreversivelmente personalizante.[59]

NOTAS

1. Como demonstraram as partes I, II e III desta obra.
2. Isto é, dissolvendo esse vínculo que associa Vida e Pensamento à massa terrestre, desagregando Noogênese e Geogênese, separando-se a Evolução do seu *campo* planetário.
3. Trata-se de algo mais que mera fantasia, imaginação ou conjectura, trata-se de uma extrapolação (Cf. *Advertência*, nota 5, final) legítima e viável.
4. O *Apocalipse*, do grego *apokalypsis*, "revelação", é, religiosamente, um gênero literário utilizado na Bíblia – em alguns trechos do Antigo Testamento, dos Evangelhos e, sobretudo, no *Livro das Revelações* de São João Evangelista –, em que acontecimentos e profecias de um tempo passado são reinterpretados em função do presente e de sua consumação final, no futuro. Ao se dispor a explicitar sua visão da Terra Final, ele não quer, expressamente, assumir postura ou tom proféticos, mas, ainda e sempre, convidar a uma reflexão em busca de coerência, harmonia e fecundidade.
5. *Prognóstico*, do grego *prognostikón*, de *prógnosis*, "conhecimento antecipado", é conjectura sobre o desenvolvimento de uma situação. Baseado na diagnose ou descrição minuciosa que fez até aqui, ao nível de uma História Natural da Terra, o Autor pode agora antecipar juízos acerca da duração, evolução e termo de seu objeto de estudo, rejeitando conjecturas que considera improváveis.
6. Edmond Huot De Goncourt (1822-1896) e seu irmão Jules De Goncourt (1830-1870), escritores franceses da escola naturalista, são autores de romances como *Germinie Lacerteux* e *Renée Mauperin* (1864), além de estudos sobre *A arte no século XVIII* (1859-1875) e de um *Diário*. Edmond instituiu uma sociedade literária, a Académie des Goncourt, em 1896. Composta de dez membros, ela atribui anualmente, desde 1903, um dos prêmios literários mais cobiçados por jovens escritores.
7. Robert Hugh Benson (1871-1914), filho de arcebispo anglicano, converteu-se ao Catolicismo em 1903, sob a influência do Cardeal Newman (1801-1890), pastor anglicano também convertido. Romancista, apologista, escritor espiritual e contista, autor de *O senhor do mundo* (1908) e *A nova aurora* – dois romances apocalípticos –, Benson foi sempre muito lido em França. Teilhard, que apreciava seu estilo e discutia suas teses, chegou a invocá-lo num de seus escritos: "O Cristo na matéria. Três estórias à maneira de Benson", 1916, texto por nós traduzido e anotado em *Teilhard de Chardin: mundo, homem e Deus*, Editora Cultrix, São Paulo, 1978, pp. 177-190. E ainda em *O meio divino*, 1926-1927 (também por nós traduzido e anotado, Editora Cultrix, São Paulo, 1981, 139 pp.), voltou a fazer o mesmo, citando e resumindo um dos Contos, que considera uma parábola.
8. Cf. Capítulo anterior, nota 56. Parece que Teilhard sempre encontrou afinidades entre o seu teor de imaginação (e também de pensamento) e o dos anglo-saxões.
9. *Bólido*, ou bólide, é o meteoro de volume acima do comum que, ao penetrar na atmosfera terrestre, produz ruído e se torna muito brilhante, chegando a deixar um rastro luminoso. A força do impacto pode provocar crateras e até mesmo rachaduras na superfície da crosta terrestre.
10. A acomodação das placas tectônicas pode provocar abalos sísmicos ou terremotos, maremotos, erupções vulcânicas etc.
11. Pestes, epidemias, surtos epidêmicos, degenerescências...
12. Teilhard se refere ao paleontólogo de origem canadense D. Matthew que, com Andrews, Granger e Nelson – todos especialistas em estudos mongólicos –, constituíam o grupo dos norte-americanos da *Third American Expedition*, também chamada "Missão Andrews", organizada pelo Museu de História Natural de Nova York. Em 19 de junho de 1926, Matthew, Granger e Nelson visitaram Teilhard em Tientsin, para analisar e discutir *in loco* as suas coleções pré-históricas. Nesse mesmo dia, em carta, Teilhard escreve:

"Reencontrei um círculo de amigos calorosos, chineses e americanos, estes quase todos por aqui, porque, infelizmente, a Mongólia está interditada para eles. O fotógrafo da *Third American Expedition* me registrou entre Andrews, Matthew, Granger e Nelson. Os três últimos vieram ontem à noite de Pequim pelo mesmo trem que eu, e passei uma manhã interessante a lhes mostrar e a discutir com eles o acervo que havia posto em ordem dias antes." (Cf. *Lettres de voyage*.)

Matthew manteve contato assíduo com Teilhard: reuniões, troca de dados científicos, de publicações, de fósseis e de achados arqueológicos.

13. Último rebento ou broto, e o mais fecundo e progressivo, da Árvore da Vida, o Homem é de fato a sua flecha.

14. Cf. o último parágrafo do *Prólogo*:
"O Homem não mais centro estático do Mundo — como por muito tempo ele se acreditou —, mas eixo e flecha da Evolução, o que é muito mais belo."

15. *Contingência*, em sentido amplo, significa a modalidade oposta contraditoriamente à necessidade, ou seja, a possibilidade de não ser, de não existir, de um objeto. Nesta acepção, a contingência inclui também a impossibilidade, pois o que não pode ser de maneira nenhuma com mais razão ainda é possível que não seja. Habitualmente, porém, o termo contingência é empregado, como pelo Autor, num sentido mais restrito, excluindo tanto o necessário quanto o impossível; designando assim uma esfera intermediária que abrange coisas e acontecimentos que tanto podem ser como não ser. Este sentido se abre para as noções de Acaso e Acidente. Acrescentem-se ainda as opções das *liberdades* e ter-se-á idéia do extenso campo de improbabilidade que se estende do ínfimo ao Imenso, entre os quais surgiu a Consciência, na direção de um terceiro infinito...

16. Cf. *Prólogo*, nota 40, quadro do Tempo Geológico.

17. Cf. Parte III, Capítulo III, 1, C, a, nota 54.

18. Retomados e prolongados reflexivamente, artificiosamente, – quem sabe? – pela Biologia (manipulação das leis e dos fatores da hereditariedade, utilização dos hormônios etc.) (N. do A.) (Cf. nesta Parte IV, Capítulo I, 2, B.)

19. Uma lei estatística a reger um sistema ou fenômeno quantificado; no caso, a distribuição das Energias da Vida.

20. A *Pesquisa*, em geral, consiste na indagação, na busca, na investigação e no estudo, sistemáticos e minuciosos, com a finalidade de descobrir ou estabelecer fatos ou princípios relativos a um determinado campo de conhecimentos. Como tal ela é o instrumento por excelência da Ciência. Em termos teilhardianos, a Pesquisa é o tenteio reflexivo que apareceu na Terra com o Homem, mas só desabrocha plenamente no Mundo Moderno, sob uma forma cada vez mais coletiva, assumindo o valor de um imperativo moral e de uma nova fé.

21. Ainda a resposta àquelas perguntas formuladas já no *Prólogo* desta obra:
"(...) se conhecer é verdadeiramente tão vital e beatificante, por que, insisto, voltar nossa atenção de preferência para o Homem? Já não está o Homem suficientemente descrito – e não é enfadonho? E um dos atrativos da Ciência não consiste precisamente em desviar e fazer pousar nossos olhos sobre um objeto que não seja enfim nós mesmos?"

Ali, invocava-se uma dupla razão: o Homem, *centro de perspectiva*; o Homem, *centro de construção*. Como centro de construção, esse Homem, nós o vimos, é ápice presente de uma Antropogênese que, por sua vez, coroa uma Cosmogênese. Eis por que, procurando "ver" a Terra Final, impõe-se uma concentração da Visão e da Pesquisa sobre o objeto humano.

22. Cf. nota 34, adiante. Já na *Advertência* o Autor observava:
"Como acontecem com os meridianos nas proximidades do pólo, Ciência, Filosofia e Religião convergem necessariamente nas vizinhanças do Todo."

É constatando, agora, no Homem a mesma Fé a animar Ciência (Fé no Mundo) e Religião (Fé em Deus) que ele propõe a união, o encontro, a *conjunção*, enfim, dos máximos valores dessa Fé: Mundo e Deus, conjugados na alma do Homem, como "dois astros cujas ascensões retas são iguais":

"Uma Fé nova na qual se compõem a Fé ascensional para um Transcendente e a Fé propulsiva em direção a um Imanente (...) eis o que, vejo-o agora e para sempre, o Mundo, sob pena de se arruinar, espera ardentemente neste momento." (Cf. "O Coração da Matéria", 1950, texto por nós traduzido e comentado em *Para aquele que vem*, Instituto Social Morumbi, São Paulo, 1985, pp. 111-171.)

23. *Encouraçado* ou *Couraçado* é o navio de combate, armado de canhões de grosso calibre, e fortemente blindado, isto é, revestido de couraças e com compartimentagem estanque muito eficaz. Atualmente os encouraçados têm cedido primazia aos navios-aeródromos.

24. *Pégaso*, na mitologia grega, é o cavalo alado que nasceu do sangue da górgona Medusa, morta pelo herói Perseu. Desde que viu a luz, Pégaso voou para o Olimpo, para o próprio palácio de Zeus, de quem mais tarde conduziria raios e relâmpagos. Por haver feito, com um coice, brotar a fonte Hipocrene, Pégaso tornou-se o símbolo da inspiração poética. O arado, instrumento para lavrar a terra, é, por sua vez, o símbolo dos primeiros trabalhos humanos, da Civilização, da Agricultura, da Lavoura, cultivo e transformação do solo natural para a produção de vegetais e pasto para animais úteis ao Homem. Assim, atrelar Pégaso ao arado é reduzir a energia da paixão capaz de vôo no céu à força bruta capaz de tração na terra; é subjugar a mais alta possibilidade de Sonho e Criação para a Sobrevida futura e pô-la a serviço da mais imediata e chã das realidades: a necessidade de Produção de alimento para a Sobrevivência imediata...

25. A *Máquina* – aparelho ou instrumento próprio para comunicar movimento ou para aproveitar, pôr em ação ou transformar energias ou agentes naturais – liberando Pégaso...

26. Forças exteriores de compressão planetária obrigando a Humanidade a se totalizar organicamente sobre si mesma; e, desencadeadas ou exaltadas pela totalização técnico-social, forças interiores (ascensionais ou propulsivas) de espiritualização. (N. do A.)

27. Ou seja, ainda uma vez, crescem à medida que avançam.

28. Isótropo ou isotrópico, é o meio que apresenta as mesmas propriedades físicas em todas as direções.

29. Alexis Carrel (1873-1944), cirurgião e fisiologista, foi autor de importantes descobertas sobre a cultura de tecidos vivos e de sua sobrevivência fora do corpo. O Autor se refere à sua famosa obra *O homem, esse desconhecido*. Prêmio Nobel em 1912.

30. O "Prefácio" a que se refere o Autor é, de fato, o *Prólogo*. Cf. ali, no quinto parágrafo: "(...) físicos e naturalistas (...) tendo chegado ao ponto extremo de suas análises (...) já não sabem se a estrutura que atingiram é a essência da Matéria que estudam ou antes o reflexo do seu próprio pensamento."

31. *Artículos*, em Zoologia, são os segmentos dos apêndices dos Artrópodes.

32. *Eugenia*, do grego *eu*, "bem", e *guenan*, "engendrar", é a ciência que estuda as condições mais favoráveis ou propícias à reprodução, à conservação da qualidade e ao melhoramento biológico da espécie humana.

33. A Energética é proposta por Teilhard como uma nova ciência que sintetize as energias físico-químicas, biológicas e psíquicas ao nível humano, numa dinâmica generalizada, centrada em forças espirituais.
"Entrevemos (...) uma nova energética (manutenção, canalização, crescimento das aspirações e paixões humanas) em que se reuniriam a Física, a Biologia e a Moral – encontro bastante curioso, mas inevitável quando se compreendeu a realidade do Fenômeno Humano." (Cf. *Le phénomène humain*, 1928.)

34. A Religião, do latim *religio*, que alguns reportam a *re-legere* (reler) e outros a *re-ligare* (religar), já a partir dessa derivação etimológica designa um "revolver-se", uma observação cuidadosa e consciente de uma realidade que merece e exige uma "religação": a origem primeira e fim último. Do ponto de vista do ser, o Absoluto, o Divino é essa origem e esse fim. Portanto, tudo d'Ele procede e para Ele tende; mas só o Homem tem Religião, e na medida em que, como ser espiritual e reflexivo, torna efetiva, livre e consciente sua relação com Deus.

A Religião é pois o conhecimento, a aceitação e a vivência concreta ou prática dessa relação com Deus, enquanto origem e fim. Na Religião, o Homem inteiro se volve para Deus, atuando com todas as suas faculdades superiores: conhecer, querer, sentir. E, por ser o Homem estruturalmente social, sua Religião só pode se desenvolver plenamente na comunidade, em comum união com todos os outros homens. Assim a Religião de espírito subjetivo (pensamento, sentimento, ação) desabrocha em Religião de espírito objetivo e objetivado (doutrina, comunidade, instituições, usos). Tais aspectos caracterizam, resumidamente, uma Religião Natural, que brota da natureza espiritual do Homem e constitui o fundamento de toda Religião Positiva, estabelecida e determinada em seus pormenores por um ato positivo histórico, de Deus e depois do Homem. É essa Religião Natural, no mínimo, que o Autor vê em conjunção com a Ciência na Terra Final.

35. Quando a absolutidade de Deus é transferida para valores terrestres e estes são abraçados com ardor religioso, tem-se um *substitutivo da Religião*. Carl Gustav Jung (1875-1961) bem o notou.

36. Albert Einstein (1879-1955): "A ciência sem religião é míope; a religião sem ciência é cega." J. E. Jarque (Cf. *Foi en l'homme. L'apologétique de Teilhard de Chardin*, Desclée, Paris, 1969, 300 pp.) explicita o duplo movimento da razão e do espírito:

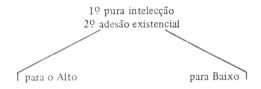

síntese e análise do lado da aproximação intelectual, do conhecimento	crença e fé do lado da assimilação vital, do reconhecimento
a razão avança pelo	o espírito descobre
– terreno do mais conhecido	– através do fisicamente instável (aparentemente)
– no domínio do provável	– no domínio do improvável
– por entre o aparentemente mais consistente mas finalmente plural	– o realmente consistente
– alcançando o cada vez menos ser	– o mais-ser, o unido
– até os limites do nada físico	– até os limites do infinito de união – ser absoluto, infinito de centração, pessoal, reflexivo, absoluto
– aquisições da razão	– opções do espírito ("fés", crenças)

E apresenta, em seguida, um Esquema:

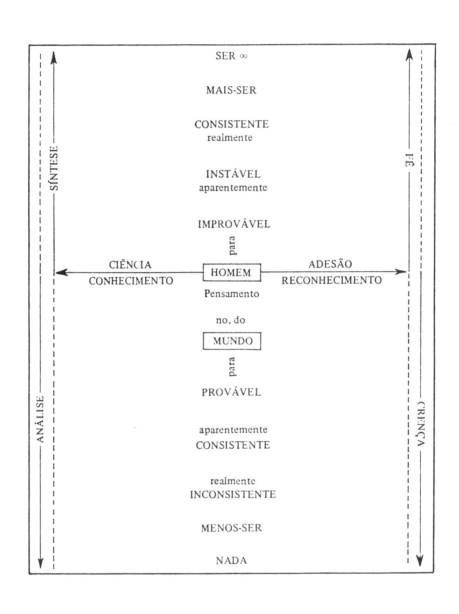

37. Cf. Parte III, Capítulo III, 2.

38. Pois, antecipando o Futuro, a Ciência descortina um leque de possibilidades que se oferecem à livre escolha – *Opção*; e, antecipando o Todo, vislumbra o Ser Absoluto, o Divino, diante de cuja sublimidade o primeiro ato cabível é o curvar-se humilde e respeitosamente – *Adoração*.

39. Ernest Renan (1823-1892), desistindo de sua vocação eclesiástica, dedicou-se à história das línguas e das religiões. Seus trabalhos literários e exegéticos evidenciam suas convicções racionalistas e sua fé na Ciência, que o levam a excluir *a priori* qualquer sobrenatural e a proclamar a excelência das disciplinas ditas histórico-positivas (paleontologia, exegese etc.), destinadas, segundo ele, a substituir tudo o mais. Obras: *História das origens do cristianismo* (1863-1881), cujo primeiro volume é a famosa *Vida de Jesus*; *Reforma intelectual e moral* (1872); *Diálogos filosóficos* (1876); *Exame de consciência filosófico* (1889) e *O porvir da ciência* (1870). Suas *Recordações de infância* explicam as circunstâncias que o fizeram perder a fé. (Cf. nota seguinte.)

40. *O Século XIX* assiste ao desabrochar da Filosofia Social (Charles Fourier, 1772-1837; Claude Henri Saint-Simon, 1760-1825) e à instauração do Positivismo (Auguste Comte, 1798-1857; Pierre Joseph Proudhon, 1809-1865). É o culto da Humanidade e da Ciência, esta concebida como verdadeira Religião. Na mesma linha positivista de Renan (Cf. nota anterior), inscrevem-se: Émile Littré (1801-1881), Pierre Lafitte (1823-1903), Hyppolyte Taine (1828-1893), A. de Gabineau (1816-1882) e, em união com o Evolucionismo, F. Le Dantec (1869-1917). Vale lembrar que os positivistas ortodoxos (defensores de toda a obra de Comte, inclusive a *Religião da humanidade*) constituíram verdadeiras seitas em vários países além da França (Inglaterra, Portugal, Suécia etc.). A seita mais próspera desenvolveu-se no Brasil. Fundada por Benjamin Constant (1833-1891) em 1876, a Sociedade Positivista teve grande influência na vida política nacional e congregou nomes como Miguel Lemos (1854-1917) e T. Mendes (1855-1927), chefes do Apostolado Positivista no Brasil.

41. Cf., na nota 36, esquema proposto por J. E. Jarque, inspirado em textos do Autor.

42. Ou seja: organização da Pesquisa, descoberta do Objeto Humano e conjunção Ciência-Religião.

43. Além do valor intelectual das unidades humanas isoladas, cabe pois considerar a exaltação coletiva (por escoramento mútuo, por ressonância) dessas unidades convenientemente ordenadas. Seria difícil dizer se existem ainda, na Terra, Aristóteles, Platões, Agostinhos. (Como prová-lo? E, de resto, por que não?) Mas o que é claro é que (apoiando-se umas nas outras?...) – dispostas numa única abóbada ou num único espelho – nossas almas modernas vêem e sentem hoje um Mundo que (em dimensões, em ligações e em virtualidades) escapava a todos os grandes homens de outrora. Ora, quem ousaria objetar que a esse progresso na consciência não corresponde nenhum avanço na estrutura profunda do ser? (N. do A.)

44. O que equivaleria dizer que a história humana se desenvolve entre dois pontos críticos (um inferior e individual, outro superior e coletivo) de Reflexão. (N. do A.) Teilhard se refere também a *Reflexão 1* (reflexão humana individual) e a *Reflexão 2* (ou *Segunda Reflexão*, reflexão humana coletiva correspondente à *Co-Reflexão*). Esta última, como já foi explicado alhures, é o aspecto coletivo, socializado, da reflexão humana, desenvolvendo-se num processo mais intelectual que a *Conspiração* (Cf. Capítulo anterior, nota 51). Emerge decididamente nos Tempos Modernos embora já esteja presente incoativamente em toda reflexão individual efetiva. Há ainda uma *Reflexão 3*, *Terceira Reflexão*, reflexão do Ômega sobre a consciência humana co-refletida.

"(...) teria que insistir (...) sobre os prolongamentos *coletivos* (sociais) da Reflexão ('*2ª Reflexão*') sob o efeito da *Convergência humana* (= o grande acontecimento ou movimento físico que é tão importante perceber neste instante!). Mas eu queria aprofundar particularmente o extraordinário fenômeno de 'Diafania', em virtude do qual, para uma Humanidade em processo de '2ª reflexão', o Universo tende a deixar transparecer seu (um) Centro de convergência – não centro *engendrado pela* Energia em via de redobramento sobre si mesma, mas centro que forma o próprio *princípio gerador* (motor) dessa Reflexão. Fenômeno de *Terceira Reflexão*, na verdade, através do qual 'Ômega' se reflete ('se revela') sobre um Universo que se tornou (por reflexões 1 e 2), capaz de refleti-lo..." (Carta de 16/09/1951.)

Essa Terceira Reflexão supõe e corresponde a uma *Ultra-Reflexão*, ultrapassagem do estádio atual da consciência noosférica por uma co-reflexão unanimizada e exaltada pela planetização, portanto já centrada em Ômega:

"Se extrapolamos no futuro, a convergência técnico-sócio-mental da Humanidade sobre si mesma impõe a previsão de um paroxismo de co-reflexão, a alguma distância *finita* no Tempo adiante de nós: paroxismo que não se pode definir melhor (nem de outro modo) senão como um ponto crítico de Ultra-Reflexão." (Cf. *Un sommaire de ma perspective "phénoménologique" du monde*, 1954.)

45. *Reviramento*, ou reviravolta, é a passagem, por inversão, de uma centração e uma dependência inferiores a uma centração e a uma dependência superiores. Graças a esse processo, a superestrutura que resulta de uma síntese anterior cai em equilíbrio sobre um foco de síntese ulterior, entra assim numa complexidade mais alta e acha-se liberada das infra-estruturas que lhe serviam primitivamente de suporte necessário. A morte inclui um reviramento desse tipo, pois o ser humano, entrando em união direta com Deus, escapa da dependência em relação ao organismo puramente biológico. Assim também o Fim do Mundo, reviramento total e final, *Êxtase* (Cf. nota 54).

"(...) num Universo de Convergência, cada elemento encontra sua perfeição não, em absoluto, diretamente em sua consumação, mas na sua incorporação a um pólo superior de consciência, o único no qual pode entrar em contato com todos os outros. Por uma espécie de reviramento num Outro, seu crescimento culmina em dom e em ex-centração. Que quer dizer isso senão que reaparece, neste estádio final, 'a aniquilação' mística...? (...) Para passar ao além, o Mundo e seus elementos devem previamente atingir o que poderíamos chamar 'seu ponto de aniquilação'. Ora, é precisamente a esse ponto crítico que nos conduz o esforço para prolongar conscientemente, em nós e ao nosso redor, o movimento de convergência universal." (Cf. *La grande option*, 1939.)

46. O *Deus-Ômega* realiza a coincidência do Centro de Convergência Cósmica (natural) exigido pela razão e do Centro de Irradiação-Atração Divino (sobrenatural) postulado pela fé. Síntese do "Lá à Frente" com o "Lá no Alto". Sim, pois sob o aspecto transcendente e preexistente, Ômega é um dos dois pólos aparentes de Deus, a saber, o Deus termo da criação que atua (como veremos logo adiante no *Epílogo*) através do Cristo-Ômega. Na verdade, os dois pólos de Deus, Alfa e Ômega, começo e fim, coincidem na unidade e na eternidade divinas.

"Forçados sempre mais estreitamente um sobre o outro, pelos progressos da Hominização, e ainda mais atraídos um pelo outro por uma identidade de fundo, os dois Ômegas, repito (o da Experiência e o da Fé), apressam-se certamente em reagir um sobre o outro na consciência humana, e finalmente a se *sintetizar*: o Cósmico a ponto de aumentar fantasticamente o Crístico; e o Crístico a ponto (inacreditável!) de amorizar (quer dizer, de 'energificar' ao máximo) o Cósmico todo inteiro." (Cf. *Le Dieu de l'évolution*, 1953.)

47. Sobre o grau de "inevitabilidade" dessa maturação de uma massa *livre*, ver adiante, Conclusão. (N. do A.) O Autor se refere ao *Resumo* ou *Posfácio* e se reporta ao fim do antepenúltimo parágrafo do item 3.

48. À questão do *Mal* o Autor dedicará todo um *Apêndice* ao final desta obra. Cabem contudo, desde já, alguns comentários a respeito. Tradicionalmente, o Mal é considerado a propriedade pela qual um ente é mau (sentido formal) ou, às vezes, o próprio ente encontra-se afetado por um mal (sentido material). Ora, todo ser, enquanto ser, é bom (o Bem é um valor transcendental), portanto o mal nunca é uma determinação ou qualidade positiva de qualquer ser, mas antes a falta, a ausência, a carência daquela perfeição, plenitude, bondade que lhe caberia, dada a sua totalidade essencial. Ainda tradicionalmente, distinguem-se duas espécies de mal: o mal ético ou moral e o mal físico. O primeiro consiste na livre decisão da vontade contra o bem moral (bem "honesto") e a ação daí resultante, assim como o hábito mau e a atitude interna má, que, subseqüentemente, se consolidam. O mal físico é a ausência, moralmente indiferente, de uma perfeição ontológica exigida pela natureza de um determinado ente

(dor, sofrimento etc.). Quanto à origem do mal é preciso considerar que uma ação em si produz sempre algo positivo e nunca mera deficiência. Assim sendo, o mal não tem uma causa que vise produzi-lo diretamente, mas resulta de qualquer causa como seu efeito acessório. Uma causa, já defeituosa, atua defeituosamente... Um mal físico resulta da concorrência acidental de duas séries causais (tendendo cada qual isoladamente a um bem), como num acidente de tráfego... Um mal pode decorrer da busca de um bem a excluir outro, como numa intervenção cirúrgica em que a cura do organismo inteiro exclui a conservação de um órgão ou parte... O mal moral se reporta sempre, em última instância, a uma decisão pecaminosa da vontade livre criada, que é possível pela finitude de toda criatura. Sem impugnar quaisquer dessas noções, Teilhard as transporta para a sua visão, tirando-as do quadro estático de um Cosmo e projetando-as no processo dinâmico de uma Cosmogênese. Neste, o próprio ser e o seu aperfeiçoamento constituem união e união progressiva, que encontram plenitude na Unidade. Assim, todo o Mal está ligado, em última instância, à Multiplicidade.

"*O Verdadeiro Nada, o Nada físico*, aquele que está no vestíbulo do ser, aquele em que acabam por convergir, pela própria base, todos os Mundos possíveis, *é o Múltiplo puro, é a Multiplicidade* (...) Nada, Dor, Pecado – Mal ontológico, Mal sofrido, Mal moral –, *três aspectos do mesmo Princípio mau*, infinitamente extenso e a ser reduzido, e incessantemente renascente: a Multiplicidade." (Cf. *La lutte contre la multitude. Interprétation possible de la figure du monde*, 1917.)

Ora, sendo a Cosmogênese uma Evolução convergente, de Complexidade e Consciência crescentes, avançando, por Unificação e Unanimização crescentes em direção ao Todo Um, a Multiplicidade tenderia, em princípio, a ser cada vez mais reduzida (mesmo renascendo em níveis sempre mais elevados...), e, com ela, o Mal, dela decorrente.

49. Cf. Capítulo anterior, 2, nota 47.

50. Cf. Capítulo anterior, 2, nota 48.

51. E, contudo, ao mesmo tempo – pois que se trata da aproximação de um ponto crítico –, *numa extrema tensão*. Nada de comum entre estas perspectivas e os velhos sonhos milenários de um período terrestre paradisíaco no fim dos tempos. (N. do A.)

52. A *Sinergia* (do grego *syn*, "com", e *ergon*, "trabalho"; *synergía*, "cooperação") designa, em Fisiologia, a associação de vários órgãos, em ato ou esforço coordenado, para a realização de uma função. Daí o sentido generalizado de associação de vários fatores contribuindo para uma ação coordenada, simultânea, em comum. Essa sinergia poderá se dar sob a pressão de um Totalitarismo (por Fora) ou pela atração do Amor Universal...

53. Cf. nota 4.

54. O *Êxtase*, do grego *ékstasis*, "desvio do espírito", é arrebatamento íntimo, enlevo, arroubo que transporta para fora do mundo exterior e leva a participar de uma realidade superior e universal (Deus, a Natureza, a História). Os Neoplatônicos, particularmente Plotino (205-270), viam no êxtase uma aniquilação da alma em Deus; porém, teologicamente, esse êxtase, dito negativo, distingue-se do êxtase positivo em que a alma se realiza e se expande em Deus. A Teologia distingue também o êxtase natural, o êxtase diabólico e o êxtase divino. A Filosofia Moderna, e principalmente o Existencialismo, retomou o termo êxtase num sentido novo, não mais de "sair fora da existência" (êxtase "evasivo"), mas de "ingressar na existência" (do latim *ex-sistere*, "sair de si"), manifestando-se exteriormente e agindo para fazer alguma coisa (êxtase "fundante"). Predomina, entretanto, geralmente, a noção ligada sobretudo à Teologia Mística, com o sentido de "união extática" ou "bodas espirituais", como grau ou fase da contemplação em que Deus se apodera das potências interiores e dos sentidos exteriores do orante, para uni-lo a Si. É evidente que o Autor universaliza ao extremo a noção, em seu sentido primeiro, para aplicá-la à totalidade do Fenômeno que, rompendo e perfurando o tecido cósmico, ultrapassa-o, sai do Mundo, transcende-o e ingressa no Divino Hiper-Pessoal por União, alcançando seu Termo. Trata-se pois de um "ex-estar" (no Espaço-Tempo) para um definitivo "ser" (na Eternidade), um autêntico e extremo *Reviramento*. (Cf. nota 45.)

55. A *Concórdia* é harmonia de sentimentos e de vontade, e a *Discórdia* o seu oposto. Ambas, contudo – tendo por raiz, no latim *cor, cordia*, "coração", "vontade" –, situam-se

no plano afetivo, ao nível de Conspiração (Cf. Capítulo anterior, 2, nota 51). O "excesso interno de tensão", porém, ocorre no plano mais intelectual da Co-Reflexão: é a Consciência Crescente. A Vida passando à Sobrevida, à Super-Vida, à Vida Eterna — eis por que o êxtase provocado pela tensão interna (psíquica) é a *saída*, e essa é *biológica.*

56. A *Película* é uma camada muito delgada que recobre ou envolve certas substâncias. Em Físico-Química, é filme, fina camada de um material, depositado sobre um sólido ou sobre a superfície de um líquido. A Película tende a ser homogênea e uma mancha sugere variações, alterações, manifestação de novas propriedades...

57. *Eletroscópio* é, em Física, o instrumento utilizado para a observação de fenômenos eletrostáticos (relativos a propriedades e comportamento de cargas elétricas em repouso), baseado no movimento de peças metálicas sob a influência de forças elétricas atrativas ou repulsivas. Em Eletricidade, o eletroscópio revela cargas eletrostáticas muito pequenas. A menor variação de funcionamento em aparelho tão sensível é significativa: indica variações fenomenais que devem ser investigadas...

58. Eis os vários passos do método fenomenológico-científico adotado pelo Autor e também, de certa forma, um esquema ou resumo deste livro.

59. Isto é, um Universo "que é dotado de curvatura personalizante", que prepara a ocorrência da pessoa humana, permite a sua realização e coopera com a sua consumação; personalizando-se a si e em si mesmo nesse processo:
"Fala-se freqüentemente da Pessoa como se ela representasse uma forma reduzida (quantitativamente) da Realidade total. É exatamente o inverso que se deveria compreender. O Pessoal é o estado mais elevado sob o qual nos é dado apreender o Estofo do Universo. Na sua misteriosa atomicidade, ademais, algo de único, e de intransmissível, grão a grão, se condensa. A única maneira de exprimir numa fórmula que o Mundo avança sem recuar e sem perder nada de si mesmo é, pois, dizer que, nele, a qualidade e a quantidade de Pessoal devem ir crescendo constantemente: *o Universo* não se propagaria *de direito* em direção a uma totalidade espiritual se não se elevasse *a uma condição sempre mais self-centrada de si mesmo e de cada um de seus elementos.* Ora, isto é possível *de fato.*" (Cf. *Sauvons l'humanité. Réflexions sur la crise présente,* 1936.)

EPÍLOGO

O Fenômeno Cristão

Nem no jogo de suas atividades elementares, que só a esperança de um imperecível pode pôr em movimento; nem no jogo de suas afinidades coletivas que exigem, para se enlaçarem, a ação de um amor vitorioso, pode a Vida reflexiva continuar a funcionar e a progredir, a menos que brilhe acima dela um pólo supremo de atração e de consistência. Nem individualmente, nem socialmente, em razão de sua própria estrutura, poderia a Noosfera se fechar sobre si mesma a não ser sob a influência de um Centro Ômega.

Tal é o postulado a que nos levou logicamente a aplicação integral das leis experimentais da Evolução ao Homem.

Mas quem não vê a possível ou mesmo a provável repercussão sobre a experiência dessa conclusão, inteiramente teórica numa primeira aproximação?

Se Ômega fosse apenas o foco, longínquo e ideal, destinado a emergir, no fim dos tempos, da convergência das consciências terrestres, nada, fora dessa própria convergência, poderia desvelá-lo ainda aos nossos olhos. Na hora em que vivemos, nenhuma outra energia de natureza pessoal seria reconhecível sobre a Terra, além da que é representada pela soma das pessoas humanas.

Mas se, pelo contrário, como o admitimos, Ômega se encontra atualmente *já existente* e operando no mais profundo da massa pensante,[1] então parece inevitável que sua existência se manifeste desde agora, por alguns indícios, à nossa observação. Para animar a Evolução no decurso de seus estádios inferiores, o pólo consciente do Mundo não podia agir, e isso é natural, senão velado de Biologia, sob forma impessoal. Agora lhe é possível irradiar de Centro para centros, – *pessoalmente*, sobre a coisa pensante que nós viemos a ser pela hominização. Seria verossímil que não o fizesse?...

Ou toda a construção do Mundo aqui apresentada é vã ideologia.[2] Ou então, algures à nossa volta, sob uma ou outra forma, algum excesso de energia pessoal, extra-humana, deve ser discernível, manifestando a grande Presença[3] ... se soubermos ver.

E aqui se descobre a importância, para a Ciência, do Fenômeno cristão.

O Fenômeno cristão.[4]

No termo de um estudo sobre o Fenômeno humano, essa expressão não é tomada ao acaso, ou por simples simetria de palavras. Antes ela procura definir sem equívoco e espírito em que desejo falar.

Vivendo no seio do Cristianismo,[5] eu poderia ser suspeito de querer introduzir artificiosamente sua apologia.[6] Ora, ainda aqui, e na medida em que um homem pode separar em si próprio diversos planos de conhecimento, não é o crente convicto, é o naturalista que fala e que pede para ser ouvido.

O fato cristão está diante de nós. Tem o seu lugar entre as outras realidades do Mundo.

Como é que, pela substância de seu Credo, primeiro, por seu valor de existência, em seguida, por seu extraordinário poder de crescimento, enfim, ele me parece trazer às perspectivas de um Universo dominado por energias de natureza pessoal a confirmação crucial de que necessitamos:[7] eis o que eu desejaria mostrar.

1. Eixos de Crença

Para aqueles que só o conhecem de fora, o Cristianismo parece desesperadamente complicado. Na realidade, considerado em suas linhas mestras, ele contém uma solução do Mundo extremamente simples e espantosamente ousada.

No centro e de tal modo aparente que nos desconcerta, a afirmação intransigente de um Deus pessoal: Deus-Providência,[8] que conduz o Universo com solicitude, e Deus-Revelador,[9] que se comunica ao Homem no plano e pelas vias da inteligência. Ser-me-á fácil, após tudo o que tenho dito, fazer sentir daqui a pouco o valor e a atualidade desse personalismo tenaz, não há muito ainda olhado como obsoleto e condenado. O que importa fazer notar aqui é o quanto, no coração dos fiéis, uma tal atitude dá lugar, e se alia sem esforço, a tudo o que há de grande e de são no Universal.

Tomado no curso da fase judaica, o Cristianismo pôde se julgar a religião particular de um povo.[10] Mais tarde, submetido às condições gerais do conhecimento humano, pôde imaginar que o Mundo era pequeno demais à sua volta. Pelo menos, mal se constituiu, tendeu sempre a englobar nas suas construções e nas suas conquistas a totalidade do sistema que chegava a conceber.

Personalismo[11] e Universalismo.[12]

Sob que forma esses dois caracteres encontraram meio de se unirem em sua teologia?

Por razões de comodidade prática, e talvez também de timidez intelectual, a Cidade de Deus[13] é muitas vezes descrita nos livros de devoção em termos convencionais e puramente morais.[14] Deus e o Mundo que ele governa: uma vasta associação de essência jurídica,[15] concebida à maneira de uma família ou de um governo. Bem diferente é a perspectiva de fundo da qual se alimenta e donde jorra desde as origens a seiva cristã. Por falso evangelismo, acredita-se muitas vezes honrar o Cristianismo reduzindo-o a qualquer doce filantropia. É não compreender nada de seus "mistérios"[16], não ver nele a mais realista e a mais cósmica das fés e das esperanças. Uma grande família, o Reino de Deus? Sim, em certo sentido. Mas, num outro sentido também, uma prodigiosa operação biológica: a da Encarnação redentora.[17]

Criar, consumar e purificar o Mundo, já o lemos em Paulo[18] e João,[19] é, para

Deus, unificá-lo unindo-o organicamente a si próprio.[20]* Ora, como o unifica ele? Imergindo-se parcialmente nas coisas, fazendo-se "elemento", e depois, graças a esse ponto de apoio encontrado interiormente no coração da Matéria, assumindo a orientação e pondo-se à testa do que chamamos agora a Evolução. Princípio de vitalidade universal, o Cristo,[21] porque surgido homem entre homens, colocou-se em posição e está desde sempre em vias de curvar sob si próprio, de depurar, de dirigir e de sobreanimar a ascensão geral das consciências em que ele se inseriu. Por uma ação perene de comunhão[22] e de sublimação,[23] agrega a si próprio o psiquismo total da Terra. E quando tiver assim reunido e transformado tudo, alcançando num gesto final o foco divino donde jamais saiu, fechar-se-á sobre si mesmo e sobre a sua conquista. E então, como nos diz São Paulo, "já não haverá senão Deus, tudo em todos".[24] Forma superior de "panteísmo" na verdade,[25]* sem vestígio envenenado de mescla nem de aniquilação. Expectativa de unidade perfeita, na qual, por ser mergulhado, cada elemento encontrará, ao mesmo tempo que o Universo, a sua consumação.

O Universo se perfazendo numa síntese de centros, em perfeita conformidade com as leis da União. Deus, Centro dos centros. Nessa visão final culmina o dogma cristão.[26] — Tão exatamente e tão perfeitamente o ponto Ômega, cuja hipótese, sem dúvida, jamais teria eu ousado encarar ou formular racionalmente se, em minha consciência de crente, não houvesse encontrado não somente o seu modelo especulativo, mas também a sua realidade viva.

2. Valor de Existência

É relativamente fácil arquitetar uma teoria do Mundo. Mas forçar artificialmente o nascimento de uma religião é algo que ultrapassa as forças individuais. Platão,[27] Spinoza,[28] Hegel[29] puderam desenvolver concepções que rivalizam em amplitude com as perspectivas da Encarnação. E, no entanto, nenhuma dessas metafísicas[30] chegou a transpor os limites da ideologia.[31] Uma após outra, talvez, puderam iluminar os espíritos, mas sem nunca chegarem a gerar a Vida. O que, aos olhos de um "naturalista", constitui a importância e o enigma do Fenômeno cristão é o seu valor de existência e de realidade.[32]

Real, o Cristianismo o é, em primeiro lugar, pela amplitude espontânea do movimento que ele logrou criar na Humanidade. Dirigindo-se a qualquer homem e a todas as classes de homens,[33] tomou logo o seu lugar entre as correntes mais vigorosas e mais fecundas que até hoje registrou a história da Noosfera. Quer adiramos a ele, quer dele nos separemos, não são sensíveis, por toda a parte na Terra moderna, sua marca e sua influência persistente?[34]

Valor quantitativo de vida, certamente, medido pela grandeza do raio de ação. Mas sobretudo valor qualitativo, acrescentarei eu, exprimindo-se como no caso de qualquer progresso biológico, pelo aparecimento de um estado de consciência especificamente novo.

E aqui eu penso no amor cristão.[35]

O amor cristão, coisa incompreensível para aqueles que não o provaram. Que o infinito e o intangível possam ser amáveis; que o coração humano possa bater por seu próximo com uma verdadeira caridade: isso parece a muita gente que eu conheço simplesmente impossível, e quase monstruoso. E no entanto, que mais não seja ao registrar brutalmente os resultados que ele não cessa de produzir à nossa volta, como duvidar de que, baseado ou não numa ilusão, um tal sentimento existe e é mesmo anormalmente poderoso? Não constitui um fato positivo que, há vinte séculos para cá, milhares de místicos tenham ido haurir à sua chama ardores tão apaixonados que ultrapassem de longe, em brilho e em pureza, os impulsos e as devoções de qualquer amor humano? Não é também um fato que, por o haverem experimentado, outros milhares de homens e de mulheres renunciam todos os dias a qualquer outra ambição e a qualquer outra alegria que não seja a de laboriosamente a ele se abandonarem cada vez mais? E não é, enfim, um fato, esse, garanto-o eu, que, se o amor de Deus viesse a se extinguir na alma dos fiéis, o enorme edifício de ritos, de hierarquia e de doutrinas que a Igreja[36] representa, recairia instantaneamente na poeira de que saiu?

Na verdade, que, numa região apreciável da Terra, tenha surgido e haja crescido uma zona de pensamento na qual um verdadeiro amor universal, não apenas tenha sido concebido e pregado, mas também se revelado psicologicamente possível e praticamente operante, — eis para a Ciência do Homem um fenômeno de importância capital, — tanto mais capital que o movimento, longe de se amortecer, parece querer ganhar ainda mais velocidade e mais intensidade.

3. Poder de Crescimento

Para a quase totalidade das religiões antigas, a renovação das perspectivas cósmicas que caracteriza o "espírito moderno"[37] constituiu uma crise da qual, se ainda não morreram, pode-se prever que jamais se levantarão. Estreitamente ligadas a mitos[38] insustentáveis, ou engajadas numa mística de pessimismo e de passividade,[39] é-lhes impossível ajustarem-se às imensidades precisas, ou às exigências construtivas, do Espaço-Tempo. Não correspondem mais às condições de nossa Ciência, nem de nossa Ação.[40]

Ora, sob o choque que faz rapidamente desaparecer seus rivais, o Cristianismo que, à primeira vista, poder-se-ia julgar, ele também, abalado, dá, pelo contrário, todos os sinais de um novo salto à frente. Pois, devido precisamente às novas dimensões tomadas aos nossos olhos pelo Universo, ele se revela simultaneamente mais vigoroso em si e mais necessário ao Mundo do que jamais o foi.

Mais vigoroso. Para viverem e se desenvolverem, as concepções cristãs necessitam de uma atmosfera de grandeza e de união. Quanto mais vasto for o Mundo, mais orgânicas serão suas conexões interiores, e mais triunfarão as perspectivas da Encarnação. E aí está o que os crentes começam, não sem surpresa, a descobrir.

Assustado um instante com a Evolução, o cristão se apercebe agora de que esta lhe fornece simplesmente um meio magnífico de se sentir mais de Deus e de a Ele se dar mais ainda. Numa Natureza de estofo pluralista e estático, a dominação universal do Cristo podia ainda, a rigor, confundir-se com um poder extrínseco e sobreimposto.[41] De que urgência, de que intensidade não se reveste essa energia crística[42] num Mundo espiritualmente convergente? Se o Mundo é convergente, e se o Cristo ocupa o seu centro, então a Cristogênese[43] de São Paulo e de São João[44] outra coisa não é, exatamente, senão o prolongamento ao mesmo tempo esperado e inesperado da Noogênese em que, para nossa experiência, culmina a Cosmogênese. O Cristo se reveste organicamente da própria majestade de sua criação. E, por isso mesmo, é, sem metáfora, através de toda a extensão, de toda a espessura e de toda a profundidade do Mundo em movimento, que o Homem se vê capaz de experimentar e de descobrir o seu Deus. Poder literalmente dizer a Deus que o amamos, não somente de todo o nosso corpo, de todo o nosso coração, de toda a nossa alma, mas também de todo o Universo em vias de unificação, eis uma oração que só se pode fazer no Espaço-Tempo.

Mais necessário. Dizer do Cristianismo que, apesar de todas as aparências contrárias, ele se aclimata e cresce num Mundo prodigiosamente ampliado pela Ciência, seria ver apenas a metade do que se passa. A Evolução vem infundir de certo modo um sangue novo às perspectivas e às aspirações cristãs. Mas, em troca, a fé cristã não está ela destinada, não está ela pronta, a salvar, ou mesmo a revezar a Evolução?[45]

Nenhum progresso se pode esperar na Terra, como tentei mostrar, sem o primado e o triunfo do Pessoal no ápice do Espírito. Ora, no presente momento, sobre a superfície inteira da Noosfera, o Cristianismo representa a *Única* corrente de Pensamento suficientemente audaciosa e suficientemente progressiva para abarcar praticamente e eficazmente o Mundo, num gesto completo, e indefinidamente perfectível, em que a fé e a esperança se consumam numa caridade.[46] *Só* ele, absolutamente *só* ele sobre a Terra moderna, mostra-se capaz de sintetizar num único ato vital o Todo e a Pessoa. Só ele pode nos inclinar a não apenas servir, mas a amar o formidável movimento que nos arrebata.

Que quer, pois, dizer isso senão que ele preenche todas as condições que temos o direito de esperar de uma Religião do Porvir e, portanto, que por ele doravante passa verdadeiramente, como ele próprio o afirma, o eixo principal da Evolução?

E agora resumamos a situação.

1) Considerado objetivamente, a título do fenômeno, o movimento cristão, por seu enraizamento no Passado, e por seus desenvolvimentos incessantes, apresenta os caracteres de *um filo*.

2) Recolocado numa Evolução interpretada como uma ascensão de Consciência, esse filo, por sua orientação no sentido de uma síntese à base de amor, progride exatamente na direção presumida para a *flecha* da Biogênese.

3) No impulso que guia e sustenta sua marcha para a frente, essa flecha ascendente implica essencialmente *a consciência de se achar em relação atual* com um Pólo espiritual e transcendente de convergência universal.

Para confirmar a presença, à cabeça do Mundo, daquilo a que chamamos o ponto Ômega,[47]* não está aqui exatamente a contraprova que esperávamos?

O raio de sol furando as nuvens? A Reflexão, sobre o que sobe, do que já está em cima? A ruptura de nossa solidão? A influência perceptível, em nosso Mundo, de *um outro* e supremo Alguém?... Será que o Fenômeno cristão, surgindo no âmago do Fenômeno social, não é justamente isso?

Diante de tanta perfeição na coincidência, mesmo que eu não fosse cristão, mas somente homem de ciência, creio que me colocaria a questão.

Pequim, junho de 1938 – junho de 1940

NOTAS

1. Cf. Parte IV, Capítulo II, 3, "Razão de Amor (...) E razão de Sobrevida".

2. *Ideologia*, aqui, significando, é evidente, um sistema abstrato de idéias sem a menor correspondência com a realidade. (Cf. adiante, nota 31.)

3. Cf. Parte IV, Capítulo II, item 2, nota 42. *Presença* é o estar uma pessoa num lugar determinado. Num sentido mais determinado – consciência de "ser aí", sentimento de existir –, a filosofia fundamental de Martin Heidegger, apresentada em *O ser e o tempo* (1927), constitui-se numa análise da "presença" (*Dasein*, "fato de ser aí", "estar aí lançado"). O "sentimento" de presença exprime, na Filosofia da Religião, um sentimento de participação no Ser Absoluto (um Deus transcendental ou a Natureza, como romântica mediadora entre o Homem e a Divindade). Karl Jaspers (1883-1969) fala em sentimento de uma "atmosfera" e F. H. Jacobi (1743-1819) se referia a um "sentimento infinito da realidade". Teilhard toma o termo no seu sentido mais imediato: o Deus-Ômega é Pessoa autônoma e atual (já existente) que (além de transcendente) está no Universo (é imanente) plenamente (onipresente). Essa Presença se mostra a nós – histórica e fenomenologicamente – "se soubermos ver".

4. O *Fenômeno Cristão* é o próprio Cristianismo (Cf. nota seguinte), doutrina de Jesus Cristo, enquanto acontecimento registrável no Espaço-Tempo, originando estruturas e eixos estruturantes do Real suscetíveis de análise e descrição. Essa noção deixa intacto o aspecto sobrenatural da Revelação, enquanto manifestação do oculto realizada por Deus, por intermédio do seu Cristo.

    "Por 'Fenômeno Cristão' (...) entendo a existência experimental, no seio da Humanidade, de uma corrente religiosa caracterizada pelo seguinte grupo de propriedades: intensa vitalidade; curiosa 'adaptabilidade', permitindo-lhe, contrariamente às outras religiões, desenvolver-se melhor, e principalmente, na própria zona de crescimento da Noosfera; notável similaridade, enfim, nas perspectivas dogmáticas (convergência do Universo num Deus self-subsistente e super-pessoal), com tudo quanto nos ensinou o estudo do Fenômeno Humano." (Cf. *Comment je vois*, 1948.)

5. *Cristianismo* é a Religião do Cristo – em grego *khristos*, do Messias, em aramaico *meschikhá*, em ambos "ungido", "sagrado pelo Senhor" –, o Redentor e Libertador de Israel predito pelos profetas, o Filho de Deus, vivo, para os cristãos, na pessoa de Jesus, cuja vida e obra nos chegaram pelos Evangelhos (do grego *evaggélion*, "boa nova"), quatro livros escritos por Mateus, Marcos, Lucas e João. Jesus nasceu em Belém, por volta do ano 749 da fundação de Roma, ano 4 ou 5 antes da era cristã. Ameaçado pela persecutória tirania de Herodes, ele escapou ao massacre dito "dos inocentes" e foi levado ao Egito por José e Maria, sua mãe, estabelecendo-se, ao retornar, em Nazaré, onde passou pelo menos parte de sua juventude. Aos trinta anos começou a pregar sua doutrina na Galiléia (a partir de Cafarnaum) e depois em Jerusalém, sob a hostilidade crescente dos fariseus. Jesus não se apresentava como o fundador de uma nova religião, antes levava a lei de Moisés e a pregação dos profetas à plenitude de um novo mandamento de amor a Deus e ao próximo, anunciando um reino espiritual

de Paternidade e Providência divinas. Um de seus apóstolos, Judas, o traiu. Após haver celebrado a Páscoa, na última Ceia ao fim da qual instituiu a Eucaristia, como efetivação de sua presença permanente entre os homens, foi preso e levado à presença de Caifás, Sumo Sacerdote dos Judeus, e à justiça romana, representada por Pôncio Pilatos, procurador da Judéia. Condenado pelo primeiro e abandonado pelo segundo, cumulado de ultrajes (flagelação, coroação de espinhos etc.), subiu o Monte Calvário carregando a cruz em que foi pregado entre dois ladrões e na qual morreu depois de dolorosa agonia. Sepultado, ressuscitou três dias depois e, passados quarenta dias, subiu aos céus, encarregando seus Apóstolos de divulgar sua doutrina pelo mundo. Eles o fizeram pelo Oriente e pelo Mediterrâneo. Pedro foi o primeiro bispo de Roma, mas o grande propagador foi Paulo, que pregou a nova doutrina na Ásia Menor, na Grécia e na Itália. Duramente perseguido, o Cristianismo tornou-se a religião do Estado, no império de Constantino I (edito de Milão, em 313). Na Idade Média, expandiu-se por muitos países, mas, em 1504, um cisma separou a Igreja bizantina e a Igreja latina. Houve também heresias (Arianismo, Iconoclastia etc.). No século XVI, o Protestantismo separou-se da Igreja Romana, que se esforçou, no século XVII, por assegurar as bases de uma reforma católica. A partir do século XVIII, o Cristianismo teve que resistir à ascensão do racionalismo, fator de descristianização do mundo contemporâneo. Contudo, graças às missões, expandiu-se em todas as partes do mundo no século XIX, e é hoje a religião que conta com o maior número de fiéis, abrindo-se sempre mais em movimentos e em direções ecumênicas.

6. *Apologia* é discurso ou argumentação visando justificar, defender ou louvar. O Autor, cuidadosamente, quer continuar no plano da observação fenomenológico-científica e descrever interpretativamente a sua própria Religião como um fenômeno, falando como um "naturalista", isto é, um cientista baseado no plano da observação e da experiência (o concreto, o tangível, o verificável, o fotografável... o sensível, o "físico", enfim) sem recorrer à Revelação e/ou à Fé.

7. Qual seja: o Deus-Ômega é Presença atual manifesta à nossa observação.

8. A *Providência*, do latim *providere*, "prever", designa a atividade pela qual Deus guia as criaturas ao seu próprio fim. Abarca, primeiramente, o "plano cósmico" eterno de conduzir as criaturas, todas em conjunto e cada uma em particular, ao seu fim supremo, que é a glorificação divina, a Plenitude do Ser. Em segundo lugar, abarca a execução desse plano: uma "orientação do mundo" que provém da sabedoria e da onipotência e também do amor e da bondade de Deus; e é essa orientação que leva as criaturas a participar, em grau diverso, segundo a sua natureza, da perfeição divina, realizando assim, cada qual, a consecução de seu próprio fim. O Acaso não existe em relação a Deus: sendo universal, a Providência o utiliza. O Destino, enquanto fatalidade, não é lei cega: sua obra é conhecida e querida ou permitida por Deus. Nada acontece, portanto, que Deus não queira ou permita, mas isso não exclui o comportamento moral livre do Homem.

9. A Revelação, do latim *revelare*, "descobrir", "manifestar", é toda e qualquer manifestação do que está oculto. Ora, isso implica alguém que manifeste o oculto, alguém que receba a manifestação e uma verdade manifestada. Em sentido religioso, Deus é o Revelador para o Homem. Na chamada *Revelação Natural* dá-se a manifestação da existência e de certos atributos de Deus através da criação. Na *Revelação Sobrenatural* – que se faz mediante linguagem propriamente dita (comunicação, sinais etc.) e por testemunho (indícios, provas, confirmações) de Deus, não sendo portanto exigida pela natureza humana nem obedecendo à necessidade de qualquer lei natural – dá-se a manifestação de mistérios (verdades, por sua natureza, ocultas ao Homem) e verdades (não incognoscíveis ao Homem) que se revestem de certeza nova e infalível, pelo testemunho divino (Cf. nota 16). A Revelação é, pois, um ato pessoal, de Pessoa (divina) para pessoa (humana).

10. Esse povo teria uma história exemplar para o resto da Humanidade, enquanto "povo eleito de Deus".

11. Ou seja, afirmação tenaz de um Deus Pessoal e do primado da Pessoa Humana, bem como a exaltação da relação pessoal entre o Homem e seus semelhantes, e entre o Homem e Deus. (Cf. nota seguinte.)

12. Ou seja, a certeza de sua validade para todos os homens de todos os tempos e lugares, bem como o efetivo exercício dessa abrangência (daí o apostolado, a obra missionária etc.) que acompanha todo o Universo (que se vai fazendo) conhecido. (Sobre esses dois caracteres do Cristianismo, Cf. *Sauvons l'humanité. Réflexions sur la crise présente*, 1936.)

13. A *Cidade de Deus* é noção proposta e desenvolvida sobretudo por Santo Agostinho (354-430), e título de uma de suas principais obras. Trata-se da grande sociedade humana dirigida pela Providência. Segundo Agostinho, a natureza impeliu os homens a se associarem, com a dupla finalidade de melhor chegarem à felicidade vivendo em paz e de melhor se defenderem dos inimigos comuns. O primeiro núcleo dessa "sociedade natural", fundada na concórdia, é a família. É a associação de famílias que constitui a "cidade antiga" de Platão (429-348 a.C.) e de Aristóteles (384-322 a.C.). Mas, no tempo de Agostinho, o Estoicismo em filosofia e o Império Romano em política haviam alargado muitíssimo essa noção de cidade e de Sociedade. Todo o universo civilizado por Roma sentia-se então uma só pátria diante dos bárbaros. Agostinho assume esse alargamento mas, depurando-o, leva-o mais longe ainda. Divisa duas sociedades atravessando toda a história da Humanidade: a *Cidade Terrestre*, que, sem se confundir ou identificar necessariamente com o Estado temporal, põe seu fim último neste mundo e é edificada pelo amor de si próprio até o desprezo de Deus; e a *Cidade de Deus*, que – considerando-se em exílio na terra, onde é confundida de fato com a outra cidade até o dia de sua consumação eterna no céu – é edificada pelo amor de Deus até o desprezo de si próprio. Buscando a única verdadeira paz (definitiva no céu e consistindo em gozo de Deus e uso do resto para Deus, na terra) na ordem da Caridade, a Cidade de Deus é a única verdadeira e as pátrias ou sociedades civis são apenas meios providenciais úteis e moralmente necessários para preparar as almas para o reino celeste. Conservando o valor indiscutível da idéia de uma comunidade de Amor pela União, o Autor critica o convencionalismo com que a analogia é, freqüentemente, apresentada. (Cf. as duas notas seguintes.)

14. Quando Teilhard fala em "termos (...) puramente morais" está geralmente opondo *moral* (abstrato e estático) a *físico* (concreto e dinâmico). Assim ele distingue uma *Moral de Equilíbrio*, sistema estático de regras de conduta que se exprime sobretudo nas relações jurídicas (Cf. nota seguinte) e sociais, restringindo a alcance das virtudes cristãs:
    "A Moral nasceu largamente como uma defesa empírica do indivíduo e da sociedade. (...) foi compreendida até aqui principalmente como um sistema fixado de direitos e de deveres, visando estabelecer entre indivíduos um equilíbrio estático e preocupado em manter esse equilíbrio por meio de uma *limitação* das energias, quer dizer, da Força (...) O moralista foi até aqui um jurista – ou um equilibrista. Torna-se o técnico e o engenheiro das energias espirituais do Mundo. A mais alta Moral é doravante aquela que conseguir desenvolver melhor até os seus limites superiores o Fenômeno natural. Não mais proteger, mas desenvolver, por despertar e por convergência, as riquezas individuais da Terra." (Cf. *Le phénomène spirituel*, 1937.)
    A essa Moral de Equilíbrio, Teilhard opõe uma *Moral de Movimento*, um processo dinâmico de ser no qual todos os valores e todas as virtudes recebem uma significação evolutiva e energética, e que integra num equilíbrio evolutivo à ética tradicional.
    "Para a moral de equilíbrio ('moral fechada') o Mundo moral podia parecer um domínio definitivamente cercado. Para a moral de movimento ('moral aberta') esse mesmo Mundo se apresenta como uma esfera superior do Universo, bem mais rico que as esferas inferiores da Matéria em poderes desconhecidos, e em combinações insuspeitadas. É sobre o Oceano misterioso das energias morais a serem exploradas e humanizadas que embarcarão os mais corajosos navegantes de amanhã. Tudo tentar e tudo levar a cabo, na direção da maior consciência, tal é, num Universo reconhecido em estado de transformação espiritual, a lei geral e suprema da moralidade: *limitar a força* (a menos que seja para obter com isso mais força ainda), *eis o pecado*." (Cf. *Le phénomène spirituel*, 1937.)
    A *Consciência* supra-referida é *Consciência-Amor* e a *Força* é *Amor-Energia*, formas superiores de consciência e de energia humanas.

15. Quando Teilhard fala em "associação de essência jurídica" está opondo *jurídico* (essencial, abstrato e lógico) a *orgânico* (axial, concreto e biológico). O *Juridicismo* é concepção anti-orgânica e que faz da moral um código e reduz as relações entre Deus e o Mundo às de um

soberano, governando e administrando o Universo como seu reino e os seres como seus súditos.
"Os pluralistas argumentam sempre como se, na Natureza, não existisse nem tendesse a existir nenhum princípio de ligação além das relações vagas ou superficiais habitualmente consideradas pelo 'senso comum' e pela sociologia. No fundo são juridicistas e fixistas que nada podem imaginar ao seu redor que não lhes pareça ter sempre sido."

"(...) existe, entre os Homens, duas categorias de espíritos irredutíveis: os fisicistas (que são os 'místicos'), e os jurídicos. Para os primeiros, o ser só é belo se se revela organicamente ligado; e portanto o Cristo, supremamente atraente, deve irradiar fisicamente. Para os outros, o ser é inquietante desde que nele se oculte algo de mais vasto e de menos definível que nossas relações sociais humanas (consideradas no que elas têm de artificial). A partir daí, o Cristo não é senão um rei e um proprietário." (Cf. "L'energie humaine", 1937, e "Mon univers", 1924, textos por nós introduzidos, traduzidos e anotados em *Meu universo e a energia humana*, Edições Loyola, São Paulo, 1980, 139 pp.) "O Cristianismo, enfim, é especificamente personalista. Mas, ainda assim, será que a dominância atribuída aos valores da alma não o inclinaram a se apresentar sobretudo como um juridicismo e uma moral, em vez de nos manifestar os esplendores orgânicos e cósmicos encerrados no seu Cristo universal?" (Cf. *Sauvons l'humanité. Réflexions sur la crise présente*, 1936.)

O Juridicismo está ligado ao *Extrinsecismo*, que estabelece entre todas as manifestações do Real uma exterioridade que exclui qualquer organicidade, donde a recusa à consideração dos liames de imanência que unem Deus e sua criação. Esse modo de pensar é rejeitado pelo Autor também porque introduz uma descontinuidade radical entre os níveis do ser e até entre os seres particulares.

"*Assunto geral*: O *Extrinsecismo*: tendência *separatista* dos seres (excesso contrário do panteísmo). Manifestações visíveis em toda parte: *verbi gratia*: criação 'arbitrária'; criação = eficiência (Deus e Cosmo religados *ex voluntate*), corpo e alma = concebidos como dois estranhos (um peso morto e uma cativa); natureza e sobrenatureza = ligadas simplesmente ocasionalmente (...)" (Cf. *Notes et esquisses, Cahier 5*, 1918.)

Cumpre, pois, reconhecer a *Organicidade* como o caráter solidariamente harmonioso de um conjunto material ou espiritual, desde o Espaço-Tempo da Cosmogênese até o Corpo Místico.

"Neste grau de generalidade, em que evolução significa simplesmente *organicidade* do Estofo do Universo (organicidade temporal combinada com organicidade espacial), neste grau, insisto, não bastaria falar de certeza. É preciso dizer 'evidência'." (Cf. *Sur les degrés de certitude scientifique de l'idée d'évolution*, 1946.)

"Foi a experiência da Guerra que me fez tomar consciência e desenvolveu em mim *como um sentido a mais* (...) esse dom, ou faculdade, ainda relativamente raro, de *perceber*, sem as *ver*, a realidade e a organicidade das grandezas coletivas." (Cf. "Le coeur de la matière", 1955, por nós traduzido e comentado em *Para aquele que vem*, Instituto Social Morumbi, São Paulo, 1985, pp. 111-171.)

16. *Mistérios* são seres e verdades ocultas ou de difícil acesso para nossa compreensão (sentido desconhecido de um símbolo, problemas difíceis e insolúveis etc.). Os conteúdos religiosos são mistérios por excelência. A Teologia distingue mistérios em *sentido lato*, que são verdades, em sua essência (inacessibilidade, por exemplo, da compatibilidade dos atributos divinos) ou em sua existência (o secreto, por exemplo, do que Deus determinou para o Futuro), ocultas ao nosso entendimento finito; e mistérios em *sentido estrito*, que são verdades que, tanto na sua essência como na sua existência, são ocultas a todo entendimento finito, e de tal forma que, mesmo depois de manifestada a sua existência, há maneira de compreender a sua interna possibilidade (verdades básicas do Cristianismo, por exemplo, como a trindade das pessoas divinas, a Encarnação do Filho de Deus etc.). O fato de uma verdade ser mistério não quer dizer que ela em si e para nós seja absolutamente incognoscível. Primeiramente, em si, os mistérios são cognoscíveis e para Deus. Segundo, sua existência é comunicável pela Revelação (Cf. nota 9) e o seu sentido é apreensível por nós, ainda que de modo analógico e imperfeito. Eis por que o Autor fala de uma certa compreensão dos "mistérios", entre aspas. Ele

quer superar analogias atenuantes (convencionais, abstratas, morais, jurídicas e humanas) e voltar ao primitivo realismo (à novidade, à concretude, à fisicidade, à organicidade e à cosmicidade) dos Mistérios cristãos. Em muitas religiões, sobretudo antigas, dá-se o nome de mistérios a rituais secretos de que só podem participar os adeptos ou iniciados, guardando absoluto sigilo sobre o culto e a doutrina. Uma "nova Iniciação" e, com ela, "novos Mistérios" se impõem agora diante do "novo Universo" que a "nova visão" (Cf. o *Prólogo*) nos revela.

17. A *Encarnação* é o próprio ato pelo qual Deus se fez homem na pessoa do seu Cristo, Jesus. Ela é *redentora* porque salvífica, libertadora do pecado (ser menos, recaída na multiplicidade) e liberadora de força (amor-energia, mais-ser, ascensão para a Unidade por união). Nos dois sentidos é, portanto, "uma prodigiosa operação biológica".

    "De cada elemento do Mundo podemos nos perguntar, em termos de legítima filosofia, se ele não estende suas raízes até os limites extremos do Passado. Com quanto mais de razão não convém reconhecer no Cristo essa misteriosa pré-existência! (...) As prodigiosas durações que precedem o primeiro Natal não estão vazias dele, mas impregnadas de seu poderoso influxo. É a agitação de sua concepção que agita as massas cósmicas e dirige as primeiras correntes da biosfera. É a preparação de seu parto que acelera os progressos do instinto e a eclosão do pensamento na face da Terra. Não nos escandalizemos mais, ingenuamente, com as intermináveis esperas que o Messias nos impôs. Era preciso nada menos que os labores terríveis e anônimos do Homem primitivo, e a longa beleza egípcia, e a espera inquieta de Israel, e o perfume lentamente destilado das místicas orientais, e a sabedoria cem vezes refinada dos Gregos para que sobre a haste de Jessé e da Humanidade a Flor pudesse desabrochar. Todas essas preparações eram cosmicamente, biologicamente, necessárias para que o Cristo entrasse no cenário humano. E todo esse trabalho era acionado pelo despertar ativo e criador de sua alma, enquanto essa alma humana fora eleita para animar o Universo. Quando Maria o tomou nos braços, ele acabava de suspender o Mundo inteiro." (Cf. *Mon univers*, 1924, texto por nós traduzido e comentado em *Meu universo e a energia humana*, Edições Loyola, São Paulo, 1980, 139 pp.)

18. Paulo (entre 5 e 15-67), cognominado o "Apóstolo dos Gentios", nasceu em Tarso. Fariseu convicto, ardente perseguidor dos primeiros cristãos, foi derrubado por uma força sobrenatural, no caminho de Damasco, e converteu-se ao Cristianismo, que passou a pregar e a divulgar sobretudo entre os pagãos, em três viagens missionárias à Ásia Menor, à Grécia e à Macedônia. Aprisionado em Jerusalém, foi enviado a Roma, onde o decapitaram sob o império de Nero. Sua personalidade excepcional, expressa em suas catorze *Epístolas*, cartas inseridas no Novo Testamento, permitiu-lhe elaborar os grandes mistérios do Cristianismo.

19. João, o Evangelista (por volta do ano 100), foi um dos doze apóstolos e discípulo bem-amado de Jesus. Exerceu seu apostolado sobretudo na região de Éfeso, onde Paulo fundou a Igreja Cristã desde 54. Ele é o autor do *Apocalipse* (Cf. Parte IV, Capítulo III, nota 4), de três *Epístolas* e de um *Evangelho*.

20. Já, segundo o pensamento grego – segundo qualquer pensamento –, "ser" e "ser uno" não é identicamente a mesma coisa? (N. do A.) Com efeito, a unidade é um atributo ou propriedade transcendental (aspecto racional) do ser.

21. Cf. nota 5.

22. Isto é, de união íntima com as almas dos fiéis (e, por extensão, com o Dentro de todas as coisas) e de promoção de união entre elas, em Si mesmo...

23. A *Sublimação*, do latim *sublimare*, "destilar elementos voláteis", consiste, em Física, na transformação direta de um sólido em vapor, sem passar pelo estado líquido. Figurativamente, sublimar é pois erguer à maior altura, exaltar, aperfeiçoar, purificar. Ora, não é exatamente o que o Cristo opera ao liberar o Poder Espiritual da Matéria por Encarnação, Consagração, Ressurreição?

24. Cf. 1 Cor., 15, 28: "E quando todas as coisas lhe tiverem sido submetidas, então o próprio Filho se submeterá Àquele que tudo lhe submeteu, para que Deus seja tudo em todos."

25. *"En pási panta Theos."* (N. do A.) Citação, em grego, do final do versículo citado na nota anterior, a expressar uma forma superior de "panteísmo", que é o Panteísmo de Convergência. (Cf. Parte IV, Capítulo II, 2, nota 49.)

26. O *Dogma*, do grego *dógma*, "opinião", é um ponto fundamental e indiscutível ou o conjunto de pontos fundamentais e indiscutíveis de uma doutrina, em Religião ou em Filosofia. Na Igreja Católica Apostólica Romana, o dogma corresponde sempre a uma verdade já por ela definida como expressão legítima e necessária de sua fé.

27. Cf. Parte IV, Capítulo II, 2, nota 37.

28. Baruch de Spinoza (1632-1677), filósofo holandês, foi excomungado da Sinagoga por seu liberalismo em matéria de práticas religiosas. Nos meios cristãos, encontrou os mestres que o iniciaram nas ciências (Van den Enden, física, geometria e filosofia cartesiana). Sua principal obra, a *Ética* (1677), é uma doutrina da salvação pelo conhecimento de Deus. Trata-se de um panteísmo segundo o qual Deus é uma substância constituída por uma infinidade de atributos, dos quais conhecemos apenas dois: o pensamento e a extensão. A *Ética*, enquanto "tratado de beatitude", apresenta-se como um racionalismo absoluto, uma filosofia sem mistério (a salvação é possível porque nossa alma participa originalmente do entendimento divino) que trata do Homem, analisa a alma humana, suas afeições e paixões, todos os elementos da existência individual, visando educá-lo concretamente, isto é, levá-lo a reconhecer em si próprio, no fundo do seu "pensamento", a própria presença divina. Fichte (1762-1814) e Hegel (1770-1831 – Cf. nota seguinte) censuraram Spinoza por haver "exposto" a verdade sem, contudo, tê-la feito "compreender". Na sua obra *Tratado teológico-político* (1670), alia o seu racionalismo religioso a um liberalismo político, expondo um método crítico dos textos sagrados e assinalando o lugar das Igrejas no Estado. Escreveu também um *Curto tratado de Deus, do homem e da saúde de sua alma* (publicação póstuma em 1677), o *Tratado da reforma do entendimento* (póstumo) e *Os princípios da filosofia de Descartes*, complementados pelos *Pensamentos metafísicos* (póstumos).

29. Georg Wilhelm Friedrich Hegel (1770-1831), filósofo alemão, identifica o ser e o pensamento num princípio único, a Idéia, que se desenvolve dialeticamente em três momentos: tese, antítese e síntese. As primeiras reflexões de Hegel são extremamente concretas, focalizando-se no espírito do Judaísmo ("Vida de Abraão") e do Cristianismo ("Vida de Jesus") e revelando preocupações históricas e religiosas. Interessa-lhe descobrir o espírito de uma religião ou de um povo, forjar novos conceitos aptos a traduzir a vida histórica do Homem. Essa reflexão sobre a vida constitui a matéria de sua *Fenomenologia do Espírito* (1806), escrita em linguagem abstrata, que descreve a história da consciência desde a participação sensível no Mundo (o "aqui e agora") até o saber absoluto, passando por todas as experiências que a alma humana pode ter. Essa "Fenomenologia" suscitou as interpretações, de esquerda radical e materialista, que consideram como problema fundamental a realização da humanidade em nós e da Humanidade na História (D. F. Strauss, 1808-1874; Ludwig Feuerbach, 1804-1872; Karl Marx, 1818-1883). A ela segue-se a *Grande lógica* (1812-1816), que realiza o próprio Absoluto e o identifica ao saber da Filosofia, suscitando as interpretações, de direita e teístas, que consideram o Saber Absoluto como o fim último de toda a História Humana: Hegel é, então, um pensador especulativo, de inspiração religiosa (Gabler, Heinrichs, Göschel, Bruno Bauer).

30. *Metafísicas*, enquanto saberes especulativos e abstratos.

31. *Ideologia*, do grego *idea*, "idéia", e *logos*, "ciência", designa, genericamente, a ciência das idéias ou conceitos, nos vários sentidos desses termos; podendo também indicar um sistema de idéias abstratas sem correspondência com a realidade. O vocábulo recebeu significado mais determinado a partir do Materialismo Dialético, passando a designar qualquer sistema – filosófico, religioso e, mais especialmente, ético e político – que, embora se afirme como espiritual (idéias), não passa de função de um processo ou estado puramente material. Nesse sentido a Ideologia é um conjunto de idéias próprias de um grupo, numa época, traduzindo uma situação histórica, sobretudo econômica, dado o fato de estar sempre o espírito humano, em suas atuações, ligado de múltiplas formas às circunstâncias materiais, ao seu contexto histórico. O Autor, contudo, pelos nomes de Platão, Spinoza e Hegel invocados,

parece querer apenas frisar que, embora tendo motivações, intenções ou finalidade espirituais, éticas e até religiosas, muitas concepções, extraordinariamente amplas em termos de visão filosófico-metafísica do Mundo, não ultrapassaram a condição de sistemas abstratos de idéias, sem chegar a inspirar ou instaurar a concretude prática e fecunda de uma Religião (em que pese a inspiração de várias "práxis" políticas, econômicas, sociais etc.).

32. Sempre a preocupação de rastrear a História Natural, observando fenomenológico-cientificamente os fenômenos.

33. Já pelo seu universalismo (Cf. nota 12), mas também, vale observar, por se propor como uma religião da interioridade, que não se exprime diretamente numa moral mas numa crença (o Judaísmo não nos pede "crer", mas "fazer" e "estudar"). O Cristianismo é, antes de tudo, uma atitude espiritual que resulta em "religião do coração", em "religião do amor e da caridade", em "religião popular", por contraposição à "religião da sabedoria", à "religião da justiça", à "religião de elite intelectual" fundamentada na leitura, no estudo e na observância estrita dos difíceis textos e preceitos do Antigo Testamento.

34. É absolutamente lícito e imprescindível registrar objetivamente, na História da Humanidade e no Mundo Atual, a existência de uma Civilização Cristã enquanto complexo de comportamentos, crenças, instituições e outros valores espirituais e materiais transmitidos coletivamente e característicos de uma Humanidade que inclusive, nesses valores e no seu aprimoramento, encontrou uma forma de ser, pensar, sentir, agir e criar, uma cultura, que a fez e a faz se desenvolver progressivamente, enriquecendo-se entitativamente, "sendo mais" quantitativa e qualitativamente, sobre-sendo hiperfisicamente.

35. O *Amor* é força primordial do espírito dotado de atividade volitiva, força animadora e criadora de valores. Em seu núcleo vivencial, o amor é sempre uma atitude da vontade, mas em sua totalidade vivencial ele é uma atitude ou atividade global afirmativa (que reconhece e cria em busca da união) da alma espiritual, face a pessoas portadoras de valores espirituais, face a esses próprios valores. Assim, o amor arranca a personalidade de seu isolamento individual, levando-a a participar do Real e, particularmente, do convívio na comunidade humana. Embora atuando na vida afetiva e sendo por ela sustentado, o amor não se reduz a qualquer sentimento (de prazer, "superior" etc.), mas é antes apreciação de valor. Menos ainda se equipara a qualquer tendência instintiva, ainda que "sublimada". Trata-se, pois, a partir do Homem, de uma apreciação voluntária de valores e seres portadores de valor que, a cada nível, pode incorporar, hiperfisicamente, os níveis anteriores e inferiores; mas que tende, por natureza, a se ampliar progressivamente, recaindo por fim sobre o(s) valor(es) absoluto(s) da Pessoa Absoluta. Na verdade é o infinito e supremo valor pessoal de Deus (Amor subsistente) que fundamenta o "amar a Deus". Ora, possuindo todo e cada Homem essa ordenação pessoal ao valor divino, é também todo e cada Homem portador de um valor próprio irrefutável. Daí o dever de "amar o próximo". Esses dois amores pressupõem o "amor de si" porquanto cada qual, por sua vez, é portador de um valor pessoal e daquela ordenação ao valor supremo. Assim o movimento amoroso que começa, logicamente, no núcleo pessoal de um "eu" (centração) expande-se e transborda para o "tu", para o "nós" (descentração, ex-centração), e culmina num "Tu" supremo (super-centração) que é, agostinianamente, mais íntimo que o meu próprio interior (Deus). O *altruísmo*, pois, não é oposto ao amor ordenado de si, mas ao egoísmo desordenado que se restringe e aferra ao próprio eu. Nem por isso tem o direito de resvalar para *altruísmo exagerado*, que só admite como moralmente defensável a ação subordinada ao bem alheio ou a um bem comum impessoal. Na busca do equilíbrio, o amor não se reduz à mera *filantropia* humanista ou sentimental, que pode até recobrir um refinado egoísmo. A *compaixão*, o tomar parte no sofrimento alheio, não lhe é estranha, mas também não constitui único meio de ação para o seu exercício. Assim, o amor encontra sua expressão perfeita, plena e harmoniosa na sua configuração cristã de *Caridade*, que inclui o melhor das demais e ainda é o amor paciente, prestativo, não invejoso, modesto, humilde, adequado, justo, verdadeiro, capaz de perdão, crente, esperançoso, corajoso etc. que jamais passará (Cf. *Cor.* 1, 13), a maior das forças ou virtudes, inclusive pelo comportamento que suscita, e que o Autor passa a avaliar.

36. A *Igreja*, do grego *ekklesía*, "assembléia", é a sociedade religiosa fundada pelo Cristo

Jesus, constituindo-se numa comunidade de amor de todos os cristãos em torno do próprio Cristo (Cf. Paulo Evaristo Arns, *O que é Igreja*, Abril Cultural/Brasiliense, São Paulo, 1985, 149 pp.). Nesse sentido, ela é união viva que se mantém organicamente ligada pelo Amor-Energia. No sentido fenomenal (que só abrange a Igreja Militante, com exclusão da Padecente e da Triunfante), ela constitui o filo crístico (simultaneamente linhagem no tempo e comunidade de pessoas no espaço), pelo qual se edifica e se desenvolve o organismo sobrenatural que se chama Corpo Místico.

"(...) no próprio âmago do fenômeno social, está em curso uma espécie de *ultra-socialização*: aquela através da qual a Igreja se forma pouco a pouco, vivificando por sua influência, e coletando sob a forma mais sublime todas as energias espirituais da Noosfera — a Igreja, força reflexivamente cristificada do Mundo; a Igreja, foco principal de afinidades inter-humanas por super-caridade; a Igreja, eixo central de convergência universal, e ponto preciso de encontro nascente entre o Universo e o Ponto Ômega." (Cf. *Comment je vois*, 1948.)

37. O *Espírito Moderno*, no texto entre aspas, indica um "tipo de Pensamento", o Pensamento surgido especificamente nos Tempos Modernos pelo acesso do Espírito Humano a uma maneira de ver o Universo, que se lhe revela sempre mais imenso, múltiplo e extremamente móvel, em evolução, exigindo — nessas suas "novas" dimensões, natureza e estado — estruturação por parte do Homem.

38. *Mitos*, do grego *mythos*, "narrativa", "relato", "fábula", significam, originariamente, narrações dos tempos passados e fabulosos (estórias de deuses e heróis). Designam, posteriormente, imagens ou alegorias que traduzem relações existentes no universo ou na vida (os mitos de Platão, por exemplo). Podem expressar também concepções da vida e do mundo, em que o elemento imaginativo, mais que mera alegoria externa do conceptual, constitui com ele uma unidade de visão, vivenciada como a própria realidade, e, nesse sentido, influenciando profundamente a cultura de um povo (o Sebastianismo, por exemplo; Cosmovisões, Mundividências). A Mitologia, ramo da Etnologia Comparada ou da História das Religiões, estuda o conteúdo, a origem, a influência e a trajetória dos mitos, empenhando-se, particularmente, em descobrir neles os embriões das religiões, enquanto primeiras tentativas de explicação sentimental e afetiva da realidade. Mas os mitos em si não são religiosos; podem combinar-se com representações ou mundividências de caráter religioso. Enquanto produtos do espírito, não circunscritos ao passado ou a determinada época, são acessíveis, em todos os tempos, à humanidade ingênua. Da consideração ingênua da Natureza resultam os *mitos naturais* e da reflexão posterior sobre o precedente desenvolvimento da cultura, os *mitos culturais*. O pensamento científico-abstrato não favorece o nascimento e a eficácia de mitos. Daí a reação romântica ao racionalismo do Iluminismo e a proposição de reflexão sobre os mitos como método de um conhecimento aprofundado do homem e das religiões, uma interpretação irracional, não-científica do universo (Friedrich W. J. Schelling, 1775-1854; Friedrich Nietzsche, 1844-1900; Ernst Cassirer, 1874-1945; Karl Jaspers, 1883-1969; Alfred Rosemberg, 1893-1946). Embora podendo reconhecer a ação estimuladora da cultura inerente a muitos mitos, o Autor se refere a "mitos insustentáveis", quer dizer, ingênuos demais para darem conta do Universo divisado pelo "Espírito moderno" (Cf. nota anterior) e "a renovação das perspectivas cósmicas". Com tais mitos desmoronam também antigas religiões a eles estreitamente ligadas, enquanto mundividências ingênuas, limitadas, estáticas ou cristalizadas.

39. Uma *Mística de Pessimismo e Passividade* é aquela que parte da constatação da vida como perpétua dor, da natureza humana como falha e da história como decadência. Estabelecido esse quadro como fatalidade, carma ou absurdo fundamental, resta-nos submetermo-nos a ele passivamente e, evadindo-nos, procurar nossa dissolução numa realidade superior. É, em geral, a postura da Mística Oriental:

"Não há mística senão quando o espírito procura resolver a oposição entre unidade e multiplicidade, quando existe aspiração à unidade (impossível mística do pluralismo). Para o místico oriental, a resolução do múltiplo no um opera-se por supressão do múltiplo, a unidade nada tem em comum com esse múltiplo do qual precisamos nos separar (Maya). O estado do nirvana é uma embriaguez de vacuidade." (Cf. *Orient et occident ou la mystique de la personnalité*, 1933.)

Ora, dadas "as imensidades precisas ou as exigências construtivas do Espaço-Tempo", tal postura se patenteia, no mínimo, inadequada, pois:

"Nesta participação ativa de nossos seres a uma obra de conjunto (obra cuja realidade se descobre no final de todos os caminhos da Ciência), condensa-se e configura-se, no âmago do mundo moderno, a nebulosa dos panteísmos antigos. A uma aceitação instintiva, sentimental e passiva das potências cósmicas, sucedem-se, nos seres vivos, o dom racional e a colaboração refletida do elemento a uma tarefa e a um ideal comuns." (Cf. "L'energie Humaine", 1937, texto por nós traduzido e comentado em *Meu universo e a energia humana*, Edições Loyola, São Paulo, 1980, 139 pp. Cf. também *La route de l'ouest vers une mystique nouvelle*, 1932, e *Mystique orientale e mystique de l'ouest*, 1948.)

40. Cf. Parte III, Capítulo III, 1 e 2.

41. Cf. as considerações e os textos sobre *Juridicismo* e *Extrinsecismo* na nota 15. Cf. também nota seguinte.

"Cristo-Rei, Cristo-Universal: entre os dois, uma simples nuança talvez, mas que é tudo; toda a diferença posta entre um poder externo, que só poderia ser jurídico e estático, e uma dominação interna, que, esboçada na Matéria e culminando na Graça, opera sobre nós a favor e através de todas as ligações orgânicas do Mundo em progresso." (Cf. *La parole attendue*, 1940.)

42. A *Energia Crística* consiste na eficiência do Cristo, enquanto Ele, por sua Encarnação, é motor da Evolução convergente e fonte de dinamismo sobrenatural ou místico. É a mais alta das energias, Amor-Energia personalizado, vivo, feito Homem, divinizado e plenamente atuante (ativante e atraente).

"E assim se formula pouco a pouco diante de nós a extraordinária noção e visão de uma certa *Energia Crística* universal, *a um só tempo sobrenaturalizante e ultra-humanizante*, na qual se encontra simultaneamente materializado e personalizado o Campo de Convergência necessário para explicar e garantir o enrolamento geral e global do Cosmo sobre si mesmo. Energia capaz de cobrir *extensivamente*, se for o caso, a pluralidade de planetas pensantes engendrados pela evolução da matéria sideral; ou, no mínimo (se, por acaso, tais focos reflexivos extraterrestres não existirem), energia capaz de 'ativar' exaustivamente (...) a totalidade do potencial implicado, em nossa Terra, na grande aventura da Antropogênese." (Cf. *Un seuil mental sous nos pas: du cosmos à la cosmogénèse*, 1951.)

43. *Cristogênese* é a gênese do Cristo, não em sua natureza divina, é claro, mas em sua natureza humana, preparada pela evolução cósmica, depois pela vocação do povo de Israel, revelando-se enfim pelo nascimento, vida e morte de Jesus histórico (ponto crítico e limiar de emergência). (Cf. nota 17 e o texto do Autor ali citado.) Se o corpo individual do Cristo, que se tornou glorioso pela Ressurreição, não mais conhece qualquer gênese, nem por isso essa Cristogênese deixa de ser promovida, graças ao Corpo místico, pelo ultra-humano e só se concluirá na Parusia, quando o crescimento do Corpo Místico estiver totalmente consumado no Pleroma:

"O que, afinal de contas, constitui a imbatível superioridade do Cristianismo sobre todas as outras espécies de Fé é o achar-se identificado, cada vez mais conscientemente, com uma *Cristogênese*, quer dizer, com a ascensão percebida de *uma certa Presença universal*, ao mesmo tempo *imortalizante e unitiva*." (Cf. *Le christique*, 1955.)

44. Cf. notas 18 e 19.

45. Cf. *La foi que opère*, 1918. Trata-se de uma *Fé* nova, na qual se compõem a Fé ascensional para um Transcendente, e a Fé propulsiva em direção a um Imanente. É uma força energética, unitiva e criadora. Perceber, afirmar e decidir que o Mundo tem um sentido espiritual e nesse sentido avança convergentemente. Acreditar que tudo se consuma em Deus. (Cf. *Foi humaine – Foi spirituelle*, 1948.)

"A fé, tal como a entendemos aqui, não é só, evidentemente, a adesão intelectual aos dogmas cristãos. Num sentido muito mais rico, ela constitui a crença em Deus, carregada de tudo o que o conhecimento deste Ser adorável pode suscitar em nós de confiança em sua força benfazeja. É a convicção prática de que o Universo, entre as mãos do Criador, continua sendo a argila, cujas possibilidades múltiplas ele modela a seu bel-prazer. É, resumindo, a *fé evangélica* (...) insistentemente recomendada pelo Salvador." (Cf. *O meio divino*. 1926-1927, por nós traduzido e anotado, Editora Cultrix, São Paulo, 1981, 171 pp.)

46. Cf. nota 35.
47. Ou, pelo menos, fórmula mais exata, "para confirmar a presença, à cabeça do Mundo, de algo *de mais elevado ainda, na sua linha*, que o ponto Ômega". – Isto para respeitar a tese teológica do "Sobre-natural", segundo a qual o contato unitivo *hic et nunc* iniciado entre Deus e o Mundo atinge uma super-intimidade, e portanto uma super-gratuidade, que o Homem não podia imaginar nem pretender em virtude unicamente das exigências de sua "natureza". (N. do A.)

RESUMO ou POSFÁCIO[1]
A Essência do Fenômeno Humano

Desde a época em que este livro foi redigido,[2] não se alterou em mim a intuição que ele procura exprimir. No conjunto, continuo a ver o Homem exatamente da mesma maneira como quando escrevia essas páginas pela primeira vez. E, no entanto, esta visão fundamental não ficou, – não podia ficar, – imóvel. Por irresistível aprofundamento da reflexão, – por decantação e ordenação automática das idéias associadas, – por acesso de novos fatos, – por necessidade contínua, também, de ser mais bem compreendido, surgiram-se gradualmente, de dez anos para cá, certas formulações e articulações novas que tendem, simultaneamente, a destacar e a simplificar as linhas mestras de minha antiga redação.

É a essência, não modificada, mas repensada do "Fenômeno Humano"[3] que julgo útil apresentar aqui, à maneira de resumo ou conclusão, sob a forma das três proposições que se seguem.

1. Um Mundo que se Enrola: ou a Lei Cósmica de Complexidade-Consciência

Familiarizamo-nos ultimamente, na escola dos astrônomos, com a idéia de um Universo que, desde há alguns bilhões de anos (apenas!), iria se desabrochando em galáxias a partir de uma espécie de átomo primordial. Essa perspectiva de um Mundo em estado de explosão é ainda discutida; mas a nenhum físico ocorreria a idéia de rejeitá-la como eivada de filosofia ou de finalismo.[4] Não é mau ter sob os olhos esse exemplo para compreender ao mesmo tempo o alcance, os limites e a perfeita legitimidade científica das perspectivas que proponho aqui. Reduzida, com efeito, ao seu cerne mais puro, a substância das longas páginas precedentes reduz-se inteiramente a esta simples afirmação de que se o Universo nos aparece sideralmente como em vias de expansão espacial (do Ínfimo ao Imenso), do mesmo modo, e mais claramente ainda, apresenta-se a nós, físico-quimicamente, como em vias de *enrolamento* orgânico sobre si mesmo (do muito simples ao extremamente complicado), – achando-se esse enrolamento particular "de complexidade" experimentalmente ligado a um aumento correlativo de interiorização, isto é, de psique ou consciência.

No exíguo domínio de nosso planeta (o único até agora[5] em que podemos fazer Biologia) a relação estrutural aqui notada entre complexidade e consciência é experimentalmente incontestável, e desde sempre conhecida. O que confere originalidade à posição adotada no livro que apresento é colocar, de saída, que essa propriedade particular que possuem as substâncias terrestres de se vitalizarem sempre mais, complicando-se cada vez mais, não passa da manifestação e da expressão local de uma deriva[6] tão universal (e sem dúvida mais significativa ainda) quanto aquelas, já identificadas pela Ciência, que impelem as camadas cósmicas não só a se alastrarem explosivamente como uma onda, mas também a se condensarem corpuscularmente sob as forças de eletromagnetismo e da gravidade, ou ainda a se desmaterializarem por irradiação: achando-se provavelmente essas diversas derivas (um dia o reconheceremos) estritamente conjugadas entre si.[7]

Se assim é, vê-se que a consciência, definida experimentalmente como o efeito específico da complexidade organizada, ultrapassa muito o intervalo, ridiculamente pequeno, em que nossos olhos chegam a distingui-la diretamente.

Por um lado, com efeito, mesmo onde valores quer muito pequenos, quer até médios, de complexidade no-la tornam estritamente imperceptível (a partir e abaixo, quero dizer, das moléculas muito grandes), somos logicamente levados a supor em todo corpúsculo a existência rudimentar (no estado de infinitamente pequeno, isto é, de infinitamente difuso) de alguma psique, – exatamente como o físico admite, e poderia calcular as alterações de massa (completamente inapreensíveis para uma experiência direta) que se produzem no caso de movimentos lentos.

Por outro lado, precisamente nos pontos do Mundo onde, em conseqüência de circunstâncias físicas diversas (temperatura, gravidade...), a complexidade não chega a atingir os valores ao nível dos quais uma irradiação de consciência poderia influenciar nossos olhos, somos levados a pensar que, tornando-se favoráveis as condições, o enrolamento, momentaneamente detido, logo retomaria a sua marcha para a frente.

Observado segundo o seu eixo das Complexidades, insisto, o Universo está, no conjunto e em cada um de seus pontos, em tensão contínua de dobramento orgânico sobre si mesmo e, portanto, de interiorização.[8] O que equivale a dizer que, para a Ciência, a Vida está desde sempre em pressão por toda a parte;[9] e que, onde ela chegou a despontar de modo apreciável, nada poderia impedi-la de levar até o máximo o processo de que saiu.

É nesse meio cósmico ativamente convergente que precisamos, a meu ver, nos colocar se queremos fazer surgir nitidamente e explicar de um modo plenamente coerente o Fenômeno Humano.

2. O Primeiro Aparecimento do Homem: ou o Passo Individual da Reflexão

Para superar a improbabilidade dos arranjos que levam a unidades de tipo cada vez mais complexas, o Universo em vias de enrolamento, considerado em suas zonas pré-reflexivas,[10]* progride passo a passo, a golpes de bilhões e bilhões de tentativas. É esse processo de tenteios combinado com o duplo mecanismo de reprodução e de hereditariedade (permitindo armazenar e melhorar aditivamente — sem diminuição, ou até com aumento do número de indivíduos implicados — as combinações favoráveis uma vez obtidas), que produz o extraordinário conjunto de linhagens vivas que formam o que anteriormente chamei "a Árvore da Vida", — mas que poderíamos também comparar perfeitamente a um espectro de dispersão em que cada comprimento de onda corresponde a um matiz particular de consciência ou de instinto.

Observados de um certo ângulo, os diversos raios desse leque psíquico podem parecer, e são ainda, de fato, muitas vezes considerados pela Ciência, como vitalmente equivalentes: tanto de instintos, tanto de soluções, igualmente válidas e não comparáveis entre si, de um mesmo problema. Uma segunda originalidade de minha posição no "Fenômeno Humano", depois daquela que consiste em fazer da Vida uma função universal de ordem cósmica, é atribuir, pelo contrário, valor de "limiar" ou de mudança de estado, ao aparecimento, na linguagem humana, do poder de *reflexão*. Afirmação de modo algum gratuita (note-se bem isso!), e tampouco baseada inicialmente em qualquer metafísica do Pensamento.[11] Mas opção experimentalmente apoiada no fato, curiosamente subestimado, de que a partir do "passo da Reflexão" acedemos verdadeiramente a uma nova forma de Biologia,[12]* caracterizada, entre outras particularidades, pelas seguintes propriedades:

a) Emergência decisiva, na vida individual, dos fatores de arranjo internos (*invenção*) acima dos fatores de arranjo externos (utilização do jogo das probabilidades).[13]

b) Aparecimento igualmente decisivo, entre elementos, de verdadeiras forças de aproximação ou de afastamento (simpatia e antipatia), que revezam as pseudo-atrações e pseudo-repulsões da Pré-Vida, ou mesmo da Vida inferior, reportáveis ambas, ao que parece, a simples reações às curvaturas do Espaço-Tempo e da Biosfera,[14] respectivamente.

c) Despertar, enfim, na consciência de cada elemento em particular (como conseqüência de sua nova e revolucionária aptidão para prever o Futuro), de uma exigência de "sobrevida ilimitada". Quer dizer, passagem, para a Vida, de um estado de irreversibilidade relativa (impossibilidade física de o enrolamento cósmico se deter, uma vez desencadeado) ao estado de irreversibilidade absoluta (incompatibilidade dinâmica radical de uma perspectiva certa de Morte total com a continuação de uma Evolução que se tornou reflexiva).[15]

Essas diversas propriedades conferem ao grupo zoológico que as possui uma superioridade não somente quantitativa e numérica, mas funcional e vital, indiscutível; indiscutível, insisto: desde que nos decidamos, todavia, a aplicar até o fim, sem fraquejar, a lei experimental de Complexidade-Consciência à evolução global do grupo inteiro.[16]

3. O Fenômeno Social: ou a Ascensão Para um Passo Coletivo da Reflexão[17]

De um ponto de vista estritamente descritivo, acabamos de ver, o Homem não representa originalmente mais que uma entre inúmeras outras nervuras que formam o leque, ao mesmo tempo anatômico e psíquico, da Vida. Mas porque essa nervura ou, se se prefere, esse raio foi de todos o único que chegou, graças a uma posição ou a uma estrutura privilegiada, a emergir do Instinto para o Pensamento, ele se mostra capaz, no interior desse domínio do Mundo ainda inteiramente livre, de se estender por sua vez, de modo a gerar um espectro de segunda ordem: a imensa variedade dos tipos antropológicos que conhecemos.[18] Observemos esse segundo leque. Em virtude da forma particular de Cosmogênese por nós adotada nestas páginas, o problema que nossa existência coloca à nossa Ciência é evidentemente o seguinte: "Em que medida, e eventualmente sob que forma, a camada humana obedece ainda (ou escapa) às forças de enrolamento cósmico que lhe deram origem?"

A resposta a essa pergunta, vital para nossa conduta, depende inteiramente da idéia que fazemos (ou mais exatamente, da idéia que devemos fazer) da natureza do Fenômeno Social, tal como se desenrola em pleno surto à nossa volta.

Por rotina intelectual (e também porque nos é positivamente difícil dominar um processo no seio do qual estamos imersos), a auto-organização,[19] sempre ascendente, da Miríade humana sobre si mesma é ainda considerada (no mais das vezes) como um processo jurídico e acidental, que apresenta apenas uma analogia superficial, "extrínseca", com as construções da Biologia. Desde o seu aparecimento, a Humanidade,[20] como tacitamente se admite, continua a se multiplicar: o que a obriga naturalmente a descobrir para seus membros arranjos cada vez mais complicados. Mas não confundamos esse *modus vivendi* com um verdadeiro progresso ontológico.[21] Evolutivamente, há muito que o Homem não muda, – se alguma vez mudou...

Pois bem, é aqui que, enquanto homem de ciência, julgo dever manifestar minha oposição e meu protesto.

Em nós, Homens, – sustenta ainda uma certa forma de senso comum,[22]* – a evolução biológica culmina. Refletindo-se sobre si mesma, a Vida ter-se-ia tornado imóvel. – Mas não se deveria dizer, pelo contrário, que ela salta de novo para diante? Observe-se antes a maneira como, quanto mais a Humanidade ordena tecnicamente sua multidão, mais nela, *pari passu*, crescem a tensão psíquica, a consciência do Tempo e do Espaço, o gosto e o poder da Descoberta. Esse grande acontecimento parece-nos sem mistério. E, contudo, nessa associação reveladora do Arranjo técnico e da Centração psíquica, como não reconhecer ainda em ação (se bem que em proporções e a uma profundidade jamais atingidas anteriormente), a grande força de sempre, – aquela mesma que nos fez? Como não ver que, depois de nos haver rolado individualmente, a cada um de nós, – a você e a mim – sobre nós mesmos, é sempre o mesmo ciclone[23] (mas à escala social, desta vez) que continua sua marcha por cima de nossas cabeças, – comprimindo-nos todos juntos num abraço que tende a completar cada um de nós, ligando-nos organicamente a todos os outros ao mesmo tempo?[24]

"Pela socialização humana, cujo efeito específico é fazer dobrar-se sobre si mesmo o feixe inteiro das escamas[25] e das fibras reflexivas da Terra, é o próprio eixo do vórtice cósmico de Interiorização que prossegue o seu curso": revezando e prolongando os dois postulados preliminares acima postos em destaque (um concernente ao primado da Vida no Universo, e o outro ao primado da Reflexão na Vida), tal é a terceira opção – a mais decisiva de todas – que acaba de definir e de esclarecer minha posição científica perante o Fenômeno Humano.

Não cabe aqui mostrar em detalhe com que facilidade e com que coerência essa interpretação organicista do fato social explica (ou até, segundo certas direções, permite prever) a marcha da História. Notemos apenas que se, para além da hominização elementar que culmina em cada indivíduo, desenvolve-se realmente acima de nós uma outra hominização, coletiva esta, e da espécie, – então é perfeitamente natural constatar que, paralelamente com a socialização da Humanidade, exaltam-se na Terra as três mesmas propriedades psicobiológicas que o passo individual da Reflexão (cf. acima) havia inicialmente liberado.

a) Poder de invenção.[26] primeiro, tão rapidamente intensificado em nossos dias pelo mútuo escoramento racionalizado de todas as forças de pesquisa, que se tornou possível doravante falar (como eu dizia há pouco) de um ressalto humano da Evolução.

b) Capacidade de atrações (ou de repulsões)[27] em seguida, exercendo-se ainda de maneira caótica através do Mundo, mas tão rapidamente crescentes à nossa volta, que o econômico (diga-se o que se disser) corre o risco de contar bem pouco amanhã face ao ideológico e ao passional na ordenação da Terra.

c) Exigência, enfim e sobretudo, de irreversível,[28] – que ultrapassa a zona ainda um pouco hesitante das aspirações individuais para se exprimir categoricamente na consciência e pela voz da Espécie. – Categoricamente, repito eu: nesse sentido que, se um homem isolado pode chegar a imaginar que lhe é possível, fisicamente ou mesmo moralmente, encarar uma supressão completa de si próprio, – já a Humanidade, essa, face a uma total aniquilação (ou mesmo simplesmente a uma insuficiente preservação) reservada ao fruto de seu labor evolutivo, começa a dar-se conta seriamente de que só lhe restará fazer greve: o esforço de levar a Terra para diante se faz por demais pesado, e ameaça durar tempo demais, para que continuemos a aceitá-lo, a não ser que trabalhemos no incorruptível.[29]

Reunidos entre si, esses diversos indícios, e muitos outros ainda, parecem-me constituir uma séria prova científica de que (em conformidade com a lei universal de centro-complexidade[30]) o grupo zoológico humano, – longe de derivar biologicamente, por individualismo desenfreado, para um estado de granulação crescente – ou ainda de se orientar (por meio da astronáutica) para um escape à morte por expansão sideral, – ou, simplesmente, de declinar até a catástrofe ou a senectude, dirige-se em realidade, por arranjo e convergência planetárias de todas as reflexões terrestres elementares, para um segundo ponto crítico de Reflexão, coletivo e superior: ponto além do qual (precisamente porque é crítico) nada podemos ver diretamente; mas ponto através do qual podemos prognosticar (como já mostrei) o contato entre o Pensamento, nascido da involução[31] sobre si próprio do estofo das coisas, e um foco transcendente "Ômega", princípio ao mesmo tempo irreversibilizante, motor e coletor dessa involução.

Resta-me apenas, para concluir, precisar meu pensamento acerca de três questões que têm habitualmente causado dificuldades aos que me lêem; refiro-me a: *a*) qual é o lugar deixado à liberdade (e portanto à possibilidade de um malogro do Mundo)? *b*) qual é o valor concedido ao Espírito (em relação à Matéria)? e *c*) que distinção subsiste entre Deus e o Mundo, na teoria do Enrolamento cósmico?

a) No que diz respeito às probabilidades de sucesso da Cosmogênese, de modo algum se depreende, suponho, da posição aqui adotada, que o êxito final da hominização seja necessário, fatal, garantido. Sem dúvida, as forças "noogênicas"[32] de compressão, organização e interiorização, sob as quais se opera a síntese biológica da Reflexão, não relaxam por um só momento sua pressão sobre o estofo humano: donde a possibilidade, acima indicada, de prever com segurança — *se tudo correr bem* — certas direções precisas do futuro.[33]* Mas, por força de sua própria natureza, não o esqueçamos, o arranjo dos grandes complexos (isto é, de estados cada vez mais improváveis, — embora encadeados entre si) só se opera no Universo (e mais especialmente no caso do Homem) por dois métodos conjugados: 1) utilização tateante dos casos favoráveis (cujo aparecimento é provocado por jogo dos grandes números), e 2) numa segunda fase, invenção reflexiva. Isso quer dizer somente que a energia cósmica de Enrolamento, por mais persistente, por mais imperiosa que seja em sua ação, encontra-se intrinsecamente afetada, em seus efeitos, por duas incertezas ligadas ao duplo jogo, — embaixo, das probabilidades, e, — em cima, das liberdades. Notemos contudo que, no caso de conjuntos muito grandes (tais como esse, precisamente, representado pela massa humana), o processo tende a "infalibilizar-se", pois as probabilidades de êxito aumentam do lado do acaso e as probabilidades de recusa ou de erro diminuem do lado das liberdades, com a multiplicação dos elementos implicados.[34]*

b) No que concerne ao valor do Espírito, observo que, do ponto de vista fenomenal em que sistematicamente me confino, Matéria e Espírito não se apresentam como "coisas", "naturezas", mas como simples *variáveis* conjugadas, de que convém determinar, não a essência secreta, mas a curva em função do Espaço e do Tempo. E lembro que, neste nível de reflexão, a "consciência" se apresenta, e exige ser tratada, não em absoluto como uma espécie de entidade particular e subsistente, mas como um "efeito", com o "efeito específico", da Complexidade.

Ora, dentro destes mesmos limites, por mais modestos que sejam, algo de muito importante parece-me ser fornecido pela experiência em favor das especulações da metafísica.

Por um lado, com efeito, sendo admitida a transposição da noção de Consciência acima indicada, já nada nos impede (pelo contrário) — como vimos — de prolongar para baixo, na direção das fracas complexidades, sob forma invisível, o espectro do "dentro das coisas": o que quer dizer que o "psíquico" se revela como subtendendo, em graus de concentração diversos, a totalidade do Fenômeno.

E por outro lado, seguido para cima, na direção dos complexos muito grandes, o mesmo "psíquico", a partir do momento em que se nos torna perceptível nos seres, manifesta, relativamente à sua matriz de "Complexidade", uma tendência crescente ao autodomínio e à autonomia. Nas origens da Vida, parece ser o foco de arranjo (F_1) que, em cada elemento individual, gera e controla o seu foco conjugado de consciência (F_2). Mais acima, eis que o equilíbrio se inverte. Muito nitidamente, primeiro, a partir do "passo individual da reflexão" (se não já antes!), é F_2 que começa a encarregar-se (por "invenção") dos progressos de F_1.

E depois, mais acima ainda, isto é, nas proximidades (conjecturadas) da Reflexão coletiva, eis que F_2 dá ares de se dissociar do seu quadro temporoespacial para se conjugar com o foco Ômega, universal e supremo.[35] Depois da emergência, a emersão! — Nas perspectivas do Enrolamento cósmico, não apenas a Consciência se torna co-extensiva ao Universo, mas também o Universo adquire equilíbrio e consistência, sob forma de Pensamento, sobre um pólo de interiorização suprema.

Que suporte experimental mais belo do que esse para fundamentar metafisicamente a primazia do Espírito?

c) E, enfim, para terminar, e eliminar de uma vez por todas os receios de "panteísmo" constantemente evocados a propósito da Evolução por certos campeões do espiritualismo tradicional, como não ver que, no caso de um *Universo convergente* tal como o apresentei, — longe de nascer da fusão e da confusão dos centros elementares que reúne, o Centro Universal de unificação (exatamente para exercer sua função motora, coletora e estabilizadora) deve ser concebido[36]* como preexistente e transcendente? "Panteísmo" muito real, se se quiser (no sentido etimológico do termo), mas panteísmo absolutamente legítimo: pois que se, em fim de contas, os centros reflexivos do Mundo não fazem efetivamente senão "um com Deus", esse estado se obtém, não por identificação (Deus tornando-se tudo), mas por ação diferenciadora e comungante do amor (Deus todo *em todos*),[37] — o que é essencialmente ortodoxo e cristão.

NOTAS

1. O texto deste *Resumo* ou *Posfácio* já foi por nós traduzido e anotado em *Teilhard de Chardin: mundo, homem e Deus*, Editora Cultrix, São Paulo, 1978, pp. 44-57. Retocamos a tradução e alteramos, substituímos, introduzimos ou suprimimos notas, tendo em conta que lá o texto estava isolado, integrando uma antologia, e aqui volta ao seu devido lugar. Por outro lado, dispensamo-nos de definir certos termos, esclarecer certas expressões ou comentar certas afirmações – e até mesmo de reportar o leitor a notas anteriores –, tendo em vista o caráter sinótico do texto. Os termos não anotados agora já o foram, com certeza, anteriormente. Basta, pois, localizá-los no *Índice Remissivo* e conferi-los em nota(s) anterior(es).

2. Do próprio texto da presente obra o Mons. Bruno de Solages relata, em carta de 17/11/1955 a Claude Cuénot, conhecer três versões sucessivas com variações. Ele diz textualmente: "(...) Quero lhe precisar que as 3 edições sucessivas do F. H. que possuo (2 datilografadas, a 3ª mimeografada) são *grosso modo* semelhantes. A 1ª se reconhece porque não há advertência no começo, a 2ª porque nela há uma, a 3ª porque tem um posfácio. A 1ª é anterior, a 2ª é posterior às observações múltiplas, mas de detalhe que lhe fizemos de *viva voce* com o Pe. de Lubac. Na 3ª há uma simplificação da exposição do começo do livro (foi o Pe. Teilhard que me disse isso) e modificações nas notas, devidas sem dúvida aos pedidos dos censores, mais o posfácio e o apêndice". Ora, verificando que na edição oficial das *Oeuvres* pelas Éditions du Seuil em 1955, este *Posfácio* é publicado sem indicação de lugar e de data, e tendo certeza – pelas declarações do próprio Autor e pelas supracitadas informações do Mons. Bruno de Solages – de que o texto é posterior à conclusão da obra, supomos que ele tenha sido redigido na mesma data ou época do *Apêndice*, que é datado de "Roma, 28 de outubro de 1948". A terceira versão de Solages inclui "*o posfácio e o apêndice*"... Romano Rezek é da mesma opinião (Cf. *Bibliographie des écrits (non strictement scientifiques)*

du P. Teilhard de Chardin et leurs traductions hongroises, Centro de Documentação Teilhard, São Paulo, 1973, p. 57). Enfim, o próprio Autor, ao final do parágrafo, fala em "dez anos" passados, e a obra foi redigida, com certeza, entre 1938 e 1940. Importa portanto ver, em meio a tudo isso, o seu empenho constante de clareza e precisão.

3. O *Fenômeno Humano* – a esta altura é possível resumir – é o Homem considerado não tanto como sujeito reflexivo, mas antes enquanto objeto do método de observação fenomenológico-científica: o fato experimental do aparecimento, em nosso Universo, do poder de pensar e refletir. Esse fenômeno não esgota a realidade integral do Homem, mas sua descrição interpretativa coerente resulta numa representação dinâmica e articulada de todo o Real, que é visão e saber global, a Hiperfísica.

4. Pois equivaleria a rejeitá-la como não estritamente científica... e ela o é, apesar de não poder ser direta e imediatamente observada e comprovada, dada a imensidade de seu objeto: o Universo. O Autor reivindica a mesma compreensão para as perspectivas que apresenta ao afirmá-las a um nível de observação *físico-químico* e *experimental* – como explicita ao final do parágrafo. Por outro lado, convém esclarecer que ele evita cuidadosamente colocações estritamente filosóficas, ainda que pudesse fazê-las (por competência técnica pessoal, por competência do seu campo de saber hiper-físico abrangente de ciência(s), filosofia(s) e teologia(s), e até pela natureza do objeto a que visa – todo o Fenômeno, o Fenômeno inteiro...). Do mesmo modo evita colocações finalistas, explicando o processo universal que constata, por sua causa final. Isso não o impede de lidar, e com maestria, com a noção de *Finalidade*. Vale a pena explicitar pelo menos três sentidos do termo que se podem identificar, em generalidade crescente, ao longo desta obra.

No sentido mais estrito, *Finalidade* é a causalidade do psíquico reflexivo, pela qual o Homem age segundo um modo inventivo que se propõe o alcance de um fim através de meios – fim e meios que podem ser sempre postos em questão por razões internas. A Reflexão, portanto, une a previsão de um plano à imprevisibilidade da invenção.

"Nascida sob as aparências e o signo do Acaso, é só pela finalidade refletida lentamente *conquistada* que a Vida pode esperar elevar-se doravante ainda mais além, por efeito de auto-evolução, na direção conjugada da mais alta complexidade e da maior consciência. Ao jogo favorável e perseverante dessas forças recém-eclodidas de self-ordenação interna encontram-se portanto ligadas, de fato, a partir de agora, todas as esperanças, todo o porvir do Universo. Que quer dizer isso? A menos que se encare o Mundo como de súbito tornado absurdo e contraditório, encontramo-nos no direito de atribuir valor de realidade experimental e física a tudo quanto, em nós e à nossa volta, revelar-se como condição *necessária* de preservação e de desabrochar, no Homem, dos poderes de invenção e de finalidade." (Cf. *Le rebondissement humain de l'évolution et ses conséquences*, 1947.)

Num sentido mais largo, a *Finalidade* caracteriza o plano humano integral em oposição ao plano biológico regido pela ortogênese (deriva de complexificação material e interiorização psíquica crescentes, levando à cefalização nos vivos superiores). Daí o emprego deliberado de "Finalidade", e não de "Finalismo", que engloba o nível biológico e até o físico-químico, e deixa transparecer, aos olhos do Autor, um antropomorfismo estático.

"(...) se os neo-darwinianos têm razão (como é possível e até provável) quando só pretendem ver, nas zonas pré-humanas da Vida, triagem ou seleção de acasos nos progressos do mundo organizado, – em contrapartida, a partir do Homem, são os neo-lamarckianos que tomam a dianteira, posto que, a contar desse nível, as forças de ordenações internas começam a se manifestar de maneira diferente no processo da Evolução. O que equivale dizer que a finalidade biológica (exatamente como tantos outros parâmetros físicos do Universo) não é perceptível em toda parte, mas que se faz sentir unicamente a partir de certos níveis, no Mundo, produzindo-se a emergência, nesse caso, não por uma certa posição entre o Imenso e o Ínfimo, mas (...) por um certo valor atingido no eixo das Complexidades! Abaixo desse valor crítico, tudo se passa (talvez?) como se a ascensão da Vida fosse automática. Acima, pelo contrário, forças de escolha e de direção internas vêm à luz e, a partir desse momento, são elas que tendem *a predominar*." (Cf. *Le rebondissement humain de l'évolution et ses conséquences*, 1947.)

Finalmente, no sentido mais geral, a *Finalidade* engloba o Universo todo inteiro na perspectiva de um Neo-Antropocentrismo evolutivo ou de movimento, em que a ação finalizada do Homem retoma o comando do Universo em vias de personalização, para estruturá-lo em sínteses cada vez maiores e levá-lo adiante. É assim que ele vai se orientando.

"Sem dúvida alguma, se consideramos o Universo em sua marcha atual e concreta, devemos dizer que ele está orientado em direção a um Fim último determinado: sem isso ele recairia desfeito em pó. Mas é preciso compreender que, '*secundum signa rationis (ratiocinatae)*', essa finalidade que recobre, coordena e anima o movimento geral das coisas é uma influência criadora descendente, quer dizer, que *se vai precisando gradualmente*, um coroamento *sintético*." (Cf. *Forma Christi*, 1918.)

5. Exatamente treze anos depois da relação deste texto, em 1961 o Homem pousou pela primeira vez na Lua e, desde então, desenvolveram-se e prosseguem a pesquisa espacial e as viagens interplanetárias, obtendo um número crescente de informações sobre a estrutura físico-química dos planetas vizinhos. A Biologia em sentido estrito, contudo, continua confinada à Terra...

6. *Deriva* é um processo evolutivo fundamental comandado por energias axiais. Há duas derivas maiores — a queda para o mais provável, por efeito estatístico dos Grandes Números; e a ascensão para o improvável (vitalização), por utilização preferencial das oportunidades oferecidas pelo jogo dos Grandes Números. Essas duas derivas, de sentido contrário, são de fato solidárias, sendo que a constituição de sistemas fechados (de informação crescente) acarreta exteriormente (no Fora) um aumento da Entropia.

"(...) tanto no caso da noosfera terrestre como no caso dos átomos, ou dos astros, ou dos continentes, certas derivas de fundo (verdadeiro núcleo do fenômeno) se ocultam sob o véu dos movimentos cíclicos estudados até aqui sobretudo pela Ciência: derivas incapazes de não progredir *sempre no mesmo sentido*, e sempre mais longe, — isto é, de não chegar a algum acontecimento específico de explosão, de maturação ou de transformação." (Cf. *La structure phylétique du groupe humain*, 1951.)

7. É o caso, por exemplo, da conjugação do Enrolamento Estelar (que, partindo do Imenso, segmenta "agregativamente" o Estofo cósmico em pedaços cada vez menores, das nebulosas aos planetas) e do Enrolamento atômico (que, partindo do Ínfimo, engendra, por complicação estrutural, corpúsculos cada vez maiores, dos átomos aos vivos, ao Homem) reunindo-se na Noosfera humana, quando o megacorpúsculo organizado, que é a Humanidade, torna-se coextensivo ao seu suporte sideral, que é a Terra. (Cf. *Trois choses que je vois*, 1948.)

8. Quanto maior a *complexidade material* (interligação orgânica entre elementos cada vez mais numerosos) de um ser, tanto maior a sua centração e, por conseguinte, a sua interiorização, o seu psiquismo, a sua *consciência espiritual*. Enrolamento "corresponde", pois, à Interiorização, numa direção bem-definida e crescente:

"(...) eixo cósmico, tanto de arranjo físico como de interiorização psíquica, revelado por essa deriva ou *ortogênese* de fundo (... 'ortogênese'... no seu sentido etimológico de desenvolvimento orientado... sem... qualquer idéia... de finalidade). Eixo de *complexidade-consciência*." (Cf. *Les singularités de l'espèce humaine*, 1954.)

Na obra supra-citada, o Autor apresenta dois gráficos que vale reproduzir:

FIGURA 1

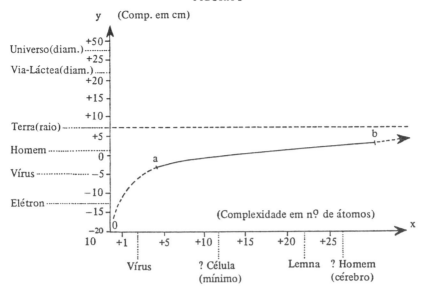

Curva sugerindo uma distribuição natural dos corpúsculos (eu-corpúsculos), organizados em função de suas dimensões lineares e de sua complexidade, estando esta expressa aproximativamente em número de átomos incorporados. A curva, partindo do Ínfimo muito simples (elementos nucleares), sobe rapidamente aos primeiros corpúsculos vivos (vírus). Para além, ela se eleva mais lentamente, o tamanho variando pouco com a ordenação. A curva é traçada assintoticamente ao raio da terra, para exprimir que a mais vasta e a mais alta complexidade edificada, para o nosso conhecimento, no Universo, é a da Humanidade planetariamente organizada em *noosfera*.

Sobre o eixo Oy indiquei (segundo T. Huxley) o comprimento (ou diâmetro) dos principais objetos-balizas identificados até hoje na natureza pela ciência, desde os menores até os maiores. Segundo alguns físicos, o comprimento 10^{-13} teria condições de representar um quantum (mínimo) absoluto de comprimento no Universo, e nesse caso deveria ser tomado (ao lugar de 10^{-20}) como origem dos eixos. a, ponto crítico de Vitalização; b, ponto crítico de Reflexão (Hominização).

FIGURA 2

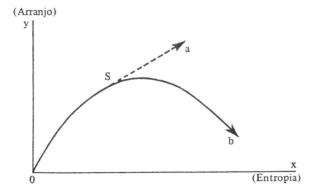

Curv de evolução da energia em função das duas correntes fundamentais de *complexidade* onsciência e de entropia. Segundo Ox, a Energia decai. Segundo Oy, ela se ordena (se "corpusculiza") e se "interioriza".

Sa, Sb, duas formas diferentes da curva, conforme o Humano, chegado ao seu ápice (*apex*) evolutivo, retrograde (em complexidade-consciência) ou então, pelo contrário, se evada através de um ponto crítico de "ultra-reflexão" (? por separação entre "radial" e "tangencial"...).

9. Não causa, pois, surpresa que o Dr. Dave Deamer, biólogo da NASA, encontre, num meteorito com 5 bilhões de anos, elementos capazes de dar origem à Vida. Em todo o Universo existem tais elementos. Nos espaços interestelares, há nuvens de gás, poeira e matéria orgânica. Nelas, os radiotelescópios já identificaram dezenas de diferentes tipos de moléculas orgânicas. A abundância dessas moléculas sugere que a essência da Vida esteja em toda parte e que sua origem e evolução sejam uma inevitabilidade cósmica.

10. A partir da Reflexão o jogo das combinações "planejadas" ou "inventadas" vem acrescentar-se e, de certa forma, substituir-se ao das combinações fortuitamente "encontradas" (ver mais adiante). (N. do A.)

11. Isto é, não se trata de uma hipótese infundada, nem de uma conclusão deduzida de princípios puramente racionais — absolutos, intemporais, abstratos. O Autor está se referindo a métodos apriorísticos de uma corrente dominante da *Metafísica* tradicional (que resultam numa explicação dedutiva do Mundo), aos quais opõe o seu método fenomenológico-científico (que resulta na sua *Ultrafísica, Hiperfísica* e até numa outra Metafísica, a "*Metafísica da União*", que formula sínteses provisórias, não definitivas). Esse método equivale a um prolongamento dos métodos científicos, mas tendendo a uma ampliação, a uma generalização capaz de abarcar todo o Fenômeno:
"(...) penetrar nas questões espirituais e humanas com os métodos da Ciência, de modo a substituir as *Meta*físicas que nos matam por uma *Ultra*física (verdadeira *physiqué* dos Gregos, creio), em que Matéria *e* Espírito seriam englobados numa mesma explicação coerente e *homogênea* do Mundo." (Cf. Carta de 11/10/1936.) "Na Metafísica clássica, sempre se usou deduzir o Mundo a partir da noção de *ser*, considerada como primitiva, irredutivelmente. Mercê das últimas investigações da Física (...), vou tentar mostrar (...) que uma dialética mais flexível e mais rica que as outras se faz possível quando colocamos de partida que o ser, longe de representar uma noção terminal e solitária, é na realidade definível (geneticamente ao menos, senão ontologicamente) por um movimento particular, indissoluvelmente associado a ele — o da união (...) Assinalemos e analisemos (...) sucessivos *tempos* dessa *Metafísica da União* (...)" (Cf. *Comment je vois*, 1948.)

12. Exatamente como se modifica a Física (por aparecimento e predominância de certos termos novos) quando passa do Médio ao Imenso ou, pelo contrário, ao Extremamente Pequeno. — Esquece-se por demais que *deve* existir e existe de fato uma Biologia especial dos "infinitamente complexos". (N. do A.) Com efeito, há uma lei evolutiva que se exprime pela multiplicação e pela diferenciação das relações entre os elementos de um todo: é o *Princípio da Maior Complexidade*.
"(...) a situação se precisa e se esclarece quando encaramos na base da Física cósmica a existência de uma segunda Entropia (ou 'anti-Entropia'), arrastando, por jogo de acasos utilizados, uma fração da Matéria em direção a formas cada vez mais altas de estruturação e de centração. A situação geral da Vida no Universo se define energeticamente, insisto, pela introdução, em Biogênese, da *noção* (ou *princípio*) de *maior Complexidade*." (Cf. *Transformation et prolongements en l'homme du mécanisme de l'évolution*, 1951.) Essa Complexidade não apenas é maior ou crescente mas tende a um infinito, o *Infinito de Complexidade* ou *Terceiro Infinito*:
"(...) essa 'eu-corpusculização' de ordenação (...) se desenvolve, 'transversalmente' ao muito pequeno e ao muito grande (...) numa forma especial de Infinito, tão real quanto os (únicos habitualmente considerados) do Ínfimo e do Imenso: o *terceiro infinito* da Complexidade organizada." (Cf. *Les singularités de l'espèce humaine*, 1954.)
Cf. os gráficos apresentados na obra supra-citada, na nota 8.

13. Na *Invenção* humana não há apenas utilização de probabilidades que jogam entre si

ao acaso, estatisticamente, mas também criação inaugural e até lúdica de novas probabilidades e de um novo jogo com elas...

14. O termo *Curvatura*, mais de uma vez utilizado nesta obra, é tomado das geometrias não-euclidianas e, metaforicamente, designa derivas, processos evolutivos fundamentais (Cf. nota 6) do Universo. As "curvaturas do Espaço-Tempo e da Biosfera" são típicas curvaturas de arranjo, de ordenação, que impelem a Matéria, nas circunstâncias favoráveis, a se complexificar cada vez mais:

"Não mais a 'atração' universal cerrando gradualmente sobre si mesma a Massa cósmica, – mas a potência, ainda desconhecida e inominada, que força a Matéria (à medida que ela se junta sob pressão) a se dispor em corpúsculos sempre maiores, diferenciados e organizados. Para além e acima da *Curvatura-que-reúne*, a *Curvatura-que-ordena...*" (Cf. "Le coeur de la matière", 1950, texto por nós traduzido e comentado em *Para aquele que vem*, Instituto Social Morumbi, São Paulo, 1985, pp. 111-171.)

As reais forças de aproximação ou de afastamento que surgem a partir do Passo da Reflexão, configurando-se em simpatia ou antipatia humana, representam uma *"ultra-passagem"* ou *"super-ação"* em relação às forças anteriores e inferiores de atração e repulsão, meros efeitos de curvatura física e/ou físico-química.

15. Cada um de nós constitui um elemento em que emerge – pela Reflexão – uma imploração de Absoluto e, com ela, uma exigência de imortalidade, para a garantia de um progresso ilimitado.

16. É o que o próprio Autor faz a seguir, chegando, inclusive, a reexaminar, em nível de Coletivo, as três propriedades que acabou de expor ao nível do Individual. Recordemos sempre seu pressuposto e sua hipótese iniciais: atribuição de valor "biológico" ao Fato Social e identificação da natureza orgânica da Humanidade. Ora, tudo quanto caracteriza o elemento particular deve caracterizar, em outro nível – hiperfísico –, o conjunto coletivo. Se a Reflexão introduz no Real mudança de estado, novas propriedades etc. ao nível de um passo individual, como não o há de fazer ao nível de um passo coletivo?!...

17. Após considerar a passagem do limiar da Vida não-reflexiva para a Vida reflexiva, da Biosfera para a Noosfera, do Animal para o Humano, do ponto de vista elementar – do Indivíduo –, o Autor se dispõe a considerar a mesma passagem do ponto de vista filético – da Espécie –, e até do ponto de vista planetário – da Terra.

18. Como qualquer outro elemento universal, o Homem também, obedecendo à Dialética Evolutiva, ao *emergir* (sintetizar, saltar, ultrapassar, superar, eclodir...), entra imediatamente em processo de *divergir* (multiplicar, dispersar, diversificar, variar, reproduzir...), numa "expansão" que já é, naturalmente, um mo(vi)mento para *convergir* (integrar, arranjar, ordenar, unificar, unir...), até por "compressão"... (Cf. Parte IV, Capítulo I, nota 15.)

19. Aqui, como alhures, o prefixo *Auto-* (ou *Self-*) sublinha a importância de um dinamismo imanente ao sujeito considerado. A Miríade humana, a Humanidade, em expansão e compressão, tem um poder ou força inerente de arranjar-se, de combinar-se, de ordenar-se a si mesma, num processo de complexificação crescente. (Cf. nota seguinte.)

20. Isto é, a realização concreta e orgânica do Humano.

21. O processo de *Conplexificação* universal afeta os organismos vivos e até os organismos sociais. Quanto aos primeiros, somos levados

"(...) a reconhecer na vida a expressão de um dos movimentos mais significativos e mais fundamentais do Mundo ao nosso redor (...) o enorme e universal fenômeno (...) de *Complexificação da Matéria*. (...) A Vida se apresenta experimentalmente à Ciência como *um efeito material de Complexidade*." (Cf. *La place de l'homme dans la nature*, 1949.)

Quanto aos segundos, basta observar a constituição, ainda em curso, da comunidade orgânica humana impelindo as pessoas a entrarem numa síntese nova que as une num todo, personalizando-as sempre mais. E não se pode restringir esse processo à socialização econômica nem confundi-lo com o socialismo. Temos que reconhecer aí a eclosão de algo novo, um passo, a ultrapassagem de um limiar:

"E (...) 'uma vez franqueada a linha', (...) apareceram no Mundo os primeiros sintomas de um redobramento definitivo e global da massa pensante (...) que só pode avançar contraindo-se e concentrando-se sob o efeito do tempo. Socialização de expansão revertendo-se, para culminar em Socialização de Compressão." (Cf. *La place de l'homme dans la nature*, 1949.)

Ora, tanto num caso (vitalização, passagem à Vida) como no outro (Socialização, constituição orgânica da Humanidade) dá-se efetivamente um progresso, alcança-se um novo nível de interiorização e consciência por mudanças qualitativas, obtém-se "mais-ser", tem-se um enriquecimento ontológico, o Real evolui. No Homem, com o Homem e através do Homem, a Complexificação prossegue e avança.

22. O mesmo "senso comum", notemos bem, que o que acaba, em tantos pontos, de ser retificado, sem apelo, pela física. (N. do A.) Filosoficamente, considera-se *senso*, em geral, a faculdade de conhecer de um modo imediato e intuitivo (sensações), e, por extensão, *senso comum*, um conjunto de opiniões tão geralmente aceitas numa determinada época que todas as concepções levando a opiniões contrárias aparecem como aberrações individuais e particulares. Quantos conceitos, por exemplo, não fomos obrigados a retificar a partir da Teoria dos Quanta, da Relatividade, da Anti-matéria?...

23. *Ciclone*, pelo inglês *cyclone*, do grego *kyklos*, "círculo", é o tufão, furacão ou vórtice que se desloca, redemoinhando com extrema rapidez. Ele constitui uma área de baixas pressões atmosféricas, em torno da qual a pressão aumenta mais ou menos regularmente, e que se caracteriza nas bordas, por ventos que convergem para o centro e, no centro, por ventos ascendentes. A metáfora do Autor é perfeita. Pelo Dentro, uma energia ascensional de Espiritualização; pelo Fora, forças convergentes de Complexificação... (Cf. nota seguinte.)

24. O processo evolutivo universal é um só. *Espiritualização*. Mas como um ciclone, a cada volta, a cada espira, mostra-se mais amplo e abrangente. Assim, a Espiritualização aparece-nos, mostra-se a nós, ao nível da Matéria, sobretudo como Centro-Complexificação (Dentro das Coisas); ao nível da Vida, sobretudo como Interiorização (Psiquismo); ao nível do Homem, sobretudo como Reflexão (Pensamento); ao nível da Humanidade, sobretudo como Socialização (Noosfera, Espírito da Terra):

"No decurso da espiritualização do Universo, uma certa massa de ser 'bruto' (ou 'exteriorizado') foi engajada e deve se achar 'interiorizada' no termo-limite da operação para que esta seja bem-sucedida (como o deve ser *infalivelmente*). Tanto de Matéria, tanto de Espírito. (...) Tomada integralmente, na sua totalidade temporal e espacial, a Vida representa o termo de uma *transformação* de grande amplitude, no decurso da qual o que chamamos 'Matéria' (no sentido mais compreensivo da palavra) inverte-se, dobra-se sobre si mesmo, *interioriza-se*, numa operação que cobre, no que nos concerne, a história inteira da Terra." (Cf. *Le phénomène spirituel*, 1937.)

E, na Socialização, a operação prossegue...

25. Várias vezes — e sobretudo ao nível da Vida — o Autor fala em *leques* ou *escamas*. Para ele, a *Estrutura em Leques* (ou Folhas) ou a *Estrutura em Escamas* é, ao mesmo tempo, uma metáfora e um esquema explicativo. Os sucessivos gêneros e espécies da Vida, assim como os Homens Fósseis ou os diversos tipos antropológicos, são como as placas, lâminas ou "folhas" de um fruto de pinheiro (pinha) que se destacam progressivamente, revelando outras "escamas" mais verdes e mais jovens, sendo que o eixo central da pinha é real e, ao mesmo tempo, inobservável...

"(...) é interessante notar (...) que as espécies zoológicas, mesmo quando formam, como se diz, escamas isoladas, recobrem-se, em todos os casos, e encaixam-se como folhas de coníferas, de modo a construir (ou, pelo menos, a simular) uma haste, uma árvore, um arbusto se se quiser, mas em todo caso um conjunto regular e coerente. (...) essa estrutura escamada dos filos, no caso dos Primatas (...), a estrutura imbricada ou peniforme das formas vivas (...), dos mais restritos aos mais vastos grupos zoológicos." (Cf. *Le paradoxe transformiste*, 1925.) "No quaternário médio (...) a estrutura em leque (ou, mais exatamente, em escamas) da raça humana já é bem aparente. (...) O Homem (...) não é zoologicamente separável da história de seu grupo. Se duvidássemos ainda dessa ligação, bastaria, para não poder negá-la, observar com que perfeição a estrutura em folhas grosseiramente concêntricas, que é a da ordem inteira dos Primatas, se prolonga em menor escala, mas idêntica, no interior dos Hominianos." (Cf. *La paleontologie et l'apparition de l'homme*, 1923.)

26. Cf. nota 13.
27. Cf. nota 14.
28. Cf. nota 15.
29. "Uma obra para sempre"... segundo a expressão de Tucídides, que Teilhard retoma em vários de seus textos.
30. É a lei que rege ou comanda a verdadeira medida absoluta do ser nos seres: registra o coeficiente de centro-complexidade, ou seja, o grau de centreidade (interiorização) e o grau de complexidade (arranjo, ordenação, organização), do qual o primeiro é função. Estamos falando de psiquismo ou Consciência.
31. *Involução* é uma noção que se opõe à de Evolução em dois sentidos contrários: Primeiramente, pode designar a deriva do Mundo contrária à ascensão para o improvável por uma espécie de contra-ordenação ou anti-arranjo da energia cósmica em favor da pluralidade não-organizada e do provável. Nesse caso, tem por antônimo o "Arranjo" e por sinônimos *Entropia* ou *Contra-evolução*:
"Um Universo de estofo primitivo 'material' é irremediavelmente estéril e fixado; enquanto um Universo de estofo 'espiritual' tem toda a elasticidade requerida para se prestar, simultaneamente, à evolução (Vida) e à involução (Entropia)." (Cf. *L'esprit de la terre*, 1931.)
Em segundo lugar, Involução pode designar o enrolamento do estofo cósmico sobre si mesmo em vista da centração. É nesse sentido que o Autor o está utilizando agora.
"A alma humana é *a forma de ser definitivamente depurada* à qual devia ontologicamente acabar chegando *o trabalho de involução* consciente em que consiste, verdadeiramente, a Evolução." (Cf. *Notes et esquisses, Cahier 3*, 3/12/1916.)
Esse segundo sentido toma, por vezes, uma coloração religiosa: na centração visada pelo enrolamento colaboram tanto o movimento ascensional da criação evolutiva como o movimento descendente da Encarnação, de modo que o resultado é um enrolamento que, em sua figura, sintetiza as duas direções:
"As camadas do Mundo à nossa volta se revelam bem mais ricas e penetrantes nas perspectivas de uma criação de tipo Crístico (quer dizer, onde uma involução divina descendente vem se combinar com a evolução cósmica ascendente." (Cf. *Comment je vois*, 1948.)
32. Isto é, forças da *Noogênese*, que é o próprio processo de Espiritualização (Cf. nota 24), a culminar na constituição da Noosfera. Tais forças seriam objeto de estudo da *Noodinâmica*, que visa descobrir e fixar as condições energéticas do desenvolvimento do pensamento reflexivo em suas ligações com o Cosmos.
"'Noodinâmica': dinâmica da energia espiritual, dinâmica do Espírito. Arrisco este neologismo porque é claro, expressivo e cômodo; mas também porque ele afirma a necessidade de integrar o psiquismo humano, o Pensamento, numa verdadeira 'Física' do Mundo." (Cf. *Le rebondissement humain de l'évolution et ses conséquences*, 1947.)
33. Estas, por exemplo: nada poderia deter o Homem em sua marcha para a unificação social, para o desenvolvimento (libertador para o espírito) da máquina e dos automatismos, para o "tudo tentar" e o "tudo pensar" até o fim. (N. do A.) Tais direções estão condicionadas ("*se tudo correr bem*"...) no mínimo ao sucesso no plano das probabilidades e à decisão acertada no plano das liberdades, como explica o Autor ao final do parágrafo.
34. É interessante notar que, para um crente cristão, o sucesso final da Hominização (e portanto do Enrolamento cósmico) é positivamente garantido pela "virtude ressuscitante" do Deus encarnado em sua criação. Mas aqui já deixamos o plano do fenômeno. (N. do A.) De qualquer forma, se a exigência é de irreversibilidade, nenhuma garantia maior do que a Vida Eterna franqueada por "Aquele que venceu a Morte"...

35. Procuremos entender claramente o pensamento do Autor e as imagens a que ele recorre.

Recorramos à Geometria e partamos da consideração da elipse, tomada como símbolo da totalidade, um ser concreto. Ora, assim como a elipse é o lugar geométrico dos pontos de um plano cujas distâncias a dois pontos fixos desse plano (focos) têm soma constante, um ser concreto é o "lugar" evolutivo de todas as características de um determinado plano ou nível temporoespacial dispostas em função de dois focos: a complexidade e a consciência.

Chamemos o primeiro de F_1. Ele seria o foco material do ser e através dele se ordenaria o Fora desse ser, a complexidade de suas energias tangenciais: corpo físico, físico-químico ou biológico de um indivíduo, ou infra-estrutura técnica da coletividade humana... F_2, por sua vez, seria o foco espiritual do ser e através dele se manifestaria o Dentro desse ser, a consciência de suas energias radiais: interioridade, psique ou reflexão de uma pessoa, ou interiorização da técnica na coletividade humana...

"(...) todo elemento particular cósmico se comporta simbolicamente para a nossa experiência como uma elipse construída sobre dois focos de intensidade desigual e variável: um F_1 de arranjo material, o outro F_2 de psiquismo; F_2 (Consciência) aparecendo e crescendo primeiro em função de F_1 (Complexidade), mas manifestando logo uma tendência contínua a reagir construtivamente sobre F_1 para sobre-complicá-lo, e a se individualizar a si mesmo cada vez mais. (...) toda unidade engendrada pelo Enrolamento cósmico pode ser representada simbolicamente por uma elipse construída sobre dois focos conjugados: um, F_1, de arranjo material ou técnico; outro, F_2, de consciência (esse só se tornando aparente ao nível da Vida)." (Cf. *Comment je vois*, 1948.)

Em *Les singularités de l'espèce humaine* (1954), Teilhard apresenta o esquema, com legenda explicativa:

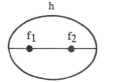 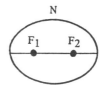

Representação simbólica de uma partícula (h) e da Noosfera (N), cada qual representada como uma elipse construída sobre um foco (tangencial) de complexidade (f_1, F_1) e um foco (radial) de consciência (f_2, F_2). f_1 e f_2, corpo (cérebro) e "pensamento". F_1 e F_2, arranjo técnico da Terra e visão coletiva do mundo no tempo t.

N representa uma espécie de onda estacionária que se forma e se amplifica por cima dos h que se sucedem nela, colaborando e participando simultaneamente de seus crescimentos (...)

Em vários outros textos, além dos dois citados acima, Teilhard volta a tratar da interdependência orgânico-existencial dessas duas "faces" — do ser concreto, invocando a imagem geométrica da elipse com seus dois focos. (Cf., pelo menos, *Note-mémento sur la structure biologique de l'humanité*, 1948, e *La place de l'homme dans la nature*, 1949, nota final.)

Obs.: Resta conceituar "onda estacionária" como a onda ou sistema de ondas que, num meio, determina a existência de perturbações nulas em pontos fixos e não provoca um transporte de energia ao longo desse meio. O próprio Autor, de resto, no mesmo texto de que extraímos o esquema, é definitivamente claro:

"Simbolicamente (figura) Homem-indivíduo e Homem-espécie (ou Noosfera) podem ser representados pela mesma figura de uma elipse construída sobre dois focos: um de arranjo material (Cérebro aqui, Técnica lá) e outro de aprofundamento mental (Reflexão aqui, Co-reflexão lá). Tanto de um lado como de outro o esquema é exatamente o mesmo: simples expressão gráfica da lei de complexidade-consciência, válida (...) para todas as partículas, muito pequenas ou muito grandes, do Universo. Mas, de um lado e de outro, em compensação, uma grande diferença é manifesta na ordem dos *comprimentos de vida*. De fato, enquanto a elipse indivíduo não dura senão um tempo mínimo, a elipse Humanidade se mantém como uma espécie de onda estacionária acima da multiplicidade constantemente renovada das máquinas e dos pensamentos particulares que constituem respectivamente, a cada instante, seus dois focos coletivos de complexidade e de consciência. Como uma onda 'estacionária', notemos, mas não como uma onda fixada: pois que, bem pelo contrário, o sistema Humanidade, sustentado pelo fluxo dos homens e das ferramentas que se sucedem, não pára de se ampliar e de se articular, sem perder sua forma geral."

36. Como já o expliquei de sobejo. Parte IV, Capítulo II, 2, e *Epílogo*, 1.) (Cf. N. do A.)

37. "*Deus tudo em todos*" (muitas vezes, alhures, expresso por Teilhard em grego: "*En pási panta Theos*") — é ainda e sempre referência aos versículos de São Paulo, 1 Cor., 15, 26-28, que o Autor considera a "confirmação teológica" de suas sínteses e a "ultra-satisfação da Revelação", conforme anota na última página de seu Diário, na Quinta-Feira Santa, 7 de abril de 1955, três dias antes de morrer. O texto foi por nós traduzido e anotado em *Teilhard de Chardin: mundo, homem e Deus*, Editora Cultrix, São Paulo, 1978, pp. 249-251.

APÊNDICE[1]

Algumas Observações Sobre o Lugar e a Parte que Cabem ao Mal Num Mundo em Evolução

No decurso dos longos desenvolvimentos precedentes, uma particularidade terá talvez intrigado ou até mesmo escandalizado o leitor. Em nenhum lugar, se não exagero, a palavra dor,[2] ou a palavra culpa,[3] foi pronunciada. Do ponto de vista em que me coloquei, o Mal[4] e seu problema se esvaneceriam ou então já não contariam na estrutura do Mundo? E, nesse caso, o Universo que foi aqui apresentado não é um quadro simplificado ou mesmo trucado?[5]

A essa crítica, muitas vezes ouvida, de otimismo ingênuo ou exagerado,[6] minha resposta (ou, se quiserem, minha desculpa) é que, empenhado nesta obra unicamente ao propósito de realçar a *essência positiva* do processo biológico de hominização, não julguei necessário (por razões de clareza e de simplicidade) compor o negativo da imagem que eu projetava.[7] De que serviria chamar a atenção para as sombras da paisagem, — ou insistir sobre a profundidade dos abismos que se cavam entre os cimos? Não eram, tanto estes como aquelas, suficientemente evidentes? Mas o que eu não disse supus que se via. E, portanto, seria nada haver compreendido da visão aqui proposta ir buscar nela uma espécie de idílio[8] humano em lugar do drama[9] cósmico que pretendi evocar.[10]

Objetam que o Mal, por assim dizer, nem sequer é mencionado em meu livro.[11] Explicitamente, talvez. Mas, em contrapartida, esse mesmo Mal não mina precisamente, invencível e multiforme, por todos os poros, por todas as juntas, por todas as articulações do sistema em que me coloquei?

Mal de desordem e de malogro, para começar. Até em suas zonas reflexivas, como já vimos, o Mundo procede a golpes de probabilidades, por tenteio. Ora, exatamente por isso mesmo, até no domínio humano (aquele, contudo, em que o acaso é mais controlado), quantos fracassos para um sucesso, — quantas desgraças para uma só felicidade, — quantos pecados[12] para um único santo!...[13] Simples não-arranjo ou desarranjo físico de início, no nível da Matéria; mas logo sofrimento[14] incrustado na Carne sensível; e, mais acima ainda, maldade ou tortura do Espírito que se analisa e escolhe: estatisticamente, em todos os graus da Evolução, sempre e por todo o lado, é o Mal que se forma e se reforma, implacavelmente, em nós e em redor de nós! *Necessarium est ut scandala eveniant!*[15] Assim o exige, sem apelação possível, o jogo dos grandes números no seio de um Multitudinário[16] em vias de organização.[17]

Mal de decomposição, em seguida: simples forma do precedente, neste sentido de que doença e corrupção resultam sempre de algum acaso infeliz; mas, forma agravada e duplamente fatal, é preciso acrescentar, na medida em que, para o ser vivo, morrer tornou-se a condição regular, indispensável, da substituição dos indivíduos uns pelos outros ao longo de um mesmo filo: a morte, engrenagem essencial do mecanismo e da ascensão da Vida.[18]

Mal de solidão e de angústia, ainda: a grande ansiedade (esta bem própria do Homem) de uma consciência que desperta para a reflexão num Universo obscuro, onde a luz leva séculos e séculos para vir até ele, — um Universo que não conseguimos ainda compreender bem, nem saber o que é que pretende de nós...[19]

E finalmente, o menos trágico talvez (porque nos exalta), mas não o menos real: *Mal de crescimento*, por meio do qual se exprime em nós, nos transes de um parto, a lei misteriosa que, do mais modesto quimismo às mais elevadas sínteses do espírito, faz que se traduza em termos de trabalho e de esforço todo progresso no sentido de uma maior unidade.[20]

Na verdade, se observarmos a marcha do Mundo, assim de viés, não na linha de seus progressos, mas na de seus riscos e do esforço que ela requer, perceberemos logo que, por sob o véu de segurança e de harmonia em que se envolve a Ascensão humana, vista de bem alto, patenteia-se um tipo particular de Cosmo onde o Mal (não absolutamente por acidente — o que seria pouco — mas pela própria estrutura do sistema) surge necessariamente e em quantidade ou com gravidade tão grandes quanto se queira, na esteira da Evolução.[21] Universo que se enrola, dizia eu, — Universo que se interioriza: mas também, no mesmo passo, Universo que lida, Universo que peca, Universo que sofre... Arranjo e centração:[22] dupla operação conjugada que, tal como a escalada de um pico ou a conquista do ar, não pode objetivamente se efetuar sem ser rigorosamente paga, — por razões e por um preço tais que, se pudéssemos conhecê-los, teríamos penetrado o segredo do Mundo à nossa volta.

Dores e culpas, lágrimas e sangue: outros tantos subprodutos (muitas vezes preciosos, aliás, e reutilizáveis[23]) que a Noogênese engendra pelo caminho. Eis portanto, afinal de contas, o que nos revela, num primeiro tempo de observação e de reflexão, o espetáculo do Mundo em movimento. Mas isso é verdadeiramente tudo? — e não há mais nada para ver? Quer dizer, será verdadeiramente certo que, para um olhar prevenido e sensibilizado por uma outra luz que não a da pura ciência, a quantidade e a maldade do Mal *hic et nunc*[24] espalhado pelo Mundo não trai um certo *excesso*, inexplicável para nossa razão se, *ao efeito normal de Evolução*, não se acrescentar ainda por cima *o efeito extraordinário* de alguma catástrofe ou desvio primordial?...[25]

Nesse terreno, não me sinto sinceramente à altura de tomar posição e, de resto nem cabe tomá-la aqui. Uma coisa, contudo, me parece clara, e provisoriamente suficiente para aconselhar os espíritos: observar que neste caso (exatamente como no da "criação" da alma humana (Cf. Parte III, Capítulo I, nota 23), o Fenômeno não só deixa, mas até oferece à Teologia toda a liberdade de precisar e de completar em profundidade (se a tal ela se julgar obrigada) os dados ou sugestões — sempre ambíguos para além de um certo ponto — fornecidos pela experiência.[26]

De uma ou de outra maneira, resta que, mesmo aos olhos do simples biólogo, nada se assemelha tanto a um Calvário[27] quanto a epopéia humana.[28]

Roma, 28 de outubro de 1948
Pe. TEILHARD DE CHARDIN

NOTAS

1. Como o *Resumo* ou *Posfácio*, este *Apêndice* foi também por nós traduzido e anotado em *Teilhard de Chardin: mundo, homem e Deus*, Editora Cultrix, São Paulo, 1978, pp. 64-68. Valem as mesmas observações quanto aos retoques na tradução e às alterações nas notas.

2. Sinônimo, praticamente, de pena ou sofrimento. (Cf. notas 14 e 20.)
"A dor é a percepção vital de nosso menos-ser, quando este se agrava, ou apenas quando perdura. Ela é portanto ligada, *de direito*, à Multiplicidade insuficientemente reduzida que carregamos em nós. A completa dissociação, se pudesse ser sentida, realizaria o sofrimento absoluto, aniquilando-nos." (Cf. *La lutte contre la multitude*, 1917.)

3. No original francês *faute*, "falta", "erro". A *Falta*, do baixo latim *fallita*, de *fallere*, "errar", é ato ou omissão contra uma regra, uma obrigação, um dever. A experiência da falta está ligada ao sentimento de nossa responsabilidade: uma falta é imputável a nós mesmos, ao sujeito da ação ou omissão e, nesse sentido, distingue-se do "desastre", "malogro" ou "fracasso" atribuído a acontecimentos, condições etc. que não dependem de nossa vontade. A decisão livre, a conseqüente imputabilidade e responsabilidade conferem à falta um significado moral. A falta voluntária e imputável, contrária à lei moral e ao valor ético, é *Culpa*. Como a obrigação moral se funda, em última instância, na vontade legisladora de Deus, a culpa não é apenas uma perturbação de certa ordem impessoal, nem mera oposição ao valor moral, à dignidade da pessoa humana etc., mas é *Pecado*, isto é, ofensa à vontade de Deus, à Sua bondade, ao Seu amor e, portanto, agravo e injúria pessoal. Não existe pois o "pecado filosófico", supostamente cometido por um homem inculpavelmente desconhecedor de Deus e de Sua Vontade. Pecado, Culpa, Falta constituem, pois, ao nível da liberdade humana, opção pelo menos-ser, dissociação, recusa à união.

4. Cf. Parte IV, Capítulo III, 3, nota 48.

5. Isto é, tendo se disposto a apresentar à nossa visão a sucessão dos fenômenos, o Fenômeno evolutivo, sempre nos limites do "fotografável" – o grande espetáculo cósmico como um "filme" ao longo do Espaço-Tempo –, o Autor quer nos certificar de que não recorreu a nenhuma *trucagem* (do francês *truquage* ou *trucage*, de *truquer*, "falsificar", "fraudar"), que, em cinema, designa um conjunto de artifícios empregados para dar a aparência real e convincente a uma cena ou plano que, de outro modo, não poderia ser filmado.

6. Cf. Parte III, Capítulo III, 2, C, nota 95. Pode-se dizer que o *Otimismo* teilhardiano é realista e consiste numa superação do Pessimismo. O presente texto o demonstra sobejamente.

7. Nova analogia cinematográfica... (Cf. nota 5.)

8. *Idílio*, do grego *eidyllion*, é uma pequena composição poética de caráter bucólico ou pastoril, geralmente amorosa, suave e terna. Uma descrição idílica tende a ser sonhadora e idealizadora...

9. *Drama*, do grego *drâma*, é designação genérica de composição dialogada ou teatral. Num tom menos elevado que o da tragédia, o drama representa o desenvolvimento de uma ação violenta ou dolorosa, através de episódios complicados ou patéticos, em que até o cômico pode se misturar ao trágico, mas que têm sempre por efeito uma grande comoção. Uma ação dramática se desenvolve sobremaneira pela seqüência dos movimentos, gestos e atitudes dos personagens em cena...

10. Com efeito, a representação teilhardiana e hiperfísica da Evolução nos revela, em última instância, a sintetização do Real, desde o *Múltiplo* até o *Um*, em sucessivos lances (Cf. *La lutte contre la multitude. Interprétation possible de la figure du monde*, 1917), de uma forma ou outra profundamente dramáticos e comoventes. Nesse processo de síntese não é difícil

perceber o aparecimento do Mal: ele surge, necessariamente (embora para nós, às vezes, aleatoriamente), no decurso da unificação do Múltiplo, como um estado de pluralidade residual, isto é, multiplicidade incompletamente organizada, complexificada, sintetizada; possibilidade de ser e unir-se e/ou ser unido, sempre nascente, "recorrente"; desafiante e suplicante de unidade... Na seqüência do texto, o Autor apresentará as diversas "performances" (atuações, desempenhos) do Mal, que, paralelamente, comentaremos.

11. Ora, basta recorrer ao nosso Índice Remissivo e fazer um levantamento do número de vezes que, direta ou indiretamente, o Autor invoca mal, dor, pena, pluralidade, multiplicidade, multitudinário, sofrimento ou tenteio...

12. O *Pecado* (inclusive o Original) é considerável, teilhardianamente, uma opção pelo menos-ser, pelo ser menos. E isso sob três aspectos. Sob o aspecto individual, é o ato pelo qual o Homem no uso (inclusive primeiro) de sua liberdade toma-se a si mesmo por fim e, por conseguinte, recusa a Deus. Essa opção é preparada pela emergência da consciência reflexiva e livre que toma, então, por absoluto sua própria autonomia.

"Na vontade que o comete, o pecado não é senão, inicialmente, uma tentativa pervertida e particularista de atingir a síntese exclusivamente pretendida do ser. As concupiscências nos seduzem por um *engodo de unidade* (...) *Pelo erro de nossas liberdades*, imprudentes ou viciosas, o que não passaria de uma *etapa delicada* na síntese do espírito *torna-se subitamente crise aguda* e quase mortal." (Cf. *La lutte contre la multitude*, 1917.)

Sob o aspecto coletivo, o pecado é o ato dotado de um poder imediato de extensão temporoespacial a toda a Humanidade considerada não somente como um conjunto jurídico de indivíduos, mas como um todo orgânico, sem que, todavia, seja anulada a responsabilidade da falta (culpa).

"(...) a teologia da Salvação parece perfeitamente respeitada e justificada. Nesta explicação, sem dúvida, o Pecado Original deixa de ser um *ato* isolado para se tornar um *estado* (que afeta a massa humana em seu conjunto, em conseqüência de uma poeira de faltas disseminadas na Humanidade ao longo do tempo)." (Cf. *Réflexions sur le péché originel*, 1947.)

Sob o aspecto cósmico, o pecado é ato que deve ser colocado em contrapartida à unificação progressiva do Múltiplo, embora sendo, humanamente, a escolha positiva de uma vontade.

"(...) o pecado original, tomado em sua generalidade, não é uma enfermidade especificamente terrestre nem ligada à geração humana. Ele simboliza simplesmente a inevitável probabilidade do Mal (...) ligada à existência de todo ser participado. Em toda parte em que nasce o ser *in fieri*, a dor e a falta aparecem imediatamente como sua sombra, não apenas em decorrência da tendência das criaturas ao repouso e ao egoísmo, mas também (o que perturba mais) como acompanhamento fatal de seu esforço para progredir. O pecado original é essencial reação do finito ao ato criador. Inevitavelmente, a favor de toda criação, ele se introduz na existência. Ele é o *avesso* de toda criação." (Cf. *Chute, rédemption et géocentrisme*, 1920.)

Cf. também *Note sur quelques répresentations historiques possibles du péché originel*, 1922.

13. A *Santidade* é estado de perfeição religiosa e de pureza espiritual que, para Teilhard, não se obtém por meio de uma ascese que vise suprimir a Matéria, mas por uma ascese que a espiritualiza e a sublima: ultrapassagem e desapego (por travessia):

"Como o pagão, adoro um Deus palpável. Chego até a tocar esse Deus, por toda a superfície e a profundidade do Mundo da Matéria em que estou preso. Mas, para alcançá-lo como eu quereria (simplesmente para continuar a tocá-lo), é preciso que eu vá sempre mais longe, através e além de toda empresa — sem poder nunca repousar em nada —, levado a cada instante pelas criaturas, e a cada instante ultrapassando-as, num contínuo acolhimento e num contínuo desapego." (Cf. "La Messe sur le Monde", 1923, texto por nós traduzido e anotado em *Teilhard de Chardin: mundo, homem e Deus*, Editora Cultrix, São Paulo, 1978, pp. 191-204) "... o desapego, a renúncia se torna antes de tudo o fato de procurar não tanto as coisas, mas de procurar em toda coisa aquilo que é maior que ela e está além dela — o que permite amar as coisas sem ficar nelas, o que permite ultrapassá-las, levando-as consigo." (Cf. *Essai d'intégration de l'homme dans l'univers*, 1930.)

14. O *Sofrimento* significa usualmente a privação de um bem, a mudança para pior, o dano. Quando atribuído a um ser dotado de conhecimento, abrange não só a própria modificação mas, ao mesmo tempo, a experiência dessa modificação. Conseqüência necessária da finitude, o sofrimento pode ter um valor que não advém ao Homem imediatamente por si, mas somente pela vivência, isto é, pela maneira como o Homem o enfrenta, suporta e aceita. Sinônimo de passividade, o sofrimento produz tanto um crescimento quanto uma diminuição aparente do ser e é, de qualquer forma, desde que o Homem assim o queira, sempre transformável numa energia espiritual. Na perspectiva teilhardiana, ele é o signo de um Mundo que está inacabado e em metamorfose, onde o Múltiplo não foi ainda totalmente unificado.

"O sofrimento humano, a totalidade do sofrimento espalhado, a cada instante, por sobre toda a terra, que oceano imenso! Mas essa massa, de que é formada? De negrume, de lacunas, de dejetos?... Não, repitamos, mas de energia possível. No sofrimento está oculta, com uma intensidade extrema, a força ascensional do Mundo." (Cf. "La signification et la valeur constructrice de la souffrance", 1933, texto por nós traduzido e anotado em *Teilhard de Chardin: mundo, homem e Deus*, Editora Cultrix, São Paulo, 1978, pp. 69-73.)

15. "É necessário que haja escândalos!", segundo Mt. 18, 7. Causas ou efeitos de erro e de pecado ocorrerão, advirão, sobrevirão necessariamente, pela própria estrutura do Real, como explica o Autor, de imediato.

16. Esse *Multitudinário*, com o mesmo conteúdo conceitual de *Múltiplo*, expressa a *Multiplicidade concreta* e corresponde à máxima aptidão do ser para a decomposição, a desintegração, a dissociação. Sinônimo prático: *Multidão*.

17. Pode-se, pois, falar em *Mal* num *sentido ontológico*: sub-produto, resíduo, detrito, dejeto de "ser possível", que surge ao longo do processo de unificação, por perda de ordenação, recaída e/ou regressão ao Multitudinário ou à Multiplicidade original (Cf. nota anterior). Esse Mal expressa então *Desordem* e *Malogro*.

18. Pode-se, pois, falar em *Mal* num sentido mais estrito, num *sentido psicofisiológico*: passividades de crescimento e de diminuição (Cf. *Le milieu divin*, por nós traduzido e anotado em *O meio divino*, Editora Cultrix, São Paulo, 1981, 139 pp.), todos os sofrimentos (Cf. nota 14), penas (Cf. nota 20), dores (Cf. nota 2), enfermidades, mazelas etc., que expressam sempre uma *Decomposição*.

19. Num *sentido pessoal situacional*, esse *Mal* corresponde ao Mal do Espaço-Tempo (Cf. Parte III, Capítulo III, 2, A, nota 72, e todo o parágrafo em que se insere): "impressão de arrasamento e inutilidade face às enormidades cósmicas" – Espaço, Duração e Número –, que resulta em *Solidão* e *Angústia*.

20. Num *sentido pessoal interiorizante* pode-se falar do *Mal* enquanto *Pena*. Pena designa em Teilhard um aspecto específico do Sofrimento (Cf. nota 14), que acompanha, em forma de trabalho e esforço, qualquer progresso no avanço da Evolução rumo à Unidade, e que resulta em Crescimento. Nesse sentido, o Mal de Crescimento está ligado sobremaneira a uma operação-afeição única: o ato cósmico de personalização universal. Nada mais beatificante do que a União alcançada, mas nada mais laborioso e penoso do que a conquista dessa União. A *Pena de Personalização* designa, pois, simultaneamente, o sofrimento e o esforço positivo que estão na base do domínio crescente da pluralidade (cada centro reflexivo e livre, o opera), e na base da entrada de cada centro (tomado, por sua vez, como elemento de uma nova pluralidade), numa síntese superior ordenada no centro pessoal último.

"*Pena de Personalização* (...) Por três razões, ao menos, uma evolução personalizante é forçosamente dolorosa: ela é a base de pluralidade; ela progride por diferenciação; ela conduz a metamorfoses." (Cf. *Esquisse d'un univers personnel*, 1936.)

Assim, a Pena de Personalização comporta uma *Pena de Pluralidade*, uma *Pena de Diferenciação* e uma *Pena de Metamorfose*. *Pena de Pluralidade* designa simultaneamente o sofrimento e o esforço positivo que estão ligados à luta sempre renascente contra uma pluralidade (base da Evolução) que não cessa de nos solicitar em todos os estádios da unificação.

"*A Pena da Pluralidade*. A pluralidade (um resto de pluralidade inseparável de toda unificação *em curso*) é a fonte mais óbvia de nossas penas. É ela que, por fora, nos expõe aos ferimentos e nos torna sensíveis a esses ferimentos. É ela que, por dentro, nos torna frágeis e sujeitos a mil formas de desordens físicas. Tudo quanto não 'acabou de se organizar' deve inevitavelmente sofrer de sua inorganização residual e de suas desorganizações possíveis: tal é a condição humana." (Cf. *Esquisse d'un univers personnel*, 1936.)

Pena de Diferenciação designa simultaneamente o sofrimento e o esforço positivo que estão na base da passagem a um estado de concentração superior, correlativo de uma maior complexidade.

"*A Pena de Diferenciação* (...) a unificação é um trabalho. Num sentido muito verdadeiro, (...) a Pluralidade está mal escorada na Unidade. E contudo esse retorno ao equilíbrio é uma ascensão laboriosa, que só se opera por superação de uma verdadeira inércia ontológica. (Cf. *Esquisse d'un univers personnel*, 1936.)

Pena de Metamorfose designa simultaneamente o sofrimento e o esforço positivo que acompanham a passagem de um limiar situado entre um equilíbrio antigo, que já não existe mais, e um equilíbrio novo, que não existe ainda.

"*A Pena de Metamorfose*. Se a pena de diferenciação inerente à união nos afeta geralmente pouco, é que a ela associamos palpavelmente a consciência de nosso progresso. Bem mais amarga é a angústia de se sentir, aparentemente, ameaçado naquilo que se tem de mais íntimo no âmago de si mesmo. Pode-se dizer com razão que a verdadeira dor entrou no Mundo com o Homem quando, pela primeira vez, uma consciência reflexiva se viu capaz de assistir ao seu próprio apequenamento. O único verdadeiro Mal é o 'mal da Pessoa'. – Como se apresenta a Morte no Universo Pessoal (...)? 'Como uma metamorfose.'" (Cf. *Esquisse d'un univers personnel*, 1936.)

Finalmente, pode-se falar de toda Pena como uma *Pena de Evolução*, que designa genérica e simultaneamente o sofrimento e o esforço positivo que estão na base de todo e qualquer progresso.

"(...) é (...) uma dupla e perigosa crise moral que o fenômeno mental da Reflexão ativa. Crise de emancipação ligada, a princípio e sem dúvida, ao nascimento da liberdade. Mas também crise de pânico, ligada ao choque de um brusco despertar na noite. Pois bem, vou tratar aqui (...) dessa última forma (forma ansiosa) tomada na consciência humana pelo que se poderia chamar de 'o Mal, ou, pelo menos, a Pena da Evolução'." (Cf. *Un phénomène de contre-évolution en biologie humaine ou la peur de l'existence*, 1949.)

21. Eis o *Mal Evolutivo*, concepção teilhardiana segundo a qual a dor (mal não-refletido) e a culpa (mal refletido) estão ligadas à estrutura de um Mundo em devir, onde o ser em via de unificação se acha destroçado entre o apelo do Um e uma Multiplicidade sempre ameaçadora. O Mal Evolutivo, por sua origem ontológica (ele é e existe em função de um Multitudinário – Cf. nota 16 – não-unificado, inorganizado), é anterior ao aparecimento do Homem.

"Em regime de Cosmo (...) ficava muito difícil, se não impossível (salvo por intervenção de um acidente, ele próprio quase inexplicável), justificar perante a razão a presença de dores e culpas no Mundo. Em regime de Cosmogênese, pelo contrário (...) o problema do Mal (...) *não se põe mais* (...) por razões estatísticas implacáveis; é fisicamente impossível que, a todos os níveis (pré-vivo, vivo, reflexivo) do Universo, não apareça algum não-arranjo, ou desarranjo, no seio de um Multitudinário em *via de arranjo*. Num tal 'sistema tateante', é absolutamente inevitável (em virtude da lei dos grandes números) que cada avanço para a ordem se pague por falhas, decomposições, discordâncias (...). Como esses potentes foguetes que a audácia moderna lança ao ataque do inter-sideral, um Cosmo em movimento dirigido não pode progredir concebivelmente sem deixar atrás de si um rastro mais ou menos espesso de fumaça... O Mal (um Mal não mais *catastrófico*, mas *evolutivo*), efeito *secundário*, *sub-produto* inevitável, da marcha de um Universo em evolução!" (Cf. *Un seuil mental sous nos pas: du cosmos à la cosmogénèse*, 1951.)

22. *Arranjo*, pelo Fora, ordenação no tangencial, progresso na Complexidade. *Centração*, pelo Dentro, intensificação do radial, progresso na Consciência.

23. Cf. nota 14 e o texto ali citado e indicado, onde o Autor também considera:
"Todos os sofredores da Terra unindo seus sofrimentos para que a dor do Mundo se torne um grande e único ato de consciência, de sublimação e de união: não estaria aí uma das mais altas formas que poderia tomar aos nossos olhos a misteriosa obra da Criação?"

24. "*Aqui e agora*", concretamente, empiricamente, historicamente.

25. O *Mal Catastrófico* é uma concepção não-teilhardiana segundo a qual a culpa (mal refletido) e a dor (mal não-refletido), conseqüência da culpa, são devidas ao brusco desregramento, pelo pecado, de um Mundo anteriormente harmonioso e estável, e não constituem um preço do progresso. (Cf. nota 21 e o texto ali citado.) Observe-se também que, ao formular a pergunta e deixar a resposta em aberto, o Autor está honestamente se recusando a ultrapassar os limites da experiência que se auto-impôs ao adotar o método fenomenológico-científico e, ao mesmo tempo, com coerência hiperfísica, deixando em aberto – e, explicitamente, a seguir – um campo de investigação à Teologia (e/ou à Filosofia).

26. No *sentido moral*, a liberdade tem por efeito possível a culpa. No *sentido religioso*, a mesma liberdade tem por efeito possível o pecado, que é a culpa considerada como recusa feita a Deus (Cf. notas 3 e 12). São essas dimensões do Mal que abrem um debate não apenas ético mas também metafísico e teológico sobre uma significação do Mal que integra todos os sentidos anteriormente indicados.

27. *Calvário* (do latim *calvaria*, "crânio", tradução do hebraico *Golgotha*, colina de Jerusalém onde foi fixada a cruz de Jesus Cristo) designa, metaforicamente, um martírio, longa sucessão de dores, um sofrimento crescente e ascensional. O texto do Autor evoca precisamente um "caminho da Cruz" (*chemim de la Croix*, no original francês), que é, afinal, uma *Via-Sacra* (em latim, "caminho sagrado"), série de catorze estações em que se escande a Paixão de Cristo. O processo evolutivo humano – avançando entre dores, penas, quedas, passividades, diminuições, despojamentos, sofrimentos e mortes – é também um *caminho redentor*, na medida em que, historicamente, encerra uma mensagem de universal libertação, e, religiosamente, expressa uma fidelidade a Deus (Pai) e a todos os homens (Irmãos). Não se trata tanto, porém, de uma "redenção cruel como paga do pecado", mas antes de uma "penosa redução do pecado, dolorosa unificação dos homens no Divino (por submissão à Sua Vontade), sofrida sublimação do Humano no Crístico (*Selbst, Self*, Eu Maior, Pessoa, Anjo, Arquétipo de Individuação).

28. *Epopéia* como seqüência, série, sucessão de atos heróicos – fatos, feitos humanos e super-humanos – ao longo do Espaço-Tempo.

SOBRE
"O FENÔMENO HUMANO"
Textos Complementares

Os seis textos que se seguem, quatro dos quais inéditos, pretendem contribuir para a melhor e mais exata compreensão desta obra. Sua inclusão na presente tradução e edição se justifica por dois motivos. Em primeiro lugar, o seu valor histórico: todos, exceto o último, foram redigidos em função da revisão e da obtenção de permissão eclesiástica para a publicação do texto. Em segundo lugar, o seu valor hermenêutico e didático: todos explicitam, concisa e objetivamente, as perspectivas precisas do Autor e as dimensões exatas de seu campo de pesquisa hiperfísica. Não se tratam pois de uns tantos "textos anexos" a título de curiosidade ou ilustração, mas de elucidações organicamente ligadas à obra — tanto quanto a "Advertência", o "Resumo" ou "Posfácio" e o "Apêndice" — e que, enquanto tais, devem nela ser hoje incluídas.

ESCLARECIMENTOS
PARA O USO DAQUELES QUE TERÃO A CARIDADE
DE REVISAR ESTE LIVRO (*)

1) Como foi explicado no Prefácio, este trabalho *não* é um livro de religião, nem mesmo de filosofia. Rigorosamente escrito como uma memória de geologia ou de paleontologia, ele representa, no meu pensamento, *uma contribuição científica* para o uso da Ciência: um esforço para ordenar melhor o nosso conhecimento físico do Mundo, abrindo ao Homem um lugar *coerente até o fim,* na Biologia.

2) Por conseguinte, que ninguém se espante se nestas páginas, limitadas (é sua força) ao estudo de um "fenômeno", não aparecem quaisquer considerações sobre a natureza *ontológica* do espírito e da matéria, nem qualquer menção das verdades reveladas (Queda, Encarnação, Criação...). Essas verdades não são nem negadas nem esquecidas, mas omitidas deliberada e propositalmente, porque, numa memória científica, não teriam o seu lugar, nem lógico, nem psicológico.

3) Essa omissão, ademais, é só aparente. Se (em conformidade aos ensinamentos do concílio do Vaticano) eu chego, seguindo um caminho racional e científico, apenas a uma "demonstração" aproximada da existência de um Deus pessoal, tenho pelo menos uma certa confiança que as perspectivas desenvolvidas no livro formam um quadro e transmitem uma atmosfera favoráveis que predispõem os espíritos a esperar e reconhecer uma Revelação (ver o último capítulo, sobre "O Fenômeno cristão").

4) Quanto ao ponto, particularmente delicado, das origens humanas, creio poder garantir que todo o homem a par dos fatos hoje em dia admitirá que fui ao limite extremo do que pode ser dito *cientificamente* a favor do monogenismo.

(*) O texto inédito, em cópia de uma página datilografada em espaço simples, é acompanhado das seguintes notas: 1) Nota datilografada e assinada por "R. d'Ouince" (é o Pe. d'Ouince, superior imediato de Teilhard): "Trata-se, penso, da primeira redação do Fenômeno Humano"; 2) Nota datilografada ao pé da página: "O original pertence ao Pe. d'Ouince (1 p.d.e.s. algumas correções autógrafas em tinta preta, anotação autógrafa a lápis na margem + nota autógrafa do Pe. d'Ouince (em) tinta azul"; 3) Nota à margem superior esquerda (datilografada na cópia): "Teoricamente, este livro, puramente científico, não deveria sequer cair sob a censura eclesiástica." Observemos que – apesar destes *Esclarecimentos* – o parecer do Censor, em 26 de outubro de 1942, é negativo: "Examinei o livro intitulado *O fenômeno humano* e embora não possa deixar de admirar várias qualidades do autor, julgo que esta obra não pode ser editada para o grande público" ... Houve outro parecer, ainda negativo, em 23 de março de 1944.

Melhor ainda, tenho a impressão de que é na linha de minhas sugestões que se acha uma bela e nobre solução a salvar, simultaneamente, os insubstituíveis valores do dogma revelado e as exigências científicas da verdade.

5) Se apesar de tudo o julgamento da revisão for desfavorável, quereria *ao menos* que me ajudassem a encontrar os meios de corrigir este livro e de utilizá-lo. Eu *sei* por vinte anos de experiência (e basta percorrer a lista sempre mais volumosa dos livros publicados sobre o Homem nestes últimos anos, para se convencer) que a visão expressa nestas páginas contém alguma coisa de esperado tanto pelos cristãos como pelos incrédulos de boa vontade. Trata-se de não deixar que se perca, mas de liberar essa "alguma coisa", para a glória de Deus.

Pequim, fevereiro de 1941.

NA BASE DE MINHA ATITUDE*

1. Na base de minha atitude e de minhas atividades, de quarenta anos para cá, coloca-se a tríplice convicção, sempre crescente:

a) Primeiro, que (por razões numerosas e irresistíveis) acabamos de entrar historicamente num período de neo-humanismo (caracterizado pela suspeita, ou até pela evidência, de que o Homem está longe de haver concluído a curva biológica de seu crescimento, — o que lhe confere não somente um futuro, mas um porvir).

b) Em seguida, que o conflito (aparente) entre esse neo-humanismo e a formulação "clássica" do Cristianismo é uma fonte profunda de toda a inquietude religiosa atual.

c) Enfim, que a síntese "in Christo Jesu" entre a força ascensional do Cristianismo tradicional e a força propulsiva do neo-humanismo moderno é o que o nosso mundo espera obscuramente para ser salvo (encontrando a Companhia exatamente aqui, incidentalmente, num estádio superior, o seu papel de há 400 anos, perante o Humanismo da Renascença).

2. Nem no meu livro (*O fenômeno humano*), nem eventualmente nos meus cursos (no "Collège de France", ou na América) eu abordo (nem penso abordar) explicitamente esse problema religioso de fundo. Aqui e ali, minha finalidade é simplesmente apresentar objetivamente (fora de toda filosofia e teologia) as bases e as perspectivas experimentais do que acabo de denominar o neo-humanismo contemporâneo. — Nessa apresentação diviso as seguintes vantagens:

a) Mostrar, por exemplo, que um cristão (e até um religioso) pode (ou mesmo deve, logicamente) ser tão plenamente "humano" quanto um marxista. "Plus et ego..."

---

* Depois dos *Esclarecimentos*, cronologicamente, Teilhard redigiu a *Advertência*, datada de março de 1947. Em outubro de 1948, foi a vez deste texto, nota dirigida ao Pe. Janssens, Preposto geral da Companhia de Jesus, publicada oficialmente só em 1976, no volume XIII das *Oeuvres*, Éditions du Seuil, Paris, pp. 179-182. Na cópia, uma página datilografada com espaço simples, consta, à maneira de título, "O que desejo que sua Paternidade saiba", e, ao lado, no alto e à direita, uma anotação autógrafa de Mlle. Jeanne Mortier: (Pe. Geral Janssens – 1948.) Esse "título" não consta na publicação oficial, que é intitulada com as primeiras palavras do texto. Na cópia, ao final: "Pe. Teilhard de Chardin (7 de outubro de 1948)", sem indicação de lugar.

b) Estabelecer racionalmente (fora de todo apriorismo) que nas perspectivas do neo-humanismo — tomado em seu terreno histórico — o primado do Espírito se impõe** — se queremos justificar "biologicamente" para a Humanidade uma continuação de sua marcha para frente.

c) Sustentar e divulgar uma visão "fenomenal" do Universo que me parece, não somente verdadeira, mas também vital para o progresso espiritual do Homem de nosso tempo: no sentido de que é nas perspectivas e dimensões de um Mundo em vias de convergência que o Cristianismo encontra (na minha opinião...) um meio ótimo (psicológico e intelectual) para os seus futuros desenvolvimentos.

A ninguém ocorre reprovar o cônego Lemaître por nos falar de um "Universo em expansão (espacial)". Pessoalmente, não faço senão propor a perspectiva (complementar) de um Universo "que se enrola (organicamente, isto é, físico-quimicamente e psiquicamente) sobre si mesmo". Não há mais filosofia ou teologia aqui do que ali. Mas aqui, como diria Péguy, um "pórtico" a comandar, assim o creio, para muitos de nossos contemporâneos, o acesso à Igreja.***

Roma, 7 de outubro de 1948.

** Na cópia que possuo consta: "— e também a espera de um foco divino de personalização".

*** Ver como foi acolhido, tanto na Europa como na América, o livro, afinal bem incompleto, de Leconte de Noüy, *O destino humano*. (N. do A.)

OBSERVAÇÃO ESSENCIAL ACERCA DO "FENÔMENO HUMANO"*

Para apreciar corretamente o que diz, e o que não diz, *O fenômeno humano*, é preciso observar que este livro não representa senão os começos de uma "dialética" oscilante (por vai e vem) cujas etapas podem-se definir como se segue:

1. *Observação do Mundo fenomenal.* Percepção, puramente experimental, de um movimento de enrolamento ("evolução") que faz emergir sucessivamente seres cada vez mais complicados organicamente, e cada vez mais centrados psiquicamente. — Com a Reflexão (Homem) aparecimento da exigência de irreversibilidade (de "imortalidade") que postula, para que a Evolução continue, a existência de um centro (super-pessoal e parcialmente transcendente) de consistência: "Ômega".

2. *Redescida, a partir de Ômega.* Sendo admitida a existência de Ômega, seguem-se duas coisas, no nosso modo de pensar:

   a) Primeiro, que a Evolução deve ser interpretada como uma atração do alto (e não como um impulso simplesmente imanente).

   b) E, em seguida, que uma influência de natureza pessoal e livre, emanando de Ômega (Revelação), é, não somente possível, mas de se esperar. — Valor significativo, a essa luz, do Fato (ou fenômeno) cristão.

3. Percepção (reconhecimento), sob a influência sensibilizante da graça, de uma Revelação no Fato cristão.

4. À luz da Revelação, visão definitiva do Mundo e da Evolução em termos de Encarnação e de Redenção.

---

* Dez dias depois de redigir a nota anterior, Teilhard redige esta outra, também endereçada ao Pe. Janssens, solicitando a autorização para publicar *O fenômeno humano*. Este texto, também como o anterior, só foi oficialmente publicado em 1976, no volume XIII das *Oeuvres*, Éditions du Seuil, Paris, pp. 183-186. Disponho de cópia, uma página datilografada em espaço simples, datada "17 de outubro de 1948", sem indicação de lugar.

Meu livro, já se vê, não cobre senão as etapas 1-2 do processo dialético; quer dizer que ele se conserva estritamente no primeiro tempo do Concílio do Vaticano (demonstração racional da existência de Deus). — No que diz respeito à própria dialética, notar-se-á que ela não é mais que a apologética clássica, — mas transposta (em conformidade com as perspectivas modernas) de um Universo estático a um Universo em movimento, — de um Cosmo a uma Cosmogênese.

Roma, 17 de outubro de 1948.

A PROPÓSITO DA REVISÃO N? 1
DO FENÔMENO HUMANO*

Para começar, poderia amigavelmente fazer o meu revisor observar que ele me julga freqüentemente — no caso, por exemplo, das relações espírito-matéria — segundo uma metafísica particular onde as opiniões filosóficas permanecem livres; e que ele não parece compreender exatamente nem o sentido nem as exigências da perspectiva evolucionista moderna em Ciências; e que ele não é absolutamente consistente consigo mesmo, como quando (...) depois de haver lamentado que eu não fale de "uma intervenção especial" de Deus na criação do Homem, acrescenta que essa intervenção não é "talvez desvendável no plano fenomenal": o que é exatamente a minha posição. — Incidentalmente, e sem querer evidentemente discutir isso aqui, não admito absolutamente a maneira expedita e definitiva com que ele declara heterodoxas as passagens de diversos Ensaios manuscritos que cita: Esses Ensaios foram lidos por muitos outros bons teólogos que não fizeram objeção (o que reconheço é que as expressões têm necessidade de ser recolocadas no texto geral); sem contar que o censor comete insistentemente um grande contra-senso, acerca do Universo pessoal ("personalistic", em inglês). Não se trata de um Universo formando uma só pessoa, mas de um Universo de estofo pessoal, em que o Pessoal domina. Todo o Ensaio o demonstra...
    Isto posto, tentei levar em conta as observações que, pelo menos, assinalam os pontos sujeitos a mal-entendidos (...)

---

*   Esse título é fictício. Trata-se de texto inédito, cuja cópia possuo, uma página datilografada em espaço simples, datada e assinada, sem indicação de lugar: "19 de outubro de 1948. Pe. Teilhard de Chardin". Suprimi o último período por estar todo estruturado em números de páginas do manuscrito original que o Autor entregara à revisão. As correções ou retoques se referem a "Relações matéria/espírito; Transcendência de Deus; Criação da alma *ex-nihilo*; Monogenismo; Sobrenatural, Grau de certeza da Evolução".

A PROPÓSITO DA REVISÃO N? 2 DO FENÔMENO HUMANO*

Muito amigavelmente ainda, poderia perguntar ao meu censor se o que ele diz (...) sobre "o som um pouco rachado" do Mundo, e a "estátua destruída", *non redolet Baianismum*?

Em todo caso, espero haver satisfeito à sua solicitação, colocando, no final do meu manuscrito, um Apêndice trabalhado, sobre o lugar e a parte do Mal num Universo em estado de Evolução.

Todas as correções de detalhe sugeridas (...) foram feitas (...).

---

* Esse título é fictício. O texto, inédito, cuja cópia possuo, consta de três parágrafos datilografados em espaço simples, datados e assinados, sem indicação de lugar: "28 de outubro de 1948. Pe. Teilhard de Chardin".

O FENÔMENO HUMANO

(Como, para além de uma "antropologia" filosófico-jurídico-literária, estabelecer uma verdadeira Ciência do Homem, isto é, uma antropodinâmica e uma antropogênese?)*

Dupla constatação de partida:
1) o Homem (o Humano) se revela cada vez mais à experiência como o estado extremo, e portanto supremamente característico do "Weltstoff" em direção ao Arranjado.
2) Ora ele é ainda tratado como uma espécie de mundo à parte, em justaposição (e não em prolongamento) do Universo da Ciência.

Trata-se pois:

a) de religar o Humano (Homem – elemento e Homem – social) a um *processo geral* cobrindo todo o Arranjo experimental do Universo;
b) de determinar os prolongamentos possíveis do processo em direção de algum "ultra-humano";
c) de descobrir e fixar as *condições energéticas* desse movimento; – o que implica um re-pensar científico da série:

Quantidade (mensurável) de Energia absorvida pela Hominização.
Arranjo da Energia de Hominização.
Ativação (do arranjo) da Energia de Hominização.

Em suma, temos necessidade de uma Física ou Energética generalizada, capaz de integrar em si uma Antropodinâmica e uma Antropogênese.

---

*   O texto, inédito, cuja cópia possuo, consta de uma página datilografada em espaço simples, sem assinatura ou indicação de lugar. Ao final, anotação datilografada: "Preparado para Rueff. Junho de 1945." Jacques Rueff, do Instituto Católico de Paris, com Auger, da Unesco; Grassé, biólogo; Piveteau, da Sorbonne e Théodore Monod, do Museu de Dakar, planejavam, com Teilhard, a organização de um Simpósio sobre "A Integração na Física, na Biologia e na Sociologia", único meio, para Teilhard, de revelar cientificamente a significação decisiva do Fenômeno Humano no Universo. Esse Colóquio se realizou, de fato, em março de 1955, mas Teilhard não pôde estar presente.

N. B. — Empreendimento americano (John Stewart, P. Bridgman) para constituir uma *Sociometria* (por pesquisa matemática das regularidades estatísticas no Fenômeno Humano). Essa tentativa deveria ser completada pelo esforço para estabelecer uma *Sociodinâmica* que pesquise as condições de funcionamento e de ativação das energias humanas.

Praticamente: Utilidade de um simpósio fechado exclusivamente composto de físicos, astrofísicos, químicos, biologistas e geólogos-paleontologistas *interessados no Fenômeno Humano*.

Índice Remissivo

A

Absoluto - 251
* Acaso - 120, 163, 357, 368; (– dirigido, 120)
* Ação - 248, 273, 282, 324, 340
Aditividade - 118, 119, 120, 160, 247; (– dirigida, 160)
Africantropo - 218
* Alegria - 28, 297, 340
* Alma - 63, 90, 166, 188, 193, 195, 240, 244, 301, 302, 322, 369; (– das Almas, 300)
* Amor - 186, 297, 298, 301, 327, 337, 341, 358; (– Energia, 297-299); (– Cristão, 340)
Análise - 42, 139, 201, 293, 300
Angústia - 248, 250
Animal - 83, 98, 134, 135, 161, 162, 186, 187, 189, 191, 193, 247, 251, 302
Ansiedade - 248, 252, 369
* Antropocentrismo - 28, 160, 168
* Antropogênese - 27, 47, 138, 227, 275
Antropóide - 171, 172, 185, 188, 199, 201, 216, 217
Antropologia - 185, 195, 221
* Aristogênese - 172
Arte - 120, 186, 295, 320
Artificial - 245, 246, 319, 325
* Árvore da Vida - 95, 97, 115, 127-139, 160, 162, 163, 169, 172, 188, 192, 194, 197, 199, 221, 226, 245, 274, 297, 318, 320, 354
Ascensão - (– da Vida, 119, 126, 369); (– de Consciência, 164-167, 187, 191-192, 246, 277, 294, 298, 301, 339)
* Associação - 117-118, 120, 122, 276, 298, 338, 355
Atividade - 186, 245, 247, 251, 337
Átomo - 41, 42, 44, 45, 46, 47, 72, 90, 94, 116, 125, 136, 165, 189, 240, 274, 277, 302, 327, 352
Australopiteco - 199, 215
* Axial - 196

B

Bactéria - 85, 86, 93, 95, 99, 118, 134
Beleza - 194, 299
* Biogênese - 139, 187, 196, 319, 341
Biologia - 61, 84, 89, 94, 118, 119, 120, 127, 138, 185, 193, 242, 245, 246, 247, 279, 300, 322, 323, 337, 353, 354, 355
Bioquímica - ver Química Biológica
* Biosfera - 84, 95, 99, 116, 121, 125, 134, 138, 164, 167, 172, 197, 242, 274, 282, 317, 318, 354
Biota - 128, 130, 131, 132, 135, 139, 247, 276

C

* Camada - 131, 132, 133, 134, 135, 136, 139, 162, 163, 164, 188, 197, 201, 246, 280, 325, 353, 355
Caracteres - 117, 138, 160, 166, 194, 198, 199, 200, 217, 219, 247
Caridade - 340, 341
* Cefalização - 162; ver Cerebralização
Célula - 84, 86, 89-91, 93, 94, 95, 96, 116, 117, 118, 119, 121, 122, 160, 164, 187, 189, 191, 196, 247, 277, 293, 296, 300, 317
* Centração - 326, 369
* Centrado - 91, 294, 295
* Centreidade - 61, 64
* Centro - 116, 186, 188, 191, 296, 299, 301, 302, 324, 326, 327, 337, 339, 341; (– de construção, 26); (– de perspectiva, 25); (– pessoal de convergência, 295); (– psíquico, 191, 317); (– punctiforme, 186); (– Universal, 358)
* Centro-Complexidade - 356
* Cerebralização - 162, 171

386

Cérebro - 162, 163, 167, 168, 172, 189, 194, 218, 220, 222, 281, 320
Ciência - 19, 25, 26, 42, 49, 57, 96, 97, 99, 160, 161, 163, 164, 185, 194, 195, 197, 198, 199, 200, 218, 219, 225, 240, 242, 249, 280-281, 291, 294, 298, 300, 320, 321, 322, 323, 324, 326, 337, 341, 353-355, 369; (—Religião, 323-324)
Civilização - 127, 196, 222, 223, 225, 227, 239, 276, 301
Coalescência - 193, 225, 274, 276, 277; (— de elementos, 274-275); (— de Ramos, 275, 277)
*Coerência - 20, 27, 115, 161, 163, 243, 253, 327
*Coletivo - 120, 280, 281, 291, 294, 299
*Complexidade - 43, 47, 94, 95, 161, 188, 191, 224, 277, 296, 326, 352, 353, 357; (— celular, 89)
*Complexidade-Consciência - 277
*Complexificação - 46
*Compressão - 275, 283, 357
Comunhão - 339
Comunismo - 293
*Concentração - 168, 273, 280, 296, 357
Concrescência - 138, 242
*Cone - 188, 324
Confluência - 225, 280; (— de Pensamento, 274-278)
Conhecimento - 26, 83, 97, 243, 280, 324, 338
*Consciência - 58-62, 90, 161, 163, 164, 167, 168, 172, 186, 188, 189, 194, 195, 222, 227, 242, 243, 244, 247, 249, 251, 277, 282, 293, 294-296, 298, 302, 317, 319, 321, 325, 327, 337, 339, 341, 369
*Conspiração - 299
*Convergência - 193, 276, 295, 296, 297; (— do Pessoal, 293-297); 302, 326, 337, 341, 356
Cosmo - 99, 279, 293, 302, 369
*Cosmogênese - 27, 46, 243, 244, 319, 341, 355, 357
Cristianismo - ver Fenômeno Cristão
Cristo • 339, 341
*Cristogênese - 341
Culpa - 368, 369
*Curvatura - 326, 354

D

Degradação da Energia - 48

*Dentro (das Coisas) - 28, 57-65, 74-75, 90, 91, 115, 161, 162, 163, 165, 168, 185, 193, 248, 274, 277, 297, 357
*Deriva - 242, 317, 353
Desânimo - 291-293
*Desapego - 227
*Descentração - 273
*Descontinuidade - 189, 190, 195, 217
Desenvolvimento - 242, 325
Determinismo - 139, 247, 292
Deterministas - 57
Deus - 293, 338, 339, 341, 357; (— Ômega, 326); (— Pessoal, — Providência, — Revelador, 338)
Devenir - 120, 249
Diferenciação — 160, 161, 163, 171, 193, 224, 276
*Divergência - 225, 276
Divergente - 302
Dogma - 339
Dor - 368, 369
*Duração - 45, 87, 88, 89, 126, 134, 135, 136, 139, 161, 163, 167, 215, 243, 249, 319, 325; ver Tempo Orgânico e Espaço-Tempo Biológico

E

*Ego - 294, 296, 297
Egoísmo - 250, 273, 296
Egotismo - 297
*Eixo - 191, 341, 353, 356; (— de Crença, 338-339)
Embriogênese - 201, 220; (— filética, 190)
*Emergência - 119, 190, 244; (Princípio de —, 300-301, 326, 354, 358)
*Emersão - 88, 94, 214, 302, 320, 326, 358
Encarnação - 338, 339, 340
*Endomorfismo - 26, 226
*Energética - 48, 323
*Energia - 43, 63, 293, 299, 300, 302, 318, 320, 321, 322, 326, 337, 338, 357; (— Espiritual, 62-65, 74); (— Material, 63, 251); (— Fundamental, 63, 281); (— Tangencial, — Radial, 64-65, 161, 274); (— Cósmica, 97); (— Psíquica, 161)
*Enrolamento - 74, 277, 301, 352, 353, 354, 355
*Entropia - 48, 302, 327
Epifenômeno - 187, 244
*Escama - 356
Escolástica - 187
*Esfera - 58, 197, 294

Espaço - 120, 139, 241, 242, 243, 244, 249, 282, 294, 295, 300, 301, 317, 327, 355, 357
Espaço-Tempo (ver Duração) - 241-244, 245, 248, 251, 291, 294, 299, 340, 341, 354; (– Biológico, 279)
*Espírito - 28, 62, 121, 187, 191, 193, 196, 214, 227, 240, 243, 244, 245, 246, 248, 250, 251, 275, 277, 280, 292, 293, 294, 302, 320, 323, 324, 325, 326, 327, 339, 341, 357, 358, 369; (– da Terra, 274, 278-283); 291, 298, 301, 317, 326); (– Moderno, 340)
*Estádio - 337; (– evolutivo, 216, 219, 242)
*Estofo do Universo - 20, 41-49, 60, 71, 90, 94, 116, 282, 322
Ética - 62, 186
Eu - 191, 293, 296
*Evolução - 120, 125, 135, 138, 160, 161, 163, 164, 165, 166, 168, 169, 172, 186, 187, 191, 192, 195, 196, 197, 222, 227, 245, 246, 247, 249, 250, 252, 253, 276, 277, 281, 294, 295, 297, 301, 302, 317, 318, 319, 320, 322, 323, 325, 327, 337, 339, 341, 354, 356, 358, 368, 369; (– da Matéria, 45-49); (– total, 99); (– sideral, 99); (– Biológica, 355); (Descoberta da –, 241-248)
Expansão - 160, 188, 214, 246, 275, 352, 356
Êxtase - 327
*Extrapolação - 116, 274

F

F$_1$, F$_2$ - 61 (nota 25), 357, 358
Fé - 249, 252, 323, 324, 338, 341
*Fenômeno - 19, 25, 126, 127, 163, 197, 340, 341, 369; (– Biológico, 245); (– Cíclico, 97); (– Cristão, 337-342); (– Humano, 27, 277, 317, 327, 337); (– Periódico, 98); (– Singular, 97); (– Social, 245, 274, 342, 355); (– Vital, 94, 99, 187)
*Fenomenologia - 57
*Filo(s) - 87, 95, 98, 122, 123, 124, 125, 126, 128, 165, 169, 171, 172, 191, 193, 196, 199, 200, 201, 220, 221, 222, 225, 276, 280, 341, 369
*Filogênese - 46, 98, 138, 195, 216, 217, 219, 225, 246, 247, 275, 276
Filosofia - 19, 120, 280, 294, 298, 352
Fim do Mundo - 302, 317, 319, 326
Finalismo - 352

*Física - 28, 45, 84, 94, 97, 185, 186, 189, 241, 242, 279, 300, 302, 318, 322, 323, 327; (– Generalizada, 57); (– Relativista, 87)
Flecha - 319, 327, 341; (– do Tempo, 49)
Foco - 191, 200, 226, 301, 337, 339, 357, 358
*Fora (das Coisas) - 28, 49, 71-73, 91, 161, 163, 165, 185, 193, 277
Fósseis - 127, 198, 201, 214, 217, 218
*Futuro - 240, 249, 275, 324, 354, 357

G

Galáxia(s) - 136, 248, 325, 352
*Gênese - 242, 249, 301
Genética - 117
*Geobiologia - 196
Geogênese - 164, 196, 317
Geologia - 98, 130, 136
*Gosto de Viver - 251
*Grandes Números - 357, 368
*Granulação - 47, 356

H

Hereditariedade - 119, 160, 194, 243, 247, 281, 320
*Hiperfísica - 19
*Hiper-Orgânico - 282
*Hiper-personalização - 294
*Hiper-pessoal - 291-302, 295
História - 45, 84, 87, 91, 127, 163, 166, 194, 195, 200, 214, 220, 224, 225, 239, 242, 243, 245, 248, 249, 274, 291, 292, 318, 356; (– Humana, 97); (– Natural, 245); (– da Vida, 130, 188)
*Homem - 19, 20, 26, 27, 86, 95, 97, 99, 125, 138, 160, 185, 197, 198, 273, 274, 276, 292, 297, 301, 302, 319, 320, 321, 322, 325, 326, 327, 337, 338, 339, 340, 341, 352, 355, 356, 357, 369; (– de Aurignac, de Cro-Magnon, de Moustier, da Palestina, de Steinheim, 219-220); (– de Ciência, 342); (– Fóssil, 220); (– Moderno, 220, 221, 291, 293); (– de Neandertal, de Rodésia, do Solo, 219); (– do Paleolítico, 220, 221); (– de Trinil, 216, 219)
Homínida(s) - 185

* Hominização - 197, 198, 200, 201, 217, 223, 224, 225, 240, 277, 302, 319, 322, 337, 356, 357, 368; (− da Espécie, 192-196); (− do Indivíduo, 186-192)
* Humanidade - 93, 97, 129, 160, 214, 218, 221, 223, 224, 227, 245, 246, 273, 274, 275, 278-280, 291, 292, 295, 298, 301, 319, 323, 324, 326, 339, 355, 356

I

Igreja - 340
Imanência - 90
* Imensidade - 249, 325, 340; (− espacial, 26)
* Imenso - 241, 249, 293, 319, 352
* Impasse - 273
* Individualização - 186, 191, 225, 273, 321
* Indivíduo - 119, 247, 318, 319, 326, 354, 356, 369
* Ínfimo - 91, 241, 249, 293, 319, 352
Inquietude - 248-250
Instinto(s) - 162, 166, 171, 187, 188, 190, 196, 197, 250, 273, 297, 298, 326, 354, 355
Inteligência - 171, 186, 192
Interior - 58, 59
* Interioridade - 90, 91, 161, 162
* Interiorização - 352, 353, 356, 358
Invenção - 186, 223, 245, 246, 247, 295, 354, 356, 357
Invólucro - 95, 116, 225, 295, 302
* Involução - 356
* Irreversibilidade - 301, 354
* Isolamento - 273-274, 278

J

Jogo - 250, 251
* Jurídico - 245, 338, 355
Juventude - 319

K

Karma - 227

L

* Leis(s) (− de Recorrência, 19); (− Numéricas, 47, 94); (− Estatísticas, 61); (− Matemática, 61); (− de Complexidade-Consciência, 61, 326); (− Experimental, 354); (− de Supressão Automática dos Pedúnculos Evolutivos, 91, 126, 128); (− dos Grandes Números, 94); (− de Perspectiva, 95); (− de Complicação Dirigida, 119); (− Elementares, 119); (− de Revezamentos, 220); (− da Substituição, 225); (− da União, 296); (− Quântica, 320); (− de Centro-Complexidade, 356); 320. 322
* Leque - 124, 125, 126, 127, 133, 139, 161, 169, 188, 220, 221, 245, 246, 274, 276, 354, 355
Liberdade(s) - 62, 74, 75, 120, 169, 171, 325, 357, 369
* Limiar (ver Ponto Crítico) - 84, 95, 187, 190, 192, 194, 245, 354
Linhagem - 119, 120, 122, 125, 162, 199, 201, 220, 275, 354

M

Machairodus - 169; (pseudo −, 130)
* Mal (− do Espaço-Tempo, 248); (− do Impasse, 250); 251; (− ontológico, 280); 326, 327, 368-369; (− da Solidão e da Angústia, − de Decomposição, − da Desordem e do Malogro, − de Crescimento, 368-369)
Máquina - 239, 240, 282, 321, 323
* Matéria - 28; (− Elementar, 41-43); (− Total, 43-45); 44, 45, 62; (Poder Espiritual da −, 63); 71, 86, 89, 94; (− Orgânica, 94-161); (− Carbonada, 95); 97; (− Organizada, 99-125, 196, 297, 325); 116, 118; (− Original Animada, 121); 185, 187, 227, 241, 242, 244, 281, 292, 293, 297, 300, 302, 317, 321, 325, 327, 357
* Materialização - 292
* Medo existencial - ver Angústia
Mega-molécula - 85-87, 88, 89, 90, 93, 96, 119, 139
Megassíntese - 118, 227-278, 281

389

* Meio - 92; (– Vibratório, 115); 245; (– cósmico, 353)
* Metafísica - 19, 227, 327, 339, 354, 357
Metamorfose - 90, 91, 160, 161, 167, 168, 189, 224, 243, 248, 319
Metazoário(s) - 61, 86, 118, 134, 197, 277
* Milhão de Homens - 292, 293
* Mística - 324, 340
Místico(s) - 299, 340
Molécula(s) - 47, 72, 84, 86; (– gigantes, 87); 90, 91, 94, 95, 98, 123, 139, 242, 274, 277, 297, 300, 317, 353
* Mônada - 94, 299
Moral - 223, 245
* Morte - (– total, 251, 273, 354); (–individual, 278); 301, 302, 318, 327, 356, 369
* Motor - (Primeiro –, 302); 356
Movimento(s) - 27; (– elementares da Vida, 115-121); (– vital, 185); 189, 192, 245, 246; (– de massas, 292); 320, 340, 341, 353, 369
* Mudança(s) - (– de Natureza, 91, 187); (– de grau, 187); (– de estado, 187, 189, 191, 326, 354); (– econômicas, sociais, industriais, 239)
Multidão - 61, 95, 119, 121, 135, 249, 298, 355
* Multiplicidade - 93, 94, 135, 194
* Múltiplo - 61
* Multitudinário - 368
* Mundo - (– mineral, 72, 83); (– animado, 83); (– orgânico, 96); 96, 136; (– organizado, 138); 139, 161; (– experimental, 185); (– celular, 188); 195, 243, 245, 250, 251, 252, 273, 278, 280, 292, 294, 296, 297, 298, 299, 300, 301, 302, 317, 318, 319, 322, 327, 337, 338, 339, 340, 341, 342, 352, 353, 355, 356, 357, 358
* Mutação - 125, 165, 190, 195, 201, 214, 218, 246, 276

N

Nacional-Socialismo - 293
* Natural - 245, 319
* Naturalista - 87, 124, 130, 135, 138, 163, 165, 187, 192, 199, 243, 338, 339
Natureza - 87, 96, 118, 120, 136, 165, 187, 197, 198, 200, 240, 246, 274, 279, 293, 299, 322, 323, 341
"Neandertal" - 219
* Neo-Matéria - 292
* Neo-Vida - 281

* Noogênese - 196, 197, 241, 244, 249, 251, 292, 295, 301, 317, 325, 326, 327, 341, 369
* Número - 27, 93; (origem do –, 93, 94); 120, 135, 249, 299

O

* Oeste - (Ascensão do – 224-228)
* Ômega - 65, 215, 293, 294, 295, 296, 297, 299, 300, 301, 302; (Atributos de –, 300-302); 317, 326, 337, 339, 341, 356, 358
* Ontogênese - 46, 98, 189, 190
Opção - 186, 252-253, 273, 324
* Orgânico - 27, 245
Origem(s) - (– da Vida, 96); (– humanas, 198); 199, 201, 322
* Ortogênese - 119, 120, 130, 138, 166, 171, 172, 196, 320
* Otimismo - 252, 368

P

Paixão - 297, 299
* Panteísmo - 296, 299, 339, 358
Parâmetro - 99, 163
* Passado - 27, 41, 83, 88, 95, 96, 127, 130, 131, 132, 136, 163, 190, 195, 198, 199, 200, 201, 222, 224, 241, 245, 246, 248, 273, 322, 325, 327, 341
* Passividade(s) - 227, 340
* Passo - (– da Vida, 84-91); (– da Reflexão, 90, 186-202, 197, 217, 243, 295, 325); (– Elementar, 186-192); (– Crítico, 188); 190; (– Filético, 192-196); 200; (– Terrestre Planetário, 196-202); (– Psíquico, 221)
Pecado - 368
* Pensamento - 20, 26, 63, 90, 97, 172, 185-253, 192, 194, 196, 197, 198, 214, 217, 221, 222, 240, 242, 244, 250, 251, 252, 276, 281, 282, 294, 299, 300, 302, 317, 319, 320, 323, 325, 327, 340, 341, 355, 356, 358
* Personalidade - 294, 296, 297, 324, 326
* Personalização - 191, 192, 293, 295, 296
Pesquisa - 201, 223, 246, 281; (Organização da –, 320-321); 356
Pessimismo - 252, 340
* Pessoa - 121, 191, 293, 294, 297, 302, 337, 341
* Pessoal - 295, 341

Pitecantropo(s) - 199, 214-218
* Planetização - 227, 282
  Pluralidade - 42
* Pluralização - 117
* Poder (– Espiritual da Matéria, 63); (– de Crescimento, 338); 341
  Poesia - 120, 298, 299
* Pólo - 295, 301, 302, 327, 337, 341, 358
* Ponto - (– Crítico, ver Limiar), 83, 90, 99, 164, 167, 196, 251, 282, 326, 327; (– Ômega, 341, ver Ômega); 356
* Porvir - 28, 97, 121, 163, 250-252, 253, 273, 278, 279, 295, 300, 324, 327, 341
* Pré-Biosfera - 75
* Pré-Consciente - 90
  Pré-História - 198, 199, 214, 219, 224, 291
* Pré-Reflexivo - 354
  Presença - 297, 299, 337, 341
  Presente - 97, 240, 241, 249
* Pré-Vida - 74-75, 90-95
  Processo - 353, 354, 355
* Profundidade - 26, 291, 341
  Progresso - 115, 278, 292, 293, 295, 301, 319, 324, 327, 339, 341, 355, 369
* Proporção - 27
* Proximidade - 241, 300
* Psicogênese - 164, 196
  Psique - 83, 193, 352, 353
* Psíquico - 20, 192, 193, 194, 325, 357
  Psiquismo - 165, 166, 186, 187, 188, 191, 226, 275

Q

* Qualidade - 27
* Questão Transformista - 139
  Química - 47; (– do Carbono, 86); (– Biológica, 86); 139, 242

R

Racismo - 273
* Radial - 64-65, 90, 161, 164, 165, 166, 188, 277, 298, 301, 302
* Real - 92, 161, 187, 322
* Recorrência - 19
* Reflexão - 186, 189, 190, 191, 192, 193, 194, 195, 196, 198, 200, 201, 202, 217, 222, 223, 247, 248, 250, 273, 276, 281, 282, 302, 319, 325, 342, 352, 353, 354, 356, 357, 358, 369
  Reflexivo - 294

Religião - 19, 222, 227, 242, 299, 320, 323; (– da Ciência, 324); 324, 338, 339, 340; (– do Porvir, 341)
Ruptura - (– Evolutiva, 89, ver Descontinuidade); 342

S

Saída - 250, 252; (– Coletiva, 273-283); 326, 327
* Salto - 90, 91; (– morfológico, 185); 185, 189, 340
* Sentido(s) - 26-27; (– da Imensidade, – da Profundidade, – do Número, – da Proporção, 26-27); (– da Qualidade, – do Movimento, – do Orgânico, 27); 161; (– da Evolução, 194); (– do todo, – do Universo, 299); (– Cósmico, 299); (– do Mundo, – do Homem, 299); (– da Terra, 299, 326); (– Humano, 326); 327
Sinantropo - 199, 215-218, 220
Síntese - 167, 226, 246, 274, 280, 293, 294, 296, 297, 300; (seres de –, 300); 301, 323, 324, 326, 339, 341, 357, 369
Sistemática - 87, 97, 121, 134, 135, 163
* Sobre-alma - 252
* Sobre-criação - 187
  Sobrevida - 253, 271-327, 300, 301, 354
  Sobrevivência - 165, 221, 253
  Social - 118, 300
* Socialização - 124, 134, 162, 222, 223, 356
  Sociedade - 118, 239, 246, 250, 296, 319, 323, 324
  Sociologia - 195, 242
* Sofrimento - (ver Dor, Mal), 297, 368
* Super-Centração - 294
* Super-Consciência - 282
* Super-Homem - 274
* Super-Matéria - 299
* Super-Organismo - 94

T

* Tangencial - 64, 65, 90, 161, 164, 165, 188, 277, 292, 301, 302, 323
  Tempo - 97, 120, 126, 134, 139, 160, 242, 243; (– Orgânico, 249, ver Duração); 294, 295, 301, 317, 327, 357; (ver Espaço-Tempo Biológico)
* Tenteio - 119, 120, 124, 125, 201, 214, 245, 246, 276, 281, 354, 368
  Termo - 251

* Termodinâmica - 64, 74 (ver Energética)
* Terra - (– Juvenil, 71-75, 274); 88, 91, 93, 94, 95, 98, 99, 121, 139, 160, 163, 164, 196, 197, 198, 202; (– Moderna, 239-253); 250, 251, 275, 276, 277, 278, 281, 282, 292, 294, 295, 298, 299, 301; (– Final, 317, 327); 325, 326, 327, 337, 339, 340, 341, 355, 356
Totalidade - 95, 121, 324
Totalização - 293, 320
* Transformismo - 86, 166, 242
* Transiência - 57

U

* Unanimidade - 281-283, 326
* União - 277, 296, 297, 299, 302, 318, 340
Unidade - 42; (– Global, 75, 121); 296, 299, 302, 324, 327; (– astral, 325); 369
* Unificação - 277, 292, 302, 324, 326, 341, 358
Universal - 58, 294, 295
* Universalismo - 338
* Universo - 95, 97, 99, 139, 196, 239, 241, 246, 248, 249, 252, 280, 281, 282, 291; (– Pessoal, 293, 295); 294; (– Personalizante, 295-297); 295, 296, 298, 299, 302, 317, 319, 320, 324, 325, 327, 338, 339, 340, 341, 352, 353, 356, 357, 358, 368, 369

V

* Ver - 25-28, 92, 115
* Verdade - 115, 163, 243, 321
Via Láctea - 136
* Vida - 75, 83; (Passo da –, 84-91); (– Orgânica, 90); (– Nascente, 92); (– Granular, 92, 94); (– Elementar, 95); 96, 97, 98, 99, 115, 116, 117, 119, 120, 121, 122, 135, 136, 139, 161, 164, 165, 185; (– interior, 186); 187, 191, 192, 194, 198, 201, 202, 223, 225, 241, 242, 245, 246, 249, 250, 251, 252, 274, 276, 279, 280, 281, 296, 297, 300, 317, 318, 319, 320, 321, 322, 325, 327; (– Reflexiva, 337); 339, 353, 354, 355, 356, 369
* Visão - 25, 97, 115, 247, 248, 251, 281, 321, 339, 352, 368

Z

Zona(s) - 327, 354; (– reflexivas, 368)
Zoologia - 132, 136, 185

W

* Weltanschauung - 294